COLLECTION « BEST-SELLERS »

DU MÊME AUTEUR

L'ARME À L'ŒIL, Laffont, 1980.
TRIANGLE, Laffont, 1980.
LE CODE REBECCA, Laffont, 1981.
L'HOMME DE SAINT-PÉTERSBOURG, Laffont, 1982.
COMME UN VOL D'AIGLES, Stock, 1983.
LES LIONS DU PANSHIR, Stock, 1987.
LES PILIERS DE LA TERRE, Stock, 1989.
LA NUIT DE TOUS LES DANGERS, Stock, 1992.
LA MARQUE DE WINDFIELD, Laffont, 1994.
LE PAYS DE LA LIBERTÉ, Laffont, 1996.
LE TROISIÈME JUMEAU, Laffont, 1997.
APOCALYPSE SUR COMMANDE, Laffont, 1999.
CODE ZÉRO, Laffont, 2001.

KEN FOLLETT

LE RÉSEAU CORNEILLE

roman

traduit de l'anglais par Jean Rosenthal

ROBERT LAFFONT

ISBN 2-221-08778-X
(édition originale ISBN : 0-525-94628-4 Dutton/Penguin Putnam Inc., New York)

Au cours de la Seconde Guerre mondiale,
les services spéciaux britanniques envoyèrent
en France cinquante femmes agents secrets.
Trente-six d'entre elles survécurent.
Les quatorze autres firent le sacrifice
de leur vie.

C'est à elles toutes que ce livre est dédié.

Le premier jour

Dimanche 28 mai 1944

1.

Une minute avant l'explosion, le calme régnait sur la place de Sainte-Cécile. Dans la douceur du soir, une couche d'air immobile s'étendait sur la ville comme une couverture. La cloche de l'église tintait paresseusement pour appeler, sans grand enthousiasme, les fidèles à vêpres. Mais Elizabeth Clairet l'entendait comme un compte à rebours.

Un château du XVIIe siècle dominait la place. Ce Versailles en miniature présentait une imposante façade en saillie flanquée de deux ailes à angle droit qui s'amenuisaient vers l'arrière. Il était composé d'un sous-sol, de deux étages principaux et d'un dernier niveau mansardé dont les fenêtres cintrées s'ouvraient sur le toit.

Elizabeth, que tout le monde appelait Betty, adorait la France. Elle en appréciait l'architecture élégante, la douceur du climat, les déjeuners qui n'en finissent pas, les gens cultivés qu'on y rencontre. Elle aimait la peinture et la littérature françaises, ainsi que le chic vestimentaire. Les touristes reprochaient souvent aux Français leur manque d'amabilité, mais Betty pratiquant la langue depuis l'âge de six ans ne laissait deviner à quiconque qu'elle était étrangère.

Elle enrageait de la disparition de cette France qu'elle chérissait tant. Les rigueurs du rationnement ne permettaient plus les déjeuners prolongés, les nazis avaient fait main basse sur les collections de tableaux, et seules les prostituées portaient de jolies toilettes. Comme la plupart des femmes, Betty usait une robe informe dont les couleurs avaient depuis longtemps perdu tout éclat. Son ardent désir de retrouver la vraie France serait peut-être bientôt exaucé : il fallait seulement qu'elle, et d'autres comme elle, parviennent à leurs fins.

Elle assisterait à la victoire, à l'unique condition de survivre aux minutes à venir. Elle ne cédait pas au fatalisme : elle avait envie de vivre et comptait bien après la guerre réaliser tous ses projets — terminer sa thèse de doctorat, avoir un bébé, visiter New York, s'offrir une voiture de sport, boire du champagne sur les plages cannoises. Pourtant, si elle devait mourir, passer ses derniers instants en écoutant parler français, sur une place ensoleillée, à contempler un bel édifice vieux de quelques siècles, la comblerait.

Le château avait été érigé pour abriter les aristocrates de la région, mais, après la mort du dernier comte de Sainte-Cécile guillotiné en 1793, le parc avait été transformé en vignoble — évolution bien naturelle dans cette région située au cœur de la Champagne. Quant au bâtiment lui-même, il abritait maintenant un important central téléphonique qu'on avait choisi d'installer là car le ministre responsable de la poste était né à Sainte-Cécile.

À peine arrivés, les Allemands l'avaient développé et établi des liaisons entre le réseau téléphonique français et les nouvelles lignes à destination de l'Allemagne. Ils y implantèrent aussi une direction régionale de la Gestapo, avec des bureaux dans les étages et des cellules en sous-sol.

Voilà quatre semaines, les Alliés avaient bombardé le château, profitant de leur aptitude, récemment acquise, à atteindre des objectifs avec une grande précision. Les bombardements des gros quadrimoteurs Lancaster et des forteresses volantes qui, chaque nuit, traversaient en rugissant le ciel de l'Europe, manquaient de précision — il leur arrivait parfois de manquer totalement une ville ; mais la plus récente génération de chasseurs bombardiers, les Lightning et les Thunderbolt, pouvait toucher, en plein jour, un objectif de taille aussi réduite qu'un pont ou une gare de chemin de fer. De l'aile ouest du château ne subsistait plus maintenant qu'un amoncellement de briques rouges et de pierres taillées blanches trois fois centenaires.

Or le raid avait échoué : les dégâts avaient été rapidement réparés et les liaisons téléphoniques interrompues seulement le temps nécessaire aux Allemands pour brancher des standards de remplacement. Le matériel de téléphone automatique et les amplificateurs pour les communications interurbaines se trouvaient dans le sous-sol qui n'avait subi aucun dommage sérieux.

Voilà qui expliquait la présence de Betty.

Le château était situé sur le côté nord de la place : ceint d'une haute colonnade en pierre et de grilles de fer, il était gardé par des sentinelles en uniforme. À l'est se dressait une petite église médiévale, dont les portes de bois grandes ouvertes laissaient entrer l'air estival et la foule des fidèles. Face à l'église, à l'ouest, était érigé l'Hôtel de ville où siégeait un maire d'extrême droite que les occupants nazis ne gênaient pas. Le côté sud de la place était bordé de boutiques. C'est là que se trouvait le café des Sports. Betty, assise à la terrasse, y attendait que la cloche de l'église cesse de sonner. Sur la table devant elle, un verre de vin blanc du pays, clair et léger. Elle n'y avait pas touché.

Betty, major de l'armée britannique, appartenait officiellement au Service d'entraide des infirmières nationales, uniquement composé de femmes et qu'on avait bien entendu baptisé le SEIN. Mais ce n'était qu'une couverture. En fait, elle travaillait pour une organisation secrète, le Special Operations Executive, chargé des missions de sabotage derrière les lignes ennemies. À vingt-huit ans, elle en était un des principaux responsables. Ce n'était pas la première fois qu'elle frôlait la mort. Elle avait appris à vivre avec cette menace et à gérer sa peur mais, à la vue des casques et des fusils des sentinelles, en regardant les casques et les fusils des gardes du château, elle sentait quand même comme une main froide lui serrer le cœur.

Trois ans plus tôt, elle rêvait simplement de devenir professeur de littérature française dans une université britannique afin de rendre de jeunes Anglais sensibles à la force d'Hugo, à l'intelligence de Flaubert, à la passion de Zola. Elle traduisait des documents en français pour le War Office quand on l'avait convoquée dans une chambre d'hôtel à un mystérieux rendez-vous : on lui avait alors demandé si elle accepterait de participer à des actions dangereuses.

Elle avait acquiescé sans trop réfléchir. Après tout, on était en guerre, tous les garçons qu'elle avait connus à Oxford risquaient leur vie chaque jour, alors pourquoi n'en ferait-elle pas autant ? Deux jours après le Noël de 1941, elle avait commencé son entraînement au SOE.

Six mois plus tard, elle faisait office de courrier et transmettait des messages du quartier général du SOE, 64 Baker Street à Londres, à des groupes de résistants en France occupée, à une époque où les émetteurs radio étaient peu nombreux et les opérateurs expérimentés plus rares encore. Une fois parachutée, elle circulait avec de faux papiers d'identité, contactait les résistants, leur donnait les instructions, notait leurs réponses, leurs doléances et leurs demandes d'armes et de munitions. Pour le retour, elle retrouvait à un endroit précis un avion chargé de la récupérer, en général un Lysander Westland à trois places, capable d'atterrir sur six cents mètres de pré.

Elle avait pris du galon et s'était vu confier l'organisation d'opérations de sabotage. La plupart des agents du SOE étaient des officiers dont les « hommes », théoriquement, appartenaient à la Résistance locale, mais dans la pratique, ne se pliaient à aucune discipline militaire. Pour obtenir leur coopération, un agent devait se montrer coriace, expérimenté et autoritaire.

C'était un travail dangereux. Sur les six hommes et les trois femmes avec lesquels Betty avait suivi l'entraînement, elle était, deux ans plus tard, la seule encore en opération. On savait que deux d'entre eux étaient morts : les miliciens français avaient abattu le premier et le parachute du second ne s'était pas ouvert. Les six autres avaient été faits prisonniers, interrogés et torturés avant de disparaître dans les camps de prisonniers en Allemagne. Betty avait survécu parce qu'elle ne faisait pas de sentiment, qu'elle réagissait rapidement et qu'elle poussait le sens de la sécurité jusqu'à la paranoïa.

Près d'elle était assis son mari, Michel, chef du réseau Bollinger, basé à Reims, à une quinzaine de kilomètres. Lui aussi s'apprêtait à risquer sa vie ; il était cependant confortablement calé dans son fauteuil, la cheville droite posée sur le genou gauche, et tenait à la main une chope emplie de l'insipide bière de temps de guerre. Son sourire insouciant et sa chevelure ébouriffée avaient conquis le cœur de Betty quand, étudiante à la Sorbonne, elle préparait sa thèse sur l'éthique dans l'œuvre de Molière, qu'elle avait abandonnée à la déclaration de la guerre. Alors jeune maître de conférences en philosophie, il suscitait l'adoration de sa petite troupe d'étudiantes.

Il demeurait l'homme le plus séduisant qu'elle eût jamais rencontré. De grande taille et les cheveux toujours un peu trop longs, il portait avec une nonchalante élégance des costumes légèrement froissés et des chemises bleu délavé. Sa voix charmeuse et ses yeux bleus au regard intense donnaient à chaque fille l'impression qu'elle était unique au monde.

Cette mission avait fourni à Betty une occasion inespérée de rester quelques jours avec lui, pourtant cela ne s'était pas très bien passé. Ils ne s'étaient pas, à proprement parler, querellés, mais Michel s'était montré affectueux sans conviction, comme s'il faisait semblant. Elle s'était sentie blessée. Son instinct lui soufflait qu'il s'intéressait à une autre. Il n'avait que trente-cinq ans et sa décontraction continuait d'opérer sur les jeunes femmes. Le fait d'être plus souvent séparés que réunis par la guerre depuis leur mariage n'avait rien arrangé. Et, songeait-elle avec amertume, les jeunes Françaises prêtes à tomber dans ses bras, qu'elles appartiennent ou non à la Résistance, ne devaient pas manquer.

Si elle l'aimait toujours, elle n'éprouvait plus pour lui l'adoration du temps de leur lune de miel et n'envisageait plus de tout sacrifier pour le rendre heureux. Les premières brumes de l'amour romantique s'étaient dissipées et, sous l'éclat sans pitié de la vie conjugale, elle discernait clairement le personnage vain, imbu de lui-même et peu fiable. Pourtant, quand il choisissait de concentrer sur elle toute son attention, il parvenait encore à lui donner l'impression qu'elle était unique, belle et tendrement aimée.

Son charme agissait sur les hommes aussi : il était un chef né, courageux et charismatique. Betty et lui avaient dressé ensemble le plan de bataille : ils attaqueraient le château simultanément sur deux points, pour diviser les défenseurs, puis se regrouperaient une fois à l'intérieur pour pénétrer dans le sous-sol, faire irruption dans la salle où se trouvait l'essentiel de l'équipement et tout faire sauter.

Ils disposaient d'un plan du bâtiment fourni par la tante de Michel, Antoinette Dupert, responsable de l'équipe de femmes de ménage qui chaque soir nettoyaient le château. Celles-ci se mettaient au travail à dix-neuf heures, à l'heure des vêpres ; Betty en aperçut effectivement quelques-unes présenter leur laissez-passer aux gardes de faction devant la grille. Le croquis d'Antoinette indiquait bien les accès au sous-sol, mais ne donnait aucun détail sur les locaux eux-mêmes, secteur interdit où seuls les Allemands étaient autorisés à pénétrer et dont des soldats assuraient l'entretien.

Le plan d'attaque de Michel s'appuyait sur des rapports du MI6, le service de renseignements britannique, qui précisaient que le château était gardé par un détachement de Waffen SS travaillant en trois équipes de chacune douze hommes. Quant aux membres de la Gestapo qui opéraient dans les bureaux, n'appartenant pas à des unités combattantes, ils ne devaient même pas, pour la plupart, être armés. Les quinze hommes rassemblés par le réseau Bollinger pour donner l'assaut se fondaient maintenant soit parmi les fidèles dans l'église, soit parmi les promeneurs du dimanche sur la place, et dissimulaient leurs armes sous leur vêtement ou dans des sacs. Si les renseignements du MI6 étaient exacts, les résistants seraient supérieurs en nombre à la garnison du château.

Un souci, néanmoins, tenaillait Betty et l'emplissait d'une sourde appréhension. Lorsqu'elle avait parlé à Antoinette des estimations du MI6, celle-ci avait rétorqué en fronçant les sourcils : « J'ai l'impression qu'ils sont plus nombreux. » Antoinette était pragmatique — elle avait secondé Joseph Laperrière, le directeur d'une firme de champagne, jusqu'au moment où, l'Occupation rendant les affaires difficiles, elle avait dû quitter son poste. Une remarque de sa part méritait toujours d'être prise en considération.

Michel n'avait cependant pas pu tirer au clair cette contradiction entre les estimations du MI6 et celles d'Antoinette. Il habitait Reims et ni lui ni aucun de ses hommes ne connaissaient bien Sainte-Cécile. L'urgence n'avait pas permis une meilleure exploration du terrain. Si les résistants n'avaient pas l'avantage du nombre, songea Betty avec angoisse, ils avaient peu de chance de l'emporter sur des soldats allemands disciplinés.

Elle inspecta la place, repérant ici ou là des gens qu'elle connaissait, inoffensifs promeneurs en apparence, qui s'apprêtaient en fait à tuer ou à être tués. Examinant attentivement les tissus exposés dans la vitrine de la mercerie, Geneviève, une grande fille de vingt ans, cachait sous son léger manteau d'été une mitraillette Sten — arme fort prisée dans la Résistance car, démontable en trois parties, elle se transportait aisément dans un petit sac. Bien que Geneviève puisse tout à fait être la fille qui intéressait Michel, Betty tressaillit à l'idée que, dans quelques secondes, elle risquait d'être fauchée par la fusillade. Elle aperçut aussi Bertrand : blond, l'air résolu, un colt 45 — les Alliés en avaient parachuté des milliers — dissimulé sous son bras dans les plis d'un journal, il traversait la place pavée et se dirigeait vers l'église. Il avait dix-sept ans. Betty avait d'abord refusé de l'intégrer au groupe en raison de son jeune âge, mais comme elle avait besoin de tous les hommes disponibles, elle avait finalement cédé à ses supplications, comptant sur son enthousiasme juvénile pour se tirer de là indemne. Plus loin, Albert s'attardait devant le porche, sans doute pour finir sa cigarette avant d'entrer. Sa femme avait ce matin-là mis au monde leur premier enfant, une fille — raison supplémentaire pour lui de rester en vie aujourd'hui. Dans un sac de jute qu'on aurait dit plein de pommes de terre, il portait des grenades Mills Mark I n° 36.

Tout sur la place semblait donc normal, à un détail près. En effet, non loin de l'église stationnait une arrogante voiture de sport à la carrosserie bleu ciel et au radiateur argenté surmonté de la célèbre cigogne mascotte : c'était une Hispano-Suiza 68-bis, douze soupapes, une des automobiles les plus rapides du monde.

Elle était arrivée une demi-heure plus tôt. Le conducteur, un bel homme d'une quarantaine d'années, ne pouvait cacher, malgré son élégant costume civil, qu'il était officier allemand : personne d'autre n'aurait osé parader au volant d'un tel engin. Quant à sa compagne, une grande et superbe rousse vêtue d'une robe de soie verte et chaussée d'escarpins de daim, elle ne pouvait être que française. L'homme avait installé un appareil photographique sur un trépied et prenait des clichés du château, pendant que la femme défiait du regard les bourgeois mal fagotés qui la dévisageaient et — elle le savait — la traitaient tout bas de putain.

Souriant et très courtois, l'homme venait de prier Betty de le photographier avec sa petite amie devant le château. Il s'était exprimé avec juste un soupçon d'accent allemand. Betty, bien qu'inquiète et exaspérée qu'on vînt la distraire à un moment aussi crucial, avait senti qu'il aurait été maladroit de refuser, surtout dans son rôle de citadine n'ayant rien de mieux à faire que de traîner à la terrasse d'un café. Elle avait donc réagi comme la plupart des Français l'auraient fait dans ces circonstances : avec une expression de glaciale indifférence, elle avait satisfait à la requête de l'Allemand.

L'instant était d'une terrifiante absurdité : un agent secret britannique, penché derrière un viseur pour fixer le sourire d'un officier allemand et de sa poule, tandis que la cloche de l'église égrenait les dernières secondes avant l'explosion. Betty refusa résolument la consommation offerte en remerciement : une Française ne trinquait pas avec un Allemand si elle ne voulait pas se faire traiter de putain. Il avait eu un hochement de tête compréhensif et elle était retournée s'asseoir auprès de son mari.

De toute évidence, l'officier n'était pas de service, ne semblait pas armé et ne présentait aucun danger, mais sa présence dérangeait pourtant Betty. Durant ces dernières secondes de calme, elle comprit qu'elle ne croyait pas à la version du touriste banal. Son comportement trahissait une vigilance constante que la simple contemplation d'un monument ne requérait absolument pas. La femme était peut-être exactement ce qu'elle avait l'air d'être, mais lui, c'était autre chose.

La cloche s'arrêta de sonner, interrompant Betty dans ses réflexions.

Michel vida son verre de bière, s'essuya la bouche d'un revers de la main et se leva en même temps que Betty. D'un pas qu'ils voulaient nonchalant, ils s'approchèrent de l'entrée du café et en franchirent le seuil pour se mettre discrètement à l'abri.

2.

En débouchant sur la place, Dieter Franck avait tout de suite remarqué ce beau brin de fille attablé à la terrasse du café — il ne ratait jamais les jolies femmes. Très blonde, les yeux verts, elle avait sans doute du sang allemand : rien d'extraordinaire dans le nord-est de la France, pas si loin de la frontière. Le sac qui lui tenait lieu de robe enveloppait son corps mince et menu ; mais son foulard de cotonnade jaune vif trahissait un sens de l'élégance qui lui parut délicieusement français. L'appréhension de Betty, naturelle au demeurant chez une Française abordée par un Allemand, n'avait pas échappé à Dieter Franck, pas plus que l'expression de défi, mal dissimulée, qui avait suivi.

Elle était en compagnie d'un bel homme qui ne s'intéressait guère à elle — sans doute son mari. Dieter lui avait demandé une photo uniquement pour lui parler. Malgré sa femme et leurs deux enfants qui l'attendaient à Cologne ainsi que Stéphanie avec laquelle il partageait son appartement parisien, il ne laissait jamais passer une occasion de faire le joli cœur. Il aimait collectionner, les femmes comme les toiles des impressionnistes français — il en avait d'ailleurs acquis de magnifiques — et en posséder une n'empêchait pas d'en désirer une autre.

Les Françaises étaient assurément les plus belles femmes du monde. D'ailleurs, tout en France le ravissait : les ponts, les boulevards, le mobilier, même la vaisselle en porcelaine. Dieter adorait les boîtes de nuit parisiennes, le champagne, le foie gras, les baguettes sortant du four, ses chemises et ses cravates de chez

Charvet, le célèbre chemisier en face du Ritz. Il se serait volontiers installé définitivement à Paris.

Il ne savait pas d'où lui venaient ces goûts-là. Son père était professeur de musique — la seule forme d'art où les Allemands, maîtres incontestés, surclassaient les Français. Mais Dieter trouvait mortellement ennuyeuse la vie d'universitaire que menait son père, et il avait horrifié ses parents en entrant dans la police — un des premiers étudiants d'Allemagne à faire ce choix. En 1939, il dirigeait la brigade criminelle de la police de Cologne. En mai 1940, quand les panzers de Guderian, après avoir franchi la Meuse à Sedan, eurent, en une semaine de progression triomphale, traversé la France jusqu'à la Manche, Dieter demanda subitement à être versé dans l'armée. En raison de son expérience de policier, on l'affecta aussitôt au service de renseignements. Parlant couramment le français et relativement bien l'anglais, il fut chargé d'interroger les prisonniers qui affluaient. Doué pour cette tâche, il éprouvait en outre une profonde satisfaction à soutirer des informations susceptibles d'aider son camp à gagner des batailles. En Afrique du Nord, Rommel en personne avait remarqué ses brillants résultats.

Utiliser la torture si besoin en était ne le gênait pas, mais il préférait convaincre par des moyens plus subtils. C'était ainsi qu'il avait déniché Stéphanie. Pleine d'allure, sensuelle et fine mouche, elle possédait à Paris un magasin où les femmes se précipitaient pour acheter des chapeaux d'un chic inouï et d'un prix scandaleux. Mais, à cause de sa grand-mère juive, on lui avait confisqué sa boutique ; elle avait passé six mois dans une prison française et elle allait être déportée dans un camp en Allemagne quand Dieter l'avait sauvée.

Il aurait pu la violer — elle s'y attendait certainement. Personne n'aurait protesté et cela ne lui aurait pas valu la moindre réprimande. Au contraire, après lui avoir procuré nourriture et vêtements, il l'avait installée dans une chambre d'ami de son appartement et l'avait traitée avec la plus grande gentillesse jusqu'au soir où, après avoir dégusté un foie de veau arrosé d'une bouteille de La Tâche, il l'avait séduite sur le canapé devant un grand feu de bois.

Aujourd'hui elle faisait partie de son camouflage. Il avait recommencé à travailler pour Rommel. Le feld-maréchal Erwin Rommel, le « Renard du désert », commandait maintenant le

Second Groupe d'Armées qui assurait la défense du nord de la France. Les services de renseignements allemands prévoyaient pour l'été un débarquement allié. Rommel n'avait pas les hommes pour tenir les centaines de kilomètres de côte extrêmement vulnérables ; il avait donc élaboré une audacieuse stratégie de réponse graduée : ses bataillons, massés à plusieurs kilomètres à l'intérieur des terres, se tenaient prêts à un déploiement rapide partout où le besoin s'en ferait sentir.

Les Anglais le savaient : eux aussi avaient un service de renseignements. Leur plan était de ralentir la réaction de Rommel en bouleversant son réseau de communication. Nuit et jour, les bombardiers anglais et américains pilonnaient routes et voies ferrées, ponts et tunnels, gares et centres de triage. En outre, la Résistance faisait dérailler les trains, sauter les usines et les centrales électriques, coupait les lignes téléphoniques et envoyait les adolescentes verser du sable dans les réservoirs des camions et des chars.

Dieter avait pour mission d'identifier les centres de communication essentiels et d'évaluer dans quelle mesure la Résistance pouvait les attaquer. Au cours des derniers mois, à partir de sa base de Paris, il n'avait cessé de sillonner le nord de la France, invectivant des sentinelles endormies, terrorisant des capitaines négligents, renforçant la sécurité aux postes d'aiguillage, dans les hangars ferroviaires, les parcs automobiles, les tours de contrôle, les terrains d'aviation. Ce jour-là, il rendait une visite surprise à un central d'une extrême importance stratégique : tout le trafic téléphonique entre le haut commandement de Berlin et les forces allemandes massées dans le nord de la France passait par là. Y arrivaient les messages par téléimpression, cette nouvelle technique par laquelle aujourd'hui étaient transmis la plupart des ordres. En cas de destruction du central, la paralysie des communications allemandes serait totale.

Les Alliés, manifestement, en avaient conscience, à preuve leurs tentatives de bombardement du site, avec un succès jusqu'à présent limité. C'était l'objectif idéal pour une attaque menée par la Résistance. Malgré cela, Dieter trouvait les mesures de sécurité d'un laxisme exaspérant. Cela tenait sans doute à l'influence de la Gestapo qui occupait des bureaux dans le même bâtiment. La *Geheime Staatspolizei* était le service de sécurité de l'État et la promotion de ses membres dépendait de leur fidélité à Hitler et de leur enthousiasme nazi plutôt que de leur intelligence et de leurs capacités. Depuis une demi-heure, Dieter prenait des photos sans provoquer la moindre réaction chez les sentinelles, et sa colère montait en constatant que personne n'avait remarqué sa présence.

Toutefois, au moment où la cloche de l'église cessait de sonner, un officier de la Gestapo en uniforme de major franchit à grandes enjambées les hautes grilles du château et fonça droit sur Dieter.

— Donnez-moi cet appareil ! cria-t-il en mauvais français.

Dieter fit comme s'il n'avait rien entendu.

— C'est interdit de prendre des photos du château, crétin ! vociféra l'homme. Vous ne voyez pas que c'est une installation militaire ?

Dieter se retourna et répondit calmement en allemand :

— Il vous en a fallu du temps pour me remarquer.

L'homme resta coi. Les civils généralement avaient peur de la Gestapo.

— Qu'est-ce que vous racontez ? fit-il d'un ton moins agressif.

— Voilà trente-deux minutes que je suis là, déclara Dieter en consultant sa montre. Il y a longtemps que j'aurais pu repartir après avoir pris une douzaine de clichés. C'est vous, le responsable de la sécurité ?

— Qui êtes-vous ?

— Major Dieter Franck, de l'état-major du feld-maréchal Rommel.

— Franck ! s'écria l'homme. Je me souviens de vous.

Dieter le regarda plus attentivement.

— Mon Dieu, fit-il en le reconnaissant, Willi Weber !

— *Sturmbannführer* Weber, à votre service.

Comme la plupart des hauts fonctionnaires de la Gestapo, Weber avait rang d'officier SS, ce qui, à son avis, lui conférait plus de prestige que son simple grade dans la police.

— Ça alors ! s'exclama Dieter.

Pas étonnant que la sécurité fût relâchée.

Dans les années vingt, Weber et Dieter avaient fait leurs débuts ensemble, à Cologne. Dieter avait pris un départ en flèche, pendant que Weber restait à la traîne. Il en avait voulu à Dieter, attribuant la réussite de celui-ci au fait qu'il appartenait à une classe privilégiée. Dieter n'était pourtant pas issu d'un milieu extraordinaire, mais c'était ce que s'imaginait Weber, fils de docker.

Au bout du compte, Weber avait été chassé de la police. Dieter commençait à retrouver les détails : il y avait eu un accident de la route, une petite foule s'était rassemblée sur les lieux, Weber s'était affolé, il avait fait usage de son arme et un badaud innocent avait été tué.

Cela faisait quinze ans que Dieter l'avait perdu de vue, mais il devinait sans mal quelle avait été la carrière de Weber : inscrit au parti nazi, organisateur volontaire, il avait posé sa candidature à un poste dans la Gestapo en invoquant sa formation de policier et il avait rapidement gravi les échelons dans ce milieu de sous-fifres aigris.

— Qu'est-ce que vous faites ici ? demanda Weber.

— Je suis envoyé par le feld-maréchal pour contrôler la sécurité.

— Notre sécurité est satisfaisante, rétorqua aussitôt Weber en se hérissant.

— Pour une usine de saucisses, peut-être. Regarde autour de nous. D'un grand geste, Dieter désigna la place. Et si ces gens étaient membres de la Résistance ? En quelques secondes, ils pourraient descendre vos gardes. Il désigna une jeune fille portant par-dessus sa robe un léger manteau d'été. Imagine qu'elle ait une arme sous son manteau ? Et si...

Il s'arrêta.

Il comprit soudain que ce n'était pas un simple fantasme qu'il évoquait pour illustrer sa démonstration. Son inconscient avait remarqué que, sur la place, on se déployait en formation de combat : la petite blonde et son mari s'étaient réfugiés dans le bar ; les deux hommes qui s'attardaient devant l'église étaient postés derrière des piliers ; la grande fille en manteau d'été qui, quelques instants plus tôt, regardait la vitrine d'un magasin, se tenait maintenant à l'ombre de la voiture de Dieter. Au moment précis où il posait les yeux sur elle, le vent écarta les pans de son manteau, et il eut la stupéfaction de constater que son imagination s'était montrée prophétique : elle cachait contre elle une mitraillette, du modèle préféré de la Résistance.

— Mon Dieu ! s'écria-t-il.

Glissant sa main sous sa veste, il se rappela soudain qu'il n'avait pas d'arme sur lui.

Où était Stéphanie ? Il la chercha du regard, au bord de l'affolement, mais elle se tenait derrière lui, attendant patiemment qu'il termine sa conversation avec Weber.

— Couche-toi ! hurla-t-il, au moment où se produisit la formidable explosion.

3.

Dressée sur la pointe des pieds, Betty, du seuil du café des Sports, regardait par-dessus l'épaule de Michel. Sur le qui-vive, le cœur battant, et prête à l'action, elle observait la scène avec un froid détachement.

Huit sentinelles étaient visibles : deux contrôlaient les laissez-passer à la grille, deux à l'intérieur, deux autres patrouillaient dans le parc le long de la clôture et deux en haut du perron. Mais le gros de la troupe de Michel éviterait la grille.

Le côté nord de l'église coïncidait sur toute sa longueur avec le mur d'enceinte du château, et l'aile nord du transept s'enfonçait de quelques mètres à l'intérieur du parking, autrefois partie du jardin d'agrément. Sous l'Ancien Régime, le comte accédait directement à l'église par une petite porte ménagée dans le mur : condamnée et murée il y a plus de cent ans, elle était restée ainsi jusqu'à aujourd'hui.

Mais, une heure plus tôt, un carrier à la retraite du nom de Gaston avait soigneusement disposé au pied de la porte condamnée quatre pains de plastic jaune d'une demi-livre, y avait planté des détonateurs et les avait reliés entre eux pour que tout saute au même instant ; il avait ajouté une amorce de cinq secondes qu'on pouvait déclencher en appuyant sur un bouton. Il avait ensuite tout barbouillé de cendres prises dans la cheminée de sa cuisine pour qu'on ne remarque rien et, pour plus de précaution, avait poussé un vieux banc de bois devant la porte. Puis, satisfait de son travail, il s'était agenouillé pour prier.

Enfin, lorsque la cloche de l'église s'était tue, Gaston s'était levé, avait franchi les quelques pas qui le séparaient du transept et, après avoir appuyé sur la manette, s'était précipitamment réfugié dans un coin. Le souffle avait fait jaillir des voûtes gothiques des siècles de poussière. Durant les services, le transept était vide : personne donc n'avait dû être blessé.

Le fracas de l'explosion fut suivi d'un long silence. Tous s'étaient figés sur place : les sentinelles à la grille du château, les hommes qui patrouillaient le long de la clôture, le major de la Gestapo, l'élégant Allemand avec sa séduisante maîtresse, ainsi que Betty.

Au milieu du parking se dressaient les vestiges d'un jardin du XVIIe siècle, une fontaine de pierre où trois chérubins moussus crachaient jadis des jets d'eau. Autour du bassin aujourd'hui à sec, étaient garés un camion, une voiture blindée, une Mercedes peinte du gris-vert de l'armée allemande et deux tractions avant Citroën noires comme en utilisait fréquemment la Gestapo en France. Un soldat remplissait le réservoir de l'une d'elles à une pompe à essence bizarrement installée devant une des hautes fenêtres du château. Pendant quelques secondes, rien ne bougea. Betty attendit, retenant son souffle.

Dix hommes armés se trouvaient parmi les fidèles rassemblés dans l'église. Le prêtre, qui n'était pas un sympathisant de la Résistance et qui n'avait donc pas été prévenu, devait être enchanté de voir une telle foule réunie pour assister aux vêpres ; cet office n'attirait généralement que peu de monde. Il aurait pu se demander pourquoi, malgré ce temps chaud, certains portaient des manteaux ; mais il est vrai qu'après quatre ans d'austérité bien des gens étaient habillés n'importe comment et on pouvait mettre un imperméable pour aller à la messe tout simplement parce qu'on n'avait pas de veste. Betty espérait pourtant que le prêtre avait maintenant compris, car, à cet instant précis, les dix hommes devaient bondir de leur place, sortir leurs armes et se précipiter par la brèche nouvellement ouverte dans le mur.

Ils apparurent enfin sur le côté de l'église, faisant battre le cœur de Betty à la fois d'orgueil et d'appréhension, à la vue de cette troupe hétéroclite arborant de vieilles casquettes et des chaussures éculées, et qui fonçait à travers le parking vers la grande entrée du château, foulant le sol poussiéreux et brandissant pistolets, revolvers, fusils ou mitraillettes. Ils attendaient pour ouvrir le feu d'être le plus près possible du bâtiment.

Michel les avait aperçus lui aussi, et un grognement qui s'acheva en soupir étouffé révéla à Betty qu'il éprouvait les mêmes sentiments mêlés d'orgueil devant le courage de leurs compagnons et de crainte devant les risques qu'ils couraient. Il lui fallait maintenant détourner l'attention des sentinelles. Aussi épaula-t-il son fusil, un Lee-Enfield n° 4 Mark I, baptisé fusil canadien par la Résistance, en référence à son lieu de fabrication.

Le claquement de la détonation rompit le silence stupéfait qui s'était abattu sur la place. Devant la grille, une des sentinelles s'écroula en poussant un cri, au grand soulagement de Betty : un homme de moins pour tirer sur ses camarades. Le coup de feu de Michel donna le signal : sous le porche, le jeune Bertrand tira deux balles qui claquèrent comme des pétards, mais trop loin des sentinelles, il ne toucha personne. Près de lui, Albert dégoupilla une grenade et la lança par-dessus la clôture : elle retomba dans le parc pour exploser dans les vignes, ne faisant jaillir que des débris de ceps. Furieuse, Betty aurait voulu leur crier : « Ne tirez pas pour le plaisir de faire du bruit : vous allez simplement révéler votre position ! » Mais, une fois que la fusillade avait éclaté, seules les troupes les mieux entraînées étaient capables de se dominer. Postée derrière la voiture de sport, Geneviève fit crépiter à son tour sa mitraillette Sten, assourdissant Betty ; son tir était plus efficace : un nouveau soldat s'écroula.

Les Allemands réagirent enfin. Les gardes, s'abritant derrière les piliers ou se couchant, braquèrent leur fusil vers les attaquants. Le major de la Gestapo parvint à extraire son pistolet de son étui. La rousse partit en courant, mais ses élégants escarpins la firent trébucher sur le pavé et elle tomba. Son compagnon se coucha sur elle pour la protéger de son corps ; Betty comprit que c'était à juste titre qu'elle avait flairé en lui le soldat, car un civil n'aurait pas su que la prudence commandait de s'allonger par terre et aurait choisi de courir.

Les sentinelles se mirent à tirer. Presque aussitôt, Albert fut touché. Betty le vit chanceler et porter la main à sa gorge. Une grenade qu'il s'apprêtait à lancer lui échappa. Puis une seconde balle le frappa, cette fois en plein front. Il s'effondra et Betty, horrifiée, songea à la petite fille née le matin même qui ne connaîtrait jamais son père. Près de lui, Bertrand vit la grenade rouler sur la dalle usée du porche, et il se jeta sur le seuil au moment même où elle explosait. Ne le voyant pas réapparaître, Betty se dit avec angoisse qu'il pourrait aussi bien être mort ou blessé que tout simplement étourdi par la déflagration.

Le groupe arrivé par l'église s'immobilisa dans le parking pour faire face aux six sentinelles restantes et commença à tirer. Les quatre hommes postés près de la grille furent pris entre deux feux, entre les attaquants qui se trouvaient déjà dans le parc et ceux qui étaient encore sur la place : en quelques secondes ils furent abattus, ne laissant que les deux soldats en faction sur le perron du château. Le plan de Michel était en train de réussir, pensa Betty, pleine d'espoir.

Mais le détachement ennemi qui était à l'intérieur du bâtiment avait eu maintenant le temps d'empoigner ses armes et de se précipiter vers les portes et les fenêtres d'où les soldats commençaient à tirer, renversant une nouvelle fois la situation. Le tout était de savoir à combien se montaient leurs effectifs.

Pendant quelques instants, une grêle de balles s'abattit, Betty cessa de compter les coups de feu. Consternée, elle comprit alors qu'il y avait beaucoup plus d'hommes armés à l'intérieur du château qu'elle ne l'avait escompté. On semblait tirer d'au moins une douzaine de portes et de fenêtres. Les hommes venant de l'église qui auraient dû avoir investi l'intérieur, battaient en retraite pour s'abriter derrière les véhicules garés sur le parking. Antoinette avait raison, le MI6 s'était trompé dans l'estimation de la garnison : il en comptait douze, or les hommes de la Résistance en avaient abattu six et il semblait bien qu'au moins quatorze tiraient encore.

Betty jura intérieurement. Dans ce genre d'engagement, la Résistance ne pouvait l'emporter que par un soudain déferlement de violence. Que ses hommes échouent à écraser l'ennemi d'emblée, et les problèmes surgissaient. À mesure que les secondes s'écoulaient, l'entraînement et la discipline militaire portaient leurs fruits. Dans la durée, les troupes régulières finissaient toujours par l'emporter.

Au second étage du château, on fit voler en éclats les carreaux d'une fenêtre et une mitrailleuse commença à tirer. Cette position élevée permit de provoquer un affreux carnage parmi les résistants sous les yeux de Betty qui, le cœur serré, les vit tomber les uns après les autres auprès de la fontaine. Ils ne furent bientôt plus que deux ou trois à tirer encore.

Betty, désespérée, dut se rendre à l'évidence : tout était fini. L'ennemi avait l'avantage du nombre, l'assaut avait échoué. Elle sentait dans sa bouche le goût amer de la défaite.

Michel s'acharnait sur la position de la mitrailleuse.

— Impossible de liquider ce type d'en bas ! dit-il.

Il balaya du regard le faîte des toits, le clocher de l'église pour s'arrêter sur le dernier étage de la mairie.

— Si seulement j'arrivais jusqu'au bureau du maire, de là, je pourrais l'avoir.

— Attends, fit Betty, la bouche sèche.

Elle ne pouvait l'empêcher de risquer sa vie. Mais au moins tenterait-elle d'améliorer ses chances. De toutes ses forces, elle cria pour attirer l'attention de Geneviève :

— Couvre Michel !

La jeune fille hocha vigoureusement la tête et jaillit de derrière la voiture de sport en arrosant de balles une fenêtre du château.

— Merci, dit Michel à Betty.

Puis, déboulant du café, il s'élança vers la mairie.

Geneviève courait toujours en direction du porche de l'église. Son intervention avait détourné l'attention des hommes retranchés dans le château, donnant à Michel une chance de franchir la place indemne. Là-dessus, une lueur jaillit sur la gauche de Betty et l'alerta : le major de la Gestapo, tapi contre le mur de la mairie, braquait son pistolet sur Michel.

Atteindre une cible en mouvement avec une arme de poing était difficile, mais si le hasard favorisait le major..., se dit Betty affolée. Les ordres qu'elle avait reçus étaient clairs : observer, rédiger un rapport et ne jamais prendre part au combat, quelles que soient les circonstances. « Et puis merde ! » Dans le sac qu'elle portait en bandoulière, elle avait son arme personnelle, un Browning automatique neuf millimètres : elle le préférait au Colt réglementaire du SOE car son chargeur pouvait recevoir treize balles au lieu de sept et que ses munitions étaient les mêmes que celles de la mitraillette Sten. Elle le saisit, ôta le cran de sûreté, l'arma, tendit le bras et tira à deux reprises sur le major.

Elle le manqua, mais ses balles, qui avaient fait jaillir du mur des éclats de pierre à la hauteur de son visage, obligèrent le major à baisser la tête.

Michel courait toujours ; l'Allemand se ressaisit rapidement et braqua de nouveau son pistolet.

En approchant de son but, Michel diminuait du même coup la distance qui le séparait du major. Il tira dans sa direction, mais il le manqua, et l'autre, sans se démonter, riposta. Cette fois, Michel s'écroula, arrachant à Betty un cri de terreur.

Michel heurta le sol, tenta de se relever, retomba. Betty s'obligea alors à se calmer et à réfléchir. Michel était en vie. Geneviève avait atteint le porche de l'église et le tir de sa mitraillette continuait à retenir l'attention des Allemands tapis à l'intérieur du château. Betty avait une chance de secourir Michel. C'était contraire aux instructions qu'elle avait reçues, mais rien ni personne ne parviendrait à la convaincre d'abandonner son mari blessé. D'ailleurs, si elle le laissait là, il serait fait prisonnier et interrogé. En tant que chef du réseau Bollinger, Michel connaissait l'identité, l'adresse et le nom de code de tous ses hommes. Sa capture serait une catastrophe, elle n'avait donc pas le choix.

Elle tira encore une fois sur le major et le manqua, mais la pluie de balles que son doigt pressé sur la détente déclencha obligea l'homme à battre en retraite le long du mur pour se mettre à couvert.

Betty sortit en courant du café. Du coin de l'œil, elle aperçut le propriétaire de la voiture de sport qui protégeait toujours sa maîtresse. Elle l'avait oublié, celui-là, se dit-elle affolée. Était-il armé ? Dans ce cas, il n'aurait aucun mal à l'abattre. Mais rien ne vint.

Elle s'agenouilla près de Michel, tout en tirant deux coups sans viser pour occuper le major. Puis elle examina son mari.

Elle constata avec soulagement qu'il avait les yeux ouverts et qu'il respirait. Il semblait ne saigner que de la fesse gauche, ce qui rassura un peu Betty.

— Tu as reçu une balle dans le derrière, diagnostiqua-t-elle en anglais.

— Ça fait un mal de chien, répondit-il en français.

Elle reporta son attention sur le major ; il avait reculé d'une vingtaine de mètres jusqu'au seuil d'une boutique. Betty, cette fois, prit quelques secondes pour viser soigneusement. Elle tira quatre balles. La devanture du magasin explosa, le major recula en trébuchant et s'écroula sur le sol.

— Essaie de te lever, dit Betty à Michel en français.

Il roula sur le côté dans un gémissement de douleur et se mit sur un genou, mais il ne pouvait pas bouger sa jambe blessée.

— Vite, insista-t-elle sans douceur. Si tu restes ici, tu vas te faire tuer.

Elle l'empoigna par le devant de sa chemise et, au prix d'un grand effort, parvint à le mettre debout. Planté sur sa jambe valide, il n'arrivait pas à supporter son propre poids et devait prendre appui sur elle. Elle comprit qu'il serait incapable de marcher et poussa un cri désespéré.

Jetant un coup d'œil vers la mairie, elle constata que le major se relevait. Malgré son visage ruisselant de sang, il n'avait pas l'air grièvement blessé ; sans doute une coupure superficielle provoquée par des éclats de verre. Il était certainement encore capable de tirer.

Il ne restait plus à Betty qu'à porter Michel jusqu'à un abri. Elle se pencha sur lui, le prit par les cuisses et le hissa sur son épaule suivant la méthode classique des pompiers. Il était grand mais maigre — comme la plupart des Français à cette époque. Elle crut tout de même qu'elle allait s'effondrer sous son poids. Elle vacilla, chancela une seconde, mais tint bon.

Au bout d'un instant, elle commença à progresser différemment sur les pavés. Il lui semblait que le major tirait sur elle, mais comment en être sûre avec ces coups de feu jaillissant du château, de la mitraillette de Geneviève et de celles des résistants encore en vie sur le parking ? La crainte d'être touchée la galvanisait : courant tant bien que mal, elle se dirigea vers l'issue la plus proche, la rue qui partait de la place vers le sud. Elle passa devant l'Allemand qui n'avait pas changé de position et, stupéfaite, lut dans son regard de la surprise et une admiration teintée d'ironie. Elle heurta une table de café et faillit tomber, mais elle retrouva vite son équilibre et poursuivit sa fuite. Une balle frappa la devanture ; elle eut le temps de voir la vitre se craqueler. Un instant plus tard, elle avait tourné le coin et était hors de portée du major. Vivants, songea-t-elle avec gratitude, tous les deux — du moins pour quelques minutes encore.

Elle avait agi jusqu'à présent sans se demander où elle se réfugierait. Les voitures qui les attendaient à deux rues de là pour prendre la fuite étaient trop éloignées pour qu'elle réussisse à y porter Michel. Par chance, Antoinette Dupert habitait à quelques pas. Elle n'appartenait pas à la Résistance, mais elle était suffisamment sympathisante pour avoir fourni à Michel un plan du château. De plus Michel était son neveu : elle ne le dénoncerait certainement pas.

Antoinette occupait un rez-de-chaussée sur cour. Betty franchit la porte cochère et avança en titubant sous la voûte. Elle poussa une porte et posa Michel sur le carrelage.

Essoufflée par l'effort, elle cogna à la porte d'Antoinette qui, effrayée par la fusillade, refusait d'ouvrir.

— Vite, vite ! lança Betty, hors d'haleine.

Elle s'efforçait de ne pas élever la voix, pour ne pas attirer l'attention des voisins, dont certains pouvaient être collabos. La porte ne s'ouvrit pas, mais la voix d'Antoinette était plus proche.

— Qui est là ?

D'instinct, Betty évita de prononcer un nom tout haut.

— Votre neveu est blessé, répondit-elle, ce qui déclencha enfin l'ouverture de la porte.

Antoinette, la cinquantaine, se tenait très droite dans une robe de cotonnade, sans doute élégante jadis, mais aujourd'hui fanée quoique repassée avec soin. Elle était pâle de frayeur.

— Michel ! s'écria-t-elle en s'agenouillant auprès de lui. C'est grave ?

— Ça fait mal, mais je ne suis pas mourant, lâcha Michel en serrant les dents.

— Pauvre petit, s'apitoya-t-elle en repoussant d'un geste caressant une mèche sur son front en sueur.

— Portons-le à l'intérieur, trancha Betty avec un peu d'impatience.

Elle saisit aussitôt Michel sous les bras, tandis qu'Antoinette le soulevait par les genoux, lui arrachant un gémissement. Enfin, à elles deux, elles réussirent à le transporter dans le salon et à l'installer sur un canapé de velours défraîchi.

— Occupez-vous de lui pendant que je vais chercher la voiture, dit Betty, avant de repartir.

Dehors, la fusillade lui sembla moins nourrie. Mais elle

n'avait pas le temps de s'attarder : elle courut jusqu'au bout de la rue et tourna à deux reprises.

Deux véhicules dont le moteur tournait au ralenti étaient garés devant une boulangerie fermée : une vieille Renault et la camionnette qui appartenait jadis — à en croire les caractères à demi effacés de ses flancs — à la Blanchisserie Bisset. Elle avait en effet été empruntée au père de Bertrand qui, parce qu'il lavait les draps des hôtels où logeaient les Allemands, bénéficiait de tickets d'essence. La Renault avait été volée le matin même à Châlons et Michel en avait changé les plaques. Betty décida de l'utiliser et de laisser l'autre véhicule aux éventuels survivants du carnage, se contentant de dire au chauffeur de la camionnette :

— Attendez cinq minutes ici, puis partez.

Bondissant alors dans la voiture à la place du passager, elle dit à la jeune fille qui était au volant de la Renault :

— Allons-y, vite !

Gilberte, dix-neuf ans, de longs cheveux bruns, jolie mais stupide, appartenait à la Résistance, Betty ne savait trop pourquoi. Au lieu de démarrer, Gilberte demanda :

— Où va-t-on ?

— Je t'indiquerai le chemin... Au nom du ciel, avance !

Gilberte embraya et démarra.

— À gauche, puis à droite, ordonna Betty.

Durant les deux minutes de répit qui suivirent, elle comprit pleinement l'ampleur de son échec. La quasi-totalité du réseau Bollinger était liquidée : certains, comme Albert, étaient morts. Quant à Geneviève, Bertrand et tous ceux qui avaient survécu, ils seraient sans doute torturés.

Tout cela pour rien : le central téléphonique était intact et le système de communication allemand fonctionnait toujours. Betty était consternée. Elle se demandait si c'était en attaquant de front une installation militaire soigneusement gardée qu'elle avait commis une erreur. Pas nécessairement : le plan aurait pu réussir si le MI6 n'avait pas fourni des renseignements erronés. Toutefois, il aurait sans doute été plus judicieux, se disait-elle maintenant, de s'introduire clandestinement dans le bâtiment. Les chances de la Résistance de porter un coup à ce matériel d'une importance capitale auraient été meilleures.

Gilberte s'arrêta à l'entrée de la cour.

— Fais faire un demi-tour à la voiture, dit Betty avant de sauter à terre.

Michel, allongé à plat ventre sur le divan d'Antoinette, son pantalon rabattu, se trouvait dans une posture qui manquait de dignité. Agenouillée auprès de lui, Antoinette, une serviette tachée de sang à la main, les lunettes sur le nez, lui inspectait attentivement le postérieur.

— Cela saigne moins, mais la balle est toujours là, annonça-t-elle.

Son sac à main était posé par terre auprès du canapé. Elle en avait vidé le contenu sur un guéridon, sans doute dans sa précipitation à trouver ses lunettes. Betty eut l'œil attiré par une feuille de papier dactylographiée et dûment tamponnée sur laquelle était collée une photographie d'identité d'Antoinette, le tout protégé par un petit étui cartonné. C'était le laissez-passer qui lui permettait d'accéder au château. Betty aussitôt sentit naître une idée.

— J'ai une voiture dehors, dit-elle.

Antoinette continuait à inspecter la plaie.

— Il ne faut pas le déplacer.

— S'il reste ici, les Boches le tueront, fit remarquer Betty tout en s'emparant discrètement du laissez-passer d'Antoinette. Comment te sens-tu ? ajouta-t-elle à l'intention de Michel.

— Je devrais pouvoir marcher, dit-il. La douleur se calme.

— Aidez-moi à le relever, demanda-t-elle.

Betty avait réussi à glisser le laissez-passer dans son sac à l'insu d'Antoinette.

Les deux femmes mirent Michel debout. Antoinette lui remonta son pantalon de toile bleue et ajusta sa ceinture de cuir patiné par les ans.

— Ne bougez pas, recommanda Betty à Antoinette. Je ne veux pas qu'on vous voie avec nous.

Elle n'avait pas encore tout à fait mis au point son plan, mais elle savait déjà qu'elle devrait y renoncer si le moindre soupçon se portait sur Antoinette et son équipe de femmes de ménage.

Michel passa son bras autour des épaules de Betty en pesant sur elle de tout son poids et sortit de l'immeuble en boitillant péniblement jusqu'à la rue. Quand ils arrivèrent à la voiture, il était blême. Gilberte les regarda par la vitre, terrifiée. Betty lui souffla :

— Venez m'ouvrir cette putain de porte, idiote !

Gilberte obtempéra aussitôt et ouvrit la portière arrière. Elle aida Betty à installer Michel sur la banquette, puis elles se ruèrent à l'avant.

— Fichons le camp, lâcha Betty.

4.

Dieter était plus que consterné, il était atterré. Une fois la fusillade calmée et le rythme de son cœur redevenu normal, il se mit à analyser ce dont il venait d'être témoin : la Résistance lui avait prouvé sa capacité à concevoir une opération et à l'exécuter — les renseignements recueillis ces derniers mois signalaient en général des raids éclairs. C'était la première fois qu'il voyait ces partisans à l'œuvre, et force lui était d'admettre que, de surcroît, ces hommes, armés jusqu'aux dents et de toute évidence pas à court de munitions — contrairement à l'armée allemande —, faisaient preuve d'un grand courage, comme ce tireur qui avait foncé à travers la place, cette fille qui l'avait couvert du tir nourri de sa mitraillette Sten et surtout comme cette petite blonde qui avait relevé le tireur blessé — un homme qui mesurait quinze centimètres de plus qu'elle — et qui l'avait emmené à l'abri en le portant sur son épaule. Ces gens-là représentaient assurément une grave menace pour les troupes d'occupation. Rien à voir avec les criminels, brutes stupides et lâches, auxquels Dieter avait eu affaire quand il était policier à Cologne avant la guerre. Les résistants étaient des combattants.

Mais l'échec qu'ils venaient de subir lui offrait une occasion inespérée. Une fois certain que la fusillade avait cessé, il se remit debout et aida Stéphanie à se relever. Les joues rouges et le souffle court, elle lui prit les mains.

— Tu m'as protégée, fit-elle, les larmes aux yeux. Tu m'as servi de bouclier.

Surpris de sa propre vaillance — en réalité une simple réaction instinctive — il enleva la poussière qui maculait son costume. Pas du tout sûr, à la réflexion, d'être vraiment prêt à faire le sacrifice de sa vie pour sauver Stéphanie, il tenta de prendre la chose à la légère :

— Rien ne doit arriver à ce corps parfait.

Elle se mit à pleurer. La prenant par la main, il lui fit traverser la place jusqu'aux grilles.

— Entrons, proposa-t-il. Tu pourras t'asseoir un moment.

En pénétrant dans le parc, Dieter aperçut la brèche dans le mur de l'église et comprit par où était passé le gros de l'ennemi. Il observa attentivement les résistants que les Waffen SS étaient en train de désarmer : parmi les rares survivants, quelques-uns étaient blessés et un, peut-être deux, semblait s'être rendu sain et sauf. Il devrait pouvoir en interroger certains.

Son travail jusqu'à maintenant s'était borné à la défensive en renforçant les mesures de sécurité autour des installations clefs pour les mettre à l'abri des assauts de la Résistance. Un prisonnier, ici ou là, lui avait fourni quelques maigres renseignements. Désormais, il tenait plusieurs membres d'un vaste réseau manifestement bien organisé ; c'était enfin pour lui l'occasion de passer à l'offensive.

— Vous, cria-t-il à un sergent avant de pénétrer dans le château, allez chercher un docteur pour ces prisonniers. Je veux les interroger. N'en laissez mourir aucun.

Bien que Dieter ne fût pas en uniforme, le sergent sentit, à ses manières, l'officier supérieur et répondit :

— À vos ordres, monsieur.

Dieter et Stéphanie se trouvaient dans une grande salle au décor impressionnant : sol dallé de marbre rose, hautes fenêtres encadrées de lourds rideaux, motifs muraux étrusques en plâtre rehaussés de médaillons rose et vert, et s'ébattant au plafond des chérubins pâlis par les ans. Dieter imagina le somptueux mobilier des jours meilleurs : consoles disposées sous de grandes glaces, commodes incrustées de dorures, petites chaises aux pieds dorés, tableaux, grands vases, statuettes de marbre. Aujourd'hui, bien sûr, tout cela avait disparu, remplacé par des alignements de standards téléphoniques, de fauteuils et de câbles enchevêtrés qui s'enroulaient sur le sol.

Les standardistes s'étaient réfugiés au fond du parc ; maintenant que la fusillade avait cessé, quelques-uns, encore coiffés de leur casque, apparaissaient derrière les portes vitrées, hésitant à reprendre leur poste. Dieter installa Stéphanie devant un des standards, puis fit signe à une téléphoniste d'un certain âge.

— Madame, dit-il en français d'un ton poli mais qui ne souffrait pas de discussion, apportez, je vous prie, une tasse de café chaud à cette dame.

— Très bien, monsieur, répondit-elle non sans jeter à Stéphanie un regard chargé de haine.

— Et un verre de cognac, elle a été très secouée.

— Nous n'avons pas de cognac.

Elle ne disait pas la vérité, mais elle ne voulait pas en offrir à la maîtresse d'un Allemand.

Dieter ne discuta pas.

— Alors, juste du café, reprit-il sans insister, mais vite, sinon vous vous attirerez des ennuis, ajouta-t-il sèchement avant de laisser Stéphanie pour se diriger vers l'aile est.

Le château comprenait une succession de salles de réception, chacune ouvrant sur la suivante comme à Versailles, constata-t-il. Mais, pour l'heure, elles étaient envahies par des standards, permanents ceux-là, puisque les câbles s'entassaient dans des coffrages et traversaient le plancher pour disparaître dans la cave. Dieter attribua l'impression de désordre au fait que le bombardement de l'aile ouest avait obligé à effectuer des branchements d'urgence. Certaines fenêtres avaient été masquées définitivement, sans doute à cause de la défense passive, alors que d'autres gardaient leurs lourds rideaux ouverts parce que, supposa Dieter, les femmes n'aimaient pas travailler dans une nuit perpétuelle.

À l'extrémité de l'aile est, un escalier mena Dieter au sous-sol. Face à une porte blindée, un petit bureau et une chaise semblaient indiquer qu'en temps normal un soldat montait la garde à cet endroit. Le factionnaire avait dû quitter son poste pour participer au combat. Dieter entra sans être interpellé — un manquement à la sécurité qu'il garda en mémoire.

Le décor ici était très différent de celui, somptueux, des étages supérieurs. Les pièces, conçues pour être des cuisines, des réserves ou les logements des douzaines de domestiques qui assuraient le service du château trois siècles plus tôt, étaient basses de plafond, avec des murs nus et des sols carrelés, voire en terre battue. Dieter s'engagea dans un large couloir jalonné de portes. Chacune d'entre elles possédait une inscription en belle calligraphie allemande, Dieter les ouvrit toutes. À gauche, c'est-à-dire sur la façade du château, les pièces étaient encombrées par l'équipement complexe d'un grand central téléphonique : générateur, énormes batteries, câbles de toutes sortes. À droite, sur l'arrière, les installations de la Gestapo : un laboratoire photo, une spacieuse salle d'écoute pour capter les messages de la Résistance, des cellules aux portes munies de judas. Les caves étaient conçues pour résister aux bombes : ouvertures extérieures colmatées, murs doublés de sacs de sable et plafonds renforcés avec des poutres métalliques et du béton armé. Il s'agissait manifestement d'empêcher les bombardiers alliés de démanteler le réseau téléphonique.

Au bout du corridor, il pénétra, à en croire l'inscription, dans le « centre d'interrogatoire ». Des murs blancs et nus, une lumière crue, une méchante table, des chaises de bois et un cendrier suggéraient la classique salle d'interrogatoire. Mais la pièce suivante paraissait nettement moins anodine : plus sombre avec des murs en briques nues, un pilier taché de sang où étaient fixés des crochets pour attacher les prisonniers, un grand râtelier proposait un assortiment de matraques et de barres de fer, enfin des tables d'opération avec une sangle pour immobiliser la tête et des courroies pour les poignets et les chevilles, un appareil à électrochocs, et une petite armoire fermée à clef qui contenait sans doute des drogues et des seringues hypodermiques ; c'était une chambre de torture. Dieter en avait vu bien d'autres, mais elles lui donnaient toujours la nausée. Il devait faire un effort pour se rappeler que les renseignements recueillis dans ce genre d'endroit contribuaient à sauver la vie de braves jeunes soldats allemands et que ceux-ci, au lieu de mourir sur les champs de bataille, finiraient par rentrer chez eux auprès de leur épouse et de leurs enfants. Malgré tout, cela lui donnait la chair de poule. Soudain, un bruit se fit entendre derrière lui, il se retourna. Ce que Dieter vit alors le fit reculer d'un pas.

— Seigneur ! s'écria-t-il en découvrant un personnage trapu dont les traits n'étaient pas visibles à cause de la vive lumière qui venait de la pièce voisine. Qui êtes-vous ? dit-il, conscient de la peur qui altérait sa voix.

Un homme portant la chemise d'un sergent de la Gestapo,

petit et grassouillet, au visage rond et aux cheveux d'un blond cendré tondus si court qu'il paraissait chauve, avança dans la lumière.

— Qu'est-ce que vous faites ici ? demanda-t-il avec un accent de Francfort qui fit immédiatement recouvrer son sang froid à Dieter.

La chambre de torture l'avait déstabilisé.

— Je suis le major Franck. Votre nom ? lâcha-t-il, retrouvant son ton autoritaire habituel.

Le sergent se fit aussitôt déférent.

— Becker, à vos ordres, major.

— Faites descendre les prisonniers ici le plus vite possible, Becker, ceux qui peuvent marcher, immédiatement ; les autres dès qu'ils auront été examinés par un médecin.

— Très bien, major, obtempéra Becker en s'éloignant.

Dieter s'installa dans la salle d'interrogatoire et, en attendant les premiers détenus, se demanda s'il parviendrait à en tirer quelque chose : en effet chacun pouvait très bien n'être au courant que de ce qui concernait sa ville ou même, si Dieter jouait de malchance et si leur sécurité était bien protégée, son seul réseau. Cependant il y avait toujours une faille quelque part, car certains, inévitablement, en savaient long sur leur réseau et sur d'autres organismes de la Résistance ; et Dieter rêvait, en remontant toute la chaîne de maillon en maillon, de porter des coups fatals à la Résistance dans les semaines précédant le débarquement allié.

Des pas dans le couloir annoncèrent les premiers prisonniers. Ouvrait la marche celle qui dissimulait tout à l'heure une mitraillette sous son manteau, ce qui enchanta Dieter : les femmes étaient des atouts précieux, même si elles pouvaient se révéler aussi coriaces que les hommes lors des interrogatoires. En effet, battre une femme devant un homme s'avérait souvent la bonne méthode pour faire parler celui-ci. Celle qui se présentait, grande et sexy — ce qui n'en était que mieux — paraissait indemne. D'un geste, Dieter congédia le soldat qui l'escortait et s'adressa à elle en français.

— Comment vous appelez-vous ? demanda-t-il d'un ton amical.

— Pourquoi devrais-je vous le dire ? rétorqua-t-elle en le toisant d'un air arrogant.

Il haussa les épaules, car venir à bout de ce genre d'opposition était facile, et il appliqua donc sa méthode maintes fois éprouvée.

— Votre famille supposera que vous avez été arrêtée. Si nous connaissons votre nom, nous pourrons l'avertir.

— Je m'appelle Geneviève Delys.

— Un joli nom pour une jolie femme, remarqua-t-il en lui faisant signe d'avancer.

Suivait un homme d'une soixantaine d'années qui saignait d'une blessure à la tête et qui boitait.

— Vous êtes un peu vieux pour ce genre d'exercice, vous ne trouvez pas ? fit Dieter.

— C'est moi qui ai placé les explosifs, précisa-t-il fièrement en défiant l'Allemand.

— Nom ?

— Gaston Lefèvre.

— N'oubliez pas une chose, Gaston, expliqua Dieter d'une voix douce. La douleur ne dure qu'aussi longtemps que vous le choisissez. Quand vous déciderez d'y mettre un terme, elle cessera.

L'évocation du sort qui l'attendait fit passer une lueur terrifiée dans les yeux de l'homme. Satisfait, Dieter hocha la tête.

— Vous pouvez disposer.

Le beau garçon absolument pétrifié qui s'approcha ensuite n'avait, selon Dieter, pas plus de dix-sept ans.

— Nom ?

Il hésita, apparemment encore sous le choc, mais finit par dire :

— Bertrand Bisset.

— Bonsoir, Bertrand, lança Dieter d'un ton aimable. Bienvenue en enfer.

Le garçon tressaillit comme si on venait de le gifler, pendant que Dieter le poussait pour le faire avancer.

Là-dessus, Willi Weber arriva, Becker sur ses talons comme un chien dangereux au bout d'une chaîne.

— Comment êtes-vous arrivé ici ? demanda brutalement Weber à Dieter.

— Je suis entré par la porte. Bravo pour votre sécurité.

— Ridicule ! Vous savez bien que nous avons dû affronter une attaque d'une grande ampleur !

— Menée par une douzaine d'hommes et une poignée de femmes !

— Nous les avons repoussés, c'est tout ce qui compte.

— Réfléchissez un peu, Willi, raisonna Dieter. Ils ont eu la possibilité de se rassembler tout près d'ici, à votre insu, de se frayer un chemin jusque dans le parc et d'abattre au moins six braves soldats allemands. S'ils ont échoué, c'est seulement parce qu'ils avaient sous-estimé vos effectifs. Quant à moi, si j'ai pu pénétrer dans ce sous-sol, c'est parce que la sentinelle avait abandonné son poste.

— C'est un Allemand courageux, il a voulu se battre avec les autres.

— Que Dieu m'assiste, soupira Dieter, désespéré. Un soldat n'abandonne pas son poste pour aller se battre avec les autres : il suit les ordres !

— Je n'ai pas besoin que vous me fassiez un cours de discipline militaire.

— Et je n'ai aucune envie d'en donner un, fit Dieter renonçant pour l'instant aux invectives.

— Que voulez-vous au juste ?

— Je vais interroger les prisonniers.

— C'est le travail de la Gestapo.

— C'est moi, et pas la Gestapo, que le feld-maréchal Rommel a chargé d'empêcher le sabotage des communications par la Résistance, en cas de débarquement. Ces prisonniers peuvent me fournir des renseignements précieux, et je compte bien les interroger.

— Pas tant qu'ils sont sous ma garde, s'obstina Weber. Je les interrogerai moi-même et je ferai parvenir les résultats au feld-maréchal.

— Les Alliés vont probablement débarquer cet été : ne serait-il pas temps que chacun renonce à marcher sur les plates-bandes d'autrui ?

— Il n'y a jamais de bon moment pour renoncer à une organisation efficace.

Sur le point de hurler, Dieter ravala son orgueil et tenta un compromis.

— Interrogeons-les ensemble.

Sentant la victoire proche, Weber sourit.

— Certainement pas.

— Il faudra donc que je me passe de votre accord.

— Si vous le pouvez.

— Bien sûr que je le peux. Vous ne parviendrez qu'à nous faire perdre du temps.

— C'est vous qui le dites.

— Foutu crétin, Dieu préserve le pays de patriotes comme vous, lança Dieter avant de tourner les talons et de sortir à grands pas.

5.

Gilberte et Betty avaient quitté Sainte-Cécile pour gagner Reims à toute allure par une petite route de campagne que, pleine d'appréhension, Betty ne lâchait pas du regard : serpentant sans hâte de village en village, elle montait et descendait parmi coteaux et vignobles. Les carrefours, nombreux, les obligeaient à ralentir, mais leur multiplicité même ne permettait pas à la Gestapo de bloquer toutes les issues partant de Sainte-Cécile. Betty n'en redoutait pas moins de rencontrer par hasard une patrouille. Elle aurait du mal à expliquer la présence d'un homme qu'une récente blessure par balle faisait saigner.

Après avoir mûrement réfléchi, elle comprit que ramener Michel chez lui était infaisable. Après la capitulation de la France en 1940 et la démobilisation, Michel n'avait pas repris son poste d'assistant à la Sorbonne. Il avait regagné sa ville natale pour y devenir sous-directeur d'un lycée et surtout — véritable raison de son retour — pour y organiser un réseau de résistance. Il s'était installé au domicile de ses parents disparus, une charmante maison proche de la cathédrale. Mais pas question de s'y rendre maintenant, cette adresse était beaucoup trop connue. En effet, si les simples membres de la Résistance ne communiquaient pas leur adresse sauf dans quelques rares cas pour livrer un document ou fixer un rendez-vous, Michel, en tant que chef de réseau, devait pouvoir être joint par ses hommes.

Là-bas, à Sainte-Cécile, certains des membres de l'équipe avaient dû être pris vivants, et on n'allait pas tarder à les interroger. Contrairement aux agents britanniques, les résistants français n'avaient pas sur eux de comprimés pour se suicider. De toute façon, une chose était sûre à propos des interrogatoires, c'est que, à la longue, tout le monde finissait par parler. Il arrivait que les agents de la Gestapo, soit par impatience, soit par excès de zèle, fassent mourir leurs prisonniers. Mais, s'ils prenaient leurs précautions et s'ils étaient déterminés ils pouvaient amener le ou la plus résolue à trahir ses plus chers camarades, personne ne pouvant supporter indéfiniment la torture.

Betty devait donc partir du fait que l'ennemi connaissait la maison de Michel. Mais où l'emmener ?

— Comment va-t-il ? s'enquit Gilberte avec anxiété.

Betty jeta un coup d'œil vers la banquette arrière. Les yeux fermés, le souffle régulier, il avait sombré dans le sommeil, ce qui était pour lui la meilleure solution. Elle le regarda avec tendresse. Il avait besoin d'être soigné pendant au moins un jour ou deux. Elle se tourna vers Gilberte. Jeune et célibataire, elle vivait sans doute encore chez ses parents.

— Où habitez-vous ? lui demanda Betty.

— À la sortie de la ville, route de Cernay.

— Seule ?

On ne sait pourquoi, Gilberte prit un air effrayé.

— Oui, seule bien sûr.

— C'est une maison, un appartement, une chambre meublée ?

— Un appartement de deux pièces.

— C'est là que nous irons.

— Non !

— Pourquoi pas ? Vous avez peur ?

— Non, fit-elle, vexée, je n'ai pas peur.

— Quoi, alors ?

— Je ne me fie pas aux voisins.

— Y a-t-il une entrée par-derrière ?

— Oui, répondit Gilberte à contrecœur. Il y a une allée qui borde un petit atelier.

— Ça m'a l'air parfait.

— Bon, vous avez raison, allons chez moi. Vous m'avez surprise, voilà tout.

— Pardon.

Betty était censée rentrer à Londres le soir même : un avion devait se poser dans un pré à côté du village de Chatelle, à huit kilomètres au nord de Reims. Elle se demandait s'il serait au rendez-vous, car repérer un champ précis en naviguant aux étoiles était extrêmement difficile, et tenait même du miracle. À vrai dire, les pilotes s'égaraient souvent. Elle leva les yeux : le ciel clair s'assombrissait pour prendre le bleu profond du crépuscule, et si le beau temps persistait, il y aurait un clair de lune.

Si ce n'est pas pour ce soir, alors ce sera pour demain, se dit-elle, comme toujours.

Ses pensées revinrent aux camarades qu'elle avait laissés là-bas. Le jeune Bertrand avait-il survécu ? Et Geneviève ? Mieux valait peut-être la mort pour eux. Vivants, ils devraient affronter la torture. Betty sentit son cœur se serrer en s'accusant une nouvelle fois de les avoir conduits à la défaite. Bertrand, elle s'en doutait, avait un faible pour elle. Il était assez jeune pour se sentir coupable d'être secrètement amoureux de la femme de son chef. Elle regrettait de ne pas lui avoir donné l'ordre de rester chez lui. Mais cela n'aurait rien changé : le charmant jeune homme serait passé à l'état de cadavre, ou pis encore, un peu plus tard.

Personne ne rencontrait le succès systématique et, à la guerre, lorsque des chefs échouaient, des hommes mouraient. C'était la dure réalité, mais Betty cherchait encore une consolation. Elle aurait voulu être certaine que leurs souffrances ne seraient pas vaines. Peut-être leur sacrifice porterait-il ses fruits et constituerait-il une sorte de victoire ?

Elle songea au laissez-passer qu'elle avait subtilisé à Antoinette et à la possibilité de pénétrer clandestinement dans le château. Toute une équipe pourrait entrer en se faisant passer pour du personnel civil. Elle écarta tout de suite l'idée de les faire passer pour des téléphonistes : c'était un travail qualifié qui ne permettait pas l'improvisation. En revanche, n'importe qui savait se servir d'un balai.

Les Allemands remarqueraient-ils les nouvelles venues ? Ils n'accordaient sans doute aucune attention aux femmes de ménage. Quant aux standardistes françaises, vendraient-elles la mèche ? Peut-être le jeu en valait-il la chandelle.

Le SOE disposait d'un brillant contingent de faussaires capables de copier, parfois en deux jours, toutes sortes de documents. Il ne leur faudrait pas longtemps pour faire des contrefaçons du laissez-passer d'Antoinette.

Betty s'en voulait de le lui avoir volé. Antoinette en ce moment même le cherchait sans doute frénétiquement, fouillant sous le canapé et vidant ses poches, inspectant tous les recoins de la cour avec une lampe électrique. Cela lui poserait des problèmes avec la Gestapo, mais on finirait par lui en délivrer un autre. De cette façon, elle n'était pas coupable d'aider la Résistance. Si on l'interrogeait, elle pourrait affirmer catégoriquement qu'elle l'avait égaré car elle en serait persuadée. D'ailleurs, se dit Betty, si elle avait demandé à Antoinette la permission de le lui emprunter, celle-ci aurait sans doute refusé.

Bien sûr, il y avait un problème, et de taille : l'équipe de nettoyage ne comptant que des femmes, les résistants participant à l'opération devraient être en fait des résistantes.

Après tout, songea Betty, pourquoi pas ?

Elles entraient dans les faubourgs de Reims. La nuit était tombée quand Gilberte, s'arrêtant à proximité d'un groupe d'ateliers entouré d'une haute clôture métallique, coupa le moteur.

— Réveille-toi ! dit brièvement Betty à Michel. Il faut qu'on te conduise à l'intérieur.

Michel poussa un gémissement.

— Il faut faire vite, ajouta-t-elle, à cause du couvre-feu.

Les deux femmes le firent descendre de voiture et, après qu'il eut pris appui sur leurs épaules, l'aidèrent tant bien que mal à marcher jusqu'à une porte qui ouvrait sur l'arrière-cour d'un petit immeuble de logements bon marché où Gilberte habitait malheureusement au cinquième et dernier étage. Betty lui montra comment porter le blessé en croisant leurs bras et en joignant leurs mains sous les cuisses de Michel. Elles le hissèrent ainsi jusqu'à la porte de Gilberte sans rencontrer personne.

Hors d'haleine, elles reposèrent Michel sur ses pieds, et il parvint à boitiller jusqu'à un fauteuil dans lequel il s'effondra.

Betty inspecta les lieux. On sentait qu'une femme habitait là : l'appartement était coquet, propre et en ordre. Surtout, avantage du dernier étage, il n'y avait personne au-dessus, et on ne pouvait pas voir à l'intérieur. Michel serait en sûreté.

Gilberte s'affairait autour de Michel, s'efforçant de l'installer confortablement avec des coussins, lui essuyant doucement le visage avec une serviette, lui proposant de l'aspirine. Elle faisait preuve de bonne volonté, mais n'avait aucun sens pratique, tout comme Antoinette. Michel provoquait toujours cet effet-là sur les femmes — sauf sur Betty, raison pour laquelle sans doute il était tombé amoureux d'elle, car il était incapable de résister à qui lui tenait tête.

— Il te faut un médecin, déclara Betty. Que dirais-tu de Claude Bouler ? Il nous aidait autrefois ; seulement, la dernière fois que je me suis adressée à lui, on aurait dit qu'il ne me connaissait pas, et il était si nerveux que j'ai cru qu'il allait fuir à toutes jambes.

— C'est depuis son mariage qu'il a peur, répondit Michel. Mais pour moi, il se déplacera.

Betty approuva : elle savait que bien des gens étaient prêts à se déranger pour Michel.

— Gilberte, allez chercher le Dr Bouler.

— Je préfère rester avec Michel.

Betty réprima un grognement agacé : Gilberte n'était bonne qu'à porter des messages.

— Faites ce que je vous demande, lança Betty d'un ton ferme. J'ai besoin d'être un moment seule avec Michel avant de repartir pour Londres.

— Et le couvre-feu ?

— Si on vous arrête, dites que vous allez chercher un médecin. C'est une excuse que les Allemands acceptent en général. Ils vous accompagneront peut-être jusqu'à la maison de Claude pour s'assurer que vous dites la vérité. Mais ils ne viendront pas ici.

À contrecœur, Gilberte enfila un chandail et sortit.

Betty vint s'asseoir sur le bras du fauteuil de Michel et lui donna un baiser.

— Quelle catastrophe !

— Je sais, fit-il d'un ton écœuré. Bravo au MI6 : les Allemands étaient deux fois plus nombreux qu'il ne le prétendait.

— Plus jamais je ne ferai confiance à ces clowns.

— Nous avons perdu Albert. Il faudra que je prévienne sa femme.

— Je repars ce soir. Je demanderai à Londres de t'envoyer

un autre opérateur radio. Et il va falloir faire les comptes, que tu saches exactement combien ont survécu.

— Si je peux, soupira-t-il.

— Comment te sens-tu ? fit-elle en lui prenant la main.

— Ridicule. Une blessure à la fesse !

— Physiquement ?

— Un peu sonné.

— Il faut que tu boives quelque chose. Je me demande ce que je peux trouver chez Gilberte.

— Scotch, ce serait bien.

Avant la guerre, les amis de Betty à Londres avaient appris à Michel à apprécier le whisky.

— C'est un peu fort.

Betty ouvrit un placard dans lequel elle découvrit une bouteille de Dewar's White Label. Cela la surprit, car si des agents venus d'Angleterre rapportaient souvent du whisky pour eux-mêmes ou leurs frères d'armes, cela ne semblait pas une boisson courante pour une jeune Française. Il y avait aussi une bouteille entamée de vin rouge, ce qui convenait mieux à un blessé. Elle en remplit la moitié d'un verre qu'elle compléta avec de l'eau du robinet. Michel le but avidement : l'hémorragie lui avait donné soif. Puis il se renversa contre le dossier du fauteuil et ferma les yeux.

Betty aurait volontiers bu un peu de scotch, mais elle se retint pour Michel. D'ailleurs, il valait mieux qu'elle garde toute sa tête : elle attendrait d'être de retour sur le sol anglais.

Elle regarda autour d'elle : quelques photos au mur, une pile de vieux magazines de mode, pas de livres. Elle passa le nez dans la chambre à coucher.

— Où vas-tu ? demanda sèchement Michel.

— Je regarde.

— C'est plutôt mal élevé, surtout en son absence, non ?

— Pas vraiment, dit Betty en haussant les épaules. D'ailleurs, j'ai besoin de la salle de bains.

— C'est dehors : descends l'escalier et suis le corridor jusqu'au bout. Si mes souvenirs sont exacts.

Elle suivit ses indications. Mais une fois dans la salle de bains, elle réalisa que quelque chose la tracassait, quelque chose qui concernait l'appartement de Gilberte. Se fiant à son instinct qui, plus d'une fois, lui avait sauvé la vie, elle dit à Michel quand elle fut revenue auprès de lui :

— Quelque chose me gêne ici, mais quoi ?

— Je ne vois pas, répondit-il en haussant les épaules.

Il semblait mal à l'aise.

— Tu as l'air nerveux.

— C'est peut-être parce que je viens d'être blessé dans une fusillade.

— Non, ce n'est pas cela. C'est l'appartement.

Cela tenait au malaise qu'elle devinait chez Gilberte, au fait que Michel savait où se trouvait la salle de bains, au fait qu'il y avait ici du whisky. Elle décida d'explorer la chambre, et Michel, cette fois, ne protesta pas. Elle inspecta les lieux. Sur la table de nuit, la photographie d'un homme avec les grands yeux et les sourcils bruns de Gilberte, peut-être son père. Une poupée sur le couvre-lit. Dans le coin, un lavabo surmonté d'une armoire à pharmacie qui contenait un rasoir et un blaireau dans un bol. Gilberte n'était pas si innocente qu'elle en avait l'air : un homme passait la nuit ici assez souvent pour laisser son nécessaire à raser.

Betty observa plus attentivement. Le rasoir et le blaireau, chacun avec un manche en ivoire, formaient un ensemble qu'elle reconnut : elle en avait fait cadeau à Michel pour son trente-deuxième anniversaire.

C'était donc cela.

Ce fut pour elle un tel coup qu'elle en resta pétrifiée un moment.

Elle l'avait bien soupçonné de s'intéresser à quelqu'un d'autre, mais elle n'avait pas pensé que cela fût allé si loin. Or la preuve était là, sous ses yeux.

Le premier choc passé, elle commença à souffrir. Comment pouvait-il serrer une femme dans ses bras alors que Betty était toute seule dans son lit à Londres ? Elle se retourna : ils l'avaient fait ici, dans cette chambre. C'était insupportable.

La colère alors la prit. Elle avait été loyale et fidèle, elle avait supporté la solitude — mais pas lui. Il l'avait trompée. Elle était si furieuse qu'elle crut qu'elle allait exploser.

Elle revint à grands pas dans l'autre pièce et se planta devant lui.

— Espèce de salaud, dit-elle en anglais. Espèce de foutu salaud.

— Ne va pas être fâchée, répondit Michel dans la même langue, sachant parfaitement qu'elle trouvait charmant son anglais incertain.

— Comment as-tu pu me tromper pour une petite idiote de dix-neuf ans ? reprit-elle en français.

Cette fois, le coup de l'accent ne marcherait pas.

— C'est juste une jolie fille, ça ne veut rien dire !

— Tu trouves que c'est une excuse ?

Les premiers temps, quand elle était étudiante et lui maître de conférences, c'est en lui tenant tête en classe qu'elle avait attiré l'attention de Michel, habitué à la déférence des étudiants français ; Betty en outre n'avait par nature aucun respect pour l'autorité. Elle aurait peut-être mieux supporté que ce soit une femme de son niveau — comme Geneviève — qui séduise Michel. Elle trouvait vexant qu'il eût choisi Gilberte, une fille dont le souci principal résidait dans le choix de la couleur de son vernis à ongles.

— Je me sentais seul, larmoya Michel.

— Ne tombe pas dans le mélo. Tu ne te sentais pas seul du tout ; tu es faible, malhonnête et infidèle.

— Betty, ma chérie, ne nous disputons pas. Nous venons de perdre la moitié de nos amis. Tu repars pour l'Angleterre. Nous risquons tous les deux de mourir bientôt. Ne t'en va pas en colère contre moi.

— Comment veux-tu que je ne sois pas furieuse ? Je te laisse dans les bras de ta pouffiasse !

— Ce n'est pas une pouffiasse...

— Ne chipote pas sur les points de détail. Je suis ta femme, mais tu partages son lit.

Michel s'agita dans son fauteuil avec une grimace de souffrance, puis il braqua sur Betty ses grands yeux d'un bleu intense.

— Je plaide coupable, déclara-t-il. Je suis un salaud mais un salaud qui t'aime et je te demande de me pardonner juste pour cette fois, au cas où je ne te reverrais pas.

Difficile de résister. Betty mit en balance leurs cinq ans de mariage et cette aventure avec une nana : elle céda et fit un pas vers lui. Il passa les bras autour de ses jambes et pressa son visage contre la cotonnade usée de sa robe. Elle lui caressa les cheveux.

— Bon, fit-elle. N'en parlons plus.

— Je suis vraiment désolé, reprit-il. Je me sens si moche. Tu es la femme la plus merveilleuse que j'aie jamais rencontrée. Je ne le ferai plus, promis.

Mais quand la porte s'ouvrit sur Gilberte et Claude, Betty sursauta d'un air coupable et repoussa la tête de Michel. Elle se sentit stupide. C'était son mari, après tout, pas celui de Gilberte, et elle n'avait pas à être gênée de le serrer dans ses bras, même dans l'appartement de Gilberte. Elle se reprocha cette réaction.

Gilberte parut choquée à la vue de son amant embrassant sa femme chez elle, mais se maîtrisa rapidement pour se figer dans une froide indifférence.

Betty s'approcha de Claude et embrassa sur les deux joues le jeune médecin sans paraître remarquer son inquiétude.

— Merci d'être venu, dit-elle. C'est vraiment chic de ta part.

— Comment te sens-tu, mon vieux ? demanda-t-il, s'adressant à Michel.

— J'ai une balle dans la fesse.

— Alors, il faut l'extraire, dit Claude qui, perdant son air soucieux, redevint très professionnel. Betty, dispose des serviettes sur le lit pour éponger le sang, ôte-lui son pantalon et allonge-le à plat ventre. Je vais me laver les mains.

Gilberte étala sur son lit de vieux magazines et des serviettes tandis que Betty remettait Michel sur ses pieds et l'aidait à s'allonger. Elle se demandait, malgré elle, combien de fois il s'y était déjà couché.

Claude sonda la plaie avec un instrument métallique qui arracha un cri de douleur à Michel.

— Désolé, mon vieux.

Betty éprouvait une certaine jouissance à voir Michel souffrir sur ce lit où il avait goûté un plaisir coupable. Tant pis si désormais il devait garder de la chambre de Gilberte ce genre de souvenir.

— Finissons-en, dit Michel.

Abandonnant aussitôt ses sentiments vindicatifs, Betty, navrée pour Michel, approcha l'oreiller de son visage.

— Mords là-dedans, ça t'aidera, recommanda-t-elle.

Claude, à la deuxième tentative, parvint à extraire la balle. Le sang coula abondamment, puis se tarit au bout de quelques secondes, ce qui permit au médecin d'appliquer un pansement sur la blessure.

— Tâche de rester tranquille quelques jours, conseilla-t-il au blessé.

Michel devrait donc rester chez Gilberte, mais son derrière trop endolori lui interdirait de faire l'amour, songea Betty non sans une certaine satisfaction.

— Merci, Claude, dit-elle.

— Content d'avoir pu t'aider.

— J'ai un autre service à te demander.

— Quoi ? fit Claude, effrayé.

— Je dois retrouver un avion à minuit moins le quart. J'ai besoin que tu me conduises à Chatelle.

— Gilberte pourrait te conduire puisqu'elle a une voiture.

— Non, à cause du couvre-feu. Mais avec toi, *nous* ne risquerons rien, tu es médecin.

— Pourquoi aurais-je deux personnes avec moi ?

— Trois. Nous avons besoin de Michel pour tenir une torche.

Les opérations de ramassage obéissaient, en effet, à une procédure immuable : quatre résistants armés de torches électriques dessinaient un « L » géant indiquant la direction du vent et l'endroit où l'appareil devait se poser. Les petites lampes à piles devaient être braquées vers l'avion pour être vues du pilote. On pouvait bien sûr les disposer simplement sur le sol, mais c'était moins fiable, car si le pilote, ne trouvant pas la configuration prévue, flairait un piège, il pouvait décider de ne pas atterrir. Aussi était-il préférable d'avoir quatre personnes au sol.

— Comment expliquerais-je votre présence à la police ? s'inquiéta Claude. Un médecin appelé pour une urgence ne circule pas avec trois passagers.

— Nous trouverons bien.

— C'est trop dangereux !

— À cette heure-ci, cela ne prendra que quelques minutes.

— Marie-Jeanne me tuera. Elle dit que je dois penser aux enfants avant tout.

— Tu n'en as pas !

— Elle est enceinte.

Betty hocha la tête. Voilà qui expliquait sa nervosité. Michel roula sur le côté et se redressa. Tendant la main, il serra le bras de Claude.

— Claude, je t'en prie, c'est vraiment important. Fais ça pour moi, veux-tu ?

— Quand ça ? soupira Claude.

Il était bien difficile de dire non à Michel.

Betty consulta sa montre. Presque onze heures.

— Maintenant.

— La plaie risque de se rouvrir, fit remarquer Claude en regardant son patient.

— Je sais, dit Betty. Il saignera.

Le village de Chatelle se composait de quelques bâtiments groupés autour d'un carrefour : trois fermes, une rangée de petites maisons ouvrières et une boulangerie qui approvisionnait les exploitations agricoles et les hameaux des alentours. Plantée dans un pâturage à quinze cents mètres du croisement, Betty tenait à la main une lampe électrique de la taille d'un paquet de cigarettes.

Elle avait suivi pendant une semaine un cours d'initiation au guidage d'un avion sous la direction de pilotes de la 161ᵉ escadrille. Le site choisi répondait aux exigences prévues. Le champ, parfaitement plat, mesurait près d'un kilomètre de longueur — il fallait six cents mètres à un Lysander pour se poser et décoller. Le sol sous ses pieds était solide. L'étang voisin, bien visible des airs grâce au clair de lune, fournirait au pilote un précieux point de repère.

Michel et Gilberte, munis eux aussi de lampes électriques, étaient postés sous le vent, et alignés avec Betty, tandis que Claude, à quelques mètres sur la droite de Gilberte, complétait le dispositif en forme de « L » à l'envers pour guider le pilote. Dans les coins un peu à l'écart, des feux pouvaient remplacer les lampes électriques ; mais laisser sur le sol des traces révélatrices à proximité d'un village présentait un trop grand danger.

Ils formaient tous les quatre ce que les agents appelaient un comité d'accueil. Avec Betty, les volontaires étaient toujours silencieux et disciplinés, mais il arrivait que des groupes moins bien organisés transforment l'atterrissage en fête improvisée, que les hommes lancent des plaisanteries et fument sous le regard des villageois voisins venus assister au spectacle. C'était dangereux. Si le pilote soupçonnait que les Allemands avaient été renseignés et que la Gestapo était à l'affût, il lui fallait réagir rapidement. Les instructions données au comité d'accueil étaient précises : quiconque approchant l'avion autrement que du côté prévu risquait d'être abattu par le pilote. En fait, cela n'avait jamais eu lieu mais, une fois, un spectateur avait été renversé par un bombardier Hudson et tué sur le coup.

Attendre l'avion était toujours un exercice pénible. S'il n'arrivait pas, Betty aurait encore devant elle vingt-quatre heures de tension constante et d'angoisse jusqu'à l'occasion suivante. Or un agent n'avait jamais la certitude que l'appareil se présenterait. Non pas parce que la RAF n'était pas fiable, mais parce que, comme l'avaient expliqué à Betty les pilotes de la 161e escadrille, piloter un avion à la lueur du clair de lune sur des centaines de kilomètres se révélait extrêmement difficile. Le pilote naviguait à l'estime — en calculant sa position d'après la direction, la vitesse et le temps écoulé — et s'efforçait de vérifier sa position d'après des points de repère tels que des rivières, des îles, des voies ferrées ou des forêts. Mais cette méthode ne prenait pas en compte la dérive du vent. En outre, rien ne ressemblait plus à une rivière au clair de lune qu'une autre rivière au clair de lune. Ces pilotes devaient dénicher un champ bien précis situé à l'intérieur d'un secteur lui-même déjà difficile à approcher.

Si des nuages masquaient la lune, le repérage était impossible et l'avion ne décollait même pas.

Mais cette nuit-là, superbe, emplissait Betty d'espoir. Quelques minutes avant minuit, elle reconnut le bruit bien caractéristique d'un monomoteur, d'abord faible puis bientôt plus perceptible, comme une volée d'applaudissements : elle sentit un frisson la parcourir à l'idée de rentrer dans son pays. Elle se mit à faire en morse avec sa lampe la lettre *X*. Si elle se trompait, le pilote soupçonnerait une embuscade et repartirait sans se poser.

L'appareil décrivit un cercle, puis perdit rapidement de l'altitude. Il atterrit à la droite de Betty, freina, pivota entre Michel et Claude, revint en roulant vers Betty et se posta de nouveau face au vent, prêt à décoller.

L'avion était un Westland Lysander, un petit monoplan peint en noir mat dont l'équipage se réduisait au pilote. Il n'avait que deux sièges passagers, mais Betty avait déjà vu un

« Lizzie » accueillir en plus un passager sur le plancher et un autre sur la tablette. Le pilote n'avait pas coupé le moteur. Il ne devait rester posé que quelques secondes.

Betty aurait voulu serrer Michel dans ses bras et lui souhaiter bonne chance, mais elle aurait voulu aussi le gifler et lui dire de ne pas aller courir après d'autres femmes. Ce n'était donc peut-être pas plus mal qu'elle fût pressée.

Avec un bref geste d'adieu, Betty grimpa l'échelle métallique, ouvrit le panneau et monta à bord, puis referma au-dessus de sa tête la coupole vitrée.

Le pilote jeta un coup d'œil derrière lui et leva les pouces. Le petit avion bondit en avant, prit de la vitesse, puis décolla et monta à la verticale.

Betty aperçut une ou deux lumières dans le village : à la campagne, les gens ne respectaient guère le black-out. Déjà, à son arrivée, dangereusement tardive — quatre heures du matin —, elle avait pu repérer du haut des airs le rougeoiement du four du boulanger. En traversant ensuite le village en voiture, elle avait senti l'odeur si française du pain frais.

L'avion vira sur l'aile révélant à Betty les visages éclairés par la lune de Michel, Gilberte et Claude, comme trois taches blanches sur le fond noir de la prairie. L'appareil piqua vers l'Angleterre et elle comprit, le cœur serré, qu'elle ne les reverrait peut-être plus jamais.

Le deuxième jour

Lundi 29 mai 1944

6.

Dans la nuit, la grosse Hispano-Suiza emmenait Dieter Franck et son jeune aide de camp, le lieutenant Hans Hesse. Malgré ses dix ans, la voiture, grâce à son énorme moteur de onze litres, était infatigable. La veille au soir, Dieter avait examiné les traces de balles dans l'ample courbe du garde-boue droit, souvenir de l'escarmouche sur la place de Sainte-Cécile. La mécanique n'avait pas souffert et, à son avis, les trous ajoutaient au prestige de la voiture, comme une cicatrice de duel sur la joue d'un officier prussien.

Pour rouler dans les rues de Paris et respecter le black-out, le lieutenant Hesse posa des caches sur les phares, qu'il ôta une fois sur la route de Normandie. Dieter et Hesse se relayaient toutes les deux heures, mais ce dernier, qui adorait la voiture et qui en idolâtrait le propriétaire, aurait volontiers gardé le volant jusqu'à la fin du trajet.

Sommeillant à moitié, hypnotisé par le paysage des routes de campagne qui se déroulaient dans le faisceau des phares, Dieter essayait d'imaginer son avenir. Les Alliés allaient-ils reconquérir la France et en chasser les forces d'occupation ? Le spectacle de l'Allemagne vaincue n'était pas une perspective réjouissante. Peut-être arriverait-on à une sorte d'accord par lequel l'Allemagne renoncerait à la France et à la Pologne, mais conserverait l'Autriche et la Tchécoslovaquie. Voilà qui ne semblait guère mieux. Dieter se voyait mal reprendre, en famille, la monotone vie quotidienne de Cologne, après l'excitation de la guerre et les plaisirs qu'il avait connus dans les bras de Stéphanie. L'armée de Rommel devait repousser les envahisseurs à la mer et amener ainsi la seule issue heureuse pour Dieter et pour l'Allemagne.

Peu avant l'aube d'un matin humide, Hesse arriva dans le petit village médiéval de La Roche-Guyon, dominant la vallée de la Seine entre Paris et Rouen. Il s'arrêta au barrage dressé à l'orée de la bourgade ; ils y étaient attendus et on ne les retint pas longtemps. Après être passés devant des maisons silencieuses aux volets clos, ils franchirent un autre point de contrôle devant les grilles du vieux château et se garèrent dans la grande cour pavée. Dieter laissa Hesse dans la voiture et s'engouffra dans le bâtiment.

Le commandant en chef des forces allemandes de la région ouest était le feld-maréchal Gerd von Rundstedt, un solide soldat de la vieille école. Sous ses ordres, le feld-maréchal Erwin Rommel avait en charge la défense des côtes françaises. Celui-ci avait installé son quartier général dans le château de La Roche-Guyon.

Dieter Franck se sentait des affinités avec Rommel : fils d'enseignant — le père de Rommel avait été proviseur — ils avaient tous deux souffert du snobisme glacial de militaires de vieille souche comme von Rundstedt. Mais, à ce détail près, ils étaient très différents. Dieter était un sybarite qui savourait tous les plaisirs que pouvaient lui offrir la culture et la sensualité françaises. Rommel était un obsédé du travail : il ne fumait pas, ne buvait pas et oubliait parfois de manger. Il avait épousé la première jeune fille qu'il avait fréquentée et il lui écrivait trois fois par jour.

Dans l'entrée, Dieter rencontra l'aide de camp de Rommel, le major Walter Goedel, un homme à la personnalité sans chaleur, mais au cerveau redoutable. Dieter le respectait sans jamais avoir éprouvé de sympathie à son égard. La veille au soir, ils avaient parlé au téléphone. Dieter avait évoqué son problème avec la Gestapo en sollicitant une rencontre avec Rommel le plus tôt possible. « Soyez ici à quatre heures du matin », avait proposé Goedel qui connaissait les horaires de Rommel.

Dieter se demandait maintenant s'il avait eu raison. Rommel pourrait lui dire : « Comment osez-vous m'ennuyer avec ce genre de question sans intérêt ? » Pourtant Dieter ne le pensait pas, car les grands chefs aimaient avoir l'impression de maîtriser les détails. Rommel, il en était presque certain, apporterait à Dieter le soutien qu'il réclamait. Mais cela demeurait aléatoire, étant donné la tension qui régnait.

Goedel lui fit un bref salut de la tête et dit :

— Il veut vous voir tout de suite.

Ils s'engagèrent dans le couloir et Dieter demanda :

— Quelles nouvelles d'Italie ?

— Rien de bon. Nous venons d'évacuer Arce, au nord du mont Cassin.

Dieter eut un hochement de tête résigné. Les Allemands se battaient comme des lions, mais ils se révélaient pourtant incapables de stopper la progression de l'ennemi vers le nord.

Un instant plus tard, Dieter entra dans le bureau de Rommel, une immense pièce du rez-de-chaussée. Dieter observa d'un œil envieux une tapisserie des Gobelins du XVIIe siècle accrochée à un mur. Il y avait peu de meubles, à part quelques fauteuils et un énorme bureau ancien qui parut à Dieter de la même époque que la tapisserie. Une unique lampe l'éclairait et derrière était assis un homme de petite taille aux cheveux roux clairsemés.

— Maréchal, annonça Goedel, le major Franck est ici.

Nerveux, Dieter attendit. Rommel continua sa lecture quelques secondes, puis annota une feuille de papier. Il aurait fort bien pu être un directeur de banque examinant les comptes de quelque gros client — jusqu'au moment où il releva la tête. Dieter avait déjà vu ce visage, mais il ne manquait jamais de l'impressionner. Avec son faciès de boxeur, son nez camus, son menton carré et ses yeux rapprochés, il respirait cette agressivité sans détour qui avait fait de Rommel un chef d'armée légendaire. Dieter se remémorait l'anecdote où Rommel, lors de son baptême du feu au cours de la Première Guerre mondiale, était tombé sur un groupe de vingt soldats français avec son avant-garde de trois hommes ; au lieu de battre en retraite et de demander des renforts, il avait ouvert le feu et attaqué l'ennemi. Il avait eu de la chance de s'en tirer — mais Dieter connaissait la formule de Napoléon : « Envoyez-moi des généraux qui ont de la chance. » Depuis lors, Rommel avait toujours préféré l'offensive soudaine et hardie à l'attaque préparée avec soin. Il était à cet égard tout l'opposé de son adversaire du désert, Montgomery, qui avait pour philosophie de ne jamais attaquer à moins d'être certain de la victoire.

— Asseyez-vous, Franck, dit Rommel. Que se passe-t-il ?

Dieter avait soigneusement répété.

— Selon vos instructions, j'ai inspecté des installations clefs qui risqueraient d'être vulnérables en cas d'attaque de la Résistance et je me suis efforcé d'améliorer leur sécurité.

— Bien.

— J'ai également tenté d'estimer dans quelle mesure la Résistance pourrait nous infliger des dommages sérieux : serait-elle vraiment capable d'entraver notre réaction devant un débarquement ?

— Et vos conclusions ?

— La situation est pire que ce que nous avons imaginé.

Rommel eut un grognement, comme si un déplaisant soupçon venait de lui être confirmé.

— Pour quelles raisons ?

Rommel n'allait pas le rembarrer, et Dieter se détendit. Il raconta l'attaque de la veille à Sainte-Cécile : l'offensive intelligemment conçue, l'abondance de l'équipement et surtout la bravoure des combattants. Il omit seulement de parler de la beauté de la petite blonde.

Rommel se leva et s'approcha de la tapisserie. Il semblait la contempler, mais Dieter était convaincu qu'il ne la voyait même pas.

— C'est ce que je craignais, dit Rommel à voix basse, presque comme s'il se parlait à lui-même. Je suis capable de repousser un débarquement, même avec le peu de troupes dont je dispose, à condition de conserver ma mobilité et ma flexibilité — mais si mon réseau de communications lâche, je suis perdu.

Goedel acquiesça sans rien dire.

— À mon avis, déclara Dieter, cette attaque sur le central téléphonique nous offre une occasion dont nous pouvons profiter.

Rommel le regarda avec un sourire narquois.

— Bon sang, si tous mes officiers étaient comme vous ! Allez-y, comment vous y prendriez-vous ?

La balance semblait pencher de plus en plus du côté de Dieter.

— Si je pouvais interroger les prisonniers capturés, ils me conduiraient à d'autres groupes. Avec un peu chance, nous pourrions infliger de gros dégâts à la Résistance avant le débarquement.

— Ça me paraît de la vantardise, fit Rommel d'un ton sceptique ; Dieter sentit son cœur se serrer. Si un autre disait cela, je l'enverrais sans doute promener. Mais je me souviens de votre travail dans le désert. Vous ameniez des hommes à vous faire part d'éléments qu'ils n'avaient même pas conscience de détenir.

Ravi, Dieter sauta sur l'occasion.

— Malheureusement, la Gestapo refuse de me laisser communiquer avec les prisonniers.

— Ce sont vraiment des crétins.

— J'ai besoin que vous interveniez.

— Bien sûr. Goedel, appelez la Gestapo, avenue Foch. Dites-leur que le major Franck va interroger les prisonniers de Sainte-Cécile aujourd'hui, sinon le prochain coup de téléphone qu'ils recevront viendra tout droit de Berchtesgaden.

Il faisait allusion au nid d'aigle bavarois de Hitler. Rommel n'hésitait jamais à profiter de son rang de feld-maréchal pour parler directement à Hitler.

— Très bien, dit Goedel.

Rommel contourna son bureau et se rassit.

— Franck, conclut-il, tenez-moi au courant, je vous prie, et il se replongea dans ses papiers.

Goedel accompagna Dieter jusqu'à la porte principale du château.

Dehors, il faisait encore nuit.

7.

Betty atterrit sur la base de la RAF de Tempsford, un terrain situé à quatre-vingts kilomètres au nord de Londres, non loin du village de Sandy, dans le Bedfordshire. Rien qu'à sentir sur ses lèvres le goût humide et frais de l'air nocturne, elle savait qu'elle était de retour en Angleterre. Elle adorait la France, mais ici était son pays.

En traversant la piste, elle se rappelait les retours de vacances de son enfance et la réflexion immuable de sa mère, à l'approche de la maison : « C'est agréable de partir, mais c'est bon de rentrer chez soi. » Un propos qui lui revenait aux moments les plus inattendus.

Une jeune femme portant l'uniforme de caporal du SEIN l'attendait avec une grosse Jaguar pour la conduire à Londres.

— Quel luxe ! dit Betty en s'installant sur le siège de cuir.

— Je dois vous conduire directement à Orchard Court. Ils vous attendent pour le débriefing.

Betty se frotta les yeux.

— Seigneur, soupira-t-elle, ils pensent certainement que je n'ai pas besoin de sommeil.

Sans relever cette remarque, le caporal dit :

— J'espère que la mission s'est bien passée, major.

— L'horreur.

— Je vous demande pardon ?

— Une catastrophe, précisa Betty. Un vrai bordel.

La jeune femme ne réagit pas, gênée probablement. Dieu

merci, se dit Betty, il y avait encore des femmes que le jargon des casernes choquait.

Le jour se levait quand la puissante voiture atteignit le Hertfordshire. Betty regardait défiler les modestes maisons et leur coin de potager dans la cour, les bureaux de poste où des receveuses grincheuses distribuaient à regret des timbres, les pubs avec leur bière tiède et leur piano délabré. Elle remercia le ciel que les nazis ne fussent pas arrivés jusqu'ici. Cela la renforça dans sa décision de revenir en France pour tenter une nouvelle attaque du château. Elle revit dans son esprit ceux qu'elle avait laissés à Sainte-Cécile : Albert, le jeune Bertrand, la belle Geneviève, les autres, morts ou prisonniers. Elle songea à leur famille, éperdue d'inquiétude ou anéantie par le chagrin. Elle se promit que leur sacrifice ne serait pas vain.

Il fallait s'y mettre tout de suite. Au fond, ce débriefing immédiat tombait bien : elle présenterait aujourd'hui même son nouveau plan. Les dirigeants du SOE commenceraient par se méfier, car une telle mission n'avait jamais été confiée à une équipe exclusivement féminine. De toute façon, il y avait toujours des problèmes.

Il faisait grand jour lorsqu'elles atteignirent la banlieue nord de Londres, croisant les habitués du petit matin qui vaquaient déjà à leurs occupations : facteurs, laitiers, cheminots ou chauffeurs de bus. Partout on voyait les signes de la guerre : une affiche mettant les gens en garde contre le gaspillage, une pancarte à la devanture d'un boucher annonçant PAS DE VIANDE AUJOURD'HUI, une femme au volant d'un camion-poubelle, toute une rangée de petits pavillons que les bombardements avaient réduits en décombres. Cependant personne ici n'avait arrêté Betty pour lui demander ses papiers, la jeter dans une cellule et la torturer avant de l'envoyer en wagon à bestiaux dans un camp où elle mourrait de faim. Lentement, elle sentit la tension de la vie clandestine se dissiper. Elle s'affala contre le cuir de la banquette et ferma les yeux.

Elle s'éveilla au moment où la voiture s'engageait dans Baker Street. Elle passa devant le 64 : l'accès des bureaux du quartier général était interdit aux agents ; ainsi ils ne pouvaient pas en révéler les secrets si on les interrogeait, et la plupart, d'ailleurs, ignorait l'adresse. La voiture tourna sur Portman

Square pour s'arrêter devant Orchard Court, un immeuble résidentiel. Le chauffeur sauta à terre pour ouvrir la porte.

Betty entra et se dirigea vers l'appartement du SOE. La vue de Percy Thwaite, de sa calvitie naissante et de sa moustache en brosse la ragaillardit : il avait cinquante ans et portait à Betty une affection paternelle. Il était en civil et il n'y eut pas de salut, car le SOE ne se souciait pas de l'étiquette militaire.

— Je devine à votre visage que ça s'est mal passé, dit Percy.

Son ton compatissant la fit craquer. Accablée soudain par le souvenir des événements tragiques qu'elle venait de vivre, elle éclata en sanglots.

— Allons, fit-il en la serrant dans ses bras et en lui tapotant le dos. Je sais que vous avez fait de votre mieux.

— Oh ! mon Dieu, comme je regrette de n'être qu'une pauvre fille, gémit-elle, le visage enfoui dans la vieille veste de tweed.

— Si seulement tous mes hommes vous valaient, murmura Percy d'une voix émue.

Elle se dégagea de son étreinte et s'essuya les yeux avec sa manche.

— Ne faites pas attention.

— Thé ou whisky ? proposa-t-il après s'être détourné et mouché énergiquement.

— Thé, je crois. Elle observa le mobilier minable, apporté en 1940 dans la précipitation, jamais remplacé : un méchant bureau, un tapis usé, des sièges disparates. Elle se laissa tomber dans un fauteuil croulant. Si je bois de l'alcool, je vais m'endormir.

Elle regarda Percy préparer le thé. S'il savait se montrer compatissant, cela ne l'empêchait pas d'être aussi un gaillard coriace. Couvert de décorations durant la Première Guerre mondiale, il était devenu dans les années vingt un dirigeant syndical fort actif et il avait participé à la bataille de Cable Street en 1936, quand les Cockneys avaient attaqué les fascistes qui voulaient défiler dans le quartier juif de l'East End londonien. Il la questionnerait longuement sur les détails de son plan, mais ne se départirait jamais de son ouverture d'esprit.

Il lui tendit une grande tasse de thé avec du lait et du sucre.

— Il y a une réunion dans le courant de la matinée, je dois

remettre une note au patron à neuf heures pile. Ce qui explique cette précipitation.

La boisson chaude redonna à Betty un peu de son énergie, et elle se mit à raconter ce qui s'était passé sur la place de Sainte-Cécile. Assis derrière son bureau, Percy prenait des notes.

— J'aurais dû annuler l'opération, conclut-elle. Compte tenu des doutes d'Antoinette à propos des renseignements fournis par le MI6, j'aurais dû remettre l'attaque à plus tard et vous envoyer un message radio pour vous dire que nous étions trop peu nombreux.

— On ne peut plus différer, fit Percy en secouant tristement la tête. Le débarquement est une question de quelques jours. Si vous nous aviez consultés, je doute que ça aurait changé grand-chose. Nous n'aurions pas pu vous envoyer des renforts. À mon avis, nous vous aurions donné l'ordre de lancer quand même l'attaque. Il fallait la tenter : ce central téléphonique est un objectif trop important.

— Ma foi, c'est une consolation.

Betty était soulagée de ne pas avoir à se dire qu'Albert était mort parce qu'elle avait commis une erreur tactique. Mais cela ne le ferait pas revenir pour autant.

— Et Michel, ça va ? demanda Percy.

— Vexé comme un pou, mais il récupère.

Lors de son recrutement au sein du SOE, Betty n'avait pas précisé l'appartenance de son mari à la Résistance. S'ils l'avaient su, ils auraient pu l'aiguiller autrement. D'ailleurs elle-même, en ce temps, n'était pas vraiment au courant des occupations de Michel, même si elle s'en doutait. En mai 1940, elle se trouvait en Angleterre où elle rendait visite à sa mère ; Michel, lui était mobilisé, comme la plupart des jeunes Français valides. Si bien que, lors de la débâcle, chacun avait été bloqué dans son propre pays. Lorsqu'elle était revenue comme agent secret et qu'elle avait acquis la certitude du rôle que jouait son mari, le SOE avait trop investi sur elle et elle lui rendait déjà trop de services pour être écartée en invoquant d'hypothétiques raisons personnelles.

— Un soldat n'aime jamais ça, en effet, observa Percy d'un ton songeur, car recevoir une balle dans le derrière peut porter à croire qu'il était en train de s'enfuir. Bon, vous feriez mieux de rentrer dormir un peu, ajouta-t-il en se levant.

— Attendez, dit Betty. Je veux d'abord savoir ce que nous allons faire ensuite.

— Je m'en vais rédiger ce rapport...

— Non, je parle du central téléphonique. S'il est d'une telle importance, il faut absolument le détruire.

Il se rassit et la regarda du coin de l'œil.

— À quoi pensez-vous ?

Elle sortit de son sac le laissez-passer d'Antoinette et le lança sur son bureau.

— Voici un meilleur moyen d'entrer dans le château. C'est ce qu'utilisent les femmes de ménage qui arrivent chaque soir à dix-neuf heures.

Percy ramassa la carte et l'examina attentivement.

— Astucieux, dit-il d'un ton où perçait une certaine admiration. Continuez.

— Je veux retourner là-bas.

Une ombre passa sur le visage de Percy : Betty savait qu'il redoutait de la voir risquer une nouvelle fois sa vie. Mais il ne dit rien.

— Cette fois, reprit-elle, j'emmènerai toute une équipe avec moi, et chaque membre disposera d'un laissez-passer comme celui-là. Pour pénétrer dans le château, nous nous substituerons à l'équipe de nettoyage.

— Je présume que ce sont des femmes ?

— Oui. Il me faudra donc une équipe exclusivement féminine.

Il hocha la tête.

— Ici, on n'y verra pas d'objection, car vous, les filles, avez fait vos preuves. Mais où allez-vous les dénicher ? Pratiquement tous nos agents entraînés sont déjà là-bas.

— Faites approuver mon plan et je me charge de les trouver. Je prendrai les candidates dont le SOE n'a pas voulu, celles qui ont été recalées à l'instruction, n'importe qui. Il doit bien exister quelque part, dans un dossier, une liste de gens qui, pour une raison ou une autre, ont abandonné.

— Oui... des femmes physiquement inaptes, ou qui ne pouvaient pas la fermer, qui avaient trop le goût de la violence, ou bien encore dont les nerfs ont lâché lors d'un exercice de parachutage et qui ont refusé de sauter.

— Peu m'importe si je n'ai que du second choix, insista

Betty. Je m'en arrangerai. Dans son esprit, une petite voix disait : *Tu le peux, vraiment ?* Elle refusa de l'écouter. Si le débarquement échoue, nous avons perdu l'Europe. Il nous faudra des années avant de renouveler la tentative. C'est le tournant de la guerre, nous devons faire feu de tout bois.

— Vous ne pourriez pas utiliser des Françaises déjà sur place, des résistantes ?

Betty avait déjà envisagé et rejeté cette idée.

— Si j'avais quelques semaines devant moi, je pourrais effectivement constituer une équipe de femmes recrutées dans différents réseaux de la Résistance, mais les dénicher et les amener à Reims prendrait trop de temps.

— Ce serait encore possible.

— Non, car il faut établir les faux laissez-passer avec une photo pour chaque femme ; là-bas, c'est difficile, alors qu'ici c'est faisable en un jour ou deux.

— Pas si facile que ça, objecta Percy en approchant le laissez-passer d'Antoinette de la lumière d'une ampoule nue qui pendait du plafond. Mais vous avez raison, le service est capable de miracles. Très bien, dit-il en reposant la carte. Alors, il faut que ce soient des recalées du SOE.

Betty gagnait du terrain : il acceptait son idée.

— Mais, reprit Percy, à supposer que vous puissiez trouver assez de femmes parlant français, que faites-vous des sentinelles allemandes ? Elles ne connaissent pas les femmes de ménage ?

— Ce ne sont probablement pas les mêmes chaque soir : elles doivent bien avoir des jours de congé. Et puis les hommes ne font jamais attention à celles qui nettoient derrière eux.

— Je n'en suis pas si sûr. Les soldats sont jeunes, pour la plupart, et frustrés sexuellement ; aussi sont-ils très attentifs à toutes les femmes qu'ils ont l'occasion de croiser. J'imagine que les hommes de ce château flirtent au moins avec les plus jeunes.

— Je les ai vues arriver au château hier soir et je n'ai observé aucune manifestation de ce genre.

— Quand même, je ne suis pas certain que les hommes ne remarqueront pas l'arrivée d'une équipe totalement nouvelle.

— Je ne peux pas en avoir la certitude, mais je me sens assez sûre de moi pour courir le risque.

— Très bien, et le personnel français qui se trouve à l'intérieur ? Les standardistes sont des femmes du pays, n'est-ce pas ?

— Quelques-unes seulement, les autres sont amenées de Reims par car.

— Tous les Français ne sont pas des sympathisants de la Résistance, nous le savons. Il y en a qui approuvent les idées des nazis. Dieu sait le nombre d'abrutis en Angleterre qui estimaient que Hitler proposait la réforme gouvernementale musclée dont nous avions tous besoin — même si aujourd'hui on n'entend plus beaucoup leur voix.

Betty secoua la tête. Percy n'avait jamais mis les pieds en France occupée.

— N'oubliez pas, Percy, que les Français subissent le régime nazi depuis quatre ans ; ils attendent désespérément le débarquement. Les standardistes ne souffleront mot.

— Même si la RAF les bombardait ?

— Quelques-unes observeront peut-être une attitude hostile, fit Betty en haussant les épaules, mais la majorité les fera taire.

— C'est ce que vous espérez.

— Une fois de plus, j'estime que c'est un risque qui mérite d'être pris.

— Vous ne savez toujours pas quels effectifs gardent l'entrée du sous-sol.

— Ça ne nous a pas empêchés d'essayer hier.

— Hier, vous aviez quinze résistants, dont certains étaient des combattants aguerris. La prochaine fois, vous aurez une poignée de candidates recalées.

Betty abattit alors son atout.

— Écoutez, toutes sortes de choses pourraient mal tourner, et après ? L'opération ne coûte pas cher et, de toute façon, nous risquons la vie de gens qui ne contribuent pas à l'effort de guerre, alors qu'avons-nous à perdre ?

— J'y venais. Écoutez, j'aime bien ce plan, et je vais le présenter au patron. Pourtant, il le refusera certainement... pour une raison que nous n'avons pas encore évoquée.

— Laquelle ?

— Vous seriez la seule à pouvoir prendre la tête de cette équipe. Or le voyage que vous venez d'effectuer devait être le dernier, car vous en savez trop. En deux ans de va-et-vient, vous avez eu des contacts avec la plupart des réseaux de la Résistance du nord de la France. Nous ne pouvons pas vous y renvoyer. Si vous étiez capturée, vous pourriez tous les donner.

— Je sais, assena Betty d'un ton résolu, et c'est pourquoi j'ai de la strychnine sur moi.

8.

Le général sir Bernard Montgomery, commandant du 21e groupe d'armées qui s'apprêtait à débarquer en France, avait installé son quartier général improvisé dans une école de l'ouest de Londres dont on avait évacué les élèves pour les mettre à l'abri à la campagne. Le hasard voulut que ce fût l'établissement que Monty lui-même avait fréquenté quand il était enfant. Les réunions se tenaient dans l'atelier de modelage et tous les participants s'asseyaient sur des bancs — qu'ils soient généraux, hommes politiques ou même, en une célèbre occasion, souverain.

Les Anglais trouvaient cela original. Paul Chancellor, de Boston dans le Massachusetts, estimait quant à lui que c'était de la foutaise. Qu'est-ce que cela aurait coûté d'apporter quelques chaises ? Il aimait bien les Britanniques, malgré tout — dès lors qu'ils ne faisaient pas étalage de leur excentricité.

Paul appartenait à l'état-major personnel de Monty. parce que, d'après certains, son père était général, mais c'était injuste. Si Paul se sentait à l'aise avec les officiers supérieurs — en partie, certes, grâce à son père —, c'était surtout parce que, avant la guerre, l'armée américaine avait été le plus gros client de son entreprise qui produisait des disques éducatifs, essentiellement des cours de langue. Il appréciait les vertus militaires d'obéissance, de ponctualité et de précision, mais c'était pour ses idées personnelles que Monty en était arrivé à compter de plus en plus sur lui.

Son domaine, c'était le renseignement et il y déployait ses

dons d'organisateur. Les rapports nécessaires à Monty se trouvaient toujours sur son bureau au moment voulu, car Paul avait déjà traqué les retardataires, organisé des réunions avec les principaux responsables et recueilli des informations supplémentaires pour le patron.

L'univers clandestin lui était familier — il avait appartenu à l'Office of Strategic Services, la Centrale américaine de renseignements, et effectué des missions en France et en Afrique du Nord française. (Enfant, il avait vécu à Paris, quand son père était attaché militaire à l'ambassade américaine.) Six mois auparavant, Paul avait été blessé au cours d'une fusillade avec la Gestapo à Marseille : une balle lui avait arraché une grande partie de l'oreille gauche, mais sans lui causer d'autres dommages qu'esthétiques, et une autre avait fracassé sa rotule droite de manière irréversible. C'était pour cette raison qu'il avait été affecté à un bureau.

Par rapport à la perpétuelle cavale en territoire occupé, c'était un travail facile, mais jamais ennuyeux. On préparait l'opération Overlord, le débarquement qui mettrait un terme à la guerre. Paul — parmi quelques centaines de personnes à travers le monde — en connaissait la date tandis que la plupart ne pouvait que la supputer. À vrai dire, trois dates étaient possibles, en fonction des marées, des courants, de la lune et des heures de jour. Le débarquement exigeait un lever tardif de la lune, afin que les premiers mouvements de troupes se déroulent dans l'obscurité, et qu'elle brille au moment où les premiers parachutistes sauteraient des avions et des planeurs. Il fallait une marée basse à l'aube pour révéler les obstacles dressés sur les plages par Rommel, et une autre marée basse avant la tombée de la nuit pour le débarquement des premières troupes d'appui. Ces exigences ne ménageaient dans le calendrier qu'une étroite fenêtre : l'armada pourrait prendre la mer le lundi prochain, 5 juin, ou bien le mardi ou le mercredi suivant. La décision finale serait prise à la dernière minute, selon les conditions météorologiques, par le commandant suprême des forces alliées, le général Eisenhower.

Il y a trois ans, Paul aurait fait des pieds et des mains pour avoir sa place dans les forces de débarquement ; il aurait brûlé d'envie de participer à l'opération et n'aurait pas supporté de rester dans ses pantoufles. Aujourd'hui, avec l'âge, il s'était assagi. D'abord, il avait payé sa part : ex-capitaine de l'équipe victorieuse du championnat scolaire du Massachusetts, il ne shooterait plus jamais dans un ballon du pied droit. Surtout, il savait que ses talents d'organisateur seraient plus utiles à une issue favorable de la guerre que sa capacité à marquer un but.

Il se réjouissait d'appartenir à l'équipe qui préparait le plus grand débarquement de tous les temps. Bien sûr, cela n'allait pas sans angoisse, les batailles ne se déroulant jamais suivant le plan prévu — bien que Monty eût la faiblesse de prétendre le contraire. Paul savait que la moindre erreur de sa part — une orthographe erronée, un détail négligé, une information non vérifiée — pouvait coûter la vie à des soldats alliés. Malgré les énormes effectifs des forces de débarquement, le sort de la bataille restait incertain et la faute la plus minime pouvait faire pencher la balance.

Ce jour-là à dix heures, Paul avait prévu de consacrer quinze minutes à la Résistance française. C'était une idée de Monty, qui avait avant tout le souci du détail. Selon lui, pour remporter des victoires, il ne fallait entamer le combat qu'une fois que tous les préparatifs étaient en place.

À dix heures moins cinq, Simon Fortescue entra dans l'atelier de modelage. C'était un responsable du MI6, le service de renseignements. Avec sa haute silhouette vêtue d'un costume rayé, il en imposait par son autorité subtile, mais Paul pensait qu'il ne connaissait pas grand-chose des opérations clandestines sur le terrain. Il était suivi d'un fonctionnaire du ministère de la Guerre économique, ministère de tutelle du SOE, que son uniforme de Whitehall, veston noir et pantalon gris à rayures, ne semblait pas dispenser d'une certaine nervosité. Paul fronça les sourcils : il n'avait pas invité John Graves.

— Monsieur Graves ! dit-il sèchement. Je ne savais pas qu'on vous avait demandé de vous joindre à nous.

— Je vous expliquerai dans une seconde, répondit Graves, décontenancé, avant de s'asseoir et d'ouvrir son porte-documents.

Paul le savait, Monty n'appréciait pas les surprises ; cependant, bien qu'il fût agacé, Paul ne pouvait pas jeter Graves dehors.

Quelques instants plus tard, Monty arriva. Cet homme de petite taille au nez pointu et au front dégarni, aux rides profondes et avec une fine moustache, paraissait plus âgé que ses cinquante-six ans. Sa célèbre méticulosité en impatientait certains qui le traitaient de vieille femme. Paul, au contraire, était convaincu que cette obsession du détail avait sauvé bien des vies. Il était accompagné d'un Américain que Paul ne connaissait pas. Monty le présenta comme étant le général Pickford.

— Où est le représentant du SOE ? lança Monty en regardant Paul.

Ce fut Graves qui répondit.

— Malheureusement, il a été convoqué par le Premier ministre et il vous présente toutes ses excuses. J'espère pouvoir vous être de quelque utilité...

— J'en doute, rétorqua sèchement Monty.

Paul réprima un grognement : les choses se présentaient mal et on l'en rendrait responsable. Mais ce n'était pas tout : les Angliches manigançaient quelque chose qui lui échappait. Il les observa attentivement, cherchant des indices.

— Je suis certain, avança Simon Fortescue d'un ton suave, de pouvoir combler les lacunes.

Monty avait l'air furieux. Il avait promis au général Pickford un briefing, et voilà que le personnage clé était absent.

— Les moments les plus dangereux de la bataille qui s'annonce, assena-t-il sans perdre de temps en vaines récriminations, interviendront au début. (Il n'avait pas l'habitude d'évoquer le danger, remarqua Paul en son for intérieur. Il tablait plutôt sur le fait que tout devait marcher comme sur des roulettes.)

— Nous nous cramponnerons par les doigts au bord d'une falaise pendant une journée entière.

Ou deux, songea Paul, si ça n'est pas une semaine ou davantage.

Belle occasion pour l'ennemi de nous écraser les mains du talon de sa botte.

Cela leur serait si facile, se dit Paul. Overlord était la plus vaste opération militaire de l'histoire de l'humanité : des milliers de navires, des centaines de milliers d'hommes, des millions de dollars, des dizaines de millions de balles. L'avenir du monde dépendait de l'issue de cet affrontement. Pourtant cette force gigantesque pouvait être aisément repoussée, pour peu que les choses tournent mal dès les premières heures.

— Toute action capable d'entraver la réaction de l'ennemi

sera d'une importance cruciale, conclut Monty en se tournant vers Graves.

— Eh bien, la section F du SOE dispose en France de plus d'une centaine d'agents — à vrai dire, ils y sont presque tous —, avec sous leurs ordres, évidemment, des milliers de combattants de la Résistance française. Au cours des dernières semaines, nous leur avons parachuté des centaines de tonnes d'armes, de munitions et d'explosifs.

Une réponse de bureaucrate, songea Paul : elle disait tout et rien. Graves aurait volontiers poursuivi, si Monty ne l'avait interrompu en lui posant la question clé :

— Quelle efficacité auront-ils ?

Le fonctionnaire hésita et Fortescue s'empressa d'intervenir.

— Les espoirs sont modestes, admit-il. Le SOE a connu des réussites à tout le moins inégales.

La réponse était lourde de sous-entendus, Paul le savait. Les espions professionnels du MI6, à l'ancienne mode, détestaient les nouveaux venus du SOE et leur style à la Errol Flynn. En s'attaquant aux installations allemandes, les résistants déclenchaient des enquêtes de la Gestapo qui entraînaient parfois l'arrestation de membres du MI6. Paul se rangeait du côté du SOE : dans la guerre l'essentiel était de porter des coups à l'ennemi.

Alors, quel jeu jouait-on ici ? S'agissait-il d'une querelle bureaucratique entre le MI6 et le SOE ?

— Y a-t-il une raison spéciale qui justifie votre pessimisme ? demanda Monty à Fortescue.

— Prenez le fiasco d'hier soir, répliqua aussitôt Fortescue. Un groupe de résistants sous le commandement d'un agent du SOE a attaqué un central téléphonique non loin de Reims.

Le général Pickford intervint pour la première fois.

— Je croyais que notre politique écartait toute attaque des centraux téléphoniques : nous en aurons nous-mêmes besoin si le débarquement réussit.

— Vous avez tout à fait raison, répondit Monty. Mais, on a fait une exception en ce qui concerne Sainte-Cécile. C'est un centre vital pour le nouveau tracé du câble vers l'Allemagne. La majeure partie du trafic par téléphone et par télex entre le haut commandement à Berlin et les forces en France transite par cette installation. La mettre hors d'usage ne nous gênerait guère

— nous n'appellerons pas l'Allemagne ; en revanche, cela perturberait gravement le système de communications de l'ennemi.

— Ils passeront aux communications par radio.

— Exactement, dit Monty. Nous serons alors en mesure de déchiffrer leurs messages.

— Grâce à nos décodeurs de Bletchley, intervint Fortescue.

Paul était l'un des rares à savoir que les services de renseignements britanniques avaient décrypté des codes utilisés par les Allemands et réussi ainsi à traduire en clair les échanges de l'ennemi. Le MI6 était très fier de cet exploit même si, en vérité, le mérite ne lui en revenait pas : le travail avait été effectué non par les agents du renseignement, mais par un groupe de marginaux, mathématiciens et cruciverbistes enthousiastes, dont la plupart auraient été arrêtés si, en temps normal, ils avaient pénétré dans un bureau du MI6. Sir Stewart Menzies, en effet, grand chasseur devant l'Éternel et directeur du service, exécrait en bloc intellectuels, communistes et homosexuels, or Alan Turing, le mathématicien de génie qui était à la tête des décrypteurs, coiffait les trois casquettes à la fois.

Pickford toutefois avait raison : les Allemands, privés de lignes téléphoniques, recourraient à la radio ; les Alliés alors écouteraient leurs conversations. La destruction du central téléphonique de Sainte-Cécile donnerait aux Alliés un avantage capital. Malheureusement, la mission avait échoué.

— Qui était responsable ? demanda Monty.

— Je n'ai pas vu de rapport complet..., commença Graves.

— Je peux vous le dire, lança Fortescue. Le major Clairet... une femme.

Paul avait entendu parler d'Elizabeth Clairet, cette sorte de légende aux yeux du petit groupe qui était dans le secret de la guerre clandestine des Alliés. Elle avait survécu en France dans la clandestinité plus longtemps que quiconque. Son nom de code était Panthère et l'on disait qu'elle évoluait dans les rues de la France occupée avec la démarche silencieuse du dangereux félin. On disait aussi que c'était une jolie fille avec un cœur de pierre. Elle avait tué plus d'une fois.

— Alors, s'enquit Monty, que s'est-il passé ?

— Préparation insuffisante, responsable inexpérimentée, manque de discipline parmi les hommes, précisa Fortescue. La garnison allemande n'était pas nombreuse mais composée de soldats bien entraînés qui ont purement et simplement anéanti les forces de la Résistance.

Monty avait l'air en colère.

— Il me semble, reprit Pickford, que nous ne devrions pas trop compter sur la Résistance française pour perturber les lignes de ravitaillement de Rommel.

Fortescue acquiesça.

— Les bombardements restent le moyen le plus sûr.

— Je ne suis pas sûr que ce soit tout à fait juste, protesta faiblement Graves. Le Bomber Command, lui aussi, a eu ses réussites et ses échecs et le SOE coûte fichtrement moins cher.

— Bon sang, grommela Monty, nous ne sommes pas ici pour nous montrer justes, mais pour gagner la guerre. Je crois que nous en avons entendu assez, ajouta-t-il, en se levant, à l'intention du général Pickford.

— Que décidez-vous au sujet du central téléphonique ? demanda Graves. Le SOE suggérait un nouveau plan.

— Bonté divine, l'interrompit Fortescue, vous cherchez un autre merdier ?

— Bombardez-le, trancha Monty.

— Nous avons déjà essayé, répondit Graves. Le bâtiment a été touché, mais les dégâts n'étaient pas suffisants pour mettre le central hors service plus de quelques heures.

— Alors recommencez, dit Monty, et il sortit.

Graves lança un regard furieux à l'homme du MI6.

— Vraiment, Fortescue, dit-il. Je peux dire... *vraiment...*

Fortescue ne réagit pas.

Ils quittèrent tous la salle. Dehors, dans le couloir, deux personnes attendaient debout devant une vitrine de trophées sportifs : un homme d'une cinquantaine d'années en veste de tweed et une petite femme blonde en robe de cotonnade fanée réchauffée par un cardigan bleu usé. Ils faisaient un peu penser à un proviseur discutant avec l'une de ses lycéennes, à cela près que la jeune femme portait un foulard jaune vif noué avec une élégance qui parut résolument française à Paul. Fortescue passa devant eux, mais Graves s'arrêta.

— Ils ont rejeté votre plan, dit-il. Ils optent pour un nouveau bombardement.

Paul, devinant qu'il s'agissait de la Panthère, observa avec intérêt sa silhouette menue, ses cheveux blonds, courts et bouclés, et apprécia particulièrement ses ravissants yeux verts. Jolie, non, car l'expression autoritaire, le nez droit et le menton aigu — trop agressifs — effaçaient rapidement la première impression qu'elle laissait, celle d'une collégienne. Mais Paul fut sensible à la séduction qui se dégageait d'elle, et il imagina aussitôt le corps frêle que dissimulait la robe légère.

Elle réagit avec indignation aux propos de Graves :

— Un bombardement aérien ! Mais ça ne rime à rien : le sous-sol est renforcé ! Bonté divine, pourquoi ont-ils pris cette décision ?

— Vous devriez peut-être le demander à ce monsieur, répliqua Graves en se tournant vers Paul. Major Chancellor, je vous présente le major Clairet et le colonel Thwaite.

Paul n'aimait pas défendre des positions qui n'émanaient pas de lui. Pris au dépourvu, il répondit carrément :

— Je ne vois pas qu'il y ait grand-chose à expliquer. Vous avez loupé votre coup et on ne vous donne pas de seconde chance.

La jeune femme leva vers lui un regard furieux — elle mesurait trente bons centimètres de moins que lui — et répliqua, hors d'elle :

— Loupé ? Que voulez-vous dire par là ?

Paul se sentit rougir.

— Peut-être le général Montgomery était-il mal informé, mais n'était-ce pas la première fois que vous preniez le commandement d'une opération de cette sorte, major ?

— Parce que c'est *ça* qu'on a invoqué ? Mon manque d'expérience ?

Il réalisait maintenant qu'elle était vraiment superbe, la colère élargissait ses yeux et colorait ses joues. Mais elle était si désagréable qu'il décida de ne pas y aller par quatre chemins.

— Cela, et une préparation insuffisante...

— Il n'y avait rien à reprocher à notre plan !

— ... et le fait que des troupes bien entraînées défendaient la place en face d'un groupe indiscipliné.

— Espèce d'arrogant ! Salaud !

Paul recula machinalement d'un pas. Jamais une femme ne lui avait parlé sur ce ton. Je parie, se dit-il, que du haut de son mètre cinquante elle réussit à flanquer la frousse aux nazis.

Cependant, à voir son visage furieux, il comprit que c'était surtout à elle-même qu'elle en voulait.

— Vous estimez que c'est votre faute, analysa-t-il. Personne en effet ne se met dans des états pareils pour des erreurs commises par autrui.

À son tour, Betty fut interloquée, ce qui donna au colonel Thwaite l'occasion d'intervenir pour la première fois :

— Au nom du ciel, Betty, calmez-vous. Laissez-moi deviner..., reprit-il en se tournant vers Paul, cette version des faits vous a été donnée par Simon Fortescue du MI6, n'est-ce pas ?

— Exact, répondit Paul un peu crispé.

— A-t-il précisé que le plan de l'opération se fondait sur des renseignements fournis par son organisation ?

— Il ne me semble pas.

— C'est bien ce que je pensais, lâcha Thwaite. Merci, major, je n'ai pas besoin de vous déranger davantage.

Du point de vue de Paul, la conversation était loin d'être terminée, mais il venait de se faire éconduire par un officier supérieur et il ne lui restait plus qu'à s'éloigner.

De toute évidence, il s'était trouvé pris entre deux feux, dans une querelle de territoire opposant le MI6 et le SOE. Il en voulait surtout à Fortescue qui s'était servi de cette réunion pour marquer des points. Monty avait-il pris la bonne décision en choisissant de bombarder le central téléphonique au lieu de laisser le SOE tenter une nouvelle attaque ? Paul n'en était pas sûr.

Avant d'entrer dans son bureau, Paul jeta un coup d'œil derrière lui. Le major Clairet continuait de discuter avec le colonel Thwaite, à voix basse, mais avec animation, exprimant à grands gestes son indignation. Fermement plantée sur ses pieds, comme un homme, un poing sur la hanche, penchée en avant, Betty braquait sur son interlocuteur un index agressif. Malgré tout, quelque chose en elle captivait Paul qui se demanda ce qu'il éprouverait à tenir ce corps souple dans ses bras et à le caresser. Coriace peut-être, songea-t-il, mais sacrément féminine.

Cela dit, était-elle dans le vrai quand elle tenait pour vain un nouveau bombardement ? Il décida de poser quelques questions supplémentaires.

9.

L'énorme masse de la cathédrale noircie par les siècles se dressait au-dessus du centre de Reims comme un reproche divin. L'Hispano bleu ciel de Dieter Franck s'arrêta à midi devant l'hôtel Frankfurt, réquisitionné par les occupants. Dieter descendit et leva les yeux vers les tours trapues de la grande basilique. Le plan d'origine comportait deux élégantes flèches qui ne furent jamais construites par manque d'argent. Ainsi des considérations triviales pouvaient-elles contrecarrer les plus saintes aspirations.

Dieter, ne tenant pas à essuyer un nouveau refus du major Weber, demanda au lieutenant Hesse de garder la voiture et de se rendre au château de Sainte-Cécile pour s'assurer que la Gestapo était disposée à coopérer. Il rejoignit ensuite Stéphanie dans la suite où il l'avait laissée la veille.

Son accueil passionné ravit Dieter. Elle avait dénoué ses cheveux roux qui tombaient sur ses épaules nues et portait un déshabillé de soie beige et des mules à hauts talons. Il l'embrassa avidement, ses mains pétrissant son corps svelte.

— Tu parais si heureux de me voir, dit-elle avec un sourire, tu es si attentionné.

Stéphanie et Dieter parlaient toujours français entre eux.

— Ma foi, apprécia Dieter en humant son parfum, tu sens meilleur que Hans Hesse — surtout après une nuit blanche.

D'un geste plein de douceur, elle repoussa une mèche indisciplinée qui tombait sur le front de son amant.

— Tu as beau plaisanter, je sais bien que tu n'aurais pas protégé Hans de ton corps.

— C'est vrai. Il poussa un soupir et la libéra. Dieu que je suis fatigué.

— Viens te coucher.

Il secoua la tête.

— Il faut que j'interroge les prisonniers. Hesse revient me chercher dans une heure, fit-il en s'affalant sur le canapé.

— Je vais te faire monter quelque chose à manger, décida-t-elle en appuyant sur la sonnette. Une assiette de jambon avec des petits pains chauds et une salade de pommes de terre, commanda-t-elle au garçon d'étage d'un certain âge qui se présenta aussitôt. Du vin ?

— Non... ça m'endormirait.

— Alors, dit-elle au serveur, un pot de café.

Une fois celui-ci parti, elle vint s'asseoir sur le canapé auprès de Dieter et lui prit la main.

— Tout s'est-il passé comme tu voulais ? reprit-elle.

— Oui. Rommel m'a fait plein de compliments, dit-il en fronçant les sourcils. J'espère seulement me montrer à la hauteur des promesses que je lui ai faites.

— J'en suis certaine.

Elle ne demanda pas de détails, sachant qu'il ne lui dirait que ce qu'il voulait et pas davantage.

Il la regarda tendrement ; il hésitait à dévoiler ce qu'il avait sur le cœur et qui risquait d'assombrir l'ambiance. Pourtant, il devait en parler.

— Si le débarquement réussit et que les Alliés reprennent la France, ce sera la fin pour toi et moi, soupira-t-il, tu le sais.

Elle tressaillit, comme sous le coup d'une intense douleur, et lui lâcha la main.

— Vraiment ?

— As-tu de la famille ? s'inquiéta-t-il.

Il savait que son mari avait été tué au début de la guerre et qu'ils n'avaient pas d'enfants.

— Il y a des années que mes parents sont morts. J'ai une sœur ; elle vit à Montréal.

— Nous devrions peut-être réfléchir à la façon de t'envoyer là-bas.

— Non, fit-elle en secouant la tête.

— Pourquoi ?

Elle fuyait son regard.

— Je voudrais bien voir la guerre se terminer, murmura-t-elle.

— Mais non, pas du tout.

— Bien sûr que si, fit-elle avec un agacement qui ne lui était pas naturel.

— Quelle attitude conventionnelle ! ça ne te ressemble pas, lança-t-il avec un rien de mépris.

— Tu ne penses tout de même pas que la guerre est une bonne chose !

— Sans la guerre, toi et moi ne serions pas ensemble.

— Et toutes ces souffrances ?

— Je suis un existentialiste. La guerre permet aux gens d'être ce qu'ils sont vraiment : les sadiques deviennent des tortionnaires, les psychopathes font de courageux soldats d'avant-garde, les tyrans, comme les victimes, interprètent leur rôle à fond et les putains ne chôment jamais.

— Voilà qui démontre clairement quel est le mien, fit-elle, furieuse.

Il lui caressa la joue et lui effleura les lèvres du bout de son doigt.

— Tu es une courtisane — très douée.

Elle détourna la tête.

— Tu ne penses pas un mot de tout cela. Tu improvises, exactement comme quand tu t'assieds au piano.

Il hocha la tête en souriant — au grand déplaisir de son père, il jouait un peu de jazz, la comparaison était bien trouvée. Il expérimentait des idées plutôt qu'il n'exprimait une solide conviction.

— Tu as peut-être raison.

Sa colère se dissipa pour laisser place à la tristesse.

— Tu parlais sérieusement quand tu disais que nous devrions nous séparer si les Allemands évacuent la France ?

Il passa un bras autour de ses épaules et l'attira à lui. Elle se détendit et plaça la tête contre sa poitrine. Il posa un baiser sur ses cheveux et les lui caressa.

— Ça n'arrivera pas, déclara-t-il.

— En es-tu certain ?

— Je te le garantis.

C'était la seconde fois aujourd'hui qu'il faisait une promesse qu'il ne pourrait peut-être pas tenir.

Le serveur, en apportant la collation, rompit le charme. Dieter était trop épuisé pour avoir faim, mais il avala quand même quelques bouchées et but tout le pot de café. Ensuite, il se lava et se rasa, ce qui lui fit du bien. Il boutonnait une chemise propre quand le lieutenant Hesse frappa à la porte. Dieter embrassa Stéphanie et sortit.

La voiture dut faire un détour — un nouveau raid aérien avait détruit dans la nuit toute une rangée de maisons non loin de la gare — pour rattraper la route de Sainte-Cécile.

Dieter avait déclaré à Rommel que l'interrogatoire des prisonniers *aiderait* à démanteler la Résistance avant le débarquement ; et maintenant Rommel, comme tous les chefs militaires, confondant éventualité et promesse ferme, s'attendait à des résultats. Or on ne pouvait malheureusement rien garantir d'un interrogatoire, certains prisonniers débitaient intelligemment des mensonges impossibles à vérifier, d'autres parvenaient à se tuer avant de céder sous la torture. En outre, si les mesures de sécurité prises par le réseau étaient vraiment rigoureuses, chacun de ses membres ne connaîtrait que le minimum au sujet des autres et ne disposerait que de quelques renseignements intéressants, lesquels, si l'on envisageait le pire, pourraient bien faire partie d'un vaste plan de désinformation : en effet, les Alliés, ne négligeant pas la possibilité que leurs partisans craquent sous la torture, étaient capables d'avoir laissé filtrer de fausses informations.

Dieter commença par se mettre en condition : totalement inaccessible à la pitié et calculateur. Il devait rester absolument sourd aux souffrances tant physiques que morales qu'il allait infliger à des êtres humains et ne pas perdre de vue un seul instant que la seule chose qui comptait c'était le résultat. Il ferma les yeux et sentit un calme profond s'installer en lui, en même temps qu'un frisson familier le pénétrait jusqu'à l'os, le froid de la mort, se disait-il parfois.

La voiture s'arrêta dans le parc du château. Des ouvriers réparaient les vitres brisées et comblaient les trous creusés par les grenades. Dans la vaste salle dallée de marbre, les téléphonistes chuchotaient dans leur micro. Hans Hesse sur ses talons, Dieter traversa la magnifique enfilade de l'aile est et descendit au sous-sol fortifié. La sentinelle de faction à la porte salua sans tenter quoi que ce fût pour l'intercepter — il était en uniforme. Dieter entra dans le centre d'interrogatoires.

Willi Weber était assis à sa table dans le premier bureau. Dieter aboya : « Heil Hitler ! » et salua, obligeant Weber à se lever. Puis il prit un siège et s'assit.

— Je vous en prie, major, asseyez-vous, dit-il, à la grande fureur de Weber, invité à s'asseoir dans son propre quartier général. Combien de prisonniers avons-nous ?

— Trois.

— Si peu ? fit Dieter, déçu.

— Nous avons tué huit ennemis au cours de l'escarmouche. Deux autres ont succombé à leurs blessures pendant la nuit.

Dieter eut un grognement agacé ; il avait ordonné de maintenir en vie les blessés. Mais inutile d'interroger Weber sur la façon dont on les avait traités.

— Je crois, ajouta Weber, que deux se sont échappés...

— Oui, fit Dieter, la femme sur la place et l'homme qu'elle portait.

— Exactement. Donc, sur un total de quinze attaquants, cela nous fait trois prisonniers.

— Où sont-ils ?

— Il y en a deux dans une cellule, marmonna Weber d'un ton vague.

— Et le troisième ? s'enquit Dieter le regardant dans les yeux.

— On est en train de l'interroger, répondit Weber en désignant de la tête le bureau voisin.

Plein d'appréhension, Dieter se leva et ouvrit la porte. À l'intérieur, il aperçut la silhouette trapue du sergent Becker, muni d'une matraque de policier. Transpirant et le souffle court de qui vient de fournir un effort physique, il regardait fixement un prisonnier ligoté à un poteau.

Les craintes de Dieter furent confirmées, et malgré l'impassibilité qu'il s'était imposée, il ne put réprimer une grimace de dégoût. Il s'agissait de Geneviève, la jeune femme qui avait dissimulé une mitraillette Sten sous son manteau. Une corde passée sous ses bras retenait contre le poteau son corps entièrement nu, avachi et couvert d'ecchymoses ; son visage était si tuméfié qu'elle ne pouvait plus ouvrir les yeux. Du sang coulait de sa bouche sur son menton et ruisselait sur sa poitrine. Un bras pendait suivant un angle bizarre, sans doute à cause d'une clavicule démise ; sa toison pubienne enfin était poisseuse de sang.

— Que vous a-t-elle dit ? demanda Dieter à Becker.

— Rien, lâcha Becker, l'air embarrassé.

Dieter hocha la tête sans rien dire, maîtrisant sa rage : ses craintes se révélaient fondées. Il s'approcha de la femme.

— Geneviève, dit-il en français en s'approchant d'elle, écoutez-moi.

— Voudriez-vous vous reposer un peu maintenant ? essaya-t-il comme elle ne donnait aucun signe d'avoir entendu.

Aucune réaction.

Il se retourna, Weber se tenait sur le seuil, une expression de défi sur le visage. Pris d'une fureur glacée, Dieter lança :

— On vous avait expressément dit que c'était moi qui procéderais à l'interrogatoire.

— Nos instructions étaient de vous laisser accéder aux prisonniers, répliqua Weber d'un air suffisant. On ne nous a pas interdit de les questionner nous-mêmes.

— Êtes-vous satisfait des résultats que vous avez obtenus ?

Weber ne répondit rien.

— Et les deux autres ? reprit Dieter.

— Leur interrogatoire n'a pas encore commencé.

— Dieu soit loué. Conduisez-moi auprès d'eux.

Dieter n'en était pas moins contrarié. Il s'attendait à une demi-douzaine de prisonniers, et non à deux seulement.

Weber fit un signe de tête à Becker qui, abandonnant sa matraque, montra le chemin. L'éclairage cru du couloir mit en évidence les taches de sang qui maculaient l'uniforme du sergent ; celui-ci s'arrêta devant une porte munie d'un judas dont Dieter fit coulisser le panneau pour regarder à l'intérieur.

Une pièce nue au sol en terre battue et rien d'autre qu'un seau dans le coin. Assis sur le sol, deux hommes regardaient dans le vide, sans parler. Dieter les examina attentivement : il les avait vus tous deux la veille. Le plus âgé, c'était Gaston, qui avait posé les explosifs. Un grand morceau de sparadrap recouvrait une blessure au crâne qui paraissait superficielle. L'autre était très jeune, dans les dix-sept ans, et Dieter se rappela qu'il s'appelait Bertrand. Il ne semblait pas blessé, mais Dieter, se remémorant l'escarmouche, pensa qu'il avait pu être choqué par l'explosion d'une grenade.

Dieter les observa un moment, prenant son temps pour réfléchir. Pas question de se tromper. Il ne pouvait pas se permettre de gaspiller l'un de ses deux derniers atouts. Le gosse, affolé sans aucun doute, serait malgré tout capable de supporter la douleur. L'autre, si on le torturait trop, risquait, à cause de son âge, de mourir avant de craquer. Cependant il devait être sensible, et Dieter commençait à entrevoir une stratégie pour les interroger.

Refermant le judas, il regagna la salle d'interrogatoire, suivi par Becker qui le fit, une nouvelle fois, penser à un chien stupide mais dangereux.

— Sergent Becker, ordonna Dieter, détachez la femme et conduisez-la dans la cellule avec les deux autres.

— Une femme dans une cellule d'hommes ? protesta Weber.

Dieter lui jeta un regard incrédule.

— Vous croyez que cela va l'offusquer ?

Becker s'exécuta et réapparut portant le corps disloqué de Geneviève.

— Faites en sorte, précisa Dieter, que le vieux la voie bien et puis amenez-le ici.

Becker sortit.

Dieter décida d'éloigner Weber pour être plus tranquille. Il savait toutefois que celui-ci résisterait à un ordre direct. Aussi lui fit-il une suggestion :

— Je pense que vous devriez rester ici pour assister à l'interrogatoire. Ma façon de procéder pourrait vous apprendre bien des choses.

— Je ne crois pas, déclara Weber, réagissant comme Dieter l'avait prévu, Becker me tiendra au courant.

Dieter affecta de l'indignation et Weber sortit. Il surprit le regard admiratif du lieutenant Hesse qui, témoin de la scène, avait compris comment son supérieur avait manipulé Weber.

— Parfois, fit observer Dieter en haussant les épaules, c'est trop facile.

Becker revint alors avec Gaston. Le vieil homme était pâle. À n'en pas douter, la vue de Geneviève l'avait profondément secoué.

— Asseyez-vous donc, fit Dieter en allemand. Voulez-vous fumer ?

Gaston demeura impassible ; donc il ne comprenait pas l'allemand, détail qui avait son importance.

Dieter lui désigna un siège et lui offrit une cigarette. Gaston la prit et l'alluma d'une main tremblante.

C'est à ce stade que certains prisonniers craquaient ; les torturer devenait inutile, la terreur de ce qui les attendait suffisait. Dieter espérait que ce serait le cas aujourd'hui. Il avait montré à Gaston l'alternative qui s'offrait à lui : d'un côté, le martyre de Geneviève ; de l'autre, des cigarettes et un traitement humain.

Dieter poursuivit en français, d'un ton amical.

— Je vais vous poser quelques questions.

— Je ne sais rien, objecta tout de suite Gaston.

— Oh ! mais si, insista Dieter. Vous avez une soixantaine d'années et vous avez vécu à Reims ou dans les environs toute votre vie. Comme Gaston ne protestait pas, Dieter continua. Je suis au courant que les résistants utilisent des noms de code et n'échangent, par précaution, que le minimum d'informations personnelles. Gaston acquiesça machinalement. Mais cela fait des décennies que vous connaissez la plupart d'entre eux. Un homme peut, dans la Résistance, se faire appeler Éléphant, Prêtre ou Aubergine, mais vous, vous connaissez son visage et vous savez qu'il s'agit de Jean-Pierre le facteur, qui habite rue du Parc et qui rend subrepticement visite à la veuve Martineau le mardi quand sa femme croit qu'il joue aux boules.

Gaston détourna la tête pour fuir le regard de Dieter, lui confirmant ainsi qu'il avait vu juste.

— Je tiens à ce que vous compreniez bien, poursuivit Dieter, que tout ce qui va se passer ici dépend de vous. La douleur qui s'éternise ou qui s'arrête. L'arrêt de mort ou le sursis. Il constata avec satisfaction que Gaston semblait de plus en plus terrorisé. Vous allez répondre à mes questions, tout le monde finit par le faire. La seule inconnue, c'est au bout de combien de temps.

À ce moment-là un homme pouvait s'effondrer ; Gaston, lui, tenait bon.

— Je ne peux rien vous dire, murmura-t-il.

Il avait peur, mais il lui restait encore un peu de courage et il ne renoncerait pas sans combattre.

Dieter haussa les épaules : ce ne serait pas facile.

— Retournez dans la cellule, ordonna-t-il à Becker en allemand. Que le garçon se déshabille. Conduisez-le à côté et attachez-le au poteau dans la pièce voisine.

— Très bien, major, s'empressa de répondre Becker.

Dieter se retourna ensuite vers Gaston.

— Vous allez me dire la véritable identité, le nom de code et l'adresse de chacun des hommes et des femmes présents hier, ainsi que de tous ceux qui font partie de votre réseau. Gaston secoua la tête, mais Dieter continua. Je veux connaître aussi toutes les maisons utilisées par votre organisation.

Gaston tira de toutes ses forces sur sa cigarette et contempla le bout rougeoyant.

À vrai dire, ce n'était pas le plus important ; le but principal de Dieter était d'obtenir des renseignements qui lui permettraient de remonter jusqu'à d'autres réseaux de la Résistance, et ce, à l'insu de Gaston.

Quelques instants plus tard, Becker revint avec Bertrand. Gaston, bouche bée, regarda le jeune homme complètement nu, traverser la salle d'interrogatoire pour gagner la pièce du fond. Dieter se leva.

— Ayez l'œil sur le vieux, recommanda-t-il à Hesse.

Il suivit Becker dans la chambre de torture et prit soin de laisser la porte entrebâillée pour que Gaston entende tout.

Becker ligota Bertrand au poteau et, avant que Dieter ait pu intervenir, le frappa au creux de l'estomac. Le coup, violent et assené par un gaillard vigoureux, fit un bruit sourd, terrifiant. Le jeune homme poussa un gémissement et se tordit de douleur.

— Non, non, non, fit Dieter.

Comme il l'avait prévu, la méthode de Becker n'avait rien de scientifique : un homme jeune et robuste pouvait supporter les coups presque indéfiniment.

— D'abord, il faut lui bander les yeux, reprit-il en tirant de sa poche un grand foulard qu'il noua sur les yeux de Bertrand. De cette façon, l'attente est horrible et chaque coup un choc épouvantable.

Becker prit sa matraque et, comme Dieter acquiesçait, l'abattit sur la joue de sa victime : on entendit le craquement du bois qui fracassait l'os. Bertrand poussa un cri de douleur et de peur.

— Non, non, reprit Dieter. Jamais la tête. Vous risquez de décrocher la mâchoire ou, pis encore, d'endommager le cerveau ; soit le sujet sera empêché de parler, soit rien de ce qu'il dira ne présentera plus le moindre intérêt.

Il prit la matraque des mains de Becker et la reposa dans le porte-parapluies. Parmi l'assortiment d'armes qui s'offrait à lui il choisit un pied-de-biche et le tendit à Becker.

— N'oubliez pas, il s'agit d'infliger une douleur insupportable sans mettre en danger la vie du sujet ni sa capacité à nous dire ce que nous avons besoin de savoir. Évitez les organes vitaux. Concentrez-vous sur les parties osseuses : chevilles, tibias, rotules, doigts, coudes, épaules, côtes.

Becker prit un air entendu : il passa derrière le poteau et, visant avec soin, frappa violemment le coude de Bertrand avec la barre d'acier. Le jeune homme poussa un hurlement d'horreur, que Dieter reconnut aussitôt.

Becker avait l'air enchanté. Dieu me pardonne, songea Dieter, d'enseigner à cette brute comment infliger plus efficacement la douleur.

Suivant à la lettre les instructions de Dieter, Becker frappa ensuite Bertrand à l'épaule, à la main, puis à la cheville. Dieter faisait marquer à Becker une pause entre les coups, ce qui laissait juste assez de temps à la douleur pour commencer à s'apaiser et au prisonnier pour se mettre à redouter le coup suivant. Bertrand demandait grâce.

— Assez, je vous en prie, implora-t-il, affolé de souffrance et de peur. Becker leva son pied-de-biche, mais Dieter l'arrêta ; il voulait que les supplications se prolongent. Je vous en prie, ne me frappez plus, cria Bertrand. Je vous en prie, je vous en prie.

— C'est en général une bonne idée, expliqua Dieter à Becker, de briser une jambe au début d'un interrogatoire. C'est atrocement douloureux, surtout après, quand on frappe à l'endroit de la fracture. Juste au-dessous du genou, indiqua-t-il en choisissant un lourd marteau dans le porte-parapluies pour le donner à Becker. Aussi fort que vous pouvez.

Becker visa soigneusement et abattit la masse de toutes ses forces : le tibia se brisa dans un affreux craquement. Bertrand poussa un hurlement et s'évanouit. Becker lui aspergea le visage, et le jeune homme, revenant à lui, se remit à crier.

Au bout d'un moment, les hurlements cédèrent la place à des gémissements déchirants.

— Qu'est-ce que vous voulez ? supplia Bertrand. Je vous en prie, dites-moi ce que vous voulez de moi !

Mais Dieter, au lieu de poser une question, passa le pied-de-biche à Becker en désignant la jambe cassée et l'éclat d'os blanc qui pointait à travers la chair. Becker frappa à cet endroit précis. Bertrand hurla et perdit de nouveau connaissance. Dieter estima que cela pouvait suffire.

Il revint dans la pièce voisine. Gaston était assis là où Dieter l'avait laissé, mais c'était un autre homme. Penché sur sa chaise et secoué par les sanglots, il cachait son visage dans ses mains et implorait le ciel. Dieter s'agenouilla devant lui et l'obligea à lever son visage ruisselant de larmes. Gaston regarda Dieter qui dit doucement :

— Vous seul avez le pouvoir de faire cesser cela.

— Je vous en prie, arrêtez, arrêtez, gémit Gaston.

Un silence. Nouveaux hurlements de Bertrand.

— Oui ! cria Gaston. Oui, oui, je dirai tout, mais, je vous en prie, arrêtez !

— Sergent Becker ! dit Dieter en haussant la voix.

— Oui, major ?

— C'est tout pour le moment.

— Bien, major, répondit Becker, manifestement déçu.

— Maintenant, Gaston, fit Dieter, revenant au français, commençons par le chef du réseau. Nom, et nom de code. Qui est-ce ?

Gaston hésita, et Dieter dirigea son regard vers la salle de torture.

— Michel Clairet, lâcha précipitamment Gaston. Nom de code Monet.

La situation se débloquait. Le plus dur, c'était le premier nom. Le reste suivrait sans effort. Sans montrer sa satisfaction, Dieter tendit une cigarette à Gaston et approcha une allumette.

— Où habite-t-il ?

— À Reims.

Gaston souffla un nuage de fumée et ses tremblements

commencèrent à s'apaiser. Il donna une adresse non loin de la cathédrale.

Dieter fit un signe de tête au lieutenant Hesse qui se mit à noter les réponses de Gaston dans un carnet. Patiemment, Dieter amena Gaston à citer chaque membre du groupe d'assaut. Pour certains, Gaston ne connaissait que les noms de code et il y avait deux hommes qu'il prétendit n'avoir jamais vus avant dimanche. Dieter le croyait. Il y avait deux chauffeurs qui attendaient au volant d'une voiture à quelques mètres de là : une jeune femme prénommée Gilberte et un homme, nom de code Maréchal. D'autres encore appartenaient au groupe qu'on nommait le réseau Bollinger.

Dieter le questionna sur les relations entre les résistants. Existait-il des liaisons amoureuses ? Y avait-il parmi eux des homosexuels ? Connaissait-on quelqu'un qui couchait avec la femme d'un autre ?

La torture avait cessé, mais Bertrand continuait à gémir et parfois à hurler de douleur.

— Va-t-on s'occuper de lui ? demanda Gaston.

Dieter haussa les épaules.

— Je vous en prie, faites venir un médecin.

— Certainement... quand nous aurons terminé notre conversation.

Gaston raconta à Dieter que Michel et Gilberte étaient amants bien que Michel fût marié à Betty, la blonde qu'il avait vue sur la place.

Gaston jusqu'à maintenant avait parlé d'un réseau presque totalement anéanti, aussi ses informations n'avaient-elles qu'un intérêt essentiellement théorique. Dieter passa alors à des questions plus importantes.

— Quand des agents alliés viennent dans la région, comment établissent-ils le contact ?

Personne n'était censé savoir comment cela se déroulait, tout était compartimenté. Gaston connaissait pourtant une partie de la procédure : les agents étaient accueillis — il ignorait où — par une femme, nom de code Bourgeoise, qui les emmenait chez elle puis les confiait à Michel.

Personne n'avait jamais rencontré Bourgeoise, pas même Michel.

Dieter fut déçu que Gaston en sache si peu sur cette femme. Mais c'était le principe du cloisonnement.

— Savez-vous où elle habite ?

Gaston fit un hochement de tête affirmatif.

— Un des agents nous a donné l'adresse. Elle a une maison rue du Bois. Au numéro 11.

Dieter s'efforça de dissimuler sa jubilation : il venait d'obtenir une information capitale. Dieter était maintenant en mesure de prendre les autres agents que l'ennemi enverrait probablement pour tenter de reconstituer le réseau Bollinger.

— Et quand ils partent ?

Ils étaient ramassés par un avion dans une prairie nom de code Champ de pierre, en fait un pâturage à proximité du village de Chatelle, révéla Gaston. Un terrain de secours, nom de code Champ d'or, existait, mais il n'en connaissait pas l'emplacement.

Dieter questionna ensuite Gaston sur les liaisons avec Londres. Qui avait ordonné l'attaque sur le central téléphonique ? Gaston expliqua que Betty — le major Clairet — était l'officier responsable du réseau et qu'elle avait reçu ses ordres de Londres. Dieter fut surpris : une femme à la tête d'un réseau ? Mais il avait vu son courage au feu. Elle devait faire un excellent chef.

Dans la salle voisine, Bertrand commençait à prier tout haut que la mort arrive.

— Je vous en prie, dit Gaston. Un médecin.

— Parlez-moi un peu du major Clairet, continua Dieter. Ensuite je ferai venir quelqu'un pour faire une piqûre à Bertrand.

— Quelqu'un de très important, déclara Gaston qui tenait à donner à Dieter des renseignements qui le rassasient. Il paraît que personne d'autre n'a survécu aussi longtemps dans la clandestinité. Elle a opéré dans tout le nord de la France.

Dieter l'écoutait, fasciné.

— Elle a des contacts avec d'autres réseaux ?

— Je crois que oui.

Voilà qui était inhabituel — quelle précieuse source d'informations sur la Résistance française elle ferait !

— Hier, après l'escarmouche, reprit Dieter, elle s'est enfuie. Où croyez-vous qu'elle soit allée ?

— Elle est rentrée à Londres, j'en suis sûr, dit Gaston. Pour faire son rapport.

Dieter jura sous cape. C'est en France qu'il la voulait, là où il pourrait l'arrêter et l'interroger. S'il parvenait à mettre la main sur elle, il serait en mesure d'anéantir la moitié de la Résistance française — comme il l'avait promis à Rommel. Mais elle était hors d'atteinte.

— C'est tout pour l'instant, conclut-il en se levant. Hans, faites venir un médecin pour les prisonniers. Je ne veux voir aucun d'eux mourir aujourd'hui : ils ont peut-être encore des choses à nous dire. Ensuite, tapez vos notes à la machine et apportez-les-moi demain matin.

— Très bien, major.

— Faites-en une copie pour le major Weber — mais attendez que je vous le dise pour la lui donner.

— À vos ordres.

— Je rentrerai tout seul en voiture à l'hôtel, annonça Dieter en sortant.

La migraine l'assaillit dès qu'il mit le pied dehors. Se frictionnant le front de la main, il regagna la voiture et sortit du village pour prendre la route de Reims. Le soleil de l'après-midi semblait se refléter sur la chaussée droit dans ses yeux. Ces migraines apparaissaient souvent après un interrogatoire. Dans une heure, il n'y verrait plus et ne serait bon à rien. Il fallait qu'il soit de retour à l'hôtel avant que la crise n'atteigne son maximum. Ne voulant pas ralentir, il klaxonnait constamment. Les ouvriers agricoles rentrant chez eux à pas lents s'écartaient précipitamment sur son passage. Des chevaux se cabrèrent et une charrette bascula dans le fossé. La douleur lui faisait monter les larmes aux yeux et la nausée se précisait.

Il parvint à rejoindre Reims et l'hôtel Frankfurt sans accident. Là, il abandonna la voiture plutôt qu'il ne la gara pour gagner sa suite en trébuchant.

Stéphanie comprit aussitôt ce qui s'était passé et, pendant qu'il ôtait sa tunique d'uniforme et sa chemise, attrapa la trousse à pharmacie pour préparer une seringue avec une solution à base de morphine. Dieter s'affala sur le lit et elle enfonça l'aiguille dans son bras. La douleur cessa presque immédiatement. Stéphanie s'allongea auprès de lui et caressa doucement son visage.

Quelques instants plus tard, Dieter était inconscient.

10.

Betty habitait une chambre meublée dans les combles d'une grande maison ancienne de Bayswater : si une bombe traversait le toit, elle atterrirait sur son lit. En réalité, elle y passait fort peu de temps, non par crainte des bombardements, mais parce que sa véritable existence était ailleurs : en France, au quartier général du SOE ou dans un de ses centres de formation à la campagne. Très peu de choses lui étaient personnelles : une photo de Michel jouant de la guitare, des œuvres de Flaubert et de Molière en français sur une étagère, une aquarelle de Nice qu'elle avait peinte à quinze ans. Trois tiroirs de la petite commode contenaient des vêtements, le dernier était réservé aux armes et aux munitions.

Fatiguée et déprimée, elle se déshabilla et s'allongea sur le lit pour feuilleter un exemplaire de *Parade*. Elle apprit ainsi que Berlin, le mercredi précédent, avait été bombardé par un groupe de quinze cents avions. Difficile à concevoir : elle essaya de se représenter ce que les Berlinois avaient subi et parvint seulement à évoquer un tableau du Moyen Âge dépeignant l'enfer avec des gens nus qui brûlaient vifs dans une grêle de feu.

Ses pensées revenaient sans cesse à l'échec de la veille. Elle repassa dans son esprit le film de la bataille, imaginant une douzaine de décisions qu'elle aurait pu prendre et qui auraient abouti à la victoire plutôt qu'à la défaite. Non seulement elle avait perdu une bataille, mais elle risquait bien de perdre aussi son mari ; elle se demanda s'il y avait un lien entre les deux. Décidément, elle ne se montrait pas à la hauteur ni comme chef ni comme épouse : peut-être y avait-il chez elle une faille profonde.

Le rejet de son nouveau projet lui enlevait les moyens de se racheter. Tous ces braves avaient donné leur vie pour rien.

Elle finit par sombrer dans un sommeil agité dont elle fut tirée par un cri derrière la porte : « Betty ! Téléphone ! » C'était la voix d'une des filles de l'appartement du dessous.

La pendulette posée sur l'étagère indiquait six heures.

— Qui est-ce ? demanda-t-elle.

— Il a juste dit que c'était le bureau.

— J'arrive, répondit-elle en passant un peignoir.

Ne sachant pas très bien s'il était six heures du matin ou six heures du soir, elle jeta un coup d'œil par son petit vasistas avant de dévaler l'escalier jusqu'au téléphone installé dans l'entrée : le soleil se couchait sur les élégantes terrasses de Ladbroke Grove.

— Désolé de vous réveiller.

Betty reconnut la voix de Percy Thwaite.

— Pas du tout.

Elle était contente de l'entendre, car même s'il l'envoyait sans cesse au-devant du danger, elle s'était profondément attachée à lui. C'était une responsabilité terrible que de diriger des agents, et certains officiers supérieurs cherchaient à se protéger en s'interdisant la pitié devant la mort ou la capture de leurs hommes. Mais Percy ressentait chaque perte d'un agent comme un véritable deuil. Betty savait qu'il ne prendrait donc jamais de risques inutiles avec elle. Elle lui faisait confiance.

— Pouvez-vous venir à Orchard Court ?

Elle se demanda si les autorités avaient reconsidéré son plan et elle sentit l'espoir lui faire battre le cœur.

— Monty a changé d'avis ?

— Hélas, non. Mais j'ai besoin de vous pour briefer quelqu'un.

— Je serai là dans quelques minutes, assura-t-elle se mordant la lèvre pour maîtriser sa déception.

Elle s'habilla rapidement et prit le métro jusqu'à Baker Street. Percy l'attendait dans l'appartement de Portman Square.

— J'ai déniché un opérateur radio. Il n'a pas d'expérience, mais il a suivi le stage d'entraînement. Je l'envoie à Reims demain.

Machinalement, Betty jeta un coup d'œil à la fenêtre pour vérifier les conditions météorologiques : un agent avait toujours ce réflexe quand on évoquait un vol. Les rideaux étaient fermés, par mesure de sécurité, mais elle savait qu'il faisait beau temps.

— Reims ? Pourquoi ?

— Nous n'avons eu aucune nouvelle de Michel aujourd'hui. J'ai besoin de savoir ce qu'il reste du réseau Bollinger.

Betty hocha la tête. Pierre, l'opérateur radio, avait participé à l'attaque du château ; il était probablement prisonnier, ou mort. Michel, à supposer qu'il ait retrouvé l'émetteur radio de Pierre, n'avait de toute façon aucune formation et ne connaissait certainement pas les codes.

— Mais pour quoi faire ?

— Au cours des derniers mois, nous leur avons envoyé des tonnes d'explosifs et de munitions. J'ai envie de faire sauter quelques pétards. Le central téléphonique est certes l'objectif le plus important, mais ce n'est pas le seul. Même s'il ne reste que Michel et deux ou trois autres, ils peuvent toujours faire sauter des voies ferrées, couper des câbles téléphoniques et abattre des sentinelles : c'est toujours ça de pris. Mais impossible de donner des instructions sans aucun moyen de communication.

Betty haussa les épaules. Pour elle, le château était la seule cible qui comptait. Tout le reste était de la gnognotte. Mais, après tout, pourquoi pas ?

— Je le brieferai, bien sûr.

Percy l'observa longuement, hésita, puis finit par dire :

— Comment allait Michel... à part sa blessure ?

— Bien.

Betty garda un moment le silence sous le regard perspicace de Percy, mais elle ne pouvait pas l'abuser — il la connaissait trop bien —, aussi lâcha-t-elle dans un soupir :

— Il y a une fille.

— C'est ce que j'appréhendais.

— Je crains qu'il ne reste pas grand-chose de mon mariage, reconnut-elle amèrement.

— Je suis désolé.

— Si, au moins, je pouvais me dire que je me suis sacrifiée utilement, que j'ai frappé un grand coup et que, grâce à moi, le débarquement a plus de chances de réussir, ça m'aiderait.

— Au cours des deux dernières années, vous en avez fait bien plus que la plupart.

— Mais à la guerre, il n'y a pas de second prix, n'est-ce pas ?

— Hélas, non.

La compassion que lui manifestait Percy l'apaisait, pourtant elle ne voulait surtout pas se mettre à pleurnicher sur son sort, et elle se leva précipitamment en disant :

— Je ferais mieux d'aller briefer le nouveau radio.

— Nom de code Hélicoptère. Il attend dans le bureau. Ce n'est malheureusement pas une flèche, mais c'est un brave gars.

— S'il est si peu malin, pourquoi l'envoyer ? Il pourrait mettre les autres en danger, rétorqua-t-elle, estimant qu'il y avait une certaine négligence dans cette attitude.

— Comme vous le disiez tout à l'heure, c'est notre dernière chance. Si le débarquement échoue, nous avons perdu l'Europe. Il faut faire feu de tout bois maintenant parce que nous n'aurons pas d'autres occasions.

Betty acquiesça à regret : il avait retourné contre elle son propre argument, et il avait raison. Mais, à la différence que, cette fois, parmi les vies exposées, se trouvait celle de Michel.

— D'accord, fit-elle, j'y vais.

— Il a hâte de vous voir.

— Pourquoi ? demanda-t-elle en fronçant les sourcils.

— Allez donc poser la question vous-même, fit Percy en souriant.

Betty sortit du salon qui servait de bureau à son chef et suivit le couloir jusqu'à la cuisine où la secrétaire, sans cesser de taper sur sa machine, lui indiqua une porte.

Elle s'arrêta un instant avant d'entrer. C'est toujours comme ça, se dit-elle : on récupère et on continue en espérant qu'on finira par oublier.

Elle pénétra dans une petite pièce dont le mobilier se composait d'une table carrée et de quelques chaises dépareillées. Hélicoptère, jeune homme blond d'une vingtaine d'années qui arborait une veste de tweed moutarde, orange et vert, sentait l'Anglais à un kilomètre. Heureusement, avant qu'il monte à bord de l'avion, on l'aurait équipé de vêtements qui passeraient inaperçus dans une ville française — le SOE employait en effet des couturières et des tailleurs français qui confectionnaient pour les agents des tenues banales sur le continent et qui passaient des heures à leur donner un air un peu usagé pour qu'ils n'attirent pas l'attention. Mais on ne pouvait rien changer au teint rose et aux cheveux blond-roux d'Hélicoptère, sauf espérer que la Gestapo y verrait du sang allemand.

— À vrai dire, nous nous sommes déjà rencontrés, dit-il à Betty une fois qu'elle se fut présentée.

— Je suis désolée, je ne m'en souviens pas.

— Vous étiez à Oxford avec mon frère, Charles.

— Charlie Standish... bien sûr !

Betty se rappela aussitôt un autre garçon blond vêtu de tweed, plus grand et plus mince qu'Hélicoptère, mais sans doute pas plus malin car il n'avait obtenu aucun diplôme. Charlie parlait lui aussi couramment français.

— Vous êtes même venue une fois chez nous dans le Gloucestershire.

Betty revit alors la maison de campagne, le père, Anglais très affable, et la mère, une élégante Française. Charlie avait un jeune frère, Brian ; elle avait un peu bavardé avec l'adolescent maladroit en bermuda, tout excité par son nouvel appareil photo, et il s'était amouraché d'elle.

— Comment va Charlie ? Je ne l'ai pas revu depuis la fin de nos études.

— Il est mort, fit Brian, l'air soudain accablé. En 1941 ; il a été tué dans ce f-f-foutu désert.

Craignant de le voir éclater en sanglots, Betty lui prit la main.

— Brian, je suis absolument désolée.

— C'est gentil de votre part, réussit-il à dire malgré sa gorge serrée. Depuis cette époque, reprit-il après s'être maîtrisé au prix d'un grand effort, je vous ai vue juste une fois : j'ai assisté à l'un de vos cours lors de mon stage d'entraînement pour le SOE, mais je n'ai pas eu l'occasion de vous parler.

— J'espère vous avoir donné de bons conseils.

— Vous parliez des traîtres et du sort qu'il fallait leur réserver. « C'est bien simple, aviez-vous dit. Vous appuyez le canon de votre pistolet contre la nuque de ce salaud et vous pressez deux fois la détente. » Ça nous a fichu une frousse épouvantable.

Il la regardait avec un air d'adoration tel qu'elle comprit

l'allusion de Percy — Brian avait encore le béguin pour elle. Betty s'éloigna un peu, s'assit de l'autre côté de la table et dit :

— Eh bien, nous ferions bien de nous y mettre. Vous savez que vous allez prendre contact avec un réseau de la Résistance qui a été pratiquement démantelé.

— Oui, je dois découvrir ce qu'il en reste et estimer, le cas échéant, ce qu'il est capable de faire.

— Selon toute probabilité, certains membres du réseau ont été faits prisonniers et sont en ce moment même interrogés par la Gestapo. Vous devrez donc vous montrer extrêmement prudent. Votre contact à Reims est une femme, nom de code Bourgeoise. Tous les jours à onze heures du matin, elle se rend dans la crypte de la cathédrale pour prier. Généralement, elle est la seule personne à se trouver là ; si ce n'était pas le cas, vous la reconnaîtrez à ses chaussures dépareillées, une noire et une marron.

— Facile.

— Vous devez lui dire : « Priez pour moi. » Elle doit vous répondre : « Je prie pour la paix. » C'est le code.

Il répéta les mots.

— Elle vous emmènera chez elle et vous mettra en contact avec le chef du réseau Bollinger dont le nom de code est Monet. Faites bien attention à ne mentionner ni l'adresse ni le vrai nom de Bourgeoise devant les autres membres du réseau que vous rencontrerez : pour des raisons de sécurité, mieux vaut qu'ils restent dans l'ignorance.

Betty avait recruté elle-même Bourgeoise et installé le cloisonnement. Même Michel ne l'avait jamais rencontrée.

— Je comprends.

— Avez-vous une question à me poser ?

— Je suis sûr qu'il y en a des centaines, mais aucune ne me vient à l'esprit.

Elle se leva et fit le tour de la table pour lui serrer la main.

— Eh bien, bonne chance.

— Je n'ai jamais oublié ce week-end, répondit-il sans lui lâcher la main. Vous m'avez certainement trouvé mortellement ennuyeux ; mais ça ne vous a pas empêchée de vous montrer très gentille avec moi.

Elle sourit et lança d'un ton léger :

— Vous étiez un gosse charmant.

— À vrai dire, je suis tombé amoureux de vous.

Évoquant la mort qui l'attendait peut-être pour le lendemain, elle ne dégagea pas sa main, ne se décidant pas à être aussi cruelle.

— Je suis flattée, dit-elle en s'efforçant de conserver un ton d'aimable badinage.

Ça ne marchait pas : il était sérieux.

— Je me demandais... voudriez-vous... juste pour me porter chance, me donner un baiser.

Elle hésita. Pourquoi pas, songea-t-elle, et elle se dressa sur la pointe des pieds pour déposer un petit baiser sur ses lèvres ; elle s'attarda un peu, puis s'écarta. Il était pétrifié de bonheur.

— Restez en vie, Brian, dit-elle en lui donnant une petite tape sur la joue.

Elle retrouva Percy devant une pile d'albums et une collection de photos étalées sur son bureau.

— Terminé ? demanda-t-il.

Elle acquiesça de la tête.

— Mais il n'a pas l'étoffe du parfait agent secret, précisa-t-elle.

— Il est courageux, répondit-il en haussant les épaules, il parle français comme un Parisien et c'est un bon tireur.

— Il y a deux ans, vous l'auriez renvoyé dans l'armée

— Exact. Maintenant, je vais l'envoyer à Sandy.

Il s'agissait d'une grande maison près du terrain d'aviation de Tempsford, où Brian recevrait des vêtements bien français, et les faux papiers nécessaires au franchissement des barrages de la Gestapo et à l'achat du ravitaillement. Percy se leva et se dirigea vers la porte.

— Pendant que je l'accompagne, jetez donc un coup d'œil à cet album de famille, voulez-vous ? reprit-il en désignant les photos éparpillées sur le bureau. Ce sont toutes les photos d'officiers allemands que possède le MI6. Si par hasard l'homme que vous avez vu sur la place de Sainte-Cécile se trouvait parmi eux, cela m'intéresserait de l'identifier.

Percy sortit. Betty commença par ce qui était, en fait, un annuaire de promotion d'une académie militaire avec les photos grandes comme un timbre-poste de quelque deux cents jeunes gens au teint frais. Avec une douzaine d'autres albums de ce genre l'attendaient aussi plusieurs centaines de photos.

Elle n'avait guère envie de passer la nuit entière à scruter une galerie de portraits, aussi commença-t-elle par réduire le champ de ses recherches. L'homme de la place semblait avoir une quarantaine d'années ; en supposant qu'il ait terminé ses études vers vingt-deux ans, l'album devrait être daté aux alentours de 1926, mais aucun des annuaires n'était aussi ancien.

Elle se pencha donc sur les photographies qui jonchaient le bureau. Tout en les examinant rapidement, elle s'efforça de rassembler ses souvenirs : il était très grand et bien habillé, mais cela ne se verrait pas sur une photo. Il avait des cheveux bruns et drus et, même s'il était rasé de près, on sentait qu'il avait la barbe bien fournie. Elle se rappela les yeux sombres, les sourcils bien dessinés, un nez droit, un menton carré — en fait, un physique de jeune premier.

Les clichés provenaient d'origines extrêmement diverses : documents d'actualité, pour certains, montrant des officiers serrant la main d'Hitler, inspectant des troupes ou contemplant des chars et des avions. D'autres semblaient avoir été pris par des espions depuis des voitures ou derrière des fenêtres : plus spontanés, au milieu d'une foule, ils montraient les officiers faisant des courses, parlant à des enfants, hélant un taxi, allumant une pipe.

Elle passa les photos en revue aussi vite que possible, et les empila méthodiquement, s'arrêtant sur chaque homme aux cheveux bruns ; aucun cependant n'était aussi bel homme que celui dont elle avait gardé le souvenir. Elle passa sur le portrait d'un policier en tenue, puis elle y revint : l'uniforme l'avait d'abord déroutée, mais un examen attentif la convainquit qu'il s'agissait bien de lui.

Elle retourna le cliché pour lire la feuille dactylographiée collée au verso :

> *FRANCK, Dieter Wolfgang, parfois surnommé « Frankie » ; né à Cologne le 3 juin 1904 ; études à l'université Humboldt de Berlin et à l'académie de Cologne ; marié en 1930 à Waltraud Loewe, 1 fils, 1 fille ; commissaire au service d'investigation criminelle, police de Cologne, jusqu'en 1940 ; major, section renseignements, Afrika Korps, jusqu'à... ?*
> *Homme clé du service de renseignements de Rommel, cet officier a la réputation d'être un habile inquisiteur et un bourreau sans merci.*

Betty frissonna à l'idée qu'elle avait approché de si près un homme aussi dangereux. Un policier expérimenté qui avait ensuite consacré ses talents au renseignement militaire était un ennemi redoutable. Le fait d'avoir une famille à Cologne ne l'empêchait pas, apparemment, d'avoir une maîtresse en France.

Elle laissa à peine le temps à Percy de rejoindre sa table de travail.

— C'est lui, dit-elle en tendant la photo.

— Dieter Franck ! Nous le connaissons. Comme c'est intéressant. D'après ce que vous avez surpris de sa conversation sur la place, il semblerait que Rommel lui ait confié une sorte de mission de contre-Résistance. Percy nota quelque chose sur un bloc. Je ferais mieux de prévenir le MI6, puisque c'est eux qui nous ont prêté leurs photos.

On frappa à la porte et la secrétaire de Percy passa la tête.

— Il y a quelqu'un pour vous, colonel Thwaite.

Elle semblait tout émoustillée ; l'attitude paternelle de Percy n'inspirant jamais ce genre de réaction chez les secrétaires, Betty en conclut que le visiteur devait être un homme séduisant.

— Un Américain, précisa-t-elle.

Voilà qui pourrait être une explication, songea Betty : pour les secrétaires en tout cas, les Américains représentaient le comble de la séduction.

— Comment m'a-t-il trouvé ? demanda Percy.

Orchard Court était censé être une adresse secrète.

— Il est allé au 64 Baker Street, et on l'a envoyé ici.

— Ils n'auraient pas dû ; c'est certainement quelqu'un de très persuasif. De qui s'agit-il ?

— Du major Chancellor.

Percy interrogea Betty du regard : elle ne connaissait personne de ce nom. Puis elle se rappela l'arrogant major qui s'était montré si grossier avec elle, le matin même au QG de Monty.

— Oh ! mon Dieu, lui ! lâcha-t-elle, écœurée. Qu'est-ce qu'il veut ?

— Faites-le entrer, dit Percy.

Paul Chancellor franchit le seuil. Il boitait légèrement ;

dans la matinée cela avait échappé à Betty. Sans doute sa claudication empirait-elle à mesure que la journée s'avançait. Il avait une bonne tête d'Américain, avec un grand nez et un menton en galoche. Il aurait pu être beau sans cette oreille gauche, ou ce qu'il en restait — à peine un bout du lobe. Probablement une blessure de guerre. Chancellor salua et lança :

— Bonsoir, colonel. Bonsoir, major.

— On ne salue pas beaucoup au SOE, Chancellor, signala Percy, mais asseyez-vous, je vous en prie. Qu'est-ce qui vous amène ?

Chancellor prit un siège et ôta sa casquette d'uniforme.

— Je suis content de vous avoir tous les deux sous la main, commença-t-il. J'ai passé la plus grande partie de la journée à ressasser notre conversation de ce matin. Il eut un petit sourire. Je dois l'avouer, je me suis évertué à composer les remarques cinglantes que j'aurais voulu lancer si seulement j'y avais pensé à temps.

Betty ne put retenir un sourire : elle en avait fait autant.

— Colonel Thwaite, reprit Chancellor, vous avez laissé entendre que le MI6 aurait pu ne pas révéler toute la vérité à propos de l'attaque du central téléphonique, et cette idée m'a tracassé. Le fait que le major Clairet ici présente se soit montrée aussi grossière avec moi ne signifiait pas nécessairement qu'elle mentait.

Betty était à deux doigts de lui pardonner, mais elle se cabra.

— Grossière ? Moi ?

— Betty, coupa Percy, taisez-vous.

Elle referma la bouche.

— J'ai donc demandé qu'on m'envoie votre rapport, colonel. Bien sûr, cette requête émanait du bureau de Monty et non pas de moi personnellement. Un motard l'a apporté dare-dare à notre QG.

Voilà quelqu'un qui savait tirer quand il le fallait les manettes de l'appareil militaire, se dit Betty. C'était peut-être un macho arrogant, mais il ferait un précieux allié.

— J'ai compris en le lisant la principale raison de votre échec : vos renseignements étaient erronés.

— Fournis par le MI6 ! précisa Betty avec indignation.

— Oui, je l'ai bien remarqué, fit Chancellor d'un ton un

peu sarcastique. Je ne suis pas moi-même un soldat de carrière, mais mon père en est un, et les combines des bureaucrates militaires n'ont aucun secret pour moi.

— Vous êtes le fils du général Chancellor ? intervint Percy d'un ton songeur.

— Oui.

— Continuez.

— Le MI6 ne s'en serait pas tiré comme ça si votre patron avait assisté à la réunion de ce matin et donné la version SOE de cette histoire. Qu'il ait été convoqué à la dernière minute m'a paru une coïncidence bien étrange.

Percy avait l'air sceptique.

— Il a été appelé par le Premier ministre. Je ne vois pas comment le MI6 aurait pu arranger cela.

— Churchill n'assistait pas à la réunion. C'est un de ses assistants de Downing Street qui la présidait. Et elle avait bien été organisée à l'instigation du MI6.

— Ça, alors, s'écria Betty, furieuse. Quels faux jetons !

— Dommage qu'ils ne soient pas aussi forts pour recueillir des renseignements qu'ils le sont pour duper leurs collègues, ajouta Percy.

— Major Clairet, reprit Chancellor, j'ai également examiné en détail votre plan pour vous emparer du château avec une équipe déguisée en femmes de ménage. Évidemment, c'est risqué, mais ça pourrait marcher.

Reconsidérerait-on la chose ? Betty n'osait pas le demander.

— Alors, fit Percy en regardant Chancellor droit dans les yeux, que comptez-vous faire ?

— Le hasard a fait que j'ai dîné avec mon père. J'en ai profité pour lui raconter toute l'histoire et lui demander ce qu'un aide de camp devrait faire dans de telles circonstances. Nous étions au Savoy.

— Qu'a-t-il répondu ? intervint Betty avec impatience. Elle se fichait pas mal de savoir dans quel restaurant ils s'étaient rencontrés.

— Que mon devoir était de dire à Monty que nous avions fait une erreur, répondit-il en grimaçant. Difficile pour un général de l'admettre, difficile de revenir sur une décision. Mais parfois, il faut le faire.

— Et vous allez lui parler ? s'enquit Betty, pleine d'espoir.

— C'est déjà fait.

— Il n'est pas dans vos habitudes de perdre votre temps n'est-ce pas ? fit Percy, surpris.

Betty retint son souffle. Elle avait du mal à croire qu'après une journée de désespoir on allait lui accorder la seconde chance qu'elle souhaitait.

— Au bout du compte, reprit Chancellor, Monty s'est très bien comporté.

— Bon sang, qu'a-t-il dit de mon plan ? explosa Betty, incapable de contenir plus longtemps son énervement.

— Il a donné son accord.

— Dieu soit loué ! Elle se leva d'un bond, ne tenant plus en place. Une nouvelle chance !

— Magnifique ! fit Percy.

Chancellor les arrêta d'un geste.

— Deux choses encore. La première ne vous plaira peut-être pas : il m'a chargé de diriger l'opération.

— Vous ! lâcha Betty.

— Pourquoi ? s'informa Percy.

— On ne discute pas l'ordre que vous donne un général. Je suis désolé de vous voir aussi consternés. Monty a confiance en moi, même si cela ne semble pas être votre cas.

Percy haussa les épaules.

— Quelle est l'autre condition ? interrogea Betty.

— Il y a un impératif de temps. Si je ne peux pas vous dire quand aura lieu le débarquement — d'ailleurs la date n'en a pas encore été définitivement fixée — je suis en mesure de vous confier que nous devrons accomplir notre mission dans des délais très brefs. Si vous n'avez pas atteint l'objectif avant lundi prochain minuit, ce sera probablement trop tard.

— Lundi prochain ! s'exclama Betty.

— Oui, déclara Paul Chancellor. Nous avons exactement une semaine.

Le troisième jour

Mardi 30 mai 1944

11.

Betty quitta Londres au lever du jour, sur une moto Vincent Comet équipée d'un puissant moteur de cinq cents centimètres cubes. Les routes étaient désertes : l'essence étant sévèrement rationnée, on pouvait se retrouver en prison pour s'être déplacé « inutilement ». Elle roulait très vite. C'était dangereux, mais excitant.

Elle éprouvait les mêmes sentiments à propos de sa mission : elle avait peur, pourtant elle avait hâte d'y être. La veille, soutenus par des litres de thé, ils avaient, Percy, Paul et elle, dressé des plans jusque tard dans la nuit. L'équipe comprendrait six femmes, avaient-ils décidé, puisque c'était le nombre habituel, dont l'une serait spécialiste en explosifs et une autre technicienne en communications pour déterminer l'emplacement exact des charges qui mettraient, avec certitude, le central hors service ; il fallait aussi une tireuse d'élite et deux combattantes coriaces. Avec elle, cela ferait six.

Elle ne disposait que d'une journée pour les dénicher, car il fallait prévoir un minimum de deux jours d'entraînement, mercredi et jeudi. L'équipe devait au moins apprendre à sauter en parachute. Le vendredi soir, on les larguerait à proximité de Reims et, le samedi soir ou le dimanche, elles pénétreraient dans le château. La marge d'erreur envisageable n'excéderait donc pas vingt-quatre heures.

Elle franchit la Tamise par le pont de Londres. Sa moto passa en rugissant entre les docks ravagés par les bombes et les vieux immeubles croulants de Bermondsey et de Rotherhithe, puis elle emprunta Old Kent Road, la route traditionnelle des pèlerins, en direction de Canterbury. Abandonnant la banlieue derrière elle, elle mit les gaz à fond, laissant le vent chasser ses soucis.

Il n'était pas six heures lorsqu'elle arriva à Somersholme, la résidence de campagne des barons de Colefield, où ne résidait plus — le baron William marchant sur Rome avec la 8e Armée — que sa sœur, l'Honorable Diana Colefield. La vaste demeure, qui pouvait recevoir des douzaines d'amis et leurs domestiques, servait maintenant de maison de convalescence pour les soldats blessés.

Betty ralentit pour remonter l'allée de tilleuls centenaires et contempler l'édifice de granit rose, ses terrasses, ses balcons, ses pignons et ses toits, ses rangées de fenêtres et sa forêt de cheminées. Elle se gara sur le gravier de la cour entre une ambulance et quelques jeeps.

Dans le hall, des infirmières s'affairaient et portaient des tasses de thé aux soldats qui, bien que convalescents, devaient quand même être réveillés au lever du jour. Betty demanda Mme Riley, la gouvernante, et on lui indiqua le sous-sol. Elle la trouva là, en compagnie de deux hommes en salopette ; tous trois fixaient la chaudière d'un regard soucieux.

— Bonjour, maman, dit Betty.

Sa mère la serra contre sa poitrine. Encore plus petite que sa fille et tout aussi fluette, elle était cependant, comme Betty, plus costaud qu'elle n'en avait l'air : son étreinte coupa le souffle de Betty qui, hors d'haleine, se dégagea en riant.

— Maman, tu vas m'étouffer !

— Comment savoir si tu es vivante avant de t'avoir sous les yeux, protesta sa mère.

Elle gardait dans sa voix une trace d'accent irlandais : cela faisait pourtant quarante-cinq ans qu'elle avait quitté Cork avec ses parents.

— Que se passe-t-il donc avec cette chaudière ?

— Elle n'a pas été prévue pour produire autant d'eau chaude. Les infirmières sont des maniaques de la propreté et obligent ces malheureux soldats à prendre un bain tous les jours. Viens dans la cuisine, je vais te préparer un petit déjeuner.

Betty était pressée, mais elle pouvait cependant consacrer

un moment à sa mère. D'ailleurs, il lui fallait bien se nourrir ; aussi la suivit-elle jusqu'aux logements des domestiques.

Betty avait grandi dans cette maison. Elle avait joué dans le hall des serviteurs, galopé dans les bois et fréquenté l'école du village à quinze cents mètres de là ; puis elle était revenue ici passer ses vacances de pensionnaire et d'étudiante. Elle avait été extraordinairement privilégiée : sa mère aurait dû renoncer à sa place lors de la naissance de Betty, mais le vieux baron, assez peu conventionnel et redoutant surtout de perdre une aussi bonne gouvernante, l'avait autorisée à rester. Le père de Betty, maître d'hôtel, mourut quand elle avait à peine six ans. Chaque année en février, Betty et sa mère avaient accompagné la famille dans sa villa de Nice ; c'était là que Betty avait appris le français.

Le vieux baron, père de William et de Diana, aimait beaucoup Betty et il l'avait encouragée à poursuivre ses études, allant même jusqu'à payer sa pension. Aussi fut-il très fier quand elle obtint une bourse pour l'université d'Oxford. Sa disparition, peu après le début de la guerre, avait causé à Betty autant de peine que celle de son père.

La famille n'occupait plus maintenant qu'une petite partie de la demeure. L'ancien office était devenu la cuisine, où Betty regardait sa mère s'affairer.

— Rien qu'un toast, ce sera parfait, maman.

— Ma foi, je vois que ça va, répondit celle-ci qui, sans relever, mit du bacon à frire. Comment se porte ton bel homme de mari ?

— Michel est en vie, répondit laconiquement Betty en s'asseyant à la table de la cuisine.

— En vie tout court, hein ? Donc pas en forme. Blessé ?

— Il a reçu une balle dans le derrière, ça ne le tuera pas.

— Alors, tu l'as vu ?

— Maman, arrête ! fit Betty en riant. Je ne suis pas censée en parler !

— Bien sûr que non. Il ne court pas le jupon, au moins ? En admettant que *ça* ne soit pas un secret militaire.

L'extraordinaire intuition de sa mère surprendrait toujours Betty.

— J'espère que non.

— Hum ! Quelqu'un en particulier dont tu espères que le jupon ne l'intéresse pas ?

— As-tu constaté, maman, dit Betty sans répondre directement à la question, que les hommes, parfois, ne remarquent pas combien une fille peut être stupide ?

— C'est donc ça, grogna sa mère, écœurée. Elle est jolie, je suppose.

— Hum.

— Jeune ?

— Dix-neuf.

— Tu en as discuté avec lui ?

— Oui. Il a promis de cesser.

— Il tiendra peut-être sa promesse... à condition que tu ne sois pas trop longtemps absente.

— J'espère.

— Donc, tu repars, lâcha sa mère, découragée.

— Je ne peux pas te le dire.

— Tu n'en as donc pas fait assez ?

— La guerre n'étant pas encore gagnée, je suppose que non.

Sa mère déposa devant Betty une assiette d'œufs au bacon, sans doute sa ration hebdomadaire. Betty faillit protester, mais au fond il valait mieux accepter avec gratitude ce cadeau. D'ailleurs, elle était affamée.

— Merci, maman, tu me gâtes.

Sa mère eut un sourire satisfait et Betty se mit à dévorer à belles dents le contenu de son assiette, en admirant dans son for intérieur, non sans une certaine ironie, la facilité déconcertante avec laquelle sa mère avait obtenu d'elle tous les renseignements qu'elle cherchait, malgré ses tentatives pour éluder les questions.

— Tu devrais travailler pour le service de renseignements, observa-t-elle entre deux bouchées, comme interrogatrice. Tu as réussi à me faire tout dire.

— Je suis ta mère, j'ai le droit de savoir.

Cela n'avait guère d'importance : elle ne répéterait rien.

— Bien sûr, railla-t-elle avec tendresse, il faut que tu gagnes la guerre à toi toute seule. Enfant, tu étais déjà farouchement indépendante.

— Je me demande pourquoi. On a toujours veillé sur moi. Quand tu étais occupée, une demi-douzaine de femmes de chambre se précipitaient pour prendre le relais et me dorloter.

— Je crois que je t'ai encouragée en ce sens parce que tu n'avais pas de père. Chaque fois que tu t'adressais à moi, par exemple pour remettre une chaîne de bicyclette ou coudre un bouton, je te répondais : « Essaie toi-même ; si tu n'y arrives pas, je t'aiderai. » Neuf fois sur dix, je n'en entendais plus parler.

Betty termina le bacon et sauça son assiette avec un morceau de pain, avant de réagir.

— Marc m'aidait très souvent.

Marc était le frère de Betty, son aîné d'un an.

— Vraiment..., coupa sa mère, le visage soudain figé.

Betty réprima un soupir. Deux ans auparavant, une grave dispute avait opposé Marc et leur mère. Il travaillait comme régisseur dans un théâtre et vivait avec un acteur du nom de Steve. Leur mère savait depuis longtemps que Marc n'était « pas du genre à se marier », comme elle le disait. Mais, dans un élan de sincérité excessive, Marc avait commis l'erreur de lui confirmer qu'il aimait Steve et qu'ils formaient un couple. Mortellement offensée, elle ne lui avait plus adressé la parole.

— Marc t'aime, tu sais, tenta Betty.

— Vraiment ?

— Je regrette que tu ne le voies pas.

— Je n'en doute pas.

Elle prit l'assiette vide de Betty et la lava dans l'évier.

— Tu es quand même un peu butée, s'exaspéra Betty.

— Alors, ne cherche plus de qui tu tiens ton caractère.

Betty ne put s'empêcher de sourire. On l'accusait souvent d'être entêtée. « Comme une mule », précisait Percy. Elle fit un effort pour se montrer conciliante.

— Bon, c'est sans doute plus fort que toi. De toute façon, je ne vais pas me disputer avec toi, surtout après un si merveilleux petit déjeuner.

Elle arriverait tout de même à les réconcilier ces deux-là ! Mais pas aujourd'hui. Elle se leva.

— C'est bon de te voir, dit sa mère en souriant. Je me fais du mauvais sang pour toi.

— Ma visite a une autre raison : j'ai besoin de parler à Diana.

— Pourquoi faire ?

— Je ne peux pas te le dire.

— Tu ne songes tout de même pas à l'emmener en France avec toi.

— Maman, chut ! Qui a parlé d'aller en France ?

— J'imagine que c'est parce qu'elle se débrouille bien avec un fusil.

— Je ne peux pas te le dire.

— Tu vas te faire tuer à cause d'elle ! Elle ignore tout de la discipline ; on ne l'a pas élevée dans cet esprit et ce n'est pas sa faute. Mais ce serait de la folie de compter sur elle.

— Je sais, je sais.

Betty commençait à s'impatienter. Sa décision était prise et elle n'en discuterait pas avec sa mère.

— Elle s'est fait virer de tous les emplois de guerre qui lui ont été confiés.

— C'est ce qu'on m'a dit. Sais-tu où est Diana en ce moment ?

Diana était la seule tireuse d'élite que Betty pouvait avoir sous la main dans un laps de temps aussi court. Encore fallait-il que celle-ci accepte : or on ne pouvait contraindre personne à travailler dans la clandestinité.

— Dans les bois : elle est partie de bonne heure, pour trouver des lapins.

— J'aurais dû y penser.

Diana adorait tous les sports un peu sanguinaires : chasse au renard, au chevreuil, au lièvre, à la grouse, même la pêche. À défaut d'autre chose, elle tirait des lapins.

— Tu n'as qu'à suivre le bruit des coups de feu.

Betty embrassa sa mère sur la joue.

— Merci pour le petit déjeuner, fit-elle en se dirigeant vers la porte.

— Et ne reste pas devant son fusil ! lui lança sa mère.

Betty sortit par la porte de service, traversa le potager et s'enfonça dans les bois derrière la maison. Les arbres étaient couverts de jeunes feuilles et les buissons d'orties lui arrivaient à la taille. Betty avançait aisément dans les broussailles grâce à ses grosses bottes de moto et à son pantalon de cuir. La meilleure façon d'attirer Diana, se dit-elle, était de lui lancer un défi.

Elle avait parcouru environ cinq cents mètres dans le sousbois lorsqu'elle entendit le claquement d'un coup de fusil. Elle s'arrêta, tendit l'oreille et cria : « Diana ! » Pas de réponse.

Elle s'avança dans la direction du bruit en renouvelant ses appels, jusqu'à ce qu'elle entende :

— Je ne sais pas qui vous êtes. Par ici, pauvre idiote.

— J'arrive, pose ton fusil.

Elle trouva Diana dans une clairière ; assise le dos contre le tronc d'un chêne, elle fumait, un fusil de chasse prêt à être rechargé sur les genoux.

Une demi-douzaine de lapins morts gisaient auprès d'elle.

— Oh, c'est toi ! fit-elle. Tu as fait fuir tout le gibier.

— Ils reviendront demain. Comment vas-tu, Diana ?

Betty examina sa camarade d'enfance : toujours aussi jolie, avec ses cheveux bruns coupés court et son nez criblé de taches de rousseur qui lui donnaient un style garçon manqué. Elle portait une veste de chasse et un pantalon de velours.

— Je m'ennuie. Je me sens frustrée, déprimée. À part ça tout va bien.

Betty s'assit sur l'herbe auprès d'elle. Cela se passerait peut-être mieux qu'elle n'avait cru.

— Qu'y a-t-il ?

— Je croupis dans la campagne anglaise pendant que mon frère conquiert l'Italie.

— Comment va William ?

— Lui, il va très bien parce qu'il participe à l'effort de guerre ; mais personne ne veut me donner, à moi, un boulot convenable.

— Je pourrais peut-être t'aider.

— Tu es dans le SEIN, fit Diana en tirant sur sa cigarette. Chérie, je ne peux pas être *chauffeuse.*

Betty acquiesça. Diana n'était pas du genre à se contenter des tâches ingrates que la guerre offrait à la plupart des femmes.

— Figure-toi que je viens te proposer quelque chose de plus intéressant.

— Quoi donc ?

— Ça ne te plaira peut-être pas. C'est très difficile et c'est dangereux.

— De quoi s'agit-il ? fit Diana, l'air sceptique. Conduire dans le black-out ?

— Je ne peux pas te révéler grand-chose parce que c'est secret.

— Betty, ma chérie, ne me dis pas que tu joues à l'espionne comme dans les romans.

— Je ne suis pas devenue major en conduisant des généraux à des réunions.

Diana la dévisagea.

— Tu parles sérieusement ?

— Tout à fait.

— Bonté divine.

Malgré elle, Diana était impressionnée.

Betty devait obtenir son accord incontestable à se porter volontaire.

— Alors... es-tu prête à accomplir quelque chose de très dangereux ? Je parle sérieusement : tu risques réellement de te faire tuer.

— Bien sûr que oui. William met bien sa vie en jeu, pourquoi pas moi ? riposta Diana, plus excitée que découragée.

— Tu le penses vraiment ?

— Je suis très sérieuse.

Betty dissimula son soulagement — elle tenait le premier membre de son équipe — et décida de profiter de l'enthousiasme de Diana.

— Il y a une condition, qui te paraîtra peut-être pire que le danger, reprit-elle.

— Laquelle ?

— Tu as deux ans de plus que moi et tu m'es supérieure socialement : tu es la fille du baron, je suis la gosse de la gouvernante. Il n'y a pas de mal à cela et je ne me plains pas. Maman dirait que c'est comme cela que ça doit être.

— Oui, ma jolie, alors où veux-tu en venir ?

— C'est moi qui dirige l'opération : il faudra que tu m'obéisses.

— Très bien, fit Diana en haussant les épaules.

— Ça posera un problème, insista Betty. Cela te paraîtra incongru. Je n'en démordrai pas jusqu'à ce que tu t'y sois faite. C'est un avertissement.

— À vos ordres !

— On ne se soucie pas des formules de politesse dans mon service, donc pas de « major » ou de « madame ». Mais, dès l'instant où une opération démarre, on exige la discipline militaire la plus stricte. Si tu oublies cela, tu n'accorderas aucune importance à mes coups de gueule. Or, dans mon boulot, désobéir aux ordres peut entraîner la mort.

— Ma chérie, que c'est dramatique ! Mais bien sûr, je comprends.

Betty n'en était pas du tout certaine, mais elle avait fait de son mieux. Elle prit donc un bloc dans son blouson et y inscrivit une adresse dans le Hampshire.

— Prends une valise pour trois jours et rends-toi à cet endroit. À Waterloo, tu prendras le train pour Brockenhurst.

— Tiens, c'est la propriété de lord Montagu, déclara Diana après avoir pris connaissance de sa destination.

— Mon service en occupe aujourd'hui la plus grande partie.

— Quel est donc ton service ?

— Le Bureau de recherches inter-services, annonça Betty, utilisant le nom de couverture habituelle.

— J'espère que c'est plus excitant que ça en a l'air.

— Tu peux y compter.

— Quand est-ce que je commence ?

— Il faut que tu te rendes là-bas dès aujourd'hui, répondit Betty en se levant. Ton stage d'entraînement commence demain à l'aube.

— Je rentre à la maison avec toi et je prépare mes affaires, fit Diana se levant à son tour. Dis-moi une chose.

— Si je peux.

L'air embarrassé, Diana tripotait son fusil. Quand elle releva la tête vers Betty, son visage exprimait pour la première fois une grande franchise.

— Pourquoi moi ? demanda-t-elle. Tu dois savoir que nulle part on n'a voulu de moi.

Betty hocha la tête, contempla les cadavres ensanglantés des lapins étalés sur le sol, puis son regard remonta vers le joli visage de Diana.

— Je te répondrai franchement. Tu es une tueuse, et c'est ce qu'il me faut.

12.

Dieter dormit jusqu'à dix heures. Malgré la légère torpeur due à la piqûre de morphine, il se sentait bien : excité, optimiste, confiant. Le sanglant interrogatoire de la veille l'avait mené sur la piste de Bourgeoise et de sa maison de la rue du Bois, et de là peut-être droit au cœur de la Résistance française, ou — aussi bien — nulle part.

Il but un litre d'eau, prit trois comprimés d'aspirine pour chasser son mal de tête, puis décrocha le téléphone. Il commença par le lieutenant Hesse, installé dans une chambre, plus modeste, du même hôtel.

— Bonjour, Hans, avez-vous bien dormi ?

— Oui, merci, major. Je suis allé à la mairie vérifier l'adresse de la rue du Bois.

— Bon réflexe, apprécia Dieter. Qu'avez-vous trouvé ?

— La maison est occupée par une seule personne, la propriétaire, une certaine Mlle Jeanne Lemas.

— Elle pourrait avoir des locataires.

— Je suis passé en voiture pour me rendre compte : la maison m'a paru silencieuse.

— Soyez prêt à partir avec ma voiture dans une heure.

— Très bien.

— Et, Hans... bravo pour votre initiative.

— Merci, major.

Dieter raccrocha, se demandant à quoi ressemblait Mlle Lemas. Selon Gaston, personne du réseau Bollinger ne l'avait jamais rencontrée ; c'était plausible : pour des raisons de sécurité, la maison était en dehors du circuit. Les agents savaient seulement où contacter la femme : s'ils étaient pris, ils n'auraient rien à révéler concernant la Résistance. En théorie du moins. Mais la sécurité absolue n'existait pas.

Sans doute Mlle Lemas vivait-elle seule, jeune femme ayant hérité la maison de ses parents, célibataire en quête d'un mari, ou vieille fille. Une femme à ses côtés, décida-t-il, lui faciliterait les choses.

Il revint dans la chambre. Stéphanie avait brossé son abondante crinière rousse et s'était assise dans le lit, le drap remonté jusqu'en dessous des seins, offrant un spectacle bien tentant. Il résista cependant.

— Voudrais-tu faire quelque chose pour moi ? demanda-t-il.

— Je ferais n'importe quoi pour toi.

Il s'assit sur le lit et caressa son épaule nue.

— N'importe quoi ? Serais-tu d'accord pour m'observer en compagnie d'une autre femme ?

— Bien sûr, dit-elle. Je lui lécherais les bouts de sein pendant que tu lui ferais l'amour.

Il avait déjà eu des maîtresses, mais aucune ne lui arrivait à la cheville.

— Tu en serais capable, je sais, fit-il avec un rire ravi. Il ne s'agit pas de cela : il faudrait que tu m'accompagnes lors de l'arrestation d'une résistante.

— Très bien, dit-elle sans se démonter.

Il fut tenté d'insister pour analyser sa réaction, pour lui demander ce qu'elle ressentait et si elle acceptait vraiment avec plaisir cette proposition, mais il se contenta de prendre son assentiment pour argent comptant.

— Merci, dit-il, et il regagna le salon.

Il se pourrait que Mlle Lemas soit seule, mais il se pourrait également que la maison grouille d'agents alliés armés jusqu'aux dents. Il était sage de prévoir des renforts. Il consulta son carnet et donna à la standardiste de l'hôtel le numéro de Rommel à La Roche-Guyon.

Dans les premiers temps de l'occupation allemande, le réseau téléphonique français s'était trouvé débordé ; les Allemands l'avaient amélioré en posant des milliers de kilomètres de câbles supplémentaires et en installant des centraux automatiques. Encore surchargé, il fonctionnait quand même mieux. Il demanda l'aide de camp de Rommel, le major Goedel. Quelques instants plus tard, il entendit la voix précise et glaciale qu'il connaissait bien.

— Goedel.

— Ici Dieter Franck. Comment allez-vous, Walter ?

— Très occupé, dit brièvement Goedel. Qu'y a-t-il ?

— Je progresse rapidement. Je ne donne pas de détails parce que j'appelle d'un hôtel, mais je suis sur le point d'arrêter un espion, peut-être plusieurs. J'ai pensé que le feld-maréchal serait content d'apprendre cela.

— Je le lui dirai.

— Mais j'aurais besoin d'un peu d'assistance. Je ne dispose en effet que d'un seul lieutenant ; j'en suis même réduit à me servir de mon amie française.

— Cela me semble imprudent.

— On peut lui faire confiance. Mais elle ne me sera pas d'une grande utilité en face de terroristes bien entraînés. Pouvez-vous me trouver une demi-douzaine d'hommes robustes ?

— Faites appel à la Gestapo : ils sont là pour ça.

— On ne peut pas compter sur eux. Vous savez qu'ils ne coopèrent avec nous qu'à contrecœur. J'ai besoin de gens fiables.

— C'est hors de question, lâcha Goedel.

— Écoutez, Walter, vous savez quelle importance Rommel attache à cette affaire... Il m'a chargé de faire en sorte que la Résistance n'ait pas les moyens d'entraver nos mouvements.

— Certes. Mais le feld-maréchal s'attend à ce que vous y parveniez sans le priver de ses unités combattantes.

— Je ne suis pas sûr de pouvoir le faire.

— Bon sang, mon vieux ! le rembarra Goedel en élevant la voix. Nous nous efforçons de défendre toute la côte atlantique avec une poignée de soldats, alors que vous, vous êtes entourés d'hommes valides qui n'ont rien de mieux à faire que de traquer de vieux juifs qui se cachent dans les granges. Faites votre travail et ne venez pas m'emmerder !

Il y eut un déclic : on avait raccroché.

Dieter était stupéfait. Cela ne ressemblait pas à Goedel de péter les plombs. Sans doute la menace de l'invasion les rendait-ils tous nerveux. Le message était clair : Dieter devait se débrouiller tout seul.

Avec un soupir, il reprit le combiné et demanda qu'on appelle le château de Sainte-Cécile. On lui passa Willi Weber.

— Je vais faire une descente sur une maison de la Résistance, annonça-t-il. J'aurai peut-être besoin de quelques-uns de vos poids lourds. Voudriez-vous m'envoyer quatre hommes et une voiture à l'hôtel Frankfurt ? Ou faut-il que je m'adresse une nouvelle fois à Rommel ?

Cette menace était inutile. Weber tenait vivement à ce que ses hommes participent à l'opération. En cas de succès, la Gestapo s'en attribuerait le mérite ; aussi promit-il qu'une voiture serait sur place dans la demi-heure.

Dieter n'aimait guère travailler avec la Gestapo, car il ne pouvait pas contrôler ces gens-là. Mais il n'avait pas le choix.

Tout en se rasant, il écouta la radio branchée sur une station allemande. Il apprit que la première bataille de chars de toute l'histoire du Pacifique s'était déroulée la veille sur l'île de Biak. Les forces d'occupation japonaises avaient repoussé jusqu'à leur tête de pont les Américains du 162e régiment d'infanterie, qui avaient tenté un débarquement. Ils les ont rejetés à la mer, songea Dieter.

Il revêtit un costume de flanelle gris foncé sur une chemise de coton léger à rayures gris pâle et une cravate noire avec de petits pois blancs, tissés dans la soie et non imprimés — détail qui l'enchantait. Il réfléchit un instant puis ôta sa veste et boucla sous son aisselle l'étui à revolver. Il prit ensuite dans le tiroir de son bureau son Walther P38 automatique, le glissa dans le holster, puis remit son veston.

Sa tasse de café à la main, il s'assit pour regarder Stéphanie s'habiller. Les Français confectionnent vraiment la plus belle lingerie du monde, se dit-il en la voyant passer une combinaison de soie crème. Il adorait la voir tirer sur ses bas en lissant la soie sur ses cuisses.

— Pourquoi les vieux maîtres n'ont-ils jamais peint cet instant ? dit-il.

— Parce que les femmes de la Renaissance ne portaient pas de bas de soie, répondit Stéphanie.

Quand elle fut prête, ils sortirent.

Hans Hesse attendait dehors dans l'Hispano-Suiza de Dieter. Bien que la sachant intouchable, le jeune homme trouva Stéphanie infiniment désirable, et Dieter, qui l'observait, pensa à une modeste Parisienne bouche bée devant la vitrine de Cartier.

Derrière la voiture de Dieter stationnait une traction avant Citroën noire ; à son bord quatre hommes de la Gestapo en civil. Dieter constata que le major Weber avait décidé de venir en personne : il était assis à l'avant de la Citroën, vêtu d'un costume de tweed vert qui lui donnait l'air d'un fermier partant pour l'église.

— Suivez-moi, lui dit Dieter. Quand nous serons là-bas, je vous en prie, restez dans votre véhicule jusqu'à ce que je vous appelle.

— Où diable avez-vous déniché une voiture pareille ? s'enquit Weber.

— Le cadeau d'un juif que j'ai aidé à fuir en Amérique.

Weber eut un grognement incrédule, pourtant l'histoire était vraie. Avec des hommes comme Weber, la bravade était la meilleure attitude à adopter. Si Dieter avait cherché à dissimuler Stéphanie, Weber aurait tout de suite flairé en elle la juive et se serait mis à enquêter. Mais, comme Dieter l'affichait sans vergogne, jamais cette idée n'avait traversé l'esprit de Weber.

Hans se mit au volant et ils partirent pour la rue du Bois. On ne croisait dans les rues de Reims, grosse ville de province de plus de cent mille habitants pourtant, que peu d'automobiles, toutes réservées à un usage officiel : police, médecins, pompiers et, évidemment, militaires allemands. Les citoyens ordinaires circulaient à bicyclette ou à pied. On distribuait de l'essence pour les livraisons de ravitaillement et autres produits de première nécessité, mais la majeure partie des transports était assurée par des voitures à chevaux. La principale industrie était le champagne — Dieter l'adorait sous toutes ses formes : les vieux millésimes au goût de noisette, les cuvées récentes et légères non millésimées, le subtil blanc de blanc, les variétés de demi-sec qu'on servait au dessert, même l'amusant champagne rosé dont raffolaient les courtisanes de Paris.

La rue du Bois était une agréable artère bordée d'arbres à la périphérie de la ville. Hans s'arrêta devant une grande maison, la dernière de la rangée, avec une petite cour sur un côté. C'était la résidence de Mlle Lemas. Dieter parviendrait-il à la briser ? Les femmes lui donnaient plus de mal que les hommes. Elles pleuraient et hurlaient, mais elles tenaient plus longtemps. Il lui était arrivé d'échouer avec une femme, jamais avec un homme. Si celle-ci lui tenait tête, son enquête s'arrêterait là.

— Viens si je te fais signe, recommanda-t-il à Stéphanie en descendant de voiture.

La Citroën de Weber se rangea, mais les hommes de la Gestapo respectèrent la consigne et restèrent dans la voiture.

Dieter jeta un coup d'œil dans la cour. Il y avait un garage. Un peu plus loin, il aperçut un petit jardin avec des haies soigneusement taillées, des massifs de fleurs rectangulaires et une allée de gravier ratissée avec soin. La propriétaire aimait l'ordre.

À la porte d'entrée pendait un vieux cordon rouge et jaune. Il le tira et entendit à l'intérieur le tintement métallique d'une clochette.

La femme qui vint ouvrir avait une soixantaine d'années. Une pince en écaille maintenait ses cheveux blancs sur la nuque et un tablier blanc impeccable protégeait sa robe bleue parsemée de petites fleurs blanches.

— Bonjour, monsieur, dit-elle poliment.

Dieter sourit. Une dame de province bien comme il faut. Il se mit aussitôt à envisager la manière dont il s'y prendrait pour la torturer.

— Bonjour... Mademoiselle Lemas ?

Elle vit son costume, remarqua la voiture garée le long du trottoir et entendit peut-être un soupçon d'accent allemand. La peur apparut dans son regard et ce fut d'une voix un peu tremblante qu'elle demanda :

— En quoi puis-je vous être utile ?

— Êtes-vous seule, mademoiselle ? fit-il en scrutant son visage.

— Oui, dit-elle. Tout à fait seule.

Elle disait la vérité. Il en était certain. Ce genre de femme ne pouvait pas mentir sans que son regard la trahisse.

Il se tourna et fit signe à Stéphanie. Il n'aurait pas besoin des hommes de Weber.

— Ma collègue va se joindre à nous. J'ai quelques questions à vous poser.

— Des questions ? Sur quoi ?

— Puis-je entrer ?

— Très bien.

Les meubles du salon, en bois sombre, étaient soigneusement encaustiqués. On apercevait un piano sous une housse et au mur une gravure de la cathédrale de Reims. Sur la cheminée, un assortiment de bibelots : un cygne en verre filé, une marchande de fleurs en porcelaine, sous un globe transparent une réplique du château de Versailles et trois chameaux de bois.

Dieter s'installa sur un canapé bien rembourré, Stéphanie s'assit auprès de lui et Mlle Lemas choisit un fauteuil bien droit en face d'eux. Dieter remarqua qu'elle était un peu dodue — les Français avec quelques kilos superflus étaient rares après quatre années d'occupation. Elle avait donc un vice, pensa-t-il, la gourmandise.

Sur une table basse étaient posés un coffret de cigarettes et un gros briquet. Dieter souleva le couvercle et constata que la boîte était pleine.

— Je vous en prie, dit-il, ne vous gênez pas si vous avez envie de fumer.

Elle eut l'air un peu choquée : le tabac n'était pas pour les femmes de sa génération.

— Je ne fume pas.

— Alors, pour qui sont-elles ?

Elle se caressa le menton. Un geste qui la trahissait.

— Des visiteurs.

— Et quel genre de visiteurs recevez-vous ?

— Des amis... des voisins..., murmura-t-elle, gênée.

— Et des espions britanniques.

— C'est absurde.

— De toute évidence, reprit Dieter en la gratifiant de son plus charmant sourire, vous êtes une dame respectable qui, poussée par des mobiles malencontreux, s'est trouvée impliquée dans des activités criminelles. Je ne vais pas tourner autour du pot et j'espère que vous ne serez pas assez stupide pour me mentir.

— Je ne vous dirai rien, déclara-t-elle.

Dieter feignit la déception, alors qu'il était enchanté de progresser aussi rapidement : elle avait déjà renoncé à prétendre qu'elle ne savait pas de quoi il parlait, ce qui équivalait à des aveux.

— Je vais vous poser quelques questions, annonça-t-il. Si

vous ne répondez pas, je serai dans l'obligation de vous les poser à nouveau, mais, cette fois, au quartier général de la Gestapo.

Pour toute réponse, elle lui lança un regard de défi.

— Où rencontrez-vous les agents britanniques ?

Mutisme.

— Comment vous reconnaissent-ils ?

Elle soutint sans broncher son regard. L'affolement avait fait place à la résignation. Une femme courageuse, se dit-il, ce sera une gageure de l'interroger.

— Quel est le mot de passe ?

Pas de réponse.

— À qui adressez-vous les agents ? Comment contactez-vous la Résistance ? Qui est responsable du réseau ?

Silence.

— Venez avec moi, je vous prie, fit Dieter en se levant.

— Très bien, dit-elle d'un ton déterminé. Peut-être me permettrez-vous de prendre mon chapeau.

— Bien sûr. Stéphanie, peux-tu accompagner mademoiselle ? Assure-toi qu'elle n'utilise pas le téléphone, qu'elle ne laisse aucun message.

Il attendit dans le couloir. Quand elles revinrent, Mlle Lemas avait ôté son tablier et arborait un manteau léger et un chapeau cloche comme on n'en portait déjà plus bien avant la guerre. Elle avait pris un solide sac à main en cuir fauve. Comme ils se dirigeaient tous trois vers la porte d'entrée, elle s'exclama :

— Oh ! j'ai oublié ma clef !

— Vous n'en avez pas besoin, dit Dieter.

— La porte se referme toute seule. J'aurai besoin de la clef pour rentrer.

— Vous ne comprenez pas ? lâcha-t-il en la regardant dans les yeux. Vous avez abrité dans votre maison des terroristes anglais, vous vous êtes fait prendre et vous êtes entre les mains de la Gestapo. De toute façon, mademoiselle, vous ne reviendrez jamais chez vous.

Il secoua la tête d'un air navré qui n'était pas complètement feint.

Réalisant toute l'horreur de ce qui lui arrivait, Mlle Lemas devint toute pâle et trébucha. Elle se rattrapa en empoignant le bord d'un petit guéridon. Un vase chinois dans lequel se trouvaient des branches sèches oscilla dangereusement mais ne tomba pas. Là-dessus, Mlle Lemas retrouva son aplomb. Elle se redressa et lâcha la table. Elle lança de nouveau à Dieter ce regard de défi et sortit de la maison la tête haute.

Dieter demanda à Stéphanie de se mettre à l'avant pendant qu'il s'asseyait à l'arrière de la voiture avec la prisonnière. Tandis que Hans les emmenait à Sainte-Cécile, Dieter fit poliment la conversation.

— Êtes-vous née à Reims, mademoiselle ?

— Oui. Mon père était maître de chapelle à la cathédrale.

Un milieu religieux. C'était une bonne nouvelle pour le plan qui s'esquissait dans l'esprit de Dieter.

— Il a pris sa retraite ?

— Il est mort voilà cinq ans après une longue maladie.

— Et votre mère ?

— Morte quand j'étais toute petite.

— J'imagine donc que c'est vous qui avez soigné votre père.

— Pendant vingt ans.

Voilà qui expliquait qu'elle fût célibataire. Elle avait passé sa vie à s'occuper d'un père invalide.

— Ah ! Et il vous a laissé la maison.

Elle acquiesça.

— Maigre récompense, auraient pensé certains, pour toutes ces années consacrées à autrui, observa Dieter d'un ton compatissant.

Elle le toisa du regard.

— On n'agit pas ainsi en vue d'une récompense.

— Certes pas.

Peu lui importait cette rebuffade implicite. Qu'elle se convainque d'une certaine supériorité sur Dieter, morale et sociale, le servirait plus tard.

— Avez-vous des frères et des sœurs ?

— Non.

Dieter voyait bien le tableau : elle abritait tous ces jeunes gens et les traitait un peu comme ses enfants, les nourrissant, lavant leur linge, leur parlant. Elle avait aussi, sans doute, surveillé les relations entre garçons et filles, s'assurant que rien d'immoral ne se passait, du moins sous son toit.

Et maintenant, elle allait en mourir.

Mais d'abord, espérait-il, elle lui raconterait tout.

La Citroën de la Gestapo suivit la voiture de Dieter jusqu'à Sainte-Cécile. Ils se garèrent dans le parc du château et Dieter annonça à Weber :

— Je vais l'emmener en haut et l'installer dans un bureau.

— Pourquoi ? Il y a des cellules en sous-sol.

— Vous verrez.

Dieter fit monter la prisonnière jusqu'aux bureaux de la Gestapo. Il inspecta toutes les pièces et choisit la plus animée qui abritait à la fois le pool des dactylos et la salle du courrier ; tous, jeunes hommes ou femmes, portaient chemise et cravate. Laissant Mlle Lemas dans le couloir, il referma la porte et frappa dans ses mains pour réclamer l'attention. Sans élever la voix, il déclara :

— Je vais amener ici une Française. Elle est prisonnière, mais je tiens à ce que vous soyez tous aimables et polis envers elle, c'est compris ? Traitez-la comme une invitée. Il est important qu'elle se sente respectée.

Il la fit entrer, l'assit à une table et, en lui murmurant quelques mots d'excuse, fixa au pied de la table la menotte qui lui enserrait la cheville. Il laissa Stéphanie avec elle et emmena Hesse.

— Allez à la cantine et demandez-leur de préparer un déjeuner sur un plateau. Un potage, un plat, un peu de vin, une bouteille d'eau minérale et beaucoup de café. Faites venir de la vaisselle, des verres, une serviette de table. Que ce soit bien présenté.

Le lieutenant eut un sourire admiratif. Il ne savait absolument pas où son chef voulait en venir, mais il était persuadé de l'habileté de cette mise en scène.

Quelques minutes plus tard, il revint avec un plateau. Dieter le lui prit des mains et l'apporta dans le bureau pour le déposer devant Mlle Lemas.

— Je vous en prie, dit-il. C'est l'heure du déjeuner.

— Merci, je ne pourrai rien manger.

— Peut-être juste un peu de potage, dit-il en versant du vin dans son verre.

Elle ajouta un peu d'eau et en but une gorgée, puis goûta le potage.

— Comment est-il ?

— Très bon, reconnut-elle.

— La cuisine française est si raffinée. Nous autres, Allemands, n'avons pas ce talent.

Dieter lui racontait n'importe quoi, pour essayer de la détendre. Elle termina presque son assiette de potage. Il lui versa un verre d'eau.

Le major Weber entra et fixa d'un œil incrédule le plateau posé devant la prisonnière. Il demanda en allemand :

— Maintenant nous récompensons les gens pour avoir donné asile à des terroristes ?

— Mademoiselle est une dame, dit Dieter. Nous devons la traiter correctement.

— Dieu du ciel, fit Weber en tournant les talons.

Elle refusa le plat mais but tout le café. Dieter était ravi. Tout se passait conformément à ses plans. Lorsqu'elle eut terminé, il lui posa de nouveau toutes les questions.

— Où rencontrez-vous les agents alliés ? Comment vous reconnaissent-ils ? Quel est le mot de passe ?

Elle semblait préoccupée mais refusa obstinément de répondre. Il la regarda tristement.

— Je suis vraiment désolé que vous refusiez de coopérer avec moi, après la bonté dont j'ai fait preuve à votre égard.

— Je vous en suis reconnaissante, fit-elle quelque peu déconcertée, mais je ne peux rien vous dire.

Stéphanie, assise auprès de Dieter, semblait surprise elle aussi. Il devina ce qu'elle pensait : *Tu t'imaginais vraiment qu'un bon repas suffirait à faire parler cette femme ?*

— Très bien, dit-il en se levant comme pour prendre congé.

— Et maintenant, monsieur, fit Mlle Lemas, l'air très gêné, il faut que je vous demande de... si je peux aller me repoudrer.

— Vous voulez aller aux toilettes ? lança Dieter d'un ton cinglant.

— À vrai dire, fit-elle en rougissant, oui.

— Je regrette, mademoiselle, articula Dieter, ce ne sera pas possible.

13.

La dernière chose que Monty avait dite à Paul Chancellor lundi en fin de soirée avait été : « Si vous ne réussissez qu'une seule mission au cours de cette guerre, que ce soit la destruction du central téléphonique. »

Ces mots retentissaient encore aux oreilles de Paul quand il se réveilla. C'était un ordre bien simple. S'il pouvait s'en acquitter, il aurait aidé à gagner la guerre. S'il échouait, des hommes mourraient — et il passerait le restant de ses jours à se reprocher d'avoir contribué à perdre la guerre.

Il arriva de bon matin à Baker Street, mais Percy Thwaite était déjà assis à son bureau, tirant sur sa pipe et examinant six cartons de dossiers. Il faisait très militaire bureaucrate, avec sa veste à carreaux et sa moustache en brosse à dents. Il considéra Paul d'un œil vaguement hostile.

— Je ne sais pas pourquoi Monty vous a confié la responsabilité de cette opération, dit-il. Ça ne me gêne pas que vous ne soyez que major et que je sois colonel : tout ça, c'est de la foutaise. Mais vous n'avez jamais dirigé une opération clandestine alors que c'est mon job depuis trois ans. Ça vous paraît logique ?

— Oui, dit Paul d'un ton un peu sec. Quand on veut être absolument sûr qu'un travail sera exécuté, on en charge quelqu'un en qui on a confiance. Monty me fait confiance.

— Mais pas à moi ?

— Il ne vous connaît pas.

— Je vois, ronchonna Percy.

Paul avait besoin de la coopération de Percy, il décida donc de l'amadouer. Apercevant dans un cadre la photographie d'un jeune homme en uniforme de lieutenant, au côté d'une femme plus âgée coiffée d'un chapeau à large bord, et qui aurait pu être Percy trente ans plus tôt, il demanda :

— Votre fils ?

— David est en garnison au Caire, expliqua Percy s'adoucissant aussitôt. Nous avons connu quelques mauvais moments durant la guerre du désert, surtout après que Rommel eut atteint Tobrouk, mais, aujourd'hui, il est loin de la ligne de feu, et j'avoue que je n'en suis pas mécontent.

— C'est Mme Thwaite ? continua Paul en désignant la femme, belle plus que jolie, aux cheveux bruns comme ses yeux et au visage énergique.

— Rosa Mann. Elle est devenue célèbre comme suffragette dans les années vingt, et elle a toujours gardé son nom de jeune fille.

— Suffragette ?

— Elle a fait campagne pour le vote des femmes.

Percy aimait les femmes remarquables, conclut Paul : voilà pourquoi il portait une telle affection à Betty.

— Vous savez, reconnut-il avec franchise, vous avez raison de parler de mes lacunes. Je me suis souvent trouvé en première ligne dans des opérations clandestines, mais ça va être la première fois que j'en organise une. Je vous serais donc très reconnaissant de l'aide que vous voudrez bien m'accorder.

Percy acquiesça.

— Je commence à comprendre pourquoi vous avez gagné la réputation d'arriver à vos fins, dit-il avec l'esquisse d'un sourire. Mais, si vous voulez mon avis...

— Je vous en prie.

— Laissez-vous guider par Betty. Personne d'autre qu'elle n'a réussi à survivre aussi longtemps dans la clandestinité. Sa connaissance et son expérience du terrain sont sans égal. En théorie, c'est peut-être moi qui commande ici, mais je ne fais que lui fournir le soutien dont elle a besoin. Jamais je n'essaierai de lui dire ce qu'elle doit faire.

— Je m'en souviendrai, assura Paul.

Il avait hésité cependant, car si c'était lui que Monty avait chargé de cette mission, ce n'était pas pour qu'il s'en remette aux conseils de quelqu'un d'autre.

Percy parut satisfait. De la main, il désigna les cartons.

— On s'y met ?

— Qu'est-ce que c'est ?

— Les dossiers des personnes que nous avons considérées un moment comme des agents possibles mais que nous avons éconduites pour une raison ou pour une autre.

Paul ôta sa veste et retroussa ses manches. Ils passèrent la matinée à éplucher les fiches ensemble. Certains des candidats n'avaient même pas été reçus, d'autres avaient été rejetés après une entrevue et nombre d'entre eux avaient échoué à un stade ou à un autre du stage de formation : ils étaient dépassés par les codes, incapables de manier des armes ou bien au bord de la crise de nerfs lorsqu'on leur demandait de sauter en parachute. Ils avaient l'âge en commun, une vingtaine d'années, et la pratique d'une langue étrangère qu'ils parlaient tous aussi couramment que des autochtones.

Il y avait de nombreux dossiers, mais bien peu de candidats acceptables. Quand Percy et Paul eurent éliminé tous les hommes ainsi que les femmes qui parlaient une autre langue que le français, il ne leur restait plus que trois noms.

Paul était découragé : il commençait à peine et déjà il se heurtait à un obstacle de taille.

— Il nous en faut au minimum quatre, même si Betty a recruté la femme qu'elle est allée voir ce matin.

— Diana Colefield.

— Et aucune de celles-ci n'est experte en explosifs ou spécialiste du téléphone !

Percy était plus optimiste.

— Pas quand le SOE les a interviewées, mais peut-être le sont-elles aujourd'hui. Depuis, les femmes ont appris à s'acquitter de tant de tâches.

— Bien, voyons un peu.

Il leur fallut un moment pour retrouver la trace des trois femmes. Déception supplémentaire, ils découvrirent que l'une d'elles était morte. Les deux autres se trouvaient à Londres : Ruby Romain, malheureusement, dans la prison de femmes de Holloway, à cinq kilomètres de Baker Street, attendait d'être jugée pour meurtre ; quant à Maude Valentine, dont le dossier notait simplement « psychologiquement peu recommandable », elle conduisait une ambulance pour le SEIN.

— Il n'en reste que deux ! dit Paul accablé.

— Ce n'est pas tant la quantité que la qualité qui me tracasse, observa Percy.

— Nous savions depuis le départ que nous examinions des rebuts.

— Mais nous ne pouvons pas risquer la vie de Betty avec des gens pareils ! s'écria Percy, furieux.

Paul se rendit compte qu'il tenait désespérément à protéger la jeune femme. Il avait accepté de céder le contrôle de l'opération, mais il ne se départirait pas de son rôle d'ange gardien.

Un coup de téléphone vint interrompre leur discussion. C'était Simon Fortescue, l'homme au costume rayé du MI6 qui avait rendu le SOE responsable du fiasco de Sainte-Cécile.

— Que puis-je faire pour vous ? grommela Paul, sur ses gardes.

On ne pouvait pas se fier à Fortescue.

— Je crois plutôt que c'est moi qui pourrais faire quelque chose pour vous, déclara Fortescue. Je sais que vous êtes d'accord pour le plan du major Clairet.

— Qui vous l'a dit ? demanda Paul, d'un ton méfiant.

C'était censé être un secret.

— La question n'est pas là. Naturellement, même si j'étais contre, je souhaite que votre mission réussisse, et j'aimerais vous aider.

Paul était furieux qu'on discute de sa tâche, mais inutile de s'étendre là-dessus.

— Connaissez-vous une technicienne du téléphone qui parle parfaitement le français ? demanda-t-il.

— Pas exactement. Mais je vous suggère de rencontrer quand même lady Denise Bowyer, absolument charmante, la fille du marquis d'Inverlocky.

Paul ne s'intéressait pas à son pedigree.

— Comment a-t-elle appris le français ?

— Elle a été élevée par sa belle-mère française, la seconde femme de lord Inverlocky. Elle a très envie de se rendre utile.

Paul se méfiait de Fortescue, mais il était désespérément à court de recrues valables.

— Où puis-je la trouver ?

— Elle est avec la RAF à Hendon.

Hendon n'évoquait rien à Paul, mais Fortescue précisa :

— C'est un terrain d'aviation dans la banlieue nord de Londres.

— Merci.

— Dites-moi ce que ça donne, fit Fortescue et il raccrocha.

Paul raconta la conversation à Percy qui déclara :

— Fortescue cherche à placer un espion dans notre camp.

— Nous ne pouvons pas nous permettre d'éliminer cette fille pour cette simple raison.

— Exact.

Ils virent d'abord Maude Valentine, au Fenchurch Hotel, à deux pas du QG du SOE, car on ne conduisait jamais d'étrangers au 64, expliqua Percy.

— Si nous ne la prenons pas et si elle devine que son recrutement avait été envisagé pour une mission d'espionnage, elle ne connaîtra ni le nom ni l'adresse de l'organisation qui l'a contactée. Alors même si elle bavarde, elle ne pourra pas faire grand mal.

— Fort bien.

— Quel est le nom de jeune fille de votre mère ?

Un peu surpris, Paul dut réfléchir un instant :

— Thomas. Elle s'appelait Edith Thomas.

— Vous serez donc le major Thomas et moi le colonel Cox. Inutile de citer nos vrais noms.

Percy, décidément, n'était pas un abruti.

Paul rencontra Maude dans le hall de l'hôtel. Elle éveilla aussitôt son intérêt. Jolie fille, toujours prête à faire du charme, elle était sanglée dans son blouson militaire et portait sa casquette un peu de guingois. Paul s'adressa à elle en français.

— Mon collègue vous attend dans un salon particulier.

Elle lui lança un regard malicieux et répondit en français avec un certain culot :

— En général, je ne vais pas dans les salons particuliers, encore moins avec des inconnus, mais pour vous, major, je ferai une exception.

— C'est une salle de réunion, se défendit-il en rougissant, avec une table et des chaises, ce n'est pas une chambre.

— Oh, alors c'est parfait, fit-elle toujours moqueuse.

— D'où êtes-vous ? lui demanda-t-il pour changer de sujet.

Il avait remarqué son accent méridional.

— Je suis née à Marseille.

— Et que faites-vous au SEIN ?

— Je sers de chauffeur à Monty.

— Ah oui ?

Paul n'était censé donner aucune information sur lui-même, mais il ne put s'empêcher de dire :

— J'ai travaillé quelque temps pour Monty, mais je ne me rappelle pas vous avoir vue.

— Je ne conduis pas uniquement Monty. Je sers de chauffeur à tous les généraux en chef.

— Bien. Par ici, je vous prie.

Il l'emmena dans la salle et lui versa une tasse de thé. Paul s'en rendit tout de suite compte, Maude était ravie d'être l'objet de tant d'attentions. Pendant que Percy lui posait des questions, il l'examina attentivement : menue, mais pas autant que Betty, et plutôt mignonne avec sa bouche en cerise que le rouge à lèvres soulignait encore et son grain de beauté — peut-être postiche — sur la joue. Ses cheveux bruns étaient ondulés.

— Ma famille s'est installée à Londres quand j'avais dix ans, expliqua-t-elle. Mon père est pâtissier.

— Où travaille-t-il ?

— Il est chef pâtissier au Claridge.

— Très impressionnant.

Le dossier de Maude était posé sur la table et Percy le poussa de quelques centimètres vers Paul. Son geste n'échappa pas au jeune Américain et son regard tomba sur une note ajoutée lors du premier entretien. *Père : Armand Valentin, trente-neuf ans, garçon de cuisine au Claridge,* lut-il.

Quand ce fut terminé, on lui demanda d'attendre dehors.

— Elle vit dans un monde de fantasmes, déclara Percy dès qu'elle fut sortie. Elle a promu son père au rang de chef cuisinier et transformé son nom de famille en Valentine.

— Dans le hall, elle m'a dit qu'elle était le chauffeur de Monty, ce qui n'est pas le cas, je le sais, confirma-t-il.

— Voilà sans doute pourquoi on l'a éliminée précédemment.

Paul, sentant que Percy était prêt à refuser, s'empressa de faire remarquer :

— Mais aujourd'hui, nous ne pouvons pas nous permettre d'être aussi difficile.

— Elle constituerait une menace pour une opération clandestine ! lança Percy, surpris.

— Nous n'avons pas le choix, insista Paul avec un geste d'impuissance.

— C'est de la folie !

Paul se dit que Percy, un peu amoureux de Betty mais plus âgé et marié, avait transformé son amour en protection paternelle — ce qui le rendait sympathique. Mais s'il voulait réussir, il aurait à lutter contre sa prudence.

— Écoutez, nous ne devrions pas éliminer Maude, proposa-t-il. Betty jugera par elle-même quand elle la rencontrera.

— Vous avez sans doute raison, admit Percy à contrecœur. Et ce don d'inventer des histoires peut être précieux en cas d'interrogatoire.

— Bon. Prenons-la... Mademoiselle Valentine, je suis en train de monter une équipe, j'aimerais que vous en fassiez partie. Accepteriez-vous une mission dangereuse ?

— Nous irions à Paris ? s'exclama Maude tout excitée, en guise de réponse.

C'était une réaction bizarre. Paul hésita, puis dit :

— Pourquoi me demandez-vous cela ?

— J'adorerais aller à Paris. Je n'y suis jamais allée. Il paraît que c'est la plus belle ville du monde.

— Où que vous alliez, vous n'aurez pas le temps de faire du tourisme, lança Percy, incapable de dissimuler son agacement.

Maude n'eut même pas l'air d'y prendre garde.

— Dommage, fit-elle. Ça me plairait quand même.

— Comment réagissez-vous devant le danger ? insista Paul.

— Oh ! fit Maude d'un ton désinvolte, très bien. Je n'ai pas peur.

Vous devriez, songea Paul, mais il se tut.

Ils quittèrent Baker Street et roulèrent vers le nord, traversant un quartier ouvrier durement touché par les bombardements. Dans chaque rue, une maison au moins n'était qu'une carcasse noircie ou qu'un tas de ruines.

Paul devait retrouver Betty devant la prison, où ils auraient un entretien avec Ruby Romain. Percy de son côté continuerait jusqu'à Hendon pour rencontrer Lady Denise Bowyer.

Percy conduisait avec assurance dans le dédale de ces rues sinistres.

— Vous connaissez bien Londres, observa Paul.

— C'est dans ce quartier que je suis né, répondit Percy.

Paul fut intrigué. Il était peu courant, en effet, qu'un garçon issu d'une famille pauvre atteigne le grade de colonel dans l'armée britannique.

— Que faisait votre père ?

— Il vendait du charbon qu'il transportait sur une charrette tirée par un cheval.

— C'était sa propre affaire ?

— Non, il travaillait pour un charbonnier.

— C'est ici que vous êtes allé à l'école ?

Percy sourit à cet interrogatoire, qui ne semblait pas le gêner.

— Grâce au pasteur de la paroisse, j'ai obtenu une bourse dans un bon établissement. C'est là que j'ai perdu mon accent des faubourgs.

— Vous l'avez fait exprès ?

— Ça n'était pas volontaire. Je vais vous raconter quelque chose. Il arrivait parfois qu'on me dise quand je faisais de la politique : « Comment pouvez-vous être socialiste avec un accent pareil ? » J'expliquais alors qu'on me fouettait en classe parce que je ne prononçais pas bien les *h*, ce qui a cloué le bec à un ou deux crétins qui ne se prenaient pas pour de la gnognotte.

Percy arrêta la voiture dans une rue bordée d'arbres, devant ce qui sembla à Paul un château de conte de fées avec remparts, tourelles et haut donjon.

— C'est une prison, ça ?

— Architecture victorienne, fit Percy en haussant les épaules.

Betty attendait à l'entrée, dans son uniforme du SEIN : une tunique à quatre poches, une jupe-culotte et un petit chapeau au bord relevé. La ceinture de cuir qui lui sanglait la taille soulignait sa minceur et ses boucles blondes, indisciplinées, encadraient son visage.

— Quelle jolie fille ! apprécia Paul, le souffle un peu court.

— Elle est mariée, fit sèchement remarquer Percy.

Me voilà prévenu, se dit Paul, amusé.

— À qui ?

Après un instant d'hésitation, Percy répondit :

— Je pense qu'il vaut mieux que vous le sachiez. Michel est dans la Résistance française. C'est le chef du réseau Bollinger.

— Ah ! Merci.

Percy laissa Paul aux prises avec Betty et poursuivit sa route. Paul craignait en effet qu'elle ne soit furieuse en apprenant combien leur pêche à la candidate était minable. Il ne l'avait rencontrée qu'à deux reprises et chaque fois elle l'avait engueulé. Mais elle semblait de bonne humeur et, quand il lui parla de Maude, elle dit :

— Nous sommes donc déjà trois, moi comprise. Nous avons fait la moitié du chemin.

Paul acquiesça ; inutile d'avouer son inquiétude.

On entrait à Holloway par une bâtisse médiévale percée de meurtrières.

— Pourquoi n'ont-ils pas complété le décor par une herse et un pont-levis ? ironisa Paul.

Ils débouchèrent dans une cour où quelques femmes en robe sombre cultivaient des légumes. À Londres, le moindre mètre carré de terrain vague était transformé en potager.

La prison se dressait devant eux. L'entrée était gardée par des monstres de pierre, de lourds griffons ailés tenant dans leurs serres des clefs et des fers. Le corps de garde était flanqué de bâtiments de quatre étages, chacun marqué par de longues rangées d'étroites fenêtres en ogive.

— C'est insensé, cet endroit ! s'exclama Paul.

— C'est ici que les suffragettes faisaient la grève de la faim, lui expliqua Betty. On y a nourri de force la femme de Percy.

— Mon Dieu !

À l'intérieur, une forte odeur d'eau de Javel flottait dans l'air, comme si les autorités espéraient qu'un désinfectant anéantirait les bactéries du crime. On introduisit Betty et Paul dans le bureau de l'adjointe du gouverneur, Mlle Lindleigh, bâtie comme un tonneau avec un gros visage revêche.

— Je ne sais pas pourquoi vous désirez voir Romain, déclara-t-elle. Apparemment, je ne dois pas le savoir, ajouta-t-elle avec un peu de rancœur.

Betty afficha son air méprisant, qui annonçait une remarque déplaisante. Aussi Paul s'empressa-t-il d'intervenir.

— Je vous prie de nous excuser pour ce secret, dit-il avec

son plus charmant sourire. Nous ne faisons que suivre des ordres.

— Je présume que c'est notre lot à tous, répondit Mlle Lindleigh en se radoucissant. Quoi qu'il en soit, je dois vous prévenir que Romain est une prisonnière violente.

— J'ai cru comprendre que c'était une meurtrière.

— En effet. On devrait la pendre, mais les tribunaux sont trop indulgents de nos jours.

— C'est bien vrai, dit Paul, qui n'en pensait pas un mot.

— Arrêtée pour ivrognerie, elle a trouvé le moyen de tuer une détenue dans la cour d'exercice si bien que maintenant elle attend d'être jugée pour meurtre.

— Pas commode, remarqua Betty d'un air intéressé.

— En effet, major. Elle vous paraîtra peut-être raisonnable au début, mais ne vous y laissez pas prendre. Elle s'emporte pour un rien et plus vite que le temps de dégainer un couteau.

— Et en général, ça fait mal, dit Paul.

— Vous avez tout compris.

— Nous avons peu de temps, s'impatienta Betty, j'aimerais la voir tout de suite.

— Si cela ne vous dérange pas, mademoiselle Lindleigh, ajouta précipitamment Paul.

— Très bien.

L'adjointe du gouverneur leur montra le chemin. Les sols dallés et les murs nus faisaient résonner les lieux comme une cathédrale, amplifiant le fond sonore, mélange de clameurs lointaines, de claquements de portes et de raclements de brodequins sur les passerelles métalliques. Après avoir suivi une enfilade d'étroits couloirs et gravi des escaliers plutôt raides, ils débouchèrent dans une salle d'interrogatoire.

Ruby Romain était déjà là. Sa peau mate, ses cheveux bruns et raides et ses yeux noirs au regard farouche auraient pu rappeler la beauté gitane traditionnelle, si la nature ne l'avait dotée d'un nez crochu et d'un menton en galoche.

Mlle Lindleigh les laissa ; un gardien installé dans la pièce voisine surveillait l'entrevue par une porte vitrée. Betty, Paul et la prisonnière s'assirent autour d'une méchante table sur laquelle on avait posé un cendrier crasseux. Paul avait apporté un paquet de Lucky Strike. Il le posa sur la table et dit en français : « Servez-vous. » Ruby prit deux cigarettes, en plaça une entre ses lèvres et l'autre derrière son oreille.

Paul posa quelques questions de routine, pour rompre la glace, auxquelles elle répondit de façon claire et polie, mais avec un fort accent français.

— Mes parents sont des gens du voyage, expliqua-t-elle. Quand j'étais petite, nous voyagions à travers la France d'une fête foraine à une autre. Mon père tenait un stand de tir et ma mère vendait des crêpes.

— Comment êtes-vous venue en Angleterre ?

— À quatorze ans, je suis tombée amoureuse d'un matelot anglais que j'avais rencontré à Calais. Il s'appelait Freddy. On s'est mariés — naturellement, j'ai menti sur mon âge — et on est partis pour Londres. Il a été tué il y a deux ans, son navire a été coulé par un sous-marin dans l'Atlantique. Elle frissonna. Une tombe bien froide. Pauvre Freddy.

— Racontez-nous pourquoi vous êtes ici, intervint Betty que les histoires de famille n'intéressaient pas.

— Je me suis procuré un petit brasero pour vendre des crêpes dans la rue, mais la police n'arrêtait pas de me harceler. Un soir, j'avais bu un peu de cognac — j'ai un faible pour l'alcool, c'est vrai — bref, ça s'est mal passé. Le flic m'a dit de me tailler, confirma-t-elle dans un anglais fortement teinté d'accent cockney, je l'ai copieusement injurié. Il m'a bousculée et je l'ai envoyé au tapis.

Paul la considéra avec un certain amusement. Malgré sa taille plutôt moyenne, elle avait de grandes mains et des jambes musclées. Il l'imaginait très bien mettant KO un bobby londonien.

— Que s'est-il passé ensuite ? demanda Betty.

— Ses deux copains sont arrivés et, à cause du cognac, j'ai mis un peu de temps à me tirer, alors ils m'ont allongé quelques taloches et m'ont emmenée au gnouf. Comme Paul n'avait pas l'air de comprendre, elle précisa : Au poste de police, je veux dire. Bref, le premier flic avait honte de me coincer pour agression, car il ne voulait pas avouer qu'il s'était fait envoyer au tapis par une femme ; alors j'ai écopé de quatorze jours pour ivresse et atteinte à l'ordre public.

— Et puis vous avez eu une autre bagarre.

Elle toisa longuement Betty.

— Je ne sais pas si je peux expliquer à quelqu'un comme vous comment ça se passe ici. La moitié des filles sont dingues et elles ont toutes une arme : on peut limer le bord d'une cuillère pour en faire un couteau, affûter un bout de fil de fer pour fabriquer un stylet ou bien torsader des fils pour se tisser un garrot. Les gardiens n'interviennent jamais dans les empoignades entre détenues. Ils aiment bien nous regarder nous mettre en pièces. C'est pour ça qu'il y a tant de prisonnières qui ont des cicatrices.

Paul était choqué. Il n'avait encore jamais eu de contact avec des femmes incarcérées. Le tableau que présentait Ruby était terrifiant. Peut-être qu'elle exagérait, mais elle semblait d'une tranquille sincérité. Peu lui importait qu'on la crût : elle énumérait les faits avec la sécheresse sans hâte de quelqu'un que ça n'intéresse pas vraiment mais qui n'a rien de mieux à faire.

— Que s'était-il passé, demanda Betty, avec la femme que vous avez tuée ?

— Elle m'avait volé quelque chose.

— Quoi donc ?

— Un savon.

Mon Dieu, songea Paul. Elle l'a tuée pour un savon.

— Qu'avez-vous fait ? demanda Betty.

— Je l'ai récupéré.

— Et alors ?

— Elle s'est jetée sur moi avec un pied de chaise dont elle avait fait une matraque en fixant au bout un morceau de tuyau de plomb. Elle m'a tapé sur la tête avec ça. J'ai cru qu'elle allait me tuer. Moi, j'avais un couteau que je m'étais confectionné avec un long éclat de verre pointu provenant d'un carreau cassé et un bout de pneu enroulé en guise de poignée. Je le lui ai enfoncé dans la gorge. Comme ça, elle n'a pas eu l'occasion de me frapper une autre fois.

Betty réprima un frisson et dit :

— C'est de la légitime défense.

— Non. Il aurait fallu prouver que je ne pouvais pas m'enfuir. Et puis j'avais prémédité le meurtre puisque j'avais fabriqué un couteau avec ce bout de verre.

Paul se leva.

— Attendez un moment ici avec le gardien, je vous prie, dit-il à Ruby. Nous sortons quelques instants.

Ruby lui sourit et, pour la première fois, elle parut non pas jolie mais aimable.

— Vous êtes si poli, dit-elle d'un ton admiratif.

— Quelle horrible histoire ! déclara-t-il, une fois dans le couloir.

— N'oubliez pas, lui fit observer Betty, que toutes celles qui sont ici clament leur innocence.

— Quand même, je la trouve plus à plaindre qu'à blâmer.

— J'en doute. Je crois que c'est une tueuse.

— Donc nous l'éliminons.

— Au contraire, c'est exactement ce que je veux. Retournons-y. Si vous pouviez sortir d'ici, demanda Betty à Ruby de retour dans la salle, seriez-vous disposée à vous charger d'une mission dangereuse ?

Elle répondit par une autre question.

— On irait en France ?

Betty haussa les sourcils.

— Qu'est-ce qui vous fait demander cela ?

— Au début, vous m'avez parlé français. Je suppose que vous vouliez vous assurer que je parlais la langue.

— Je ne peux pas vous dire grand-chose de ce que vous auriez à faire.

— Je parie qu'il s'agit de sabotage derrière les lignes ennemies.

Paul était médusé : Ruby avait l'esprit vif. Voyant sa surprise, celle-ci poursuivit :

— Vous savez, au début j'ai cru que vous vouliez que je fasse un peu de traduction pour vous, mais ça n'a rien de dangereux. Alors, c'est que vous devez aller en France. Et qu'est-ce que l'armée britannique ferait là-bas à part détruire des ponts et des voies de chemin de fer ?

Paul ne dit rien, mais il était impressionné par sa faculté de déduction.

— Ce que je n'arrive pas à comprendre, continua Ruby en fronçant les sourcils, c'est pourquoi votre équipe ne sera constituée que de femmes.

Betty ouvrit de grands yeux.

— Qu'est-ce qui vous fait croire cela ?

— Si vous pouviez utiliser des hommes, pourquoi viendriez-vous me parler ? Vous devez être vraiment aux abois. Ce ne doit pas être si facile de faire sortir une meurtrière de prison, même pour une mission de guerre vitale. Alors qu'est-ce que j'ai de spécial ? Je suis coriace, mais il doit y avoir des centaines de durs à cuire qui parlent parfaitement le français et qui ne demanderaient pas mieux que de se charger d'une mission secrète. La seule raison de me choisir plutôt que l'un d'eux, c'est que je suis une femme. Peut-être risquent-elles moins d'être interrogées par la Gestapo... c'est ça ?

— Je ne peux rien vous dire, répondit Betty.

— Enfin, si vous voulez de moi, je le ferai. Est-ce que je peux avoir encore une cigarette ?

— Bien sûr, dit Paul.

— Vous comprenez bien que ce travail est dangereux, reprit Betty.

— Ouais, rétorqua Ruby en allumant une Lucky Strike, mais pas autant que de rester dans cette putain de prison.

Après avoir quitté Ruby, ils revinrent au bureau de l'assistante du gouverneur.

— Mademoiselle Lindleigh, annonça Paul, recourant une nouvelle fois à la flatterie, j'ai besoin de votre aide. Dites-moi ce dont vous auriez besoin pour procéder à la libération de Ruby Romain.

— La libérer ! Mais c'est une meurtrière ! Pourquoi la relâcher ?

— Il m'est malheureusement impossible de vous le dire. Mais je peux vous assurer que, si vous saviez où elle doit aller, vous n'estimeriez pas qu'elle a eu de la chance de sortir d'ici — bien au contraire.

— Je comprends, dit-elle commençant à se radoucir.

— J'ai besoin qu'elle sorte d'ici ce soir, reprit Paul. Mais je ne veux absolument pas vous mettre dans une position délicate. C'est pourquoi je dois savoir exactement quelle autorisation il vous faut.

Ce qu'il voulait en réalité, c'était avoir la certitude qu'elle n'aurait aucune excuse pour s'opposer à cette libération.

— Je ne peux en aucun cas la relâcher, déclara Mlle Lindleigh. Elle est détenue ici en vertu d'une ordonnance du tribunal, donc seul le tribunal a le pouvoir de la libérer.

— Et que faut-il pour cela ? demanda Paul avec patience.

— Elle doit être conduite, sous escorte policière, devant un magistrat. Le procureur, ou son représentant, devra déclarer au magistrat qu'on a renoncé à toutes les charges retenues contre Romain. Le magistrat sera alors dans l'obligation de déclarer qu'elle est libre de partir.

Paul fronça les sourcils, à l'affût de tout obstacle éventuel :

— Il faut qu'elle signe ses papiers d'engagement dans l'armée avant de comparaître devant le magistrat de façon à se trouver soumise à la discipline militaire aussitôt que la cour l'aura relâchée, sinon elle pourrait s'en aller, tout simplement.

Mlle Lindleigh n'en croyait pas ses oreilles.

— Pourquoi abandonner l'accusation ?

— Ce procureur est un fonctionnaire ?

— Oui.

— Alors, cela ne posera pas de problème, fit Paul en se levant. Je reviendrai dans la soirée avec un magistrat, quelqu'un du bureau du procureur et un chauffeur de l'armée pour conduire Ruby à... sa prochaine escale. Pouvez-vous envisager le moindre problème ?

— Major, fit Mlle Lindleigh en secouant la tête. J'obéis aux ordres, comme vous.

— Parfait.

Ils prirent congé. Lorsqu'ils se retrouvèrent dehors, Paul s'arrêta et regarda derrière lui.

— C'est la première fois que je mets les pieds dans une prison, dit-il. Je ne sais pas à quoi je m'attendais, mais pas en tout cas à un décor de conte de fées.

C'était une remarque sans importance concernant l'architecture du bâtiment, mais Betty observa d'un ton aigre :

— Plusieurs femmes ont été pendues ici. Ça ne fait pas très conte de fées.

Il se demanda pourquoi elle était d'aussi méchante humeur.

— On dirait que vous vous identifiez aux détenues, dit-il, et soudain il comprit pourquoi. Parce que vous pourriez vous retrouver dans une prison en France ?

Elle parut décontenancée.

— Je crois que vous avez raison. Je ne comprenais pas pourquoi j'exécrais autant cet endroit, mais c'est cela.

Elle aussi pourrait être pendue, se dit-il, mais il garda cette pensée pour lui.

Ils se dirigèrent vers la station de métro la plus proche. Betty était songeuse.

— Vous êtes très perspicace, observa-t-elle. Vous avez su vous y prendre pour mettre Mlle Lindleigh dans notre camp. Moi, je m'en serais fait une ennemie.

— Ça n'aurait servi à rien.

— Exactement. Quant à cette tigresse de Ruby, vous l'avez transformée en chatte ronronnante.

— Je ne prendrais pas le risque qu'une femme comme elle me trouve antipathique.

Betty se mit à rire.

— Et, en plus, vous m'avez fait découvrir en moi quelque chose que je n'avais pas réussi à exprimer.

Paul n'était pas mécontent de l'avoir impressionnée, mais il pensait déjà au problème suivant.

— À minuit, la moitié de notre équipe devrait avoir rallié le centre d'entraînement du Hampshire.

— Nous l'appelons le Pensionnat, dit Betty. Oui : Diana Colefield, Maude Valentine et Ruby Romain.

Paul récapitula avec une pointe de pessimisme :

— Une aristocrate indisciplinée, une charmeuse incapable de discerner le fantasme de la réalité et une gitane meurtrière prompte à s'emporter.

En songeant que Betty pourrait être pendue par la Gestapo, il éprouvait les mêmes inquiétudes que Percy quant aux qualités de leurs recrues.

— Il ne faut pas être difficile, dit-elle avec entrain.

Sa mauvaise humeur s'était dissipée.

— Mais nous n'avons toujours pas d'experte en explosifs ni de technicienne du téléphone.

Betty jeta un coup d'œil à sa montre.

— Il n'est encore que quatorze heures. Et puis, peut-être que la RAF a appris à Denise Bowyer comment faire sauter un central téléphonique.

Paul ne put s'empêcher de sourire : l'optimisme de Betty était irrésistible.

Ils arrivèrent à la station et montèrent dans une rame. Ne pouvant plus discuter de la mission à cause des autres passagers qui risquaient de les entendre, Paul changea de sujet :

— J'ai appris quelques petites choses sur Percy ce matin, raconta-t-il. Nous avons traversé le quartier où il a grandi.

— Il a pris les manières et même l'accent de la haute société britannique, mais ne vous y laissez pas prendre. Sous cette vieille veste de tweed bat le cœur d'un vrai gosse des rues.

— Il m'a dit qu'on le fouettait à l'école à cause de son accent faubourien.

— Il avait obtenu une bourse. Ça ne facilite généralement pas la vie dans les collèges anglais chics. Je le sais, j'ai vécu ça moi aussi.

— Vous avez dû corriger votre accent ?

— Non. J'ai grandi dans le château d'un comte. J'ai toujours parlé comme ça.

Voilà pourquoi, se dit Paul, Betty et Percy s'entendent si bien : rejetons, tous deux, d'une famille modeste, ils ont gravi les échelons de la société. Contrairement aux Américains, les Anglais ne voyaient aucun mal à ce qu'on exprime des préjugés de classe. Pourtant cela les choquait d'entendre des Sudistes affirmer que les Noirs leur étaient inférieurs.

— Je crois que Percy a beaucoup d'affection pour vous, dit Paul.

— Je l'aime comme un père.

Ses sentiments semblent sincères, songea Paul, mais par la même occasion, Betty dissipait toute ambiguïté éventuelle au sujet de ses relations avec Percy.

Betty devait retrouver Percy à Orchard Court. Une voiture y attendait elle et Paul ; Paul en reconnut le chauffeur, un membre de l'équipe de Monty.

— Monsieur, quelqu'un vous attend dans la voiture, était en train de dire l'homme quand la portière arrière s'ouvrit pour livrer passage à Caroline, la sœur cadette de Paul.

Il eut un sourire ravi. Elle se jeta dans ses bras et il la serra contre lui.

— Ça, alors ! s'exclama-t-il. Qu'est-ce que tu fais à Londres ?

— Je ne peux pas te le dire, mais comme j'avais deux

heures de battement, j'ai quémandé auprès du bureau de Monty une voiture pour venir te voir. Tu m'offres un verre ?

— Je n'ai pas une minute à perdre, répondit-il. Même pas pour toi. Mais tu peux me conduire à Whitehall. Il faut que je trouve un procureur.

— Alors je t'emmène là-bas et on parlera dans la voiture.

— Bien sûr ! Allons-y !

14.

La scène devant la porte de l'immeuble n'échappa pas à Betty, en particulier le sourire ravi qui éclaira le visage de Paul et la vigueur avec laquelle il serra dans ses bras la jolie fille en uniforme de lieutenant de l'armée américaine qui s'était jetée à son cou. De toute évidence c'était sa femme, sa petite amie ou sa fiancée de passage à Londres — elle devait appartenir aux forces américaines basées en Angleterre pour préparer le débarquement. Paul avait sauté dans la voiture de la jeune femme.

Betty entra seule à Orchard Court, un peu triste. Paul avait une femme dans sa vie, ils s'adoraient et le destin leur octroyait une rencontre surprise. Betty aurait bien voulu que Michel surgisse ainsi à l'improviste. Mais il était allongé, blessé, sur un divan à Reims avec une belle effrontée de dix-neuf ans pour le soigner.

Percy était déjà rentré de Hendon. Elle le trouva en train de faire du thé.

— Comment était votre fille de la RAF ? demanda-t-elle.

— Lady Denise Bowyer ? Elle est en route pour le Pensionnat, annonça-t-il.

— Magnifique ! Maintenant nous en avons quatre !

— Oui, mais je suis un peu inquiet. C'est une vantarde : elle a fait tout un plat de ses prouesses dans l'Air Force et m'a donné toutes sortes de détails dont elle n'aurait jamais dû parler. Il faudra que vous vérifiiez tout ça à l'entraînement.

— Je ne pense pas qu'elle connaisse quoi que ce soit aux centraux téléphoniques.

— Absolument rien. Pas plus qu'aux explosifs. Du thé ?

— Volontiers.

Il lui tendit une tasse et s'assit derrière son vieux bureau.

— Où est Paul ?

— Chez le procureur. Il espère faire sortir Ruby Romain de prison ce soir.

— Vous l'aimez bien ? s'enquit Percy.

— Plus qu'au début.

— Moi aussi.

— La vieille mégère qui dirige la prison a succombé à son charme.

— Comment était Ruby Romain ?

— Terrifiante. Elle s'est querellée avec une détenue à propos d'un savon et lui a tranché la gorge.

— Seigneur, fit Percy en secouant la tête d'un air incrédule. Quel genre d'équipe sommes-nous en train de rassembler, Betty ?

— Une équipe redoutable. C'est ce qu'elle est censée être. Ce n'est pas le problème. D'ailleurs, au train où vont les choses, nous pourrons peut-être nous permettre le luxe d'en éliminer une ou deux si elles ne font pas l'affaire pendant l'entraînement. Ce qui me préoccupe davantage, c'est qu'aucune d'entre elles ne s'y connaît dans les domaines qui nous intéressent, il est inutile d'envoyer en France une cohorte de mégères si elles sont incapables de déterminer les câbles à détruire.

Percy but sa tasse de thé et se mit à bourrer sa pipe.

— Je connais une spécialiste en explosifs qui parle le français.

— C'est formidable ! Pourquoi ne l'avez-vous pas dit plus tôt ?

— J'ai tout de suite pensé à elle, mais je l'ai aussitôt éliminée car elle ne fait pas du tout l'affaire. Cependant, étant donné la situation...

— En quoi ne fait-elle pas l'affaire ?

— Elle a une quarantaine d'années. Le SOE utilise rarement des femmes aussi âgées, surtout pour une mission de parachutage, déclara-t-il en craquant une allumette.

À ce stade, pensa Betty, ce n'est pas l'âge qui sera un obstacle. Très excitée, elle dit :

— Elle se portera volontaire ?

— Il y a de bonnes chances, surtout si c'est moi qui le lui demande.

— Vous êtes amis ?

Il acquiesça.

— Comment a-t-elle acquis cette spécialité ?

Percy, l'air gêné et tenant toujours l'allumette qui se consumait, expliqua :

— C'est une perceuse de coffres-forts. Je l'ai rencontrée voilà des années quand je faisais de la politique dans l'East End.

L'allumette se consuma et il en craqua une autre.

— Je ne me doutais pas que vous vous étiez encanaillé à ce point. Où se trouve-t-elle maintenant ?

Percy consulta sa montre.

— Il est dix-huit heures. À cette heure-ci, certainement au bar du Canard boiteux.

— Un pub ?

— Oui.

— Alors allumez donc cette foutue pipe et allons-y tout de suite.

Dans la voiture Betty poursuivit son enquête :

— Comment savez-vous que c'est une perceuse de coffres-forts ?

— Tout le monde le sait, fit Percy en haussant les épaules.

— Tout le monde ? Même la police ?

— Oui. Dans l'East End, police et malfaiteurs grandissent ensemble, fréquentent les mêmes écoles, habitent les mêmes rues. Tout le monde se connaît.

— Mais si les policiers savent qui sont les criminels, pourquoi ne les mettent-ils pas en prison ? Parce qu'ils ne peuvent rien prouver ?

— Je vais vous expliquer comment cela fonctionne. Quand la police se trouve en face d'une affaire à résoudre, elle choisit quelqu'un qui est connu dans le domaine concerné. S'il s'agit d'un cambriolage, elle arrête un cambrioleur. Peu importe qu'il en soit ou non l'auteur, elle pourra toujours lui fabriquer un dossier de toutes pièces : les témoins, elle peut les suborner, les aveux se falsifient et les indices médicaux légaux s'inventent. Bien sûr, elle commet des erreurs et jette en prison des innocents ; elle utilise fréquemment ce système pour régler des comptes personnels ; mais dans la vie, rien n'est parfait, n'est-ce pas ?

— Si je comprends bien, vous voulez dire que tout ce cirque de tribunaux et de jurés n'est qu'une farce ?

— Une farce extrêmement réussie qui tient l'affiche depuis longtemps et qui fournit à des citoyens, inutiles sans cela, des emplois lucratifs d'inspecteurs, d'hommes de loi, d'avocats et de juges.

— Votre amie la perceuse de coffres est-elle allée en prison ?

— Non. Il suffit, pour échapper aux poursuites, d'être prêt à payer de substantiels pots-de-vin et d'entretenir de solides amitiés avec des policiers. Supposons que vous habitiez dans la même rue que la chère vieille maman de l'inspecteur Callahan : vous passez la voir une fois par semaine pour lui proposer de lui faire ses courses, pour regarder les photos de ses petits-enfants... Après cela, l'inspecteur aura des scrupules à vous mettre en prison.

Betty songeait à ce que Ruby venait de lui expliquer de la vie à Londres, presque aussi dure que la vie sous le joug de la Gestapo. Cela pouvait-il être vraiment si différent de ce qu'elle avait imaginé ?

— Je n'arrive pas à discerner si vous parlez sérieusement, confia-t-elle à Percy. Je ne sais que croire.

— Oh, je suis sérieux, répondit-il avec un sourire. Mais je ne m'attends pas à ce que vous me croyiez.

Ils traversaient Stepney, non loin des docks. Les dégâts causés par les bombardements y dépassaient en horreur tout ce que Betty avait déjà pu voir. Des rues entières avaient été détruites. Percy s'engagea dans un étroit cul-de-sac et se gara devant un pub.

Le Canard boiteux était en réalité un sobriquet pour désigner le Cygne blanc. Le bar n'avait rien de privé, mais on l'appelait ainsi pour le distinguer de la partie pub où il y avait de la sciure par terre et où la pinte de bière coûtait un penny moins cher. Betty songea à expliquer ces subtilités à Paul. Cela l'amuserait.

Geraldine Knight, cheveux très blonds et maquillage accentué appliqué d'une main experte, trônait sur un tabouret à l'extrémité du comptoir avec des airs de propriétaire. Sa silhouette rebondie ne devait certainement son apparente fermeté qu'au soutien d'un corset. Une trace de rouge à lèvres marquait l'extrémité d'une cigarette qui se consumait dans le cendrier. Personne ne peut moins ressembler à un agent secret, songea Betty avec découragement.

— Percy Thwaite, je n'en crois pas mes yeux ! s'exclama la femme ; on aurait dit une fille des faubourgs qui aurait pris des cours d'élocution. Qu'est-ce que tu fais à zoner par ici, sacré vieux communiste ? ajouta-t-elle, manifestement ravie de le voir.

— Salut, Jelly, je te présente mon amie Betty.

— Ravie de vous connaître, répondit-elle en serrant la main de Betty.

— Jelly ? interrogea Betty.

— Personne ne sait d'où me vient ce surnom.

— Jelly Knight, la gélignite..., reprit Betty.

Jelly ne releva pas.

— Puisque c'est toi qui régales, Percy, je prendrai un gin-tonic.

— Vous habitez le quartier ? lui demanda Betty en français.

— Depuis l'âge de dix ans, répondit-elle en français avec un accent nord américain. Je suis née au Québec.

C'est ennuyeux, se dit Betty. Les Allemands pourront ne pas remarquer son accent, mais les Français n'y manqueront pas. Jelly devra se faire passer pour une Française d'origine canadienne. Parfaitement plausible, mais juste assez inhabituel pour attirer la curiosité. Fâcheux.

— Mais vous vous considérez comme britannique ?

— Anglaise, pas britannique, déclara Jelly avec une feinte indignation, en revenant à l'anglais. J'appartiens à l'église anglicane, je vote conservateur, je déteste les étrangers, les païens et les républicains. Exception faite, naturellement, de la présente assemblée, ajouta-t-elle avec un coup d'œil à Percy.

— Tu devrais, déclara Percy, habiter une ferme du Yorkshire au milieu des collines, où on n'a pas vu d'étrangers depuis les Vikings. Je ne sais pas comment tu peux supporter de vivre à Londres, entourée de bolcheviques russes, de juifs allemands, de catholiques irlandais et de Gallois non conformistes qui érigent partout de petites chapelles comme des taupinières sur une pelouse.

— Ah ! Percy, Londres n'est plus ce qu'elle était.

— Plus ce qu'elle était quand tu étais une étrangère, commença Percy, pour reprendre, de toute évidence, une vieille discussion entre eux.

— Je suis très heureuse d'apprendre que vous êtes si patriote, Jelly, intervint Betty avec impatience.

— Et en quoi cela vous intéresse-t-il, si je puis me permettre ?

— Vous pourriez agir pour votre pays.

— J'ai parlé à Betty de ton... de ton savoir-faire, Jelly, précisa Percy.

Elle regarda ses ongles vermillon.

— De la discrétion, Percy, je t'en prie. La discrétion est l'essentiel du courage, dit-on dans la Bible.

— Vous savez, je présume, qu'on a réalisé des progrès stupéfiants dans ce domaine... celui des pains de plastic.

— J'essaie de me tenir au courant, reconnut Jelly, modeste. Elle changea d'expression et lança à Betty un regard rusé. Ça a quelque chose à voir avec la guerre, n'est-ce pas ?

— Oui.

— Alors, j'en suis. Je ferais n'importe quoi pour l'Angleterre.

— Vous devrez vous absenter quelques jours.

— Pas de problème.

— Vous pourriez ne pas revenir.

— Bon sang, qu'est-ce que ça veut dire ?

— Ce sera très dangereux, dit calmement Betty.

— Oh ! lâcha Jelly, consternée. Elle avala sa salive. Cela ne fait rien, ajouta-t-elle sans conviction.

— Vous êtes sûre ?

— Vous voulez que je fasse sauter quelque chose ? s'informa Jelly, songeuse.

Betty acquiesça sans rien dire.

— Ce n'est pas sur le continent, n'est-ce pas ?

— Ça se pourrait.

Jelly pâlit sous son maquillage.

— Oh ! doux Jésus. Vous voulez que j'aille en France, c'est ça ?

Betty ne dit rien.

— Derrière les lignes ennemies ! Bonté divine, je suis fichtrement trop vioque pour ça. Je... J'ai trente-sept ans.

Va pour au moins cinq ans de plus, se dit Betty, mais elle répondit :

— Nous sommes presque du même âge, j'ai près de trente ans. Nous ne sommes pas trop vieilles pour un peu d'aventure, hein ?

— Parlez pour vous, chérie.

Betty sentit son cœur se serrer. Jelly allait refuser.

On n'arrivera jamais à trouver des femmes capables de faire ce travail et parlant parfaitement français, estima-t-elle soudain. Ce plan a été mal conçu, il est condamné depuis le début. Elle détourna la tête au bord des larmes.

— Jelly, insista Percy, nous te demandons d'effectuer un travail vraiment crucial pour l'effort de guerre.

— N'essaie pas de me faire marcher, Perce, dit-elle d'un ton un peu moqueur, mais non sans une certaine gravité.

— Je n'exagère pas. Ça pourrait faire toute la différence entre la victoire ou la défaite.

Elle le dévisagea sans rien dire, très indécise.

— Et tu es la seule personne dans ce pays capable de le faire.

— Tu parles, fit-elle, sceptique.

— Tu es une perceuse de coffres-forts qui parle français : combien crois-tu qu'il y en ait ? Je vais te le dire : à part toi, pas une.

— Tu parles sérieusement ?

— Je n'ai jamais été plus sérieux de ma vie.

— Bonté de merde, Perce.

Jelly se tut et garda le silence un long moment pendant que Betty retenait son souffle, et finit par lancer :

— Bon, mon salaud, je suis ton homme !

Betty était tellement heureuse qu'elle l'embrassa.

— Dieu te bénisse, Jelly, fit Percy.

— Quand commence-t-on ?

— Maintenant, déclara Percy. Tu termines ton gin et je te ramène chez toi pour faire ta valise, ensuite je t'emmène directement au centre d'entraînement.

— Quoi, ce soir ?

— Je t'ai dit que c'était important.

Elle avala ce qui restait dans son verre.

— Bon, je suis prête.

En descendant de son tabouret, elle révéla son ample postérieur à Betty qui se demanda comment elle se débrouillerait avec un parachute. En sortant, Percy demanda à Betty :

— Vous pourrez prendre le métro pour rentrer ?

— Bien sûr.

— Alors, à demain au Pensionnat.

— J'y serai, déclara Betty avant de se diriger vers la station la plus proche.

Elle marchait comme dans un rêve. Par cette douce soirée estivale l'East End était très animé : des garçons au visage sale jouaient au cricket avec un bâton et une balle de tennis toute râpée ; un homme las en vêtement de travail pleins de cambouis rentrait prendre un thé tardif ; un permissionnaire en uniforme, avec pour toute fortune un paquet de cigarettes et quelques shillings se pavanait sur le trottoir comme si tous les plaisirs du monde étaient à sa portée, s'attirant les rires de trois jolies filles en robe décolletée et chapeau de paille. Et dire, songea Betty, que le sort de tous ces gens va se décider dans les tout prochains jours.

Dans la rame qui l'emmenait à Bayswater, son enthousiasme se dissipa, car lui manquait toujours le membre essentiel de l'équipe : la spécialiste des communications qui indiquerait à Jelly où disposer les explosifs. Mal placés, ils provoqueraient des dégâts certes, mais réparables en un jour ou deux, et on aurait, en vain, gaspillé des efforts considérables et risqué bien des vies.

Quand elle regagna sa chambre meublée, elle trouva son frère Marc qui l'attendait. Elle le prit dans ses bras et l'embrassa.

— Quelle bonne surprise ! s'exclama-t-elle.

— J'ai une soirée libre, je t'emmène prendre un verre, dit-il.

— Où est Steve ?

— Il joue Iago au Lyme Regis. Nous travaillons tous les deux presque tout le temps pour l'ENSA maintenant. (L'Entertainments National Service Association organisait des spectacles pour les forces armées.) Où va-t-on ?

Betty, épuisée, aurait bien dans un premier réflexe refusé son invitation. Mais se rappelant qu'elle partait pour la France vendredi et que ce pourrait être la dernière fois qu'elle voyait son frère, elle proposa :

— Que dirais-tu du West End ?

— Allons dans une boîte.

— Parfait !

Ils sortirent de l'immeuble et s'engagèrent bras dessus bras dessous dans la rue.

— J'ai vu maman ce matin, annonça Betty.

— Comment va-t-elle ?

— Très bien, mais elle n'a pas changé d'avis en ce qui vous concerne Steve et toi, je regrette de te le dire.

— Je n'y comptais pas. Comment se fait-il que tu l'aies vue ?

— Je suis allée à Somersholme. Ce serait trop long de t'expliquer pourquoi.

— Top secret, je suppose.

Elle acquiesça en souriant, puis poussa un soupir en se rappelant son problème.

— Tu n'as pas, bien entendu, parmi tes relations, une spécialiste du téléphone qui parlerait français, n'est-ce pas ?

Il s'arrêta net.

— Ma foi, déclara-t-il, presque.

15.

Mlle Lemas, assise bien droite sur sa chaise derrière la petite table, le visage totalement figé, était au supplice. Elle n'osait pas faire un geste. Toujours coiffée de son chapeau, elle crispait ses mains sur le gros sac à main en cuir posé sur ses genoux. Elle ne portait pas de bague ; son seul bijou était une petite croix d'argent attachée à une chaîne.

Autour d'elle, des employés et des secrétaires sanglés dans leur uniforme bien repassé continuaient à taper à la machine et à classer des dossiers. Obéissant aux consignes de Dieter, ils souriaient poliment quand ils croisaient son regard et, de temps en temps, une des femmes venait lui proposer de l'eau ou du café.

Entre le lieutenant Hesse et Stéphanie, Dieter l'observait. Hans Hesse, le type même du prolétaire allemand robuste et imperturbable, contemplait la scène d'un air stoïque : il avait assisté à bien des tortures. Stéphanie, l'air malheureux, se taisait et maîtrisait son émotion : elle cherchait avant tout à plaire à Dieter.

Les souffrances de Mlle Lemas n'étaient pas simplement physiques, Dieter le savait. Ce qui était pire encore que sa vessie gonflée, c'était la terreur de se souiller devant des gens courtois et bien habillés qui vaquaient normalement à leurs occupations. Pour une dame respectable, d'un certain âge, c'était le plus affreux des cauchemars. Il admirait son courage se demandant si elle allait craquer ou tenir le coup.

Un jeune caporal se planta devant Dieter en claquant les talons.

— Je vous demande pardon, major, dit-il, on m'a envoyé vous demander de me suivre dans le bureau du major Weber.

Dieter songea à lui faire répondre : Si vous voulez me parler, venez me voir, mais il décida qu'il n'y avait rien à gagner à se montrer agressif avant que ce soit strictement nécessaire. Weber pourrait même être un peu plus coopératif si on le laissait marquer quelques points.

— Très bien. Hans, vous connaissez les questions à lui poser si elle craque.

— Oui, major.

— Dans le cas contraire... Stéphanie, voudrais-tu aller au café des Sports chercher une bouteille de bière et un verre, s'il te plaît ?

— Bien sûr, fit-elle, apparemment ravie d'avoir un prétexte pour quitter la pièce.

Dieter suivit le caporal jusqu'au bureau de Willi Weber, vaste pièce dont les trois hautes fenêtres donnaient sur la place. Il regarda le soleil se coucher sur la ville. Dans la lumière rasante qui soulignait les arcs et les piliers de l'église médiévale, il aperçut Stéphanie qui traversait la place sur ses hauts talons, à la fois délicate et puissante, tel un pur-sang.

Des soldats étaient au travail, ils érigeaient trois solides poteaux de bois bien alignés.

— Un peloton d'exécution ? fit Dieter en fronçant les sourcils.

— Pour les trois terroristes de dimanche ; j'ai cru comprendre que vous aviez fini de les interroger.

Dieter acquiesça.

— Ils m'ont dit tout ce qu'ils savaient.

— Ils seront fusillés en public en guise d'avertissement pour ceux qui songeraient à rejoindre la Résistance.

— Excellente idée. Pourtant je serais surpris qu'ils réussissent à marcher, car même si Gaston est valide, Bertrand et Geneviève sont sérieusement blessés.

— On les portera. Mais ce n'est pas pour discuter d'eux que je vous ai fait venir. Ceux de Paris m'ont demandé où en est l'enquête.

— Et que leur avez-vous répondu ?

— Que, au bout de quarante-huit heures, vous aviez arrêté

une vieille femme soupçonnée d'avoir abrité des agents alliés, mais qui, jusqu'à maintenant, n'avait encore rien dit.

— Et que souhaiterez-vous leur dire ?

— Que nous avons brisé les reins de la Résistance française ! s'exclama Weber en donnant un grand coup de poing sur son bureau.

— Cela peut prendre plus de quarante-huit heures.

— Pourquoi ne torturez-vous pas cette vieille peau ?

— Mais je la torture.

— En refusant de la laisser aller aux toilettes ! Qu'est-ce que c'est que ce genre de torture ?

— La plus efficace dans son cas, à mon avis.

— Ah ! oui, vous croyez tout savoir. Quelle arrogance ! Mais c'est l'Allemagne nouvelle, major, et vous ne détenez plus un jugement supérieur simplement parce que vous êtes le fils d'un professeur.

— Ne soyez pas ridicule.

— Croyez-vous vraiment que vous seriez devenu le plus jeune directeur du service de renseignements criminels de Cologne si votre père n'avait pas été un personnage important de l'université ?

— J'ai dû me présenter aux mêmes examens que tout le monde.

— Et vous ne trouvez pas étrange que d'autres, tout aussi capables n'aient jamais réussi aussi bien ?

Quels fantasmes se racontait donc Weber ?

— Bon sang, Willi, vous ne vous imaginez quand même pas que toute la police de Cologne a conspiré pour me donner de meilleures notes que les vôtres sous le prétexte que mon père était professeur de musique : c'est grotesque !

— Autrefois, ce genre de magouilles était monnaie courante.

Dieter poussa un soupir. Weber avait un peu raison. Le népotisme avait bien existé en Allemagne. Mais ce n'était pas pour cette raison que Willi n'avait pas eu de promotion. En vérité, il était stupide. Il n'arriverait jamais nulle part sauf dans une organisation où le fanatisme comptait plus que le talent.

— Ne vous inquiétez pas pour Mlle Lemas, déclara-t-il, exaspéré par cette conversation stupide. Elle ne va pas tarder à parler. Et nous briserons également les reins de la Résistance française. Il faudra juste attendre un peu.

Il regagna le grand bureau : Mlle Lemas poussait maintenant de sourds gémissements. L'entrevue avec Weber avait fait naître l'impatience en Dieter, aussi décida-t-il d'accélérer les choses : il posa un verre sur la table, ouvrit la bouteille rapportée par Stéphanie et versa lentement la bière devant la prisonnière. Des larmes de douleur jaillirent de ses yeux et roulèrent sur ses joues rebondies. Dieter but une longue gorgée et reposa le verre.

— Votre supplice est presque terminé, mademoiselle, annonça-t-il. Le soulagement est proche. Dans quelques instants, vous allez répondre à mes questions et vous retrouverez la tranquillité.

Elle ferma les yeux.

— Où rencontrez-vous les agents britanniques ?

Un silence.

— À quoi vous reconnaissent-ils ?

Toujours rien.

— Quel est le mot de passe ?

Il attendit un moment, puis reprit :

— Tenez les réponses prêtes dans votre esprit et assurez-vous qu'elles sont précises de façon à, le moment venu, me répondre rapidement, sans hésitation ni digression ; vous pourrez alors rapidement oublier vos souffrances.

Il prit dans sa poche la clé des menottes.

— Hans, tenez-lui solidement le poignet.

Il se pencha et ouvrit la menotte qui retenait sa cheville au pied de la table. Il la prit par le bras.

— Viens avec nous, Stéphanie, reprit-il, nous allons aux toilettes pour dames.

Ils sortirent, Stéphanie devant Dieter et Hans tenant la prisonnière qui clopinait péniblement, pliée en deux, et se mordant les lèvres. Ils allèrent jusqu'au fond du couloir et s'arrêtèrent devant une porte sur laquelle on pouvait lire *Damen,* et qui arracha un gémissement à la vieille femme.

— Ouvre la porte, demanda Dieter à Stéphanie.

C'était une pièce immaculée, carrelée de blanc, avec un lavabo, une serviette accrochée à une tringle et une rangée de cabines.

— Maintenant, déclara Dieter, la douleur va cesser.

— Je vous en prie, murmura-t-elle. Lâchez-moi.

— Où rencontrez-vous les agents britanniques ?

Mlle Lemas se mit à pleurer.

— Où rencontrez-vous ces gens ? demanda doucement Dieter.

— Dans la cathédrale, fit-elle en sanglotant. Dans la crypte. Je vous en prie, lâchez-moi !

Dieter poussa un long soupir de satisfaction. Elle avait craqué.

— À quelle heure ?

— À quinze heures chaque après-midi ; j'y vais tous les jours.

— Et comment vous reconnaissent-ils ?

— À mes chaussures dépareillées, une noire et une marron, maintenant, je peux y aller ?

— Encore une question. Quel est le mot de passe ?

— Priez pour moi.

Elle essaya d'avancer, mais Dieter la tenait solidement, tout comme Hans.

— Priez pour moi, répéta Dieter. C'est ce que vous dites ou ce que dit l'agent ?

— L'agent, oh ! je vous en supplie !

— Et votre réponse ?

— Je réponds : « Je prie pour la paix. »

— Je vous remercie, dit Dieter et il la lâcha.

Elle se précipita à l'intérieur. Stéphanie, sur un signe de tête de Dieter, lui emboîta le pas et ferma la porte.

— Cette fois, Hans, nous progressons, constata-t-il sans pouvoir dissimuler sa satisfaction.

Hans, lui aussi, était content.

— La crypte de la cathédrale, tous les jours à quinze heures, une chaussure marron, une chaussure noire, « Priez pour moi », la réponse : « Je prie pour la paix. » Excellent !

— Quand elles sortiront, enfermez la prisonnière dans une cellule et remettez-la à la Gestapo. Ils s'arrangeront pour qu'elle disparaisse dans un camp quelque part.

— C'est un peu dur, major, fit Hans en hochant la tête, c'est une dame âgée.

— C'est vrai — jusqu'au moment où on pense aux soldats allemands et aux civils français tués par les terroristes qu'elle a abrités. Le châtiment semble alors bien léger.

— En effet, major, ça donne un éclairage différent.

— Vous voyez comme une chose mène à une autre, reprit Dieter d'un ton songeur, Gaston nous donne une adresse, l'adresse nous donne Mlle Lemas qui nous donne la crypte. Que va nous donner la crypte ? Qui sait ?

Il se mit à réfléchir à la meilleure façon d'exploiter ce nouveau renseignement.

La gageure était de capturer des agents à l'insu de Londres, pour que les Alliés continuent à en envoyer par la même voie, gaspillant ainsi leurs ressources. Comme en Hollande, où plus de cinquante saboteurs formés à grands frais avaient été parachutés droit dans les bras des Allemands.

Si tout se passait de façon idéale, le prochain agent envoyé par Londres se rendrait dans la crypte de la cathédrale et y trouverait Mlle Lemas. Elle l'emmènerait chez elle d'où il enverrait un message radio pour dire que tout allait bien. Puis, dès qu'il aurait quitté la maison, Dieter prendrait connaissance de ses codes. Ensuite il arrêterait l'agent mais continuerait d'envoyer, sous son nom, des messages à Londres — et lirait les réponses. En fait, il élaborerait un réseau de Résistance totalement fictif. C'était une perspective grisante.

Willi Weber entra.

— Eh bien, major, la prisonnière a parlé ?

— En effet.

— Pas trop tôt. A-t-elle raconté quoi que ce soit d'utile ?

— Vous pouvez dire à vos supérieurs que nous connaissons l'endroit des rendez-vous et les mots de passe utilisés, et que nous pourrons cueillir les prochains agents dès leur arrivée.

Malgré son hostilité, Weber avait l'air intéressé.

— Et quel est le lieu de rendez-vous ?

Dieter hésita, car il aurait préféré ne rien dire à Weber. Mais, s'il refusait, il le vexerait. Or il avait besoin de lui.

— La crypte de la cathédrale, chaque après-midi à quinze heures, lâcha-t-il, résigné.

— J'informe Paris immédiatement, annonça Weber.

Dieter se remit à penser à l'étape suivante. La maison de la rue du Bois allait lui faire gagner du temps. Personne du réseau Bollinger — pas plus que les agents venant de Londres — n'avait rencontré Mlle Lemas, d'où la nécessité des signes de reconnaissance et du mot de passe. Quelqu'un devrait se faire passer pour elle... mais qui ? Stéphanie bien sûr.

Elle sortait à l'instant des toilettes avec Mlle Lemas.

Qu'elle soit beaucoup plus jeune que Mlle Lemas et qu'elle ne lui ressemble pas du tout n'alerteraient pas les agents, qui verraient en elle une authentique Française. Elle n'aurait qu'à veiller sur eux un jour ou deux.

— Hans va s'occuper d'elle maintenant, lui dit-il en la prenant par le bras. Viens, je t'offre une coupe de champagne.

Il l'entraîna dehors. Sur la place, les soldats avaient terminé leur travail et les trois poteaux projetaient de longues ombres dans la lumière du soir. Une poignée de gens du pays étaient plantés, silencieux et attentifs devant la porte de l'église. Dieter et Stéphanie entrèrent dans le café. Il commanda une bouteille de champagne.

— Merci de m'avoir aidé aujourd'hui, dit-il. Je t'en suis reconnaissant.

— Je t'aime. Et tu m'aimes, je le sais, même si tu ne le dis jamais.

— Mais comment réagis-tu devant ce que tu nous as vus faire ? Tu es française et tu as une grand-mère dont nous ne devons même pas évoquer l'origine, et pour autant que je le sache, tu n'es pas fasciste.

Elle secoua énergiquement la tête.

— Je ne crois plus ni à la nationalité, ni à l'origine, ni à la politique, commença-t-elle avec feu. Quand la Gestapo m'a arrêtée, aucun Français, aucun juif ne m'a aidée, ni aucun socialiste ou libéral. J'avais si froid dans cette prison.

Son visage avait changé. Ses lèvres avaient perdu le demi-sourire aguichant qu'elle arborait la plupart du temps et la lueur taquine qui brillait dans son regard avait disparu. Elle revivait une scène datant d'une autre époque. Elle croisa les bras en frissonnant dans la tiède soirée d'été.

— Le froid ne s'attaquait pas qu'à ma peau ; il s'insinuait partout, dans mon cœur, dans mes entrailles, dans mes os. J'avais l'impression que jamais plus je ne me réchaufferais. Que je resterais glacée jusqu'à la tombe.

Elle resta un long moment silencieuse, le visage pâle et tiré, et Dieter réalisa à cet instant toute l'horreur de la guerre. Puis elle reprit.

— Je me souviendrai à tout jamais du feu qui brûlait chez toi. J'avais oublié cette chaleur douce. Je me suis retrouvée humaine. Elle sortit de sa transe. Tu m'as sauvée. Tu m'as donné à manger et à boire. Tu m'as acheté des vêtements. Elle eut son sourire d'antan, celui qui disait : Tu peux si tu l'oses. Et tu m'as fait l'amour devant la cheminée.

Il lui prit la main.

— Cela ne m'a pas coûté de grands efforts.

— Tu m'as protégée dans un monde où presque personne n'est à l'abri. Alors aujourd'hui je ne crois plus qu'en toi.

— Tu le penses vraiment ?

— Bien sûr.

— Tu pourrais encore faire quelque chose pour moi.

— Tout ce que tu veux.

— Je voudrais que tu joues le rôle de Mlle Lemas.

Elle haussa un sourcil épilé avec soin.

— Que tu fasses semblant d'être elle. Chaque après-midi tu iras dans la crypte de la cathédrale avec une chaussure noire et une chaussure marron. Quand quelqu'un t'abordera en disant : « Priez pour moi », tu répondras : « Je prie pour la paix. » Tu emmèneras alors cette personne à la maison de la rue du Bois. Et ensuite tu m'appelleras.

— Ça paraît simple.

Le champagne arriva et il emplit deux coupes. Il décida de lui parler franchement.

— En principe oui, mais il y a un léger risque. Si l'agent a déjà rencontré Mlle Lemas, il saura que c'est une imposture. À ce moment-là, tu pourrais être en danger. Es-tu prête à prendre ce risque ?

— C'est important pour toi ?

— C'est important pour la guerre.

— Je me fiche de la guerre.

— C'est important pour moi aussi.

— Alors, je le ferai.

— Merci, dit-il en levant sa coupe.

Ils trinquèrent et burent une gorgée.

On entendit une rafale dehors sur la place. Dieter regarda par la fenêtre. Il aperçut trois corps attachés aux poteaux de bois, affaissés, sans vie ; des soldats alignés qui abaissaient leur fusil et un petit groupe de témoins, silencieux et immobiles.

16.

Soho, le quartier chaud au cœur du West End londonien, n'avait guère été touché par l'austérité du temps de guerre. Les mêmes groupes de jeunes gens continuaient à trébucher dans les rues, ivres de bière, même si la plupart d'entre eux étaient en uniforme. Les mêmes filles trop maquillées et dans des robes trop moulantes déambulaient en lorgnant des clients éventuels. À cause du black-out, on avait éteint les enseignes lumineuses devant les clubs et les bars, mais tous les établissements restaient ouverts.

Mark et Betty arrivèrent au club du Carrefour dans la soirée. Le directeur, un jeune homme en smoking et nœud papillon rouge, accueillit Mark comme un vieil ami. Betty avait retrouvé son moral. Son frère allait lui faire rencontrer une spécialiste en téléphonie ; elle se sentait pleine d'optimisme. Mark lui avait simplement dit qu'elle s'appelait Greta, comme Garbo. Quand Betty chercha à le questionner, il se contenta de dire :

— Tu jugeras par toi-même.

Tandis que Mark payait le droit d'entrée et échangeait quelques banalités avec le gérant, Betty releva le changement qui s'opérait en lui : plus extraverti, la voix aux accents chantants et les gestes maniérés. Elle réalisa qu'elle se trouvait en face de la personnalité nocturne de Mark.

Ils descendirent quelques marches jusqu'à un sous-sol enfumé et peu éclairé où Betty réussit à distinguer une formation de cinq musiciens, une petite piste de danse, quelques tables et des niches réparties dans l'ombre de la salle. Elle redoutait un peu que la boîte ne soit fréquentée que par des hommes comme Mark, résolument célibataires. Mais, bien qu'en majorité masculine, la clientèle comportait un certain nombre de femmes, dont certaines très élégantes.

— Bonjour, Markie, susurra un serveur en posant une main sur l'épaule du jeune homme et en lançant à Betty un regard sans amabilité.

— Robbie, je te présente ma sœur Elizabeth, mais nous l'avons toujours appelée Betty.

L'attitude du jeune homme changea aussitôt, il leur désigna une table et adressa un large sourire à Betty.

— Enchanté de vous rencontrer.

Sans doute Robbie avait-il imaginé une petite amie susceptible de faire changer Mark de camp. Mais une sœur ne présentait aucun danger, et du coup il se trouvait plus enclin à la sympathie.

— Comment va Kit ? demanda Mark en souriant.

— Très bien, je suppose, grinça Robbie.

— Vous avez eu une scène ?

Mark jouait les charmeurs : il flirtait presque, se révélant sous un jour nouveau pour Betty. Voilà le vrai Mark, songea-t-elle ; l'autre, celui de la journée, n'est sans doute qu'un faux-semblant.

— Quand n'avons-nous pas eu de scène ?

— Il ne t'apprécie sans doute pas à ta juste valeur, déclama Mark avec une mélancolie théâtrale en prenant la main de Robbie.

— Tu as raison, mon ange. Vous voulez boire quelque chose ?

Betty commanda un scotch et Mark un martini. Elle ne connaissait pas grand-chose à ce genre d'homme. Mark l'avait présentée à Steve, son ami, elle avait visité leur appartement, mais elle n'avait jamais rencontré aucun de leurs amis. Même si leur monde l'intriguait, il lui semblait déplacé de poser des questions. Comment s'appelaient-ils entre eux par exemple ? Pédé, tapette, tantouze ?

— Mark, se risqua-t-elle, comment toi appelles-tu les hommes qui... qui préfèrent les hommes ?

— Des homos, chérie, répondit-il avec un petit geste de la main très féminin et l'initiant ainsi à leur code secret.

Une grande blonde en robe de cocktail rouge fit alors une entrée froufroutante sur la scène au milieu des applaudissements.

— Voici Greta, annonça Mark. Dans la journée, elle travaille comme technicienne du téléphone.

Greta entama *Nobody Knows You When You're Down and Out*, d'une voix chaude et bluesy, mais dans laquelle Betty décela tout de suite l'accent allemand. Criant à l'oreille de Mark pour dominer le bruit de l'orchestre, elle dit :

— Je croyais que tu m'avais dit qu'elle était française ?

— Elle parle français, mais elle est allemande, rectifia-t-il, assenant un grand coup au moral de sa sœur : les origines de Greta devaient tout autant transparaître quand elle parlait.

Le public adorait Greta, applaudissant avec enthousiasme à chacun de ses numéros, acclamant la chanteuse et sifflant énergiquement tandis qu'elle se déhanchait au rythme de la musique. Betty, toujours en panne de technicienne du téléphone et ayant perdu la moitié de sa soirée, n'arrivait pas à se détendre.

Que faire ? Se lancer elle-même dans l'apprentissage de la téléphonie ? La technique ne lui posait pas trop de problèmes : elle avait construit une radio à l'école, et d'ailleurs il lui suffirait d'en savoir juste assez pour mettre hors d'usage l'équipement du central. Si elle suivait un stage accéléré, avec des gens de la poste peut-être ?

Principale inconnue, donc première difficulté : quel genre de matériel attendait les saboteurs ? Français, allemand, un mélange des deux, ou peut-être même avec du matériel américain — les États-Unis excellaient dans ce domaine. À Sainte-Cécile, il y avait des équipements différents selon la fonction assurée : un central manuel, un central automatique, des installations en tandem pour la liaison avec d'autres centraux et un poste d'amplification pour le nouveau réseau extrêmement important de lignes reliées directement à l'Allemagne. Seul un technicien expérimenté pourrait s'y retrouver en arrivant sur place.

Bien sûr, on trouvait en France des spécialistes des communications et, parmi eux, il lui serait possible de dénicher une femme — à condition d'avoir le temps. Ce n'était pas une perspective bien prometteuse, mais elle y réfléchit quand même. Le

SOE pourrait alerter les réseaux de Résistance ; en cas de succès, il faudrait un jour ou deux à la perle rare pour se rendre à Reims. Tout cela était très incertain : cette résistante française experte en téléphone existait-elle ? Si ce n'était pas le cas, Betty aurait perdu deux jours, et sa mission serait condamnée d'avance.

Non, il lui fallait quelque chose de plus fiable. Elle repensa à Greta. Impossible de la faire passer pour une Française. Ceux de la Gestapo ne remarqueraient probablement pas son accent — le même que le leur, en fait —, mais il ne passerait pas inaperçu de la police française. Épouses d'officier, jeunes femmes dans les forces armées, conductrices, dactylos et opératrices radio, les Allemandes étaient nombreuses en France. Betty ressentit un regain d'excitation. Pourquoi pas ? Greta pourrait se faire passer pour une secrétaire de l'armée. Non, cela poserait des problèmes si un officier se mettait à lui donner des ordres. Il serait plus prudent pour elle de se faire passer pour une civile, une jeune épouse d'officier habitant avec son mari à Paris — non, Vichy, c'était plus loin. Il faudrait trouver une histoire expliquant pourquoi Greta se retrouvait avec un groupe de Françaises : et si l'une des femmes de l'équipe prétendait être sa femme de chambre française ?

Bien, et une fois dans le château ? Betty était pratiquement sûre qu'aucune Allemande ne travaillait comme femme de ménage en France. Comment déjouer les soupçons ? Aucune crainte du côté des Allemands, mais les Français, eux, remarqueraient son accent. Comment éviter de parler à des Français ? Prétexter une laryngite lui permettrait sans doute de s'en tirer quelques minutes, se dit Betty.

Ce n'était pas à proprement parler la solution idéale, mais elle n'en avait pas d'autre.

Greta termina son numéro sur un blues extrêmement suggestif intitulé *Le Cuisinier*, et bourré de jeux de mots. Le public fit un triomphe à : « Quand je mange ses beignets, je ne laisse que le trou. » Elle sortit de scène sous un tonnerre d'applaudissements.

— Allons lui parler dans sa loge, suggéra Mark en se levant.

Betty le suivit le long d'un couloir malodorant débouchant sur un coin encombré de cartons de bière et de gin, la cave d'un pub sur le déclin, jusqu'à une porte sur laquelle on avait punaisé une étoile de papier rose. Mark frappa et ouvrit sans attendre de réponse.

La pièce minuscule comprenait une table de toilette, un miroir entouré d'ampoules éblouissantes, un tabouret et une affiche de Greta Garbo dans *La Femme aux deux visages.* Une superbe perruque blonde était posée sur un support, et la robe rouge pendait à un cintre. Assis sur le tabouret, un jeune homme au torse poilu se tenait devant le miroir.

Betty resta le souffle coupé. Pas de doute, c'était Greta. Très maquillée, un rouge à lèvres des plus vifs, des faux cils, des sourcils épilés et une épaisse couche de maquillage pour dissimuler l'ombre d'une barbe brune. Les cheveux étaient coupés très court, pour permettre le port de la perruque. Les faux seins étaient sans doute cousus à l'intérieur de la robe, mais Greta arborait encore une combinaison, des bas et des escarpins rouges à hauts talons.

— Tu ne m'avais pas prévenue ! accusa Betty en se tournant vers son frère qui eut un rire ravi.

— Betty, je te présente Gerhard. Il adore quand les gens n'y voient que du feu.

Gerhard était en effet enchanté : qu'elle l'ait pris pour une vraie femme était un hommage à son talent. Il ne voyait là absolument rien d'insultant.

Seulement c'était un homme ; or Betty avait besoin d'une femme. Elle était amèrement déçue : Greta représentait la dernière pièce de son puzzle, la femme qui aurait complété l'équipe. Et, encore une fois, l'avenir de la mission était compromis. Elle était furieuse contre Mark.

— C'est vraiment moche de ta part ! s'écria-t-elle. Je croyais que tu voulais m'aider à résoudre mon problème, mais ce n'était qu'une mauvaise plaisanterie.

— Ce n'est pas une plaisanterie, protesta Mark avec indignation. Tu as besoin d'une femme, prends Greta.

— C'est impossible, protesta Betty. C'est ridicule.

Mais, au fond, Greta l'avait bien convaincue, elle. Pourquoi pas ceux de la Gestapo ? S'ils l'arrêtaient et qu'ils découvrent la vérité, ce serait fichu de toute façon.

— Les patrons n'accepteront jamais, observa-t-elle pensant à ses chefs du SOE et à Simon Fortescue du MI6.

— Ne leur en parle pas, suggéra Mark.

— Ne pas leur dire !

Betty trouva d'abord l'idée choquante, puis intéressante. Si Greta devait duper la Gestapo, elle devrait pouvoir aussi tromper tout le monde au SOE.

— Pourquoi pas ? dit Mark.

— Pourquoi pas ? répéta Betty.

— Mark, mon chou, qu'est-ce que tout ça veut dire ? s'informa Gerhard.

Son accent allemand s'entendait encore plus quand il parlait.

— Je n'en sais rien. Ma sœur est impliquée dans des combines ultraconfidentielles.

— Je vous expliquerai, intervint Betty. D'abord parlez-moi de vous. Comment êtes-vous arrivé à Londres ?

— Eh bien, ma jolie, par où commencer ? fit Gerhard en allumant une cigarette. Je viens de Hambourg où j'ai débuté, à l'âge de seize ans, mon apprentissage en téléphonie. À l'époque — il y a douze ans — c'était une ville merveilleuse, avec des bars et des boîtes pleines de matelots qui y passaient le plus clair de leurs permissions. Je m'amusais comme un fou. Deux ans plus tard, j'ai rencontré l'amour de ma vie. Il s'appelait Manfred.

Des larmes montaient aux yeux de Gerhard et Mark lui prit la main.

— J'adorais déjà les toilettes féminines, poursuivit Gerhard en reniflant d'une façon bien inélégante, les dessous de dentelle et les hauts talons, les chapeaux et les sacs à main, le froufrou d'une jupe ample. Mais je m'y prenais si mal en ce temps-là. Je ne réussissais même pas à appliquer mon rimmel. Manfred m'a tout appris, dit-il d'un air attendri. Ce n'était pas un travesti ; il était même extrêmement viril. Il travaillait au port comme docker. Mais me voir en femme lui plaisait terriblement et il m'a montré comment faire.

— Pourquoi êtes-vous parti ?

— On a arrêté Manfred, ces sales putains de nazis, ma chérie, après cinq années passées ensemble ; un soir, on est venu le chercher et je ne l'ai jamais revu. Il doit être mort, je pense que la prison l'a tué, mais je n'ai aucune certitude. Peut-être survit-il encore dans un de leurs putains de camps.

Des larmes diluèrent son mascara qui laissa sur ses joues poudrées de longues traînées noires.

Son chagrin gagna Betty qui dut refouler ses larmes. Comment peut-on en arriver à persécuter ses semblables ? se demanda-t-elle. Qu'est-ce qui pousse les nazis à tourmenter d'innocents excentriques comme Gerhard ?

— Je suis alors parti pour Londres, reprit Gerhard. Mon père était un marin anglais, de Liverpool ; il avait abandonné son bateau à Hambourg où il était tombé amoureux d'une jolie petite Allemande et l'avait épousée. J'avais deux ans quand il est mort, si bien que je ne l'ai jamais vraiment connu, mais il m'a donné son nom, O'Reilly. Je jouis toujours de la double nationalité. Ça m'a coûté une fortune d'obtenir un passeport en 1939. Avec la tournure que les événements prenaient, je l'ai fait juste à temps. Heureusement, un technicien du téléphone trouve toujours du travail où que ce soit. Alors me voilà, la coqueluche de Londres, la diva des homos.

— Quelle triste histoire ! soupira Betty, je suis vraiment désolée.

— Merci, ma chérie. De nos jours, le monde regorge de tristes histoires, n'est-ce pas ? Pourquoi vous intéressez-vous à la mienne ?

— Je cherche une technicienne du téléphone.

— Au nom du ciel, pourquoi ?

— Je ne peux pas en parler, c'est ultrasecret. C'est très dangereux et vous courez le risque de vous faire tuer.

— Fichtre, ça donne la chair de poule ! Vous vous imaginez bien que la violence n'est pas mon fort. On m'a reconnu psychologiquement inapte à servir sous les drapeaux et on a eu rudement raison. La moitié des bidasses aurait voulu me tabasser, l'autre moitié se serait faufilée dans mon lit le soir.

— J'ai tous les costauds qu'il me faut. Ce sont les connaissances techniques que je recherche chez vous.

— Est-ce que ça me donnerait l'occasion de me venger de ces putains de nazis ?

— Absolument. Si nous réussissons, cela causera de gros dégâts au régime de Hitler.

— Alors, ma jolie, je suis tout à vous.

Betty sourit. Mon Dieu ! se dit-elle, j'y suis arrivée.

Le quatrième jour

Mercredi 31 mai 1944

17.

La circulation était intense cette nuit-là sur les routes du sud de l'Angleterre, où d'interminables convois de camions militaires se dirigeant vers la côte grondaient sur les axes principaux traversant dans un bruit de tonnerre les villes plongées dans le black-out. Plantés derrière les fenêtres de leur chambre, des villageois éberlués contemplaient d'un regard incrédule le flot incessant du trafic qui les privait de leur sommeil.

— Mon Dieu, murmura Greta, il va vraiment y avoir un débarquement.

Betty et elle avaient quitté Londres peu après minuit dans une voiture d'emprunt, une grosse Lincoln Continental blanche que Betty adorait conduire. Greta portait une de ses tenues les moins voyantes, petite robe noire et perruque brune, et ne redeviendrait Gerhard qu'une fois la mission terminée.

Betty priait le ciel que sa passagère soit aussi versée dans son métier que Mark l'avait prétendu. Ingénieur au service des postes, elle savait sans doute de quoi il retournait. De toute façon, Betty n'avait pas pu la mettre à l'épreuve et, tout en se traînant derrière un camion porte char, Betty expliqua en quoi consistait la mission, non sans angoisse, car elle craignait que cette conversation ne révèle d'énormes lacunes dans les connaissances de Greta.

— Les Allemands ont installé un nouveau central automatique dans le château pour traiter le surcroît de trafic des conversations téléphoniques et des télex entre Berlin et les troupes d'occupation.

Greta commença par exprimer des doutes sur le projet.

— Mais, ma chérie, à supposer que nous réussissions, qu'est-ce qui empêchera les Allemands de dérouter les câbles vers un autre réseau ?

— Le volume du trafic. Le système est déjà surchargé. Le centre de commandement militaire dans la banlieue de Berlin, le « Zeppelin », traite chaque jour cent vingt mille appels interurbains et vingt mille messages télex ; bien davantage encore quand nous aurons débarqué en France. Mais l'essentiel du réseau français, lui, est encore manuel. Imaginez que le principal central automatique soit hors service : tous ces appels devront alors être traités à l'ancienne par standardistes ; cela prendra dix fois plus de temps et quatre-vingt-dix pour cent des communications ne passeront plus.

— Les militaires interdiront les communications civiles.

— Ça ne changera pas grand-chose : elles ne représentent de toute façon qu'une infime fraction des échanges.

— Très bien, fit Greta songeuse. Eh bien, il nous faudra détruire les châssis d'équipement commun.

— À quoi servent-t-ils ?

— À assurer la tonalité, le voltage des sonneries pour les appels automatiques. Et les adaptateurs de registres : ils transforment les codes de secteurs déposés sur le cadran en instructions de routage.

— Cela rendrait-il la totalité du central inutilisable ?

— Non. Et les dégâts seraient réparables. Il faut saboter le central manuel, le central automatique, les amplificateurs pour l'interurbain, le central télex et les amplificateurs de télex — qui sont probablement tous dans des pièces différentes.

— N'oubliez pas que nous ne transporterons qu'une modeste quantité d'explosifs, juste celle que six femmes peuvent dissimuler dans leur sac à main.

— C'est un problème.

Michel avait étudié tout cela avec Arnaud, un membre du réseau Bollinger qui travaillait pour les PTT, mais Betty ne s'était pas enquise des détails, et maintenant Arnaud était mort, tué au cours du raid sur Sainte-Cécile.

— Il doit bien y avoir un équipement commun à tous les systèmes.

— Oui, en effet : le RP.

— Qu'est-ce que c'est ?

— Le répartiteur principal. Deux jeux d'autocommutateurs installés sur de grands châssis. Un côté reçoit les câbles venant de l'extérieur et l'autre côté ceux qui sortent du central ; ils sont tous reliés par des cavaliers.

— Où devraient-ils se trouver ?

— Dans une pièce à côté de la salle des câbles. L'idéal serait de provoquer un incendie assez puissant pour faire fondre le cuivre des câbles.

— Combien de temps faudrait-il pour rebrancher les câbles ?

— Deux jours.

— Vous êtes sûre ? Un technicien de la poste a rebranché en quelques heures ceux de ma rue qui avaient été sectionnés par une bombe.

— C'est simple dans ce cas : il s'agit juste de relier le rouge avec le rouge et le bleu avec le bleu. Mais un RP comprend des centaines de connexions croisées. Deux jours, ça me paraît un minimum, à supposer que les réparateurs soient en possession des fiches de raccord.

— Les fiches de raccord ?

— Elles indiquent comment sont connectés les câbles, et sont généralement stockées dans une armoire de la salle du RP. Si elles brûlent aussi, trouver les raccords demandera des semaines de tâtonnements aux Allemands.

Betty se souvint alors de ce que Michel lui avait raconté un jour, à savoir qu'un résistant des PTT était en mesure de détruire les doubles des fiches que l'on gardait au quartier général.

— Ça n'a pas l'air mal. Maintenant, écoutez bien. Demain matin j'expliquerai notre mission aux autres ; ce sera une version complètement différente.

— Pourquoi ?

— Pour éviter de tout compromettre au cas où l'une de nous serait arrêtée et interrogée.

— Oh ! fit Greta, soudain dégrisée. Quelle horreur !

— Vous êtes donc la seule à connaître la véritable version ; pour l'instant, gardez-la pour vous.

— Ne vous en faites pas, nous autres pédales, avons l'habitude de garder des secrets.

Betty fut surprise par le terme, mais s'abstint de tout commentaire.

Le Pensionnat était situé dans l'immense domaine de Beaulieu au sud-ouest de Southampton, près de la côte sud. La résidence principale, le Palace House, était le château de lord Montagu. Dans les bois des alentours se dissimulaient de nombreuses maisons de campagne et chacune disposait d'un vaste parc. La plupart avaient été évacuées au début de la guerre, soit que les propriétaires aient eu l'âge d'être mobilisés, soit que, plus âgés, ils aient eu les moyens de se réfugier dans des endroits plus sûrs. Le SOE avait réquisitionné douze de ces propriétés et les utilisait comme centre d'entraînement aux techniques de sécurité, au fonctionnement des émetteurs radio, à la lecture de carte ou encore à des talents moins recommandables tels que cambriolage, sabotage, falsification de papiers et art de tuer en silence.

Elles arrivèrent à trois heures du matin. Betty emprunta un chemin de terre et franchit une grille électrifiée avant de s'arrêter devant une grande bâtisse. Elle ressentit, cette fois encore, l'impression de pénétrer dans un autre univers, un monde de tromperie et de violence. La maison avait d'ailleurs un air irréel. Malgré sa vingtaine de chambres, elle était bâtie comme un chalet, style architectural très en vogue juste avant la Première Guerre mondiale, et, sous le clair de lune, ses cheminées, ses chiens assis et ses toits en croupe lui donnaient un air étrange. On aurait dit une illustration de livre d'enfants, une grande maison pleine de coins et de recoins où l'on pouvait jouer toute la journée à cache-cache.

Malgré la présence de l'équipe tout était silencieux, chacun devait dormir. Betty connaissait bien la maison ; elle trouva rapidement deux chambres libres dans les combles, où elles se mirent au lit avec satisfaction. Betty resta un moment éveillée, réfléchissant au moyen de souder ce ramassis d'inadaptées.

Elle se réveilla à six heures. De sa fenêtre, elle apercevait l'estuaire de la Solent dont le courant, dans la lumière grise du petit matin, ressemblait à du mercure. Elle fit chauffer de l'eau et apporta la bouilloire dans la chambre de Greta pour qu'elle se rase. Puis elle réveilla les autres.

Percy et Paul arrivèrent les premiers dans la grande cuisine à l'arrière de la maison, le premier réclamant du thé et le second du café. Betty qui n'avait pas rallié le SOE pour servir les hommes leur dit de s'en occuper eux-mêmes.

— Je vous fais parfois du thé, protesta Percy, indigné.

— Oui, avec l'air d'un duc qui tient la porte pour une femme de chambre, répliqua-t-elle.

— Vous me faites vraiment rigoler tous les deux, fit Paul en riant.

Un cuistot de l'armée arriva à six heures et demie et ils se retrouvèrent peu après autour de la grande table à dévorer des œufs frits et d'épaisses tranches de bacon. Pas de rationnement pour les agents secrets : ils avaient besoin de se constituer des réserves. Une fois en mission, ils devaient pouvoir tenir des jours sans alimentation convenable.

Les filles descendirent l'une après l'autre. Betty fut étonnée de la beauté de Maude Valentine : ni Percy ni Paul ne lui avaient dit combien elle était jolie. Impeccablement vêtue, parfumée, sa bouche en cerise accentuée par son rouge à lèvres, comme si elle s'apprêtait à aller déjeuner au Savoy, elle s'assit auprès de Paul et lui demanda d'un air plein de sous-entendu :

— Bien dormi, major ?

Betty fut soulagée de voir le visage de pirate de Ruby Romain, car apprendre qu'elle s'était enfuie au milieu de la nuit ne l'aurait pas étonnée outre mesure. Savoir que les accusations à son endroit pesaient toujours sur elle devrait empêcher Ruby de disparaître ; mais une coriace comme elle était fort capable de courir le risque.

L'heure matinale n'épargnait pas Jelly Knight qui paraissait nettement son âge. Elle vint s'asseoir auprès de Percy et le gratifia d'un tendre sourire.

— Je suppose que tu as dormi comme une souche, dit-elle.

— Grâce à ma bonne conscience, répondit-il.

— Ne me dis pas que tu as une conscience, riposta-t-elle en riant. Non, merci, mon cher, dit-elle au cuistot qui lui proposait une assiette d'œufs au bacon, je dois surveiller ma ligne.

Elle se contenta pour son petit déjeuner d'une tasse de thé et de quelques cigarettes.

Betty retint son souffle au moment où Greta franchit la porte. Elle portait une jolie robe de cotonnade avec de petits faux seins. Un cardigan rose adoucissait sa carrure et un foulard de mousseline dissimulait ce que sa gorge pouvait avoir de masculin. Une courte perruque brune encadrait son visage abondamment poudré mais aux lèvres et aux yeux à peine maquillés. Le personnage effronté qu'elle exhibait en scène avait complètement disparu, remplacé par celui d'une jeune femme assez ordinaire, probablement gênée par sa taille. Betty la présenta en guettant la réaction des autres. C'était la première fois que Greta testait son imitation.

On l'accueillit avec d'aimables sourires et personne ne parut remarquer quoi que ce soit d'anormal. Betty put alors respirer.

Vint enfin lady Denise Bowyer. Betty connaissait seulement d'elle le manque de discrétion à cause duquel Percy avait hésité à la recruter. Quelconque, l'air provocant, sous une masse de cheveux bruns, bien que fille d'un marquis, il lui manquait l'aisance et l'assurance des filles de la haute société. Betty fut un peu tentée de la plaindre, mais Denise était décidément trop dénuée de charme pour être sympathique.

Voici mon équipe, songea Betty, une allumeuse, une criminelle, une perceuse de coffres, un travesti et une aristocrate mal dans sa peau. Elle s'aperçut qu'il manquait quelqu'un : l'autre aristocrate. Pas trace de Diana, et il était maintenant sept heures et demie.

— Vous avez dit à Diana que le réveil était à six heures ? demanda Betty à Percy.

— J'ai prévenu tout le monde.

— J'ai frappé à sa porte à six heures et quart, reprit Betty en se levant. Je ferais mieux d'aller voir. Chambre dix, c'est bien ça ?

Elle monta, frappa à la porte de Diana et, sans réponse, entra. Une bombe tombée dans la chambre n'aurait pas causé plus de dégâts — une valise ouverte sur le lit défait, des coussins par terre, une petite culotte sur la coiffeuse —, mais tout cela parut normal à Betty qui savait Diana entourée depuis toujours de gens chargés de ranger après elle, dont notamment sa propre mère. Diana est partie vadrouiller Dieu sait où, mais elle va devoir rentrer dans le rang et admettre qu'elle n'est plus maîtresse de son temps, se dit Betty avec agacement.

— Elle a disparu. Nous allons commencer sans elle, annonça-t-elle en se plantant au bout de la table. D'abord deux jours d'entraînement, et ensuite, vendredi soir, on nous parachute en France. Notre équipe ne comporte que des femmes parce qu'il leur est beaucoup plus facile de circuler en France occupée : la Gestapo s'en méfie moins. Notre mission est de faire sauter un tunnel près du village de Marles, non loin de Reims, sur la principale voie ferrée entre Francfort et Paris.

Betty jeta un coup d'œil à Greta qui savait que l'histoire était fausse. Elle était tranquillement en train de se beurrer un toast et ne leva même pas les yeux vers Betty.

— Normalement, l'entraînement d'un agent dure trois mois, reprit Betty. Mais ce tunnel doit être détruit pour lundi soir. En deux jours, nous espérons vous inculquer quelques principes essentiels de sécurité, vous apprendre à sauter en parachute, vous former au maniement de certaines armes et vous montrer comment tuer des gens sans faire aucun bruit.

Maude pâlit sous son maquillage.

— Tuer des gens ? fit-elle. Vous ne vous attendez quand même pas à ce que des femmes fassent ça ?

— Il y a une putain de guerre, je te rappelle, grogna Jelly, écœurée.

Diana arriva du jardin à ce moment-là, des brins d'herbe collés à son pantalon de velours.

— Je suis allée faire une balade dans les bois, proclama-t-elle avec enthousiasme. Magnifique. Et regardez ce que le jardinier m'a donné, ajouta-t-elle en tirant de sa poche des tomates mûres qu'elle fit rouler sur la table.

— Assieds-toi, Diana, tu es en retard pour le briefing.

— Je suis désolée, chérie, aurais-je manqué un de tes charmants petits discours ?

— Tu es dans l'armée maintenant, répliqua Betty, exaspérée. Quand on te dit d'être dans la cuisine à sept heures, ce n'est pas une simple suggestion.

— Tu ne vas pas jouer les maîtresses d'école avec moi, tout de même ?

— Assieds-toi et boucle-la.

— Je suis absolument désolée, chérie.

— Diana, articula Betty en haussant le ton, quand je dis « Boucle-la », tu ne me réponds pas : « Absolument désolée » et tu ne m'appelles pas : « chérie », jamais. Tu la boucles simplement.

Diana obtempéra sans un mot, mais on la sentait au bord

de la mutinerie. Bon sang, se dit Betty, je ne m'en suis pas très bien tirée.

La porte de la cuisine s'ouvrit avec fracas devant un petit homme musclé d'une quarantaine d'années et qui portait sur sa chemise d'uniforme des chevrons de sergent.

— Bonjour, les filles ! lança-t-il d'un ton cordial.

— Voici, annonça Betty, le sergent Bill Griffiths, un des instructeurs. Nous sommes prêtes, sergent, vous pouvez commencer.

Elle n'aimait pas Bill. Moniteur d'éducation physique de l'armée, il affichait un penchant déplaisant pour le combat à mains nues et ne s'apitoyait jamais sur le sort de quelqu'un qu'il venait de blesser. Elle avait remarqué qu'avec les femmes il était encore plus cruel.

Elle s'écarta et alla s'adosser au mur.

— Vos désirs sont des ordres, déclara-t-il inutilement tout en prenant place au bout de la table. Atterrir avec un parachute, c'est comme sauter du haut d'un mur de cinq mètres. Le plafond de cette cuisine est un peu plus bas, alors disons que cela revient à sauter dans le jardin du premier étage.

Betty entendit Jelly murmurer :

— Oh ! mes aïeux !

— Il ne faut pas atterrir sur vos pieds et rester debout, poursuivit Bill. Vous vous briseriez les jambes. La seule méthode sûre, c'est de tomber. C'est ce que nous allons vous apprendre en premier lieu. Si vous ne voulez pas salir vos vêtements, je vous conseille d'enfiler les salopettes qui sont dans le vestiaire. Rassemblement dehors dans trois minutes, et on commence.

Pendant que les femmes se changeaient, Paul prit congé.

— Il nous faudra un avion pour le vol d'entraînement de demain et on va me dire qu'aucun n'est disponible, déclara-t-il à Betty. Je m'en vais à Londres pour les secouer un peu. Je serai de retour ce soir.

Betty se demanda s'il en profiterait pour voir son amie.

Dans le jardin, une vieille table en pin, une affreuse penderie en acajou de l'époque victorienne et une échelle de cinq mètres provoquèrent la consternation de Jelly.

— Vous n'allez pas nous faire sauter du haut de cette foutue armoire, grommela-t-elle à l'intention de Betty.

— En tout cas, pas avant de vous avoir montré comment vous y prendre. Vous serez surprise de voir comme c'est facile.

— Espèce de salopard, lança Jelly en regardant Percy. Dans quel pétrin m'as-tu fourrée ?

— Pour commencer, nous apprendrons à tomber de l'altitude zéro, déclara Bill dès qu'elles furent toutes prêtes. Il y a trois façons : en avant, en arrière et de côté.

Il montra chacune d'elles, se laissant tomber sur le sol sans effort et se relevant d'un bond avec une agilité de gymnaste.

— D'abord vous devez serrer les jambes... comme toutes les jeunes dames respectables.

Cela ne fit rire personne.

— N'écartez pas les bras pour atténuer votre chute, reprit-il, mais gardez-les le long du corps, sinon vous risqueriez une fracture, ce qui serait bien pire.

Confirmant ce à quoi Betty s'attendait, les plus jeunes, Diana, Maude, Ruby et Denise, parvinrent sans difficulté à tomber comme on le leur avait appris. Ruby, perdant patience, grimpa même jusqu'en haut de l'échelle.

— Pas encore ! lui cria Bill.

Mais c'était trop tard : elle avait déjà sauté du dernier échelon et fait un atterrissage parfait. Sur ce, elle s'éloigna, s'assit sous un arbre et alluma une cigarette. Celle-là va me donner du fil à retordre, se dit Betty.

Jelly lui causait plus d'inquiétude. Le membre essentiel de l'équipe, la seule à s'y connaître en explosifs, avait depuis longtemps perdu sa souplesse de jeune fille et sauter en parachute lui poserait des problèmes, malgré toute sa bonne volonté. Elle se laissa tomber de sa hauteur, heurta le sol avec un grognement et se releva en jurant, mais déjà prête à recommencer.

Que Greta fût la plus mauvaise élève surprit Betty.

— Je ne peux pas, dit-elle à Betty, je vous l'ai dit, je suis nulle pour les trucs violents.

— Drôle d'accent, marmonna Jelly en fronçant les sourcils.

C'était la première phrase prononcée par Greta.

— Laissez-moi vous montrer, dit Bill à Greta. Ne bougez pas. Détendez-vous.

Il la prit par les épaules. Puis, d'un mouvement brusque et énergique, il la jeta au sol. Elle tomba lourdement, poussa un cri de douleur, puis à la grande consternation de Betty, éclata en sanglots.

— Bonté divine, fit Bill écœuré, quelle clientèle on nous envoie !

Betty le foudroya du regard.

— Allez-y doucement, lui lança-t-elle, furieuse à l'idée que, à cause de sa brutalité, elle puisse perdre sa technicienne du téléphone.

— La Gestapo est bien pire que moi ! insista-t-il.

Betty, prenant Greta par la main, entreprit de réparer elle-même les dégâts.

— Nous allons faire un petit entraînement spécial de notre côté.

Elles contournèrent la maison pour passer dans une autre partie du jardin.

— Je suis navrée, fit Greta. Ce nabot me fait horreur.

— Je sais. Essayons ensemble. Agenouillez-vous. Elles s'agenouillèrent l'une en face de l'autre et se prirent la main. Faites simplement comme moi. Betty se pencha lentement de côté et imitée par Greta elles s'affaissèrent ensemble sans se lâcher la main. Et voilà, c'est mieux ainsi, n'est-ce pas ?

— Pourquoi ne se comporte-t-il pas comme vous ?

— Ah ! les hommes ! fit-elle en haussant les épaules avec un sourire. Maintenant, d'accord pour essayer de tomber de notre hauteur ? Nous allons nous y prendre de la même façon, en nous tenant les mains.

Elle fit pratiquer à Greta tous les exercices auxquels Bill soumettait les autres, Greta reprit confiance et elles rejoignirent le groupe qui s'entraînait à sauter de la table. Greta fit un atterrissage parfait qui lui valut une salve d'applaudissements.

Progressant dans la difficulté, elles s'essayèrent à sauter de l'armoire, puis pour finir du haut de l'échelle. Jelly sauta, roula et se redressa sans problème.

— Je suis fière de vous, la félicita Betty en la serrant dans ses bras.

Écœuré, Bill se tourna vers Percy.

— Mais quelle est cette armée où l'on vous embrasse pour avoir obéi à un ordre ?

— Il faudra vous y faire, Bill, répondit Percy.

18.

Dieter gravit l'escalier de la grande maison de la rue du Bois, déposa la valise de Stéphanie dans la chambre de Mlle Lemas et s'attarda à examiner le lit étroit et fait avec soin, la vieille commode en noyer, le prie-Dieu et le rosaire posé sur l'accoudoir.

— Cette maison passera difficilement pour la tienne, s'inquiéta-t-il.

— Je dirai que je l'ai héritée d'une tante célibataire et que je n'ai pas eu le courage de l'arranger à mon goût.

— Pas bête. Quand même, il faudra mettre un peu de désordre.

Elle ouvrit la valise, y prit un déshabillé noir et le drapa nonchalamment sur le prie-Dieu.

— C'est déjà mieux, déclara Dieter. Que feras-tu si le téléphone sonne ?

Stéphanie réfléchit une minute pour reprendre d'une voix plus basse où l'accent de la Parisienne, femme du monde, avait cédé la place à une diction de respectable provinciale.

— Allô, oui, ici mademoiselle Lemas, qui est à l'appareil, je vous prie ?

— Excellent.

Une amie proche ou une parente ne s'y laisserait peut-être pas prendre, mais quelqu'un qui appellerait par hasard ne remarquerait rien d'anormal, surtout avec la distorsion d'une ligne téléphonique.

Le lit fait et la serviette propre posée sur le lavabo dans les quatre autres chambres laissaient à penser que chacune était prête à accueillir un invité. De plus, Dieter et Stéphanie découvrirent dans la cuisine, au lieu de la batterie de casseroles et de la cafetière courantes, des grands faitouts et un sac de riz suffisant pour nourrir Mlle Lemas pendant un an, ainsi que dans la cave, du vin ordinaire à côté d'un demi-carton de bon whisky. La petite Simca 5 d'avant-guerre que le garage abritait, en bon état et le réservoir plein, démarra au premier tour de manivelle ; ce n'était certainement pas grâce aux libéralités des autorités soucieuses d'aider Mlle Lemas dans ses courses. La Simca devait être ravitaillée et approvisionnée en pièces détachées par la Résistance. Dieter se demanda ce qu'elle avait pu inventer pour expliquer ses déplacements : peut-être prétendait-elle être sage-femme.

— Cette vieille vache était bien organisée, observa Dieter.

Ils avaient fait des courses en chemin : à défaut de viande ou de poisson absents des magasins, ils avaient pris des champignons, une laitue et une miche de ce pain noir que les boulangers français produisaient alors avec de la mauvaise farine et du son, leurs seules ressources. Stéphanie prépara une salade et du risotto aux champignons, qu'ils complétèrent par un reste de fromage trouvé dans le garde-manger. Les miettes sur la table et les plats sales dans l'évier de la cuisine donnèrent tout de suite un air de vie à la maison.

— La guerre est certainement ce qui lui est arrivé de mieux, avança Dieter devant son café.

— Comment peux-tu dire cela ? Elle va partir pour un camp de prisonniers.

— Songe à la vie que menait auparavant cette femme absolument seule, pas de mari, pas de famille, plus de parents. Et puis subitement tous ces jeunes gens, garçons et filles courageux qui risquent leur vie dans des missions impossibles. Ils s'épanchent sans doute et lui racontent tout de leurs amours et de leurs craintes. Elle les cache chez elle, leur donne du whisky et des cigarettes et les laisse partir en leur souhaitant bonne chance. Ça a probablement été l'époque la plus excitante de sa vie. Je te parie qu'elle n'a jamais été aussi heureuse.

— Elle aurait peut-être préféré une vie paisible : courir les modistes avec une amie, arranger des bouquets pour la cathédrale, se rendre une fois par an à Paris pour assister à un concert.

— Personne n'aspire vraiment à une vie paisible, dit Dieter en jetant un coup d'œil par la fenêtre de la salle à manger. Bon sang ! Qu'est-ce que c'est que ça ?

Une jeune femme remontait l'allée en poussant une bicyclette, un gros panier posé sur le garde-boue de la roue avant.

— Qu'est-ce que je dois faire ? interrogea Stéphanie en examinant la visiteuse.

Dieter ne répondit pas tout de suite. L'intruse, une robuste fille en pantalon boueux et chemise de travail auréolée de grosses taches de sueur sous les bras, poussa son vélo dans la cour sans sonner à la porte. Il était consterné que sa mascarade soit aussi vite dévoilée.

— Elle se dirige vers la porte de derrière... une amie ou une parente... il va falloir que tu improvises. Va l'accueillir, je reste ici pour vous écouter.

Ils entendirent la porte de la cuisine s'ouvrir et se refermer et la jeune femme crier en français :

— Bonjour, c'est moi ! Qui êtes-vous ? s'étonna la fille en découvrant Stéphanie.

— Je suis Stéphanie, la nièce de Mlle Lemas.

— Je ne savais pas qu'elle avait une nièce, rétorqua la visiteuse sans chercher à dissimuler sa méfiance.

— Elle ne m'a pas parlé de vous non plus. Voulez-vous vous asseoir ? Qu'y a-t-il dans ce panier ?

Dieter perçut dans la voix de Stéphanie un accent amusé et se rendit compte qu'elle jouait de son charme.

— Des provisions. Je m'appelle Marie. Je vis à la campagne. J'ai pu trouver un peu de ravitaillement et en apporter à... à mademoiselle.

— Ah ! fit Stéphanie. Pour ses... invités. On entendit un froissement de papier et Dieter devina que Stéphanie déballait les provisions enveloppées dans le panier. C'est merveilleux ! Des œufs... du porc... des fraises...

Voilà qui explique le léger embonpoint de Mlle Lemas, songea Dieter.

— Alors vous êtes au courant, dit Marie.

— Je suis au courant de la vie secrète de tantine, oui.

En entendant « tantine », Dieter réalisa qu'ils ignoraient le prénom de Mlle Lemas, ce qui mettrait un terme à la comédie, dès que Marie s'en rendrait compte.

— Où est-elle ?

— Elle est partie pour Aix. Vous vous souvenez de Charles Menton, le doyen de la cathédrale ?

— Non, pas du tout.

— Vous êtes trop jeune. C'était le meilleur ami du père de tantine jusqu'au jour où il a pris sa retraite en Provence. Il a eu une crise cardiaque et elle est allée le soigner. Elle m'a demandé de m'occuper de ses invités pendant son absence.

Stéphanie improvise brillamment, songea Dieter avec admiration. Elle garde son sang-froid et ne manque pas d'imagination.

— Quand doit-elle revenir ?

— Charles n'en a plus pour bien longtemps. D'un autre côté, la guerre peut se terminer rapidement.

— Elle n'a parlé à personne de ce Charles.

— Elle m'en a parlé à moi.

Stéphanie va sans doute s'en tirer, se dit Dieter. Si elle tient encore un peu, Marie repartira convaincue. Elle racontera ce qui s'est passé ; cette histoire est parfaitement plausible : dans ces mouvements, qui ne sont pas l'armée, quelqu'un comme Mlle Lemas peut fort bien décider, en effet, de quitter son poste et se faire remplacer, à la grande fureur des chefs de la Résistance. Mais ils sont impuissants devant leurs troupes composées uniquement de volontaires. Dieter se prit à espérer.

— D'où êtes-vous ? demanda Marie.

— J'habite Paris.

— Votre tante Valérie a d'autres nièces planquées comme ça ?

Ainsi, songea Dieter, Mlle Lemas se prénomme Valérie.

— Je ne pense pas... pas à ma connaissance.

— Vous êtes une menteuse.

Le ton de Marie avait changé. Quelque chose clochait. Dieter poussa un soupir et tira son automatique de sous sa veste.

— Qu'est-ce que vous me racontez ? dit Stéphanie.

— Vous mentez. Vous ne connaissez même pas son prénom. Ce n'est pas Valérie, c'est Jeanne.

Dieter ôta le cran de sûreté de son pistolet. Stéphanie poursuivit bravement :

— Je l'appelle toujours tantine. Je vous trouve très grossière.

— Je m'en suis doutée depuis le début, reprit Marie d'un ton dédaigneux. Jeanne ne ferait jamais confiance à quelqu'un comme vous, avec vos hauts talons et votre parfum.

— Quel dommage ! Marie, intervint Dieter en avançant dans la cuisine. Plus confiante, moins maligne, vous vous en seriez tirée. Maintenant, vous êtes en état d'arrestation.

— Vous êtes une putain de la Gestapo, lâcha Marie à l'intention de Stéphanie qui rougit jusqu'aux oreilles.

Dieter, quant à lui, faillit frapper Marie de la crosse de son arme.

— Voilà une remarque que vous regretterez quand vous vous trouverez aux mains de la Gestapo, rétorqua-t-il d'un ton glacial. Un certain sergent Becker va vous interroger. Quand vous hurlerez, que vous saignerez et que vous demanderez grâce, souvenez-vous de cette insulte inutile.

Marie semblait prête à s'enfuir, ce que Dieter espérait. Il pourrait l'abattre et le problème serait réglé. Mais, au contraire, ses épaules s'affaissèrent et elle se mit à pleurer.

— Allongez-vous le visage contre le sol et les mains derrière le dos, ordonna-t-il, sourd à ses sanglots.

Elle obéit et il rengaina son pistolet.

— Je crois avoir vu une corde dans la cave, dit-il à Stéphanie.

— Je vais la chercher.

— Il va falloir que je l'éloigne d'ici, que je la conduise à Sainte-Cécile, expliqua-t-il après avoir ligoté Marie, au cas où un agent britannique se présenterait aujourd'hui.

Il regarda sa montre : deux heures, il avait le temps de l'emmener au château et d'être de retour pour trois heures.

— Tu devras te rendre à la crypte toute seule, ajouta-t-il à l'attention de Stéphanie, prends la petite voiture qui est dans le garage. Je me trouverai dans la cathédrale, mais tu ne me verras peut-être pas. Il faut que je me dépêche.

Il l'embrassa. Un peu comme un mari qui part pour son bureau, songea-t-il avec un certain amusement. Il empoigna Marie, la jeta sur son épaule et se dirigea vers la porte de derrière. Dehors, il se retourna.

— Cache le vélo.

— Ne t'inquiète pas.

Il porta la jeune femme dûment ligotée jusqu'à la voiture, ouvrit le coffre et la jeta à l'intérieur. Si elle s'était abstenue de traiter Stéphanie de putain, il l'aurait installée sur le siège arrière.

Il referma le coffre et regarda aux alentours. Il ne vit personne, mais, dans une rue comme celle-là il y avait toujours des gens à l'affût derrière leurs volets. L'arrestation de Mlle Lemas la veille et la grosse voiture bleu ciel ne leur avaient sûrement pas échappé. Dès qu'il aurait démarré, ils parleraient de l'homme qui avait fourré une fille dans le coffre de sa voiture. En temps normal, ils auraient appelé la police, mais personne en territoire occupé ne s'adressait à elle à moins d'y être obligé, surtout quand la Gestapo risquait d'être impliquée.

Pour Dieter, il importait de savoir si la Résistance avait eu vent de l'arrestation de Mlle Lemas. Reims était une ville, pas un village, où chaque jour on arrêtait des gens, qu'ils soient voleurs, meurtriers, trafiquants, profiteurs du marché noir, communistes, juifs... Aussi y avait-il de fortes chances pour qu'un compte rendu de l'affaire de la rue du Bois ne parvienne jamais aux oreilles de Michel Clairet. Mais ce n'était pas une certitude.

Dieter monta dans la voiture et partit vers Sainte-Cécile.

19.

Au grand soulagement de Betty, l'équipe ne s'était pas trop mal tirée de la séance du matin, où tout le monde avait appris la technique de la réception au sol, partie la plus délicate du saut en parachute. Le cours de lecture de carte, cependant, avait été moins réussi : pour Ruby qui n'était jamais allée à l'école et pouvait à peine lire, c'était du chinois ; Maude restait déconcertée devant des précisions comme nord-nord-est et se contentait de battre des cils de façon charmante devant l'instructeur ; quant à Denise, malgré son éducation, elle se révéla absolument incapable de comprendre les coordonnées cartographiques. Si, une fois en France, le groupe doit se fractionner, songea Betty avec inquiétude, il ne faudra pas compter sur elles pour retrouver leur chemin.

L'après-midi, elles passèrent à un exercice plus violent, le maniement des armes, avec le capitaine Jim Cardwell, à l'allure décontractée et au visage anguleux barré d'une grosse moustache noire. C'était un instructeur à la personnalité très différente de celle de Bill Griffiths. Il sourit gentiment quand les filles découvrirent combien il était difficile de toucher un arbre à six pas avec un Colt automatique de 12 mm.

Ruby, à l'aise avec un pistolet à la main, était bonne tireuse (ce n'est pas la première fois, songea Betty, qu'elle utilise une arme à feu) plus à l'aise encore quand Jim passa les bras autour d'elle pour lui montrer comment tenir le fusil « canadien » Lee-Enfield. Il lui murmura quelque chose à l'oreille qui la fit sourire. Elle vient de passer trois ans dans une prison de femmes, se dit Betty, et elle apprécie sûrement le contact d'un homme.

Jelly, elle aussi, maniait les armes à feu avec une certaine aisance, mais ce fut Diana qui tint la vedette : fusil en main, elle fit mouche chaque fois au centre de la cible, vidant le chargeur dans une terrifiante grêle de balles.

— Excellent ! apprécia Jim, surpris. Vous pouvez me remplacer.

Diana lança à Betty un regard triomphant et déclara :

— Il y a certains domaines où tu n'es pas la meilleure !

Seigneur, qu'ai-je fait pour mériter cela ? se demanda Betty. Diana pensait-elle au résultats scolaires de Betty régulièrement supérieurs aux siens ? Cette vieille rivalité lui restait-elle sur le cœur ?

La seule à échouer fut Greta qui se montra, là encore, plus féminine que ses compagnes. Elle se bouchait les oreilles, sursautait à chaque détonation et fermait les yeux d'un air terrifié en pressant la détente. Jim fit montre avec elle de la plus grande patience, lui donnant des boules Quiès pour étouffer le bruit, guidant sa main pour presser la détente avec douceur, mais en vain : nerveuse, elle ne réussirait jamais à tirer correctement.

— Je ne suis vraiment pas faite pour ce genre de choses ! s'écria-t-elle, désespérée.

— Alors, râla Jelly, qu'est-ce que tu fous ici ?

— Greta est ingénieur ; c'est elle qui vous dira où disposer les charges d'explosifs, s'empressa de préciser Betty.

— Et nous avons besoin d'un ingénieur allemand !

— Je suis anglaise, riposta Greta. Mon père est né à Liverpool.

— Si c'est ça l'accent de Liverpool, ricana Jelly, moi je suis la duchesse de Devonshire.

— Gardez votre agressivité pour la séance suivante, intervint Betty. Nous allons nous entraîner au corps à corps.

Ces chamailleries la préoccupaient, car la confiance devait absolument régner entre elles.

Bill Griffiths, torse nu, en short et chaussures de tennis, les attendait en faisant des pompes. Il tient à faire admirer son physique, ça saute aux yeux, comprit Betty.

Bill enseignait l'autodéfense en disant : « Attaquez-moi » à ses élèves qu'il venait d'armer. Il leur démontrait alors, en une leçon spectaculaire et mémorable, qu'un homme désarmé pouvait repousser un assaillant. Bill utilisait parfois inutilement la violence, mais ce n'était pas un mal, estimait Betty, que les agents s'y habituent.

Ce jour-là, il avait disposé sur la vieille table de pin un sinistre assortiment : un poignard à la lame inquiétante qui, prétendait-il, faisait partie de l'équipement des SS, un pistolet automatique Walther P38 comme ceux que Betty avait vu porter par des officiers allemands, une matraque de policier français, un bout de fil électrique noir et jaune qu'il appelait un garrot et une bouteille de bière dont on avait cassé le goulot. Pour la leçon, il remit sa chemise.

— Comment échapper à un homme qui braque un pistolet sur vous, commença-t-il.

Il prit le Walther, ôta le cran de sûreté et tendit l'arme à Maude. Elle le braqua sur lui.

— Tôt ou tard, votre assaillant voudra vous faire aller quelque part.

Il tourna les talons et leva les mains en l'air.

— Selon toute probabilité, il vous suivra de près en vous enfonçant le canon de son arme dans le dos.

Il décrivit un large cercle, Maude se tenait derrière lui.

— Maintenant, Maude, je veux que vous pressiez la détente à l'instant où vous croyez que je cherche à m'échapper.

Il hâta légèrement le pas, obligeant ainsi Maude à marcher un peu plus vite et, ce faisant, il fit un pas de côté et recula. Il lui coinça le poignet droit sous son bras et lui assena sur la main une violente manchette. Elle poussa un cri et lâcha son pistolet.

— C'est à ce moment précis que vous risquez de faire une grave erreur, dit-il tandis que Maude se frictionnait le poignet. Ne vous enfuyez surtout pas, sinon, votre Boche prendra son arme et vous tirera dans le dos. Ce qu'il faut faire c'est...

Il prit le Luger, le braqua sur Maude et pressa la détente. Un coup de feu claqua. Maude poussa un cri, tout comme Greta.

— Bien sûr, ajouta Bill, ce sont des cartouches à blanc.

Les démonstrations de Bill dérangeaient parfois Betty : elle leur trouvait un côté trop théâtral.

— Nous allons nous exercer quelques minutes à toutes ces techniques, reprit-il.

Il saisit le fil électrique et se tourna vers Greta.

— Passez-moi ça autour du cou. Quand je vous le dirai, tirez dessus de toutes vos forces. Il lui tendit le cordon. Votre type de la Gestapo, ou votre traître de gendarme collabo pourrait vous tuer avec ce cordon, mais il lui est impossible de supporter en plus votre poids. Bon, Greta, étranglez-moi.

Greta hésita, puis tira très fort sur le fil électrique qui s'enfonça dans le cou musclé de Bill. Celui-ci rua des deux pieds en avant et tomba sur le sol, atterrissant sur le dos. Greta lâcha le cordon.

— Malheureusement, observa Bill, vous vous retrouvez allongée par terre, votre ennemi debout au-dessus de vous ; cette situation vous est très défavorable. Il se releva. On va recommencer. Mais cette fois, avant de tomber par terre, je vais agripper mon assaillant par un poignet.

Ils reprirent la position et Greta tira sur le fil électrique. Bill lui saisit le poignet et tomba, l'entraînant en avant. Au moment où elle s'écroulait sur lui, il fléchit une jambe et lui donna un méchant coup de genou dans l'estomac. Elle roula sur le sol, ramassée sur elle-même, le souffle coupé et secouée de nausées.

— Bon sang, Bill, s'écria Betty, c'est un peu violent !

— Ceux de la Gestapo, rétorqua-t-il, l'air ravi, sont bien plus durs que moi.

Elle s'approcha de Greta pour l'aider à se relever.

— Je suis navrée, fit-elle.

— C'est un vrai putain de nazi, lâcha Greta, encore haletante.

Betty l'aida à regagner la maison et la fit s'asseoir dans la cuisine. La cuisinière interrompit l'épluchage des patates du déjeuner pour lui offrir une tasse de thé que Greta accepta avec gratitude.

De retour dans le jardin, Betty constata que Bill avait choisi Ruby comme prochaine victime ; il était en train de lui tendre la matraque de policier. À l'air roublard de Ruby, Betty se dit qu'à la place de Bill elle se méfierait.

Betty l'avait déjà vu à l'œuvre dans cette technique : quand Ruby lèverait la main droite pour le frapper avec la matraque, Bill l'empoignerait par le bras, la ferait pivoter et la jetterait pardessus son épaule, la faisant atterrir brutalement sur le dos.

— Allons, ma petite gitane, dit Bill, cogne sur moi avec la matraque aussi fort que tu peux.

Ruby leva le bras et Bill s'approcha d'elle, mais les gestes ne s'enchaînèrent pas comme d'habitude. Quand Bill voulut saisir le bras de Ruby, elle n'était plus là. La matraque tomba par terre. La jeune femme se rapprocha de son instructeur et lui décocha un violent coup de genou dans l'aine, le faisant crier de douleur. Elle l'empoigna alors par le plastron de sa chemise, l'attira brusquement vers elle et lui frappa le nez de sa tête, puis, de sa robuste chaussure, elle lui assena un coup dans le jarret ; il s'écroula, et son nez se mit à saigner.

— Espèce de garce, ce n'est pas ce que tu étais censée faire ! clama-t-il.

— Ils sont bien pires que moi à la Gestapo, déclara Ruby.

20.

Dieter se gara devant l'hôtel Frankfurt à quinze heures moins une et gagna aussitôt la cathédrale en traversant le parvis sous le regard de pierre des anges sculptés dans les piliers. Il ne comptait pas trop sur la venue d'un agent britannique dès le premier jour, mais, d'un autre côté, la probable imminence d'un débarquement inciterait les Alliés à lancer tous leurs atouts dans la bataille.

La Simca 5 de Mlle Lemas était garée le long de la place : Stéphanie se trouvait donc déjà là. Il se félicita d'être arrivé à l'heure car il ne voulait pas qu'elle soit obligée de se débrouiller toute seule en cas de problème.

Il franchit la grande porte ouest et pénétra dans la fraîche pénombre. Il échangea un bref signe de tête avec Hans Hesse qu'il avait repéré assis dans les derniers rangs, mais sans lui adresser la parole.

Dieter ressentait une impression désagréable : procéder à une arrestation dans ce sanctuaire consacré depuis des siècles lui semblait une profanation. Il n'était pas très dévot pourtant — moins sans doute que l'Allemand moyen, songea-t-il —, mais pas mécréant non plus. Il se sentait vraiment mal à l'aise, mais il se força à chasser ce qui, selon lui, n'était que de la superstition.

Il traversa la nef, remonta la longue allée nord jusqu'au transept, à proximité des marches menant à la crypte située sous le maître-autel ; ses pas résonnaient sur le dallage. Stéphanie doit s'y trouver, se dit-il, et porter une chaussure noire et une marron. De sa place, il balayait du regard, derrière lui, la longue allée nord par laquelle il était arrivé et, devant, la courbe du déambulatoire à l'autre extrémité de l'édifice. Il s'agenouilla et croisa les mains pour prier.

— Seigneur, pardonnez-moi les souffrances que j'inflige à mes prisonniers. Vous savez que je fais de mon mieux pour accomplir mon devoir. Pardonnez-moi de pécher avec Stéphanie. C'est mal, mais Vous l'avez faite si séduisante que je suis incapable de résister à la tentation. Veillez sur ma chère Waltraud, aidez-la à être une bonne mère pour Rudi et le petit Mausi ; protégez-les tous des bombes de la RAF. Soyez auprès du feld-maréchal Rommel lors du débarquement et donnez-lui la force de repousser les Alliés à la mer. C'est une bien courte prière pour Vous en demander autant, mais Vous savez que j'ai beaucoup à faire en ce moment. Amen.

Il regarda autour de lui. Bien qu'on ne célébrât aucun office, quelques fidèles priaient dans les chapelles des bas-côtés ou, tout simplement, se reposaient dans le silence de la cathédrale. Des touristes circulaient dans les allées, se tordant le cou pour contempler les voûtes et commenter d'une voix étouffée l'architecture médiévale.

Si un agent allié se présentait aujourd'hui, Dieter se contenterait d'observer la scène pour s'assurer que tout se passait bien. Dans le meilleur des cas, il n'aurait pas à intervenir : Stéphanie aborderait l'agent, échangerait avec lui les mots de passe et l'emmènerait rue du Bois.

Ses plans pour la suite étaient plus vagues ; d'une façon ou d'une autre, l'agent le conduirait aux autres, et la situation se débloquerait : un imprudent aurait gardé une liste de noms et d'adresses ; Dieter mettrait la main sur un émetteur et un code, ou sur un responsable comme Betty Clairet qui, sous la torture, trahirait la moitié de la Résistance française.

Il consulta sa montre. Quinze heures cinq. Personne sans doute ne viendrait aujourd'hui. Il releva la tête pour constater, avec horreur, la présence de Willi Weber.

Que diable faisait-il ici ?

En civil — il arborait son costume de tweed vert — et accompagné d'un jeune assistant de la Gestapo en veste à carreaux, il débouchait du déambulatoire en direction de Dieter, mais sans le voir. Arrivé devant la porte de la crypte, il s'arrêta. Il allait tout gâcher. Dieter jura sous cape, en venant même à espérer qu'aucun agent britannique ne viendrait.

Regardant derrière lui, il aperçut un jeune homme tenant une petite serviette. Dieter plissa les yeux : plus jeune que la plupart des visiteurs, vêtu d'un méchant costume bleu de coupe française, il avait en outre les cheveux roux, les yeux bleus et le teint pâle légèrement rosé d'un authentique Viking. Il faisait très anglais, mais il pouvait aussi bien être allemand, un officier en civil venu en touriste ou avec l'intention de prier.

Cependant son comportement le trahit : il suivait l'allée d'un pas décidé, sans regarder l'édifice comme le ferait un touriste ni s'asseoir comme un fidèle. Dieter sentit son cœur s'emballer : un agent dès le premier jour ! Et presque à coup sûr un émetteur radio avec un code dans cette serviette. C'était plus que Dieter n'avait osé imaginer. Mais la présence de Weber risquait de compromettre cette occasion inespérée.

Passant devant Dieter, l'agent ralentit, cherchant manifestement la crypte. Weber le vit à son tour, le dévisagea soigneusement puis se détourna en faisant semblant d'admirer les cannelures d'un pilier.

Tout n'est peut-être pas perdu, songea Dieter. Weber a agi stupidement en venant ici, mais sans doute compte-t-il simplement observer. Il n'est quand même pas assez bête pour intervenir.

L'agent repéra l'entrée de la crypte et disparut dans l'escalier.

Weber adressa un signe de tête en direction du transept nord. Suivant son regard, Dieter remarqua deux autres hommes de la Gestapo postés au pied de l'orgue. Mauvais signe : pour une simple reconnaissance de la situation, ces quatre-là ne servaient à rien. Dieter envisagea un instant de demander à Weber de rappeler ses hommes, mais celui-ci protesterait, entamerait une discussion et...

Subitement les événements se précipitèrent : Stéphanie remontait de la crypte, l'agent sur ses talons. Parvenue en haut des marches, elle aperçut Weber ; la surprise se lut sur son visage. Cette présence inattendue la désorientait visiblement, comme si, en montant sur scène, elle s'apercevait soudain qu'elle se trouvait au cœur d'une pièce qui n'était pas la sienne. Elle trébucha, le jeune agent la rattrapa par le coude. Avec sa rapidité coutumière, elle retrouva son sang-froid et le remercia d'un sourire. Bien joué, ma petite, apprécia Dieter en lui-même.

Là-dessus, Weber avança d'un pas.

— Non ! s'écria Dieter dans un réflexe, mais personne ne l'entendit.

Weber saisit l'agent par le bras et lui dit quelque chose. Dieter sentit son cœur se serrer en comprenant que Weber était en train de l'arrêter. Stéphanie recula, abasourdie.

Dieter se leva et se dirigea à grands pas vers le groupe, persuadé que Weber avait décidé de s'attribuer la gloire de capturer un agent ennemi. C'était dément, mais possible. Dieter n'eut même pas le temps d'arriver à leur hauteur : l'agent avait repoussé la main de Weber et détalé.

Le jeune assistant en veste à carreaux fut prompt à réagir. En deux grandes enjambées, il avait rattrapé le fuyard et plongé en refermant les bras autour de ses genoux. Le Viking trébucha, se débattit énergiquement, fit lâcher prise à son adversaire, retrouva son équilibre, et partit en courant, sa serviette toujours à la main.

Cette course soudaine et les vociférations des deux hommes retentirent bruyamment dans le silence de la cathédrale ; tous les regards convergèrent vers eux. Dieter, voyant l'agent se précipiter vers lui, comprit ce qui allait se passer et poussa un hennissement. Les deux autres Allemands jaillirent alors du transept nord, éveillant certainement les soupçons du fugitif, car il obliqua vers la gauche, mais trop tard ; un croche-pied et il s'écroula de tout son long sur les dalles avec un bruit sourd. La serviette lui échappa des mains tandis que les deux poursuivants sautaient sur lui. Weber arriva en courant, l'air enchanté.

— Merde ! lâcha Dieter, oubliant où il était.

Ces crétins étaient en train de tout gâcher. Cependant il entrevit une toute petite chance de sauver la situation. Il plongea la main dans sa veste, sortit son Walther P38 et en ôta le cran de sûreté pour le braquer sur ses compatriotes qui maintenaient l'agent cloué au sol.

— Lâchez-le tout de suite ou je tire ! hurla-t-il à pleins poumons, en français.

— Major, je..., dit Weber.

Dieter tira en l'air. Le fracas de la détonation retentit sous les voûtes de la cathédrale, noyant fort à propos l'apostrophe révélatrice.

— Silence ! cria Dieter en allemand.

Affolé, Weber constata que Dieter rapprochait le canon de son pistolet de ses sbires et se tut.

— Lâchez-le immédiatement, répéta Dieter en français, avec une intonation telle qu'il fut aussitôt obéi. Jeanne ! Vas-y ! File ! cria-t-il à Stéphanie en utilisant le prénom de Mlle Lemas.

La jeune femme évita les hommes de la Gestapo et se précipita vers la porte ouest.

— Allez avec elle ! Suivez-la ! ordonna Dieter, la désignant du doigt à l'agent qui se relevait.

Il ramassa sa serviette et partit à toutes jambes ; il sauta par-dessus le dossier des stalles du chœur avant de détaler par l'allée centrale de la nef. Weber et ses trois associés étaient abasourdis.

— À plat ventre ! leur ordonna Dieter.

Ils obéirent aussitôt et il s'éloigna à reculons sans cesser de les menacer de son pistolet. Puis il tourna les talons et s'élança derrière Stéphanie et le Britannique.

Au moment où ceux-ci franchissaient la porte, Dieter s'arrêta pour s'adresser à Hans qui, impassible, était resté planté au fond de la cathédrale.

— Allez expliquer à ces crétins ce que nous faisons, murmura Dieter hors d'haleine. Et, surtout, qu'ils ne nous suivent pas.

Il remit le pistolet dans son étui et sortit en courant.

Le moteur de la Simca tournait déjà. Dieter poussa l'agent anglais sur l'étroite banquette arrière et s'installa à l'avant, à la place du passager. Stéphanie écrasa la pédale de l'accélérateur : la petite voiture jaillit de la place comme un bouchon de champagne et dévala la rue.

— Personne ne nous suit, annonça Dieter après avoir jeté un coup d'œil par la lunette arrière. Ralentis, il ne faut pas que nous nous fassions arrêter par un gendarme.

— Je suis Hélicoptère, déclara l'agent en français. Bon sang, que s'est-il passé ?

« Hélicoptère » est certainement son nom de code, se dit Dieter. Celui de Mlle Lemas, que lui avait révélé Gaston, lui revint en mémoire :

— Voici Bourgeoise, répondit-il en désignant Stéphanie.

Moi, c'est Charenton, improvisa-t-il, pensant, on ne sait pourquoi, à l'hospice où le marquis de Sade avait été incarcéré. Depuis quelques jours, Bourgeoise se méfie ; elle craint que la cathédrale ne soit surveillée, c'est pourquoi elle m'a demandé de l'accompagner. Moi, je ne fais pas partie du réseau Bollinger, c'est Bourgeoise la responsable.

— Je comprends.

— Quoi qu'il en soit, nous savons maintenant que la Gestapo avait bel et bien tendu un piège. C'est une vraie chance que Bourgeoise m'ait appelé en renfort.

— Vous avez été formidable ! déclara Hélicoptère avec enthousiasme. Dieu que j'ai eu peur, j'ai cru avoir tout loupé dès mon premier jour.

Parfaitement exact, songea Dieter sans rien répondre.

Dieter pensait avoir réussi à sauver la situation. Hélicoptère était maintenant convaincu que Dieter militait dans la Résistance : il parlait parfaitement français, mais pas au point d'être capable d'identifier le léger accent de Dieter. Est-ce que, un peu plus tard, quand il repenserait à la scène, un autre détail viendrait éveiller sa méfiance ? Juste au début de la bagarre, Dieter s'était dressé en disant : « Non ! », mais un simple « non » ne voulait pas dire grand-chose et d'ailleurs personne ne l'avait entendu. Le « major » en allemand lancé par Willi Weber avait été masqué par le coup de feu ; à supposer qu'Hélicoptère l'ait entendu — en connaît-il la signification ? — risque-t-il de s'en souvenir par la suite et de s'interroger à ce propos ? Non, décida Dieter. Si Hélicoptère a compris, il peut supposer que Weber s'adressait à un de ses adjoints : tous en civil, il est impossible de deviner leur grade.

La confiance d'Hélicoptère était donc désormais tout acquise à Dieter : celui-ci l'avait arraché aux griffes de la Gestapo, il en était persuadé.

Les suivants se laisseraient moins facilement duper. Aussi bien à Londres qu'au chef du réseau Bollinger, Michel Clairet, il faudrait expliquer de façon plausible l'existence d'un nouveau membre de la Résistance, nom de code Charenton, recruté par Mlle Lemas. D'un côté comme de l'autre, on pourrait poser des questions et procéder à des vérifications. Dieter réglerait les problèmes au fur et à mesure, car il ne pouvait pas les prévoir tous.

Il s'autorisa un moment de triomphe : il avait progressé

d'un pas, et mettre la Résistance hors de combat dans le nord de la France se trouvait à sa portée ; de plus il avait nargué la Gestapo. C'était grisant.

Il s'agissait maintenant de tirer le maximum de la confiance d'Hélicoptère. Que celui-ci, se croyant à l'abri de tout soupçon, continue à opérer et conduise ainsi Dieter à d'autres agents. Mais il fallait manœuvrer avec subtilité.

Une fois arrivés rue du Bois, la voiture garée, ils entrèrent dans la maison par la porte de derrière et s'installèrent dans la cuisine. Stéphanie alla chercher une bouteille de scotch dans la cave et servit un verre à tous. Dieter tenait absolument à avoir la confirmation qu'Hélicoptère se déplaçait avec une radio.

— Vous feriez mieux d'envoyer tout de suite un message à Londres, suggéra-t-il.

— Je suis censé émettre à vingt heures et recevoir à vingt-trois heures.

Dieter nota tout cela dans sa tête.

— Mais il faut qu'ils sachent le plus tôt possible que le rendez-vous dans la cathédrale n'est plus sûr. Qu'ils n'envoient plus personne. Un agent s'apprête peut-être à partir dès ce soir.

— Oh ! mon Dieu, oui, murmura le jeune homme. Je vais utiliser la fréquence d'urgence.

— Installez-vous ici, dans la cuisine, proposa Dieter qui réprima un soupir de satisfaction quand il vit Hélicoptère poser la lourde serviette sur la table et l'ouvrir.

Il ne s'était pas trompé.

L'intérieur du sac était divisé en quatre compartiments : un le long de chaque côté et, au centre, un à l'avant et un à l'arrière. Dieter observa aussitôt que le compartiment arrière du milieu contenait l'émetteur avec la clef Morse dans le coin inférieur droit et que la partie centrale avant constituait le récepteur avec une prise pour les écouteurs. La case de droite contenait l'alimentation. Quant à celle de gauche, il en comprit l'utilité lorsque Hélicoptère souleva le couvercle, révélant tout un assortiment d'accessoires et de pièces de rechange : câble électrique, adaptateurs, fil d'antenne, câbles de raccordement, casque, lampes, fusibles et tournevis.

Un appareil compact et bien conçu, songea Dieter avec une certaine admiration : le genre d'installation qu'on attend des Allemands, mais pas du tout des Anglais, tellement désorganisés.

Il connaissait déjà les heures d'émission et de réception ; ne lui restait plus maintenant qu'à découvrir les fréquences utilisées et — le plus important — le code.

Hélicoptère brancha un fil dans la prise d'alimentation.

— Je croyais que ça fonctionnait sur piles.

— Sur piles, mais aussi sur le courant, car il paraît que le truc préféré de la Gestapo, quand elle essaye de repérer d'où vient une émission radio illicite, c'est de couper le courant d'une ville, pâté de maisons après pâté de maisons, jusqu'au moment où la transmission est interrompue.

Dieter acquiesça.

— Eh bien, avec ce modèle, il suffit d'inverser cette manette pour le faire basculer sur les piles.

Excellent.

Dieter ne manquerait pas de renseigner la Gestapo.

Hélicoptère brancha le fil dans une prise de courant, sortit l'antenne et demanda à Stéphanie de l'enrouler au-dessus du buffet. Dieter inspecta les tiroirs et finit par y trouver le crayon et le bloc que Mlle Lemas utilisait sans doute pour noter la liste de ses courses.

— Vous n'aurez qu'à coder votre message là-dessus, proposa-t-il.

— Il faut d'abord que je sache ce que je vais dire.

Hélicoptère se gratta la tête puis se mit à écrire en anglais :

ARRIVÉE OK STOP
RENDEZ-VOUS CRYPTE DANGEREUX STOP
COINCÉ PAR GESTAPO MAIS AI RÉUSSI À M'ENFUIR TERMINÉ

— Je pense que ça ira pour l'instant.

— Nous devrions, suggéra Dieter, proposer un nouveau lieu de rendez-vous, disons au café de la Gare, à côté de la voie ferrée.

Hélicoptère prit note, avant de sortir du compartiment un mouchoir de soie sur lequel était imprimée une table compliquée de lettres associées par paires, ainsi qu'un bloc d'une douzaine de feuillets sur lequel étaient inscrites des séquences de cinq lettres sans signification. Dieter reconnut les éléments d'un système de chiffrage impossible à percer sans ces données.

Au-dessus de chaque mot de son message, Hélicoptère

recopia d'après le carnet les groupes de cinq signes qu'il utilisa ensuite pour choisir des transpositions d'après sa pochette en soie. Au-dessus des cinq premières lettres de ARRIVÉE, il écrivit BGKRU, la première séquence de son carnet. Le « B » indiquait, d'après la grille du mouchoir en soie, la colonne à utiliser ; en haut de celle-ci, on trouvait le couple « Ae » ; il fallait donc remplacer le « A » de ARRIVÉE par « e ».

Impossible de décrypter ce code grâce à la méthode habituelle, car le prochain « A » ne serait pas représenté par « e » mais par une autre lettre. En fait, chaque signe de l'alphabet pouvait remplacer n'importe quel autre ; le message n'était donc lisible que par la personne détenant le bloc et ses séquences de cinq lettres. Mettre la main sur un texte original en clair et sa traduction codée ne servait à rien car un autre message serait rédigé d'après une autre feuille du bloc — voilà pourquoi on appelait cela un code unique. Chaque page n'était utilisée qu'une fois, ensuite on la brûlait.

Une fois terminé le codage de son message, Hélicoptère appuya sur la commande de mise en marche et tourna un bouton sur lequel était inscrit en anglais « Sélecteur de cristal ». En regardant attentivement, Dieter constata sur le cadran trois marques discrètes au crayon gras jaune. Ne se fiant pas à sa mémoire, Hélicoptère avait indiqué ses positions pour émettre. Le cristal qu'il choisit devait être celui réservé aux urgences, les deux autres servant l'un pour l'émission, l'autre pour la réception.

Pendant qu'il terminait ses réglages, Dieter remarqua des marques identiques sur le cadran des fréquences.

Avant d'envoyer son message, il commença par prendre contact avec la station réceptrice.

HLCP DXDX QTC1 QRK ? K

Plissant le front, Dieter réfléchissait. Le premier groupe correspondait certainement à l'indicatif « Hélicoptère » ; le suivant, « DXDX », était un mystère. Le chiffre 1 de « QTC1 » laissait à penser que cela signifiait quelque chose comme : « J'ai un seul message à vous envoyer » ; le point d'interrogation de « QRK ? » demandait sans doute si la réception était bonne.

« K » équivalait à « Terminé », Dieter le savait. Restait le mystérieux « DXDX ».

— N'oubliez pas votre indicatif de confirmation, tenta-t-il.

— Je ne l'ai pas oublié, répondit Hélicoptère.

C'est « DXDX », en conclut Dieter.

Hélicoptère passa sur « réception », et la réponse, HLCP QRK QRV K, crépita en morse.

On retrouvait en introduction l'indicatif d'Hélicoptère ; « QRK » figurait déjà sur le message original ; sans le point d'interrogation, il signifiait sans doute : « Je vous reçois cinq sur cinq. » Il n'en était pas certain, mais « QRV » devait donner le feu vert à Hélicoptère, car il entreprit sans délai de taper son message en morse sous l'œil de Dieter. Celui-ci, ravi, vivait le rêve du chasseur d'espions : tenir entre ses mains un agent ignorant avoir été démasqué.

Une fois le message envoyé, Hélicoptère s'empressa d'éteindre l'émetteur pour ne pas atteindre les quelques minutes nécessaires aux goniomètres de la Gestapo.

Transcrire le message, le décoder et le remettre à l'officier traitant d'Hélicoptère, qui aurait peut-être à consulter ses collègues avant de répondre, demanderait plusieurs heures aux Anglais ; Hélicoptère attendrait donc jusqu'à l'heure prévue pour une réponse.

— Je suppose que vous voulez maintenant contacter le réseau Bollinger, avança Dieter qui cherchait à lui faire abandonner son poste de radio et, surtout, son matériel de codage.

— Oui. Londres a besoin de savoir ce qu'il en reste.

— Nous allons vous mettre en contact avec Monet, c'est le nom de code du chef de réseau.

Il jeta un coup d'œil à sa montre et eut un instant de pur affolement : si Hélicoptère la reconnaissait — c'était le modèle réglementaire de l'armée allemande — l'affaire serait à l'eau. S'efforçant de réprimer le tremblement de sa voix, Dieter reprit :

— Je vous conduis chez lui, nous avons le temps.

— C'est loin ? s'informa Hélicoptère.

— Dans le centre ville.

Monet, de son vrai nom Michel Clairet, ne serait pas chez lui. Il n'utilisait plus la maison : Dieter avait vérifié. Les voisins prétendaient n'avoir aucune idée de l'endroit où il se trouvait, ce qui n'avait pas surpris Dieter : Monet se doutait bien que l'un ou l'autre de ses camarades ne résisterait pas devant un interrogatoire bien mené et lâcherait ses nom et adresse ; il avait préféré disparaître dans la nature.

Hélicoptère se mit à ranger sa radio.

— Est-ce qu'il ne faut pas de temps en temps recharger la batterie ?

— Si... en fait on nous conseille de la brancher sur une prise de courant à la moindre occasion pour qu'elle soit toujours en pleine charge.

— Alors pourquoi ne pas la laisser ici pour l'instant ? Quand nous reviendrons, elle sera chargée ; si jamais quelqu'un arrivait entre-temps, Bourgeoise n'aurait besoin que de quelques secondes pour la cacher..

— Excellente idée.

— Bien, allons-y.

Dieter le précéda dans le garage et fit sortir la Simca 5 en marche arrière. Puis il dit :

— Attendez-moi un instant, j'ai oublié de dire quelque chose à Bourgeoise.

Il retourna dans la maison. Stéphanie n'avait pas quitté la cuisine, où elle était plongée dans la contemplation de la valise radio posée sur la table. Dieter prit le bloc et la pochette en soie dans leur compartiment.

— Combien de temps te faut-il pour recopier cela ? s'informa-t-il.

— Tout ce charabia ? répondit-elle en faisant la grimace. Au moins une heure.

— Fais-le aussi vite que tu peux, mais ne te trompe pas. Je m'arrangerai pour l'occuper pendant une heure et demie, lui dit-il avant de regagner la voiture pour conduire Hélicoptère dans le centre jusqu'au charmant petit hôtel particulier de Michel Clairet, proche de la cathédrale.

Hélicoptère sonna à la porte puis revint quelques minutes plus tard, bredouille :

— Pas de réponse, annonça-t-il à Dieter qui n'avait pas quitté la voiture.

— Vous ferez une nouvelle tentative un peu plus tard, suggéra celui-ci. En attendant, je connais un bar utilisé par la Résistance. Allons-y ; je trouverai peut-être quelqu'un de connaissance.

Il laissa la voiture près de la gare et choisit un café au hasard. Ils restèrent tous deux assis à siroter une bière fadasse, avant de retourner rue du Bois où Stéphanie accueillit son ami d'un petit signe de tête ; sans doute, supposa-t-il, pour lui signaler qu'elle avait réussi à tout recopier.

— Vous aimeriez peut-être faire votre toilette maintenant, proposa Dieter à Hélicoptère, et vous raser. Je vais vous montrer votre chambre pendant que Bourgeoise vous fera couler un bain.

— Vous êtes bien aimable.

Dieter l'installa dans la chambre mansardée la plus éloignée de la salle de bains et, dès qu'il entendit l'Anglais barboter dans la baignoire, entra dans la chambre et fouilla ses affaires. Tout était français : son linge et ses chaussettes de rechange, les cigarettes, un mouchoir venant de chez un chemisier français ; le portefeuille, quant à lui, contenait une grosse somme d'argent — un demi-million de francs (de quoi acheter une somptueuse automobile, s'il y en avait à vendre). Les papiers d'identité, certainement faux, paraissaient cependant impeccables.

Il y trouva aussi une photographie sur laquelle l'officier allemand reconnut avec surprise Betty Clairet. Pas d'erreur. C'était bien la femme qu'il avait croisée sur la place de Sainte-Cécile. Quel magnifique coup de chance ! Mais un désastre pour elle !

Elle portait un costume de bain qui révélait des jambes musclées et des bras bronzés. Le maillot soulignait des seins bien dessinés, une taille fine et des hanches aux rondeurs délicieuses. On voyait sur sa gorge des gouttelettes — d'eau ou de transpiration — et elle regardait l'objectif avec un léger sourire. Derrière elle, la silhouette un peu floue de deux jeunes gens en caleçon de bain s'apprêtant à plonger dans une rivière. La photo avait manifestement été prise au cours d'une baignade bien innocente. Mais de sa semi-nudité, des traces d'humidité sur sa gorge et du sourire esquissé se dégageait une vibrante sexualité. Sans les garçons à l'arrière-plan, on aurait pu l'imaginer sur le point d'ôter son maillot pour offrir son corps au photographe. C'est ainsi qu'une femme sourit à son amant quand elle veut qu'il lui fasse l'amour, se dit Dieter. Il comprenait pourquoi ce jeune gaillard conservait précieusement le cliché.

Les agents n'avaient pas le droit d'emporter des photos en territoire ennemi — pour des raisons évidentes. La passion d'Hélicoptère pour Betty Clairet risquait de causer sa perte et celle aussi de tout un pan de la Résistance française.

Dieter fourra la photo dans sa poche et sortit de la chambre. L'un dans l'autre, se félicita-t-il, j'ai fait du bon travail aujourd'hui.

21.

Paul Chancellor passa la journée à se battre contre la bureaucratie militaire — à persuader, menacer, implorer, charmer et en dernier ressort utiliser le nom de Monty. Il finit par obtenir un avion pour entraîner l'équipe au saut en parachute.

En montant dans le train, il réalisa qu'il avait hâte de revoir Betty. Il appréciait beaucoup cette jeune femme intelligente, solide et, de plus, charmante à regarder. Dommage qu'elle ne soit pas célibataire.

Il profita du trajet pour lire les nouvelles de la guerre que donnait le journal. La longue pause sur le front est avait été rompue la veille par une attaque allemande d'une étonnante violence contre la Roumanie. Ces Allemands faisaient preuve d'un ressort étonnant : partout ils battaient en retraite et continuaient cependant à résister.

Le train avait du retard et il manqua le dîner de dix-huit heures au Pensionnat. Après le dernier cours qui suivait toujours le repas, les étudiants étaient libres de se détendre environ une heure avant d'aller au lit. Paul rejoignit l'équipe presque au complet dans le salon, qui offrait une bibliothèque, des jeux de société, un poste de radio et un petit billard. Il vint s'asseoir sur le canapé auprès de Betty et lui demanda calmement :

— Comment cela s'est-il passé aujourd'hui ?

— Mieux qu'on ne pouvait l'espérer. Mais je suis inquiète : que peuvent-elles assimiler en si peu de temps ? Qu'en auront-elles retenu une fois sur le terrain ?

— À mon avis, si peu que ce soit, ce sera toujours mieux que rien.

Cette Jelly, se dit Paul, qui l'observait tout en jouant au poker avec Percy Thwaite, c'est quelqu'un. Perceuse de coffre professionnelle, comment arrive-t-elle à se prendre pour une respectable lady ?

— Ça s'est bien passé pour Jelly ? s'informa-t-il.

— Pas mal. L'entraînement physique lui cause plus de difficultés qu'aux autres, mais, bon sang, vous l'auriez vue serrer les dents et s'accrocher ; au bout du compte, elle a tout réussi aussi bien que les jeunes.

Betty s'interrompit, l'air soucieux.

— Quoi ? fit Paul

— Son hostilité vis-à-vis de Greta pose un problème.

— Il n'est pas surprenant qu'une Anglaise déteste les Allemands.

— Quand même, ce n'est pas normal : Greta a davantage souffert des nazis que Jelly.

— Oui, mais Jelly l'ignore.

— Elle voit bien comment Greta se prépare à en découdre avec les nazis.

— Dans certaines circonstances les gens oublient toute logique.

— C'est fichtrement vrai.

De son côté, Greta discutait avec Denise. Ou plutôt, se dit Paul, Denise parlait et Greta écoutait.

— Mon demi-frère, lord Foules, est pilote de chasseur bombardier, l'entendit-il déclarer avec son accent aristocratique qui lui faisait avaler la moitié des mots. Il s'entraîne à des missions de soutien pour les forces de débarquement.

Paul fronça les sourcils.

— Vous avez entendu ? demanda-t-il à Betty.

— Oui. Si elle ne fabule pas, elle se montre dangereusement indiscrète.

Il examina Denise. À son air perpétuellement outragé, on l'imagine mal, songea-t-il, en train de fantasmer.

— Elle ne semble pas particulièrement douée pour les bobards, dit-il.

— Je suis bien d'accord, je crois qu'elle est tout bonnement en train de débiter des informations on ne peut plus vraies.

— Je lui ferai passer un petit test demain.

— D'accord.

— Allons faire un tour dans le jardin, proposa-t-il, désireux d'avoir Betty à lui tout seul et de discuter plus librement.

Ils sortirent. Il faisait doux et il restait encore une bonne heure de clarté. Quelques hectares de pelouse parsemée d'arbres entouraient la maison. Assise sous un hêtre, Maude qui semblait avoir renoncé à flirter avec Paul, écoutait Diana avec une sorte d'avidité, la regardait presque avec adoration.

— Que peut bien lui raconter Diana ? fit Paul. En tout cas, Maude paraît fascinée.

— Maude savoure l'évocation de tous les endroits fréquentés par Diana, expliqua Betty, les défilés de mode, les bals, les paquebots...

Paul se rappela que Maude l'avait étonné en lui demandant si cette mission les conduirait à Paris.

— Elle aimerait peut-être m'accompagner en Amérique.

— À coup sûr, elle vous fait du gringue, observa Betty. Elle est jolie.

— Pas mon type, en tout cas.

— Pourquoi donc ?

— Franchement ? Elle n'est pas assez intelligente.

— Bon, dit Betty. Ça me fait plaisir.

— Pourquoi ? fit-il en haussant les sourcils.

— Vous auriez baissé dans mon estime.

— Ravi d'avoir votre approbation, railla-t-il, trouvant sa réflexion un peu condescendante.

— N'ironisez pas, lui reprocha-t-elle. Je vous faisais un compliment.

Il sourit. Il ne pouvait pas s'empêcher de la trouver sympathique, même quand elle se montrait autoritaire. Quand ils passèrent à proximité des deux femmes, Diana était en train de déclarer :

— Alors la contessa a dit : « Ne touchez pas à mon mari avec vos petites griffes peinturlurées », avant de renverser une coupe de champagne sur la tête de Jennifer ; celle-ci a alors attrapé les cheveux de la contessa... qui lui sont restés dans la main : c'était une perruque !

— J'aurais bien voulu être là, s'esclaffa Maude.

— Elles ont l'air de bien s'entendre, observa Paul.

— Tant mieux. J'ai besoin d'une équipe soudée.

En marchant droit devant eux, ils avaient dépassé les limites du parc et se trouvaient dans les sous-bois où la pénombre régnait déjà.

— Pourquoi appelle-t-on cela « la nouvelle forêt » ? demanda Paul. Ça m'a plutôt l'air vieux.

— Vous vous attendiez à une logique dans la toponymie anglaise ?

— Certainement pas, fit-il en riant.

Ils continuèrent quelque temps sans échanger un mot. Paul se sentait d'humeur romantique, et n'eût été cette maudite alliance, il se serait bien risqué à l'embrasser.

— Quand j'avais quatre ans, j'ai rencontré le roi, annonça soudain Betty.

— Le roi actuel ?

— Non, son père, George V. Il séjournait à Somersholme. Bien sûr, on m'avait tenue à l'écart, mais un dimanche matin il s'est aventuré dans le potager et m'a aperçue. « Bonjour, petite fille, es-tu prête pour l'église ? » m'a-t-il dit. Sa taille modeste ne l'empêchait pas d'avoir une voix retentissante.

— Qu'avez-vous répondu ?

— « Qui êtes-vous ? — Je suis le roi. » Là-dessus, à en croire la légende familiale, j'aurais déclaré : « Ce n'est pas possible, vous n'êtes pas assez grand. » Heureusement, il a éclaté de rire.

— Enfant, vous ne respectiez déjà pas l'autorité.

— On dirait.

Paul perçut alors comme un léger gémissement. Surpris, il regarda dans la direction d'où provenait le bruit : Ruby Romain adossée à un arbre échangeait des baisers passionnés avec Jim Cardwell, l'instructeur en maniement d'armes. Jim la serrait dans ses bras avec fougue, lui arrachant un nouveau gémissement.

Ils ne se contentent pas de s'embrasser, constata Paul gêné de sentir naître en lui une certaine excitation. Jim explorait le corsage de Ruby dont la jupe retroussée jusqu'à la taille dévoilait, jusqu'à l'aine et sa toison de poils bruns, une longue jambe bronzée. De l'autre, Ruby prenait appui sur la hanche de Jim. Il n'y avait pas à se tromper sur la nature de leurs mouvements.

Paul regarda Betty qui, elle aussi avait vu la scène. D'abord figée, une expression indéfinissable sur son visage, elle s'empressa de tourner les talons, aussitôt imitée par Paul. Ils reprirent le chemin par lequel ils étaient venus en marchant sans faire de bruit.

— Je suis extrêmement désolé, dit-il quand ils furent hors de portée.

— Ce n'est pas de votre faute.

— Quand même, je suis navré de vous avoir entraînée par là.

— Vraiment, ça n'a aucune importance. Je n'avais encore jamais vu personne... faire ça. C'était plutôt mignon.

— Mignon ?

Ce n'était pas le terme qu'il aurait choisi.

— Vous êtes complètement imprévisible.

— Vous venez de vous en apercevoir ?

— Ne faites pas d'ironie, c'est un compliment que je vous faisais, dit-il, reprenant à son compte les termes qu'elle venait d'utiliser.

Cela la fit rire.

Le jour tombait rapidement et, quand ils émergèrent des bois, quelqu'un dans la maison tirait les rideaux à cause du black-out. Maude et Diana avaient quitté le banc sous le hêtre.

— Asseyons-nous ici une minute, proposa Paul, nullement pressé de rentrer.

Betty obéit sans un mot. Il s'assit de côté pour la regarder. Songeuse, elle se laissait examiner sans faire aucun commentaire. Il lui prit la main et lui caressa les doigts. Elle leva les yeux vers lui, le visage impénétrable, mais ne retira pas sa main.

— Je ne devrais pas, j'en suis conscient, avoua-t-il, mais j'ai vraiment envie de vous embrasser.

Sans répondre, elle continua à le regarder de cet air énigmatique mi-amusé, mi-triste. Prenant son silence pour un acquiescement, il l'embrassa. Sa bouche était douce et humide. Il ferma les yeux, se concentrant sur ce qu'il éprouvait. Il fut surpris de sentir les lèvres de Betty s'écarter pour laisser passer le bout de sa langue. Encouragé, il la prit dans ses bras et l'attira à lui, mais elle se dégagea et se leva.

— Assez, dit-elle, tournant les talons pour se diriger vers la maison.

Il la regarda s'éloigner dans la lumière déclinante. Son corps menu et si bien proportionné lui parut soudain le plus désirable au monde. Quand elle eut disparu à l'intérieur, il se résigna à regagner lui aussi la maison. Diana était toute seule dans le salon et fumait une cigarette, l'air songeur. Paul vint s'asseoir près d'elle et lui demanda sans préambule :

— Vous connaissez Betty depuis votre enfance ?

Diana eut un sourire étonnamment chaleureux.

— Elle est adorable, n'est-ce pas ?

Paul ne voulait pas se dévoiler.

— Je l'apprécie beaucoup et j'aimerais en savoir plus sur elle.

— Elle a toujours eu le goût de l'aventure, commença Diana. Elle adorait en particulier nos voyages en France en février. Nous passions une soirée à Paris, puis nous prenions le Train bleu jusqu'à Nice. Un hiver, mon père a décidé d'aller au Maroc : pour Betty, ça a été extraordinaire. Elle avait appris quelques mots d'arabe et discutait avec les marchands dans les souks. Nous dévorions les mémoires de ces vaillantes exploratrices du XIXe siècle qui sillonnaient le Moyen-Orient déguisées en hommes.

— Elle s'entendait bien avec votre père ?

— Mieux que moi.

— Comment est son mari ?

— Tous les hommes de Betty ont un côté un peu exotique. Son meilleur ami à Oxford, Rajendra, venait du Népal ; je vous laisse imaginer l'immense consternation des étudiants de Sainte-Hilda ; pourtant, à mon avis, elle n'a pas fait de bêtises avec lui. Un certain Charlie Standish était désespérément amoureux d'elle, mais il était bien trop assommant à son goût. Elle s'est entichée de Michel parce que, charmant, étranger et intelligent, il avait tout pour lui plaire.

— Exotique, répéta Paul.

— Ne vous inquiétez pas, fit Diana en riant. Ça ira. Vous êtes américain, malin comme un singe, bref, vous avez vos chances.

La conversation prit un tour intime qui le mit mal à l'aise, Paul se leva.

— Je vais prendre cela comme un compliment, dit-il avec un sourire. Bonne nuit.

Il gravit l'escalier et passa devant la chambre de Betty. De la lumière filtrait sous la porte.

Il se coucha aussitôt mais, revivant inlassablement ce baiser, il n'arrivait pas à trouver le sommeil. Il était trop excité. Il aurait voulu, comme Ruby et Jim, céder sans vergogne à son désir. Pourquoi pas ? se dit-il. Bon sang, pourquoi pas ?

Le silence régnait sur la maison. Peu après minuit, Paul se releva, suivit le couloir jusqu'à la chambre de Betty, frappa doucement à la porte et entra.

— Bonsoir, dit-elle calmement.

— C'est moi.

— Je sais.

Elle était allongée sur le dos, la tête posée sur deux oreillers. Le clair de lune pénétrait par la petite fenêtre dont les rideaux n'étaient pas tirés, éclairant la ligne droite du nez et le contour du menton que, dans une autre vie, il n'avait pas appréciés. Ces traits lui paraissaient maintenant appartenir à un ange. Il s'agenouilla auprès du lit.

— La réponse est non, déclara-t-elle.

Il prit sa main et en embrassa la paume.

— S'il vous plaît, insista-t-il.

— Non.

Il se pencha sur elle pour l'embrasser mais elle détourna la tête.

— Rien qu'un baiser ? plaida-t-il.

— Si je vous laisse faire, je suis perdue.

Ce demi-aveu déclencha en lui un grand bonheur : elle éprouvait les mêmes sentiments que lui. Il posa un baiser sur ses cheveux, sur son front puis sur sa joue ; comme elle continuait de dérober son visage, il passa à l'épaule, puis des lèvres lui effleura le sein.

— Vous en avez envie, avança-t-il.

— Sortez, ordonna-t-elle.

— Ne dites pas cela.

Elle se tourna vers lui et posa un doigt sur ses lèvres comme pour le faire taire.

— Allez-vous-en, répéta-t-elle, je parle sérieusement.

Il étudia le charmant visage et y lut une expression très

déterminée, très explicite : impossible d'aller contre sa volonté. À regret, il se redressa.

— Écoutez, si nous..., tenta-t-il une dernière fois.

— La conversation est terminée. Partez.

Il tourna les talons et sortit de la chambre.

Le cinquième jour

Jeudi 1er juin 1944

22.

Dieter dormit quelques heures à l'hôtel Frankfurt et se leva à deux heures du matin. Il était seul : Stéphanie se trouvait rue du Bois avec Hélicoptère, l'agent britannique. Dans le courant de la matinée, celui-ci se mettrait en quête du chef du réseau Bollinger et Dieter le suivrait. Il savait qu'Hélicoptère commencerait par le domicile de Michel Clairet, aussi avait-il décidé d'y poster une équipe de surveillance dès le lever du jour.

Au petit matin, il partit pour Sainte-Cécile dans sa grosse voiture, traversa les vignobles éclairés par la lune et se gara devant le château. Il se rendit d'abord dans la chambre noire du laboratoire photo au sous-sol. Ses tirages séchaient, accrochés à un fil comme des pièces de linge dans une blanchisserie. Il avait demandé deux tirages de la photo de Betty Clairet qu'il avait subtilisée dans le portefeuille d'Hélicoptère. Il les examina, se rappelant la façon dont elle avait volé au secours de son mari sans se soucier de la fusillade. Il essaya de retrouver un peu de ce sang-froid inébranlable dans l'air insouciant de la jolie fille en maillot de bain, mais il n'en vit aucune trace. À n'en pas douter, elle l'avait acquis avec la guerre.

Il empocha le négatif et reprit l'original qu'il devrait restituer discrètement à Hélicoptère. Il trouva une enveloppe, une feuille de papier blanc, et réfléchit un moment avant d'écrire :

Ma chérie,

Pendant qu'Hélicoptère se rase, peux-tu mettre ceci dans la poche intérieure de son blouson pour qu'elle ait l'air d'avoir glissé de son portefeuille. Merci.

D.

Il mit le mot et la photo dans l'enveloppe, la cacheta et inscrivit dessus « Mademoiselle Lemas ». Il la déposerait plus tard.

Il passa devant les cellules et s'arrêta devant celle de Marie, la fille qu'il avait surprise la veille apportant le ravitaillement des « invités » de Mlle Lemas, pour l'observer par le judas. Allongée sur un drap rouge de sang, elle fixait le mur de ses yeux agrandis par l'horreur, en émettant un sourd gémissement de machine cassée qu'on aurait oublié de débrancher.

Son interrogatoire par Dieter n'avait rien donné : elle ne détenait aucune information utile, ne connaissant personne dans la Résistance, prétendait-elle, à l'exception de Mlle Lemas. Dieter était enclin à la croire mais, à tout hasard, il l'avait laissée entre les mains du sergent Becker. La torture n'avait rien changé à son récit : la disparition de Marie n'aiguillerait pas la Résistance vers l'imposteur de la rue du Bois, Dieter en était persuadé.

La vue de ce corps disloqué le déprima un instant. Il se rappelait la fille à la bicyclette de la veille et sa santé rayonnante. Une fille heureuse, bien que stupide. Une simple erreur et elle allait connaître une triste fin. Bien sûr, pour avoir aidé des terroristes, elle méritait son sort. Malgré tout, c'était horrible à voir.

Il chassa cette image de son esprit et quitta le sous-sol. Il traversa la salle du rez-de-chaussée, occupée par les téléphonistes de l'équipe de nuit devant leurs standards. Au premier, dans ce qui avait jadis été une somptueuse enfilade de pièces, se trouvaient les bureaux de la Gestapo.

Dieter n'avait pas rencontré Weber depuis le fiasco de la cathédrale — sans doute pansait-il ses blessures quelque part —, seulement son assistant auquel il avait demandé qu'une équipe de quatre hommes en civil se tienne prête à trois heures du matin pour assurer une mission de surveillance. Dieter avait également convoqué le lieutenant Hesse. Écartant un rideau en dépit du black-out, il l'aperçut qui traversait la cour illuminée par le clair de lune ; il n'y avait personne d'autre.

Il gagna le bureau de Weber et, à sa grande surprise, le trouva seul à sa table : il feignait de travailler et brassait des papiers à la lueur d'une lampe à abat-jour vert.

— Où sont les hommes que j'ai demandés ? s'enquit Dieter.

— Vous avez braqué un pistolet sur moi hier, lâcha Weber en se levant. Vous avez menacé un officier.

Dieter ne s'attendait pas à cette réaction : Weber s'insurgeait à propos d'un incident au cours duquel il s'était ridiculisé. Il ne comprenait donc pas sa terrible erreur ?

— C'était votre faute, espèce d'idiot, répliqua Dieter, exaspéré. Je ne voulais pas qu'on arrête cet homme.

— Vous pouviez vous retrouver devant une cour martiale.

Dieter était sur le point de tourner cette idée en ridicule, certes, il se retint. J'ai tout simplement fait ce que je devais pour sauver la situation, analysa-t-il, mais, le IIIe Reich bureaucratique ne répugne pas à réprimander un officier qui a fait montre d'initiative.

— Allez-y, dénoncez-moi, je pense pouvoir me justifier devant un tribunal, rétorqua-t-il avec aplomb mais le cœur serré.

— Vous avez bel et bien fait feu !

Dieter ne put s'empêcher de lancer :

— Je suppose que c'est plutôt nouveau dans votre carrière militaire de se retrouver au feu !

Weber devint tout rouge. Il n'était jamais allé au feu.

— C'est contre l'ennemi qu'on utilise son arme, pas contre des camarades officiers.

— J'ai tiré en l'air. Je suis désolé de vous avoir fait peur. Votre intervention aurait gâché un formidable coup de contre-espionnage. Vous ne pensez pas qu'un tribunal en tiendrait compte ? Quels ordres suiviez-vous donc vous-même ? C'est vous qui avez fait preuve d'indiscipline.

— J'arrêtais un espion britannique.

— Quel intérêt ? Un seul, alors qu'ils sont encore nombreux. Laissé libre de ses mouvements, il va nous conduire à d'autres — peut-être à beaucoup d'autres. Votre insubordination aurait anéanti cette possibilité. Je vous ai bien heureusement épargné une épouvantable erreur.

— Certains de nos supérieurs, reprit Weber d'un ton sournois, trouveraient extrêmement louche votre empressement à libérer un allié.

— Ne soyez pas stupide, soupira Dieter. Je ne suis pas un malheureux boutiquier juif que la menace d'une rumeur malveillante pourrait effrayer. Vous ne pouvez pas prétendre que je suis un traître : personne ne vous croira. Maintenant, où sont mes hommes ?

— L'espion doit être arrêté sur-le-champ.

— Absolument pas, et si vous essayez, je vous abattrai sur place. Où sont les hommes ?

— Je refuse d'affecter des hommes dont nous avons grand besoin à une mission aussi irresponsable.

— Vous *refusez* ?

Dieter le dévisagea. Il n'aurait pas cru Weber assez courageux ni assez stupide pour agir ainsi.

— Qu'arrivera-t-il, selon vous, quand le feld-maréchal apprendra cela ?

Weber avait peur mais continuait à défier Dieter.

— Je ne suis pas dans l'armée, dit-il. Ici, c'est la Gestapo.

Malheureusement, songea Dieter découragé, il a raison : Walter Goedel a beau jeu de m'envoyer piocher dans le personnel de la Gestapo pour ne pas dégarnir ses positions côtières, mais la Gestapo, elle, considère que je n'ai pas d'ordres à lui donner. Le nom de Rommel avait un moment effrayé Weber, mais l'effet s'était vite émoussé et Dieter devrait maintenant se contenter d'une équipe réduite au seul lieutenant Hesse. Parviendraient-ils à eux deux à filer Hélicoptère ? Ce serait difficile, mais il n'avait pas le choix.

— Êtes-vous prêt à affronter les conséquences de ce refus, Willi ? Vous allez vous attirer les pires ennuis, menaça-t-il une dernière fois.

— Bien au contraire, c'est vous qui êtes dans le pétrin.

Désabusé, Dieter secoua la tête. Il n'y avait plus rien à dire, et il avait déjà perdu beaucoup trop de temps à discuter avec ce crétin.

Il retrouva Hans dans le hall et lui expliqua la situation. Il leur fallait maintenant prendre livraison de la camionnette des PTT et de la mobylette que Hans, la veille au soir, avait réussi à se faire prêter. Ils gagnèrent les anciens logements des domestiques qu'occupait la section motorisée.

Si Weber a été informé, se dit Dieter, il est capable d'avoir donné un contrordre aux mécaniciens ; il n'y a plus qu'une demi-heure avant le lever du jour et il ne sera plus temps alors pour de nouvelles discussions. Mais ces craintes étaient superflues et, après avoir enfilé une combinaison et remisé la mobylette à l'arrière de la camionnette, ils se rendirent à Reims.

Ils s'engagèrent dans la rue du Bois et s'arrêtèrent le temps pour Hans de glisser dans la boîte à lettres l'enveloppe contenant la photo de Betty. La chambre d'Hélicoptère se trouvant à l'arrière, le risque qu'il aperçoive Hans et le reconnaisse plus tard était minime.

Le jour se levait quand Hans se gara à une centaine de mètres de chez Michel Clairet à la hauteur d'une bouche d'égout. Il y descendit et se mit à feindre une intervention sur des câbles téléphoniques ; en fait cela lui permettait d'observer la maison. C'était une rue animée où stationnaient de nombreux véhicules ; personne ne remarqua le leur.

Dieter, resté à l'intérieur pour plus de discrétion, ruminait sa discussion avec Weber. L'homme était stupide, mais il n'avait pas complètement tort, car Dieter prenait un énorme risque : si jamais Hélicoptère lui échappait, le fil serait rompu. Torturer le jeune agent semblait certes plus facile, mais le laisser circuler, même si c'était risqué, offrait une alternative prometteuse qui, si tout se passait bien, conduirait tout droit Dieter vers un triomphe dont la seule évocation accélérait son pouls.

Dans le cas contraire, Weber en tirerait le maximum, en colportant partout qu'il s'était opposé au plan risqué de Dieter. Mais Dieter refusait de se soucier de ces chicaneries bureaucratiques et n'éprouvait que mépris à l'égard d'êtres comme Weber, capables de jouer ce jeu-là.

Lentement, la ville s'éveillait, à commencer par les femmes qui bavardaient tout en montant patiemment la garde devant la porte encore fermée de la boulangerie en face de chez Michel. Le pain, rationné, manquait parfois, et les ménagères, prudentes, faisaient leurs courses de bonne heure pour profiter de la distribution. La porte s'ouvrit enfin : elles se précipitèrent toutes à la fois — contrairement à ses compatriotes qui auraient formé une file d'attente bien disciplinée, se dit Dieter avec un sentiment de supériorité. Il regretta cependant de ne pas avoir pris de petit déjeuner quand il les vit sortir avec leurs miches.

Puis apparurent les ouvriers, bottés et coiffés d'un béret ; chacun portait le sac ou le vieux panier du déjeuner. C'était le tour des écoliers quand Hélicoptère surgit, juché sur la bicyclette abandonnée par Marie. Dieter se redressa : il avait remarqué, sur le porte-bagages, un objet rectangulaire entortillé dans un chiffon : le poste de radio, supposa-t-il.

Hans sortit la tête de son trou et observa la scène. Hélicoptère s'était arrêté devant la porte de Michel et frappait. Évidemment personne ne répondit. Il resta un moment sur le perron, puis inspecta les fenêtres avant de se mettre en quête d'une ouverture sur l'arrière. Il n'y en avait aucune, Dieter le savait.

Il avait lui-même suggéré à Hélicoptère ce qu'il devrait faire ensuite. « Allez au bar un peu plus loin, chez Régis. Commandez du café et des croissants et attendez. » Dieter escomptait une surveillance de la maison par la Résistance à l'affût d'un émissaire envoyé par Londres ; pas un guet permanent, mais un voisin sympathisant qui aurait peut-être promis de jeter un coup d'œil de temps en temps. La candeur manifeste d'Hélicoptère serait de nature à rassurer cet observateur ; sa démarche, déjà, n'avait rien de celle d'un agent de la Gestapo ou de la Milice. Dieter avait la certitude que d'une façon ou d'une autre la Résistance serait alertée et qu'avant peu quelqu'un aborderait Hélicoptère — et ce quelqu'un conduirait l'officier allemand jusqu'au cœur de la Résistance.

Une minute plus tard, Hélicoptère suivait le conseil de Dieter et, poussant sa bicyclette jusqu'au bar, il s'installa à la terrasse, apparemment pour profiter du soleil. On lui servit une tasse de café, sans doute de l'ersatz confectionné avec des céréales grillées, mais il le but avec une avidité manifeste.

Au bout d'une vingtaine de minutes, il commanda un autre café, alla prendre un journal à l'intérieur et en entreprit la lecture avec attention. La patience qu'il dégageait était telle qu'on le sentait prêt à attendre toute la journée. Excellent signe.

La matinée s'écoulait, inspirant à Dieter quelques craintes au sujet de son plan : et si le massacre de Sainte-Cécile avait décimé les rangs du réseau Bollinger au point qu'il ne restât plus personne pour s'acquitter même des tâches essentielles ?

Quelle déception pour lui, si aucun terroriste ne mordait à l'hameçon... et quelle satisfaction pour Weber !

Le moment approchait où Hélicoptère devrait commander un déjeuner pour justifier sa présence à la table. Un serveur vint lui parler, puis lui apporta un pastis. Bien que fabriqué, à coup sûr, avec des grains d'anis synthétique, cet apéritif excita les papilles de Dieter qui se passa la langue sur les lèvres : il aurait bien aimé prendre un verre.

Un autre client se présenta et choisit, parmi les cinq tables de la terrasse, précisément celle qui se trouvait à côté d'Hélicoptère. Il aurait paru naturel qu'il s'assît un peu plus loin et du coup l'optimisme de Dieter revint. Le nouveau venu était un homme assez grand d'une trentaine d'années. Malgré sa chemise bleue et son pantalon de toile plus foncée, Dieter ne le prit pas un instant pour un ouvrier : il avait plutôt l'air d'un artiste jouant au prolétaire. Il se cala sur sa chaise et croisa les jambes, la cheville droite sur son genou gauche, dans une attitude qui parut familière à Dieter. L'aurait-il déjà vu ?

Le garçon apparut et prit la commande. Pendant une minute environ, rien ne se passa. L'homme examinait-il discrètement Hélicoptère ? Ou bien attendait-il simplement la bière très pâle avec laquelle le serveur revint ? Il aspira une longue gorgée et s'essuya ensuite les lèvres d'un air satisfait. Dieter, consterné, ne vit là qu'un homme qui, tout simplement, avait soif ; pourtant il lui sembla avoir déjà vu cette façon de s'essuyer la bouche.

Là-dessus, le nouveau venu adressa la parole à Hélicoptère. Dieter se crispa. Assistait-il au scénario qu'il espérait ?

Ils échangèrent quelques mots. Même à cette distance, Dieter sentit que le nouvel arrivant était quelqu'un de très liant : Hélicoptère souriait et discutait avec enthousiasme. Au bout de quelques instants, le jeune Anglais désigna la maison de Michel, s'enquérant très certainement de son propriétaire. L'autre eut un haussement d'épaules typiquement français que Dieter traduisit par « moi, je ne sais pas ». Mais Hélicoptère semblait insister.

Le nouveau venu vida son verre et Dieter, sursautant sur son siège, se souvint tout d'un coup qu'il avait vu cet homme sur la place de Sainte-Cécile, à une autre table de café, assis avec Betty

Clairet, juste avant l'escarmouche ; il n'était autre que son mari, Michel en personne.

— Mais oui ! s'écria Dieter en frappant du poing le tableau de bord.

Sa stratégie s'était révélée payante : Hélicoptère l'avait conduit jusqu'au cœur de la Résistance locale.

Mais il ne s'attendait pas à un tel succès : il avait imaginé qu'un messager se présenterait pour conduire Hélicoptère — et donc Dieter — à Michel. Que fallait-il faire maintenant de cette très grosse prise ? L'arrêter sur-le-champ ou le suivre dans l'espoir de ferrer un plus gros poisson encore ?

Hans remit en place la plaque d'égout et remonta dans la camionnette.

— Un contact, mon commandant ?

— Oui.

— Et maintenant ?

Dieter hésitait quand Michel, imité par Hélicoptère, se leva. Du coup il cessa de tergiverser et décida de les suivre.

— Que dois-je faire ? demanda Hans, perplexe.

— Sortez la mobylette, vite.

Pendant que Hans s'exécutait, les deux hommes ayant posé de la monnaie sur leur table commencèrent à s'éloigner. Dieter remarqua que Michel boitillait et se rappela qu'il avait été touché lors de l'escarmouche.

— Filez-les, dit-il à Hans, moi je vous suis.

Il remit en marche le moteur de la camionnette.

Hans enfourcha la mobylette et se mit à pédaler pour démarrer. Il roula lentement, restant à une centaine de mètres derrière sa proie, Dieter fermait la marche.

Michel et Hélicoptère tournèrent à un coin de rue. Dieter les retrouva une minute plus tard regardant la devanture d'une pharmacie. Dieter ne fut pas dupe : ils n'avaient pas l'intention d'acheter des médicaments, seulement de vérifier qu'ils n'étaient pas surveillés. Quand Dieter passa à leur hauteur, ils firent demi-tour pour repartir dans la direction d'où ils étaient venus. Ils repéreraient tout véhicule changeant d'itinéraire, interdisant ainsi à Dieter de les poursuivre. Mais Hans, dissimulé par un camion, avait pu repartir en sens inverse : il longeait le trottoir d'en face, sans perdre de vue les deux hommes.

Dieter fit le tour du pâté de maisons et les rattrapa. Michel et Hélicoptère approchaient de la gare, Hans toujours sur leurs talons.

Dieter se demanda s'ils savaient qu'ils étaient suivis. L'arrêt devant la pharmacie pouvait indiquer qu'ils se méfiaient. Ils n'avaient certainement pas remarqué la camionnette des PTT car, la plupart du temps, il restait hors de vue, mais ils auraient pu repérer la mobylette. Selon toute probabilité, se dit Dieter, ce changement de direction est une précaution prise systématiquement par Michel qui a sans doute une grande expérience de la clandestinité.

Les deux hommes traversèrent le square devant la gare, aux parterres nus, égayé seulement par quelques arbres en fleurs. Le bâtiment, résolument classique avec pilastres et frontons, proposait une architecture aussi guindée que les hommes d'affaires du XIXe siècle qui l'avaient conçue.

Que ferait Dieter si Michel et Hélicoptère prenaient un train ? Il ne pouvait pas monter — Hélicoptère le reconnaîtrait et Michel se souviendrait peut-être de l'avoir vu sur la place de Sainte-Cécile ; ce serait donc Hans, tandis que Dieter suivrait par la route.

Ils pénétrèrent dans la gare par l'une des trois arches néoclassiques. Hans abandonna sa mobylette et entra avec Dieter. Si les deux hommes se dirigeaient vers le guichet, il dirait à Hans de se poster derrière eux dans la queue et d'acheter un billet pour la même destination.

Personne au guichet, mais Dieter eut juste le temps de voir disparaître Hans dans le tunnel qui passait sous les voies. Peut-être Michel a-t-il déjà pris des billets, se dit Dieter. Tant pis, Hans s'en passera.

Flairant le danger, il hâta le pas pour gravir les marches qui menaient à l'autre entrée de la gare. Il rejoignit Hans au moment où celui-ci débouchait dans la rue de Courcelles.

De récents bombardements avaient dégradé la chaussée, mais certains avaient été déblayés et quelques voitures stationnaient parmi les décombres. Dieter parcourut la rue du regard, l'appréhension lui tenaillait le ventre. Cent mètres plus loin, Michel et Hélicoptère sautaient dans une voiture noire, hors de portée de leurs poursuivants. Dieter posa la main sur la crosse de son pistolet, mais il était trop loin. La voiture, une Monaquatre noire, démarra. C'était un des modèles les plus courants en France, et Dieter ne parvint pas à lire la plaque. Elle s'éloigna et disparut au premier tournant.

Dieter se mit à jurer. C'était un vieux truc, mais infaillible. S'engageant dans le tunnel, ils avaient obligé leurs poursuivants à abandonner leurs véhicules ; puis retrouvant la voiture qui les attendait de l'autre côté, ils leur avaient échappé. En fait, ils n'avaient peut-être même pas remarqué qu'ils étaient filés : comme le changement de direction devant la pharmacie, le stratagème du tunnel faisait partie sans doute de la routine.

Dieter n'avait plus le moral. Il avait joué et perdu. Weber allait être aux anges.

— Que fait-on maintenant ? demanda Hans.

— On retourne à Sainte-Cécile.

Ils regagnèrent la camionnette, hissèrent la mobylette à l'arrière et rentrèrent au quartier général.

Restait une seule lueur d'espoir à Dieter : les horaires des contacts radio d'Hélicoptère et les fréquences qui lui étaient réservées. Cette information pourrait encore lui servir à le reprendre. La Gestapo utilisait un système sophistiqué, conçu et perfectionné durant la guerre, pour déceler les émissions illicites et remonter jusqu'à leur source ; cela avait abouti à la capture de nombreux agents alliés. Les Britanniques avaient amélioré leur technique ; les opérateurs radio adoptaient des mesures de sécurité plus sévères, émettant d'un emplacement chaque fois différent, et jamais plus de quinze minutes ; mais on pouvait encore mettre la main sur les négligents.

Les Anglais se douteraient-ils qu'Hélicoptère avait été démasqué ? L'agent devait en ce moment même faire à Michel un récit complet de ses aventures. Michel ne manquerait pas de le presser de questions sur son arrestation dans la cathédrale et sur son évasion. Il s'intéresserait sans doute tout particulièrement au nouveau venu, nom de code Charenton. Il n'aurait toutefois aucune raison de soupçonner que Mlle Lemas avait été remplacée, ne l'ayant jamais rencontrée ; aussi ne se méfierait-il pas si Hélicoptère mentionnait en passant une charmante jeune rousse au lieu d'une vieille fille d'un certain âge. En outre, Hélicoptère ne se doutait absolument pas que son bloc et sa pochette de soie avaient été recopiés avec soin par Stéphanie, ni que Dieter avait noté les fréquences qu'il utilisait — grâce aux marques de crayon gras sur les cadrans. Peut-être, se prit à espérer Dieter, peut-être tout n'est-il pas encore perdu. En arrivant au château, Dieter tomba sur Weber qui traversait le grand vestibule.

— Vous l'avez perdu ? lança-t-il après avoir dévisagé son compatriote.

Les chacals sentent le sang, se dit Dieter.

— Oui, avoua-t-il.

Ce serait indigne de lui de mentir à Weber.

— Ha ! fit l'autre, triomphant. Vous devriez laisser ce travail-là aux experts.

— Tout à fait, c'est d'ailleurs ce que je vais faire, déclara Dieter.

Weber parut surpris. Dieter poursuivit :

— Il doit émettre vers l'Angleterre ce soir à vingt heures. Cela vous donne une chance de prouver vos talents. Montrez un peu comme vous êtes fort. Trouvez-le.

23.

Le Repos du pêcheur était un grand café dressé sur la rive de l'estuaire comme un fort, ses cheminées faisaient office de tourelles et ses vitraux en verre fumé de meurtrières. À demi effacé, un panneau planté dans le jardin prévenait les clients du danger de s'aventurer sur la plage, minée en 1940 en prévision d'une invasion allemande.

Depuis que le SOE s'était installé dans les parages, l'établissement connaissait chaque soir une grande animation : les lumières brillaient derrière les rideaux du black-out, on jouait très fort du piano et, dans la douceur des soirs d'été, les habitués envahissaient le jardin. On chantait à tue-tête, buvait sec et flirtait jusqu'à l'extrême limite des convenances. Bref, on se laissait aller, tout le monde avait à l'esprit que certains de ces jeunes gens qui riaient bruyamment au bar embarqueraient demain pour des missions dont ils ne reviendraient jamais.

À la fin des deux jours d'entraînement, Betty et Paul emmenèrent leur équipe au pub. Les filles s'habillèrent pour l'occasion. La robe d'été rose de Maude la rendait plus jolie que jamais. Ruby, elle, ne serait jamais jolie, mais elle était assez aguichante dans une robe de cocktail noire empruntée à Dieu sait qui. Lady Denise arborait un ensemble de soie vert pâle qui avait sans doute coûté une fortune, mais ne parvenait pas pour autant à adoucir sa silhouette osseuse. Greta avait revêtu une de ses tenues de scène, robe et escarpins rouges. Même Diana avait remplacé par une jupe élégante son habituel pantalon de velours, poussant la coquetterie, à la stupéfaction de Betty, jusqu'à colorer ses lèvres d'un soupçon de rouge. L'équipe avait été baptisée du nom de code réseau Corneille. Elle devait être parachutée non loin de Reims, ce qui rappela à Betty la légende de la corneille de Reims, l'oiseau qui avait volé l'anneau de l'évêque.

— Les moines n'arrivaient pas à comprendre qui avait pu le subtiliser et l'évêque avait maudit le voleur inconnu, raconta-t-elle à Paul tandis qu'ils buvaient leur scotch, le sien allongé d'eau, celui de Paul de glaçons. Quand la corneille apparut dans un piteux état, tous comprirent qu'elle avait subi la malédiction et qu'elle était donc la coupable. J'ai appris cela à l'école :

Le jour passa
La nuit tomba
Les moines et les frères cherchèrent jusqu'à l'aube
Quand le sacristain aperçut
Les serres crispées
Une pauvre petite corneille qui trottinait en boitillant
Elle n'avait plus la gaieté
Des jours passés
Elle avait le plumage sens dessus dessous
Les ailes basses et pouvait à peine se tenir debout
Elle avait le crâne chauve comme un genou
Le regard si terne
Des pattes si frêles
Que, sans se soucier de la grammaire,
Tous s'écrièrent : « Pour sûr, c'est elle ! »

Et, bien entendu, on retrouva l'anneau dans son nid.

Paul hocha la tête en souriant. Betty se serait exprimée en islandais qu'il aurait réagi exactement de la même façon, elle en avait parfaitement conscience. Peu lui importait ce qu'elle disait, ce qu'il voulait c'était juste la contempler. Betty, quant à elle, malgré son expérience limitée devinait en Paul un amoureux.

Émue et troublée par les baisers de la nuit, elle avait passé la journée dans une sorte d'inconscience. Elle ne voulait pas d'une aventure, elle tenait à retrouver l'amour de son mari infidèle. Mais la passion de Paul avait bouleversé ses priorités : pourquoi irait-elle quémander ailleurs l'affection que lui devait

Michel quand un homme comme Paul se jetait à ses pieds ? Elle avait bien failli le laisser entrer dans son lit : à vrai dire, elle regrettait qu'il se fût montré aussi gentleman, car si, passant outre ses protestations, il s'était glissé sous les draps, elle aurait bien pu céder.

À d'autres moments, elle avait honte de l'avoir ne serait-ce qu'embrassé. C'était terriblement vulgaire : à travers toute l'Angleterre, des femmes oubliaient maris et fiancés partis au front pour s'amouracher à la sauvette de soldats américains. Ne valait-elle pas mieux que ces vendeuses à la tête vide qui couchaient avec leurs Yankees simplement parce qu'ils parlaient comme des vedettes de cinéma ?

Mais elle se reprochait par-dessus tout la menace que ses sentiments pour Paul faisaient peser sur sa mission. Elle tenait dans ses mains le sort de six personnes, élément capital dans le plan de débarquement, et ce n'était vraiment pas le moment de se demander s'il avait les yeux verts ou noisette. D'ailleurs, il n'avait rien d'un tombeur, avec son menton en galoche et son oreille arrachée, même si son visage ne manquait pas d'un certain charme...

— À quoi pensez-vous ? s'enquit-il.

Elle réalisa qu'elle était en train de le dévisager.

— Je me demandais si nous sommes capables de réussir ce coup-là, mentit-elle sans vergogne.

— Avec un peu de chance, oui.

— Jusqu'à maintenant, elle m'a accompagnée.

Maude vint s'asseoir auprès de Paul.

— Dites-moi, susurra-t-elle en battant des cils, m'offririez-vous une cigarette ?

— Servez-vous, fit-il en poussant le paquet sur la table.

Elle glissa une cigarette entre ses lèvres et il lui donna du feu. Betty, jetant un coup d'œil vers le bar, surprit un regard irrité de Diana. Maude et Diana étaient certes devenues de grandes amies, mais celle-ci n'avait jamais vraiment aimé partager. Alors pourquoi Maude flirtait-elle avec Paul ? Pour agacer Diana ? Heureusement, se dit Betty, que Paul ne vient pas en France : il aurait représenté un élément perturbateur au milieu de ces jeunes femmes.

Elle examina la salle. Jelly et Percy jouaient à deviner combien de pièces de monnaie cachait le poing fermé de l'autre.

Percy offrait tournée après tournée. Délibérément. Betty avait besoin de savoir comment les corneilles se comportaient sous l'influence de l'alcool. Si l'une d'elles commençait à chahuter, à se montrer indiscrète ou agressive, il faudrait en tenir compte une fois sur le terrain. Celle qui la préoccupait le plus, c'était Denise qui, en cet instant même, assise dans un coin, entretenait une conversation animée avec un homme en uniforme de capitaine.

Ruby vidait un verre après l'autre, mais Betty faisait confiance à ce curieux mélange d'analphabétisme — elle savait à peine lire ou écrire et s'était montrée désespérante en lecture de cartes et en codage — et d'intelligence intuitive ; elle était la meilleure du groupe. De temps en temps elle observait attentivement Greta : elle avait certainement deviné que c'était un homme, mais elle avait eu le mérite de n'en rien dire.

Ruby était assise au comptoir avec Jim Cardwell. Elle discutait avec la serveuse, sa petite main brune caressant discrètement la cuisse de Jim. Entre ces deux-là, ç'avait été le coup de foudre ; ils s'éclipsaient quelques minutes à la moindre occasion : à la pause-café du matin, pendant la demi-heure de repos après le déjeuner, à l'heure du thé. On aurait dit que Jim venait de sauter d'un avion sans avoir encore ouvert son parachute. Son visage arborait une perpétuelle expression de ravissement stupéfait. Pourtant Ruby n'était pas belle, avec son nez crochu et son menton retroussé, mais c'était de toute évidence une bombe sexuelle et Jim titubait encore sous le choc de l'explosion. Betty en était presque jalouse. Non pas que Jim fût son type — pour qu'elle tombe amoureuse, il lui fallait des intellectuels, ou du moins des gens très brillants —, mais elle enviait quand même le bonheur épanoui de Ruby.

Greta, accoudée au piano, un verre empli d'un cocktail rose à la main, bavardait avec trois hommes qui ressemblaient plutôt à des autochtones qu'à des stagiaires du Pensionnat. Ils semblaient remis de la surprise qu'inspirait toujours son accent allemand — elle avait dû leur servir la version de son père originaire de Liverpool — et l'écoutaient, fascinés, raconter des histoires sur les boîtes de nuit de Hambourg. Betty sentait qu'ils n'avaient aucun doute sur le sexe de Greta. Ils la traitaient comme une femme un peu excentrique mais séduisante, ils lui offraient des verres, lui donnaient du feu et poussaient des petits rires ravis quand elle les touchait.

Tandis que Betty observait la scène, un des hommes alla s'asseoir au piano, plaqua quelques accords et leva vers Greta un regard interrogateur. Le silence se fit dans la salle et Greta attaqua *Le Vrai Cuisinier* :

Ce garçon n'a pas son pareil
Pour préparer les moules marinières
Je ne laisse personne
Toucher à mon panier

Le public ne mit pas longtemps à comprendre que chaque vers contenait une allusion au sexe et des rires éclatèrent. Quand Greta eut terminé, elle embrassa le pianiste sur les lèvres et il eut l'air tout ému.

Maude planta là Paul pour aller retrouver Diana au bar. Le capitaine qui bavardait avec Denise s'approcha et dit à l'Américain :

— Mon colonel, elle m'a tout dit.

Betty hocha la tête, déçue mais pas surprise.

— Qu'a-t-elle dit ? lui demanda Paul.

— Que demain soir elle va faire sauter un tunnel de chemin de fer à Marles, près de Reims.

Ce n'était qu'une fable, mais pour Denise c'était la vérité et elle n'avait pas hésité à la révéler à un inconnu. Betty était furieuse.

— Je vous remercie, dit Paul.

— Désolé, fit le capitaine en haussant les épaules.

— Mieux vaut l'avoir découvert maintenant que plus tard, remarqua Betty.

— Vous préférez lui parler, mon colonel, ou bien faut-il que je m'en charge ?

— Je vais le faire, répondit Paul. Si ça ne vous ennuie pas, attendez-la dehors.

— Bien, mon colonel.

Le capitaine sortit et Paul fit signe à Denise d'approcher.

— Il est parti brusquement. Quelle incorrection ! déclara Denise, de toute évidence vexée. C'est un spécialiste en explosifs.

— Pas du tout, rétorqua Paul. Il est policier.

— Comment cela ? fit Denise, déconcertée. Il a un uniforme de capitaine et il m'a raconté...

— ... Des mensonges. Son travail est de pincer les gens qui bavardent avec des inconnus. Et il vous a pincée.

Denise resta bouche bée, mais retrouva vite son sang-froid pour s'indigner aussitôt.

— Alors, c'était un piège ? Vous avez essayé de me coincer ?

— Malheureusement, dit Paul, j'ai réussi puisque vous lui avez tout dévoilé.

Comprenant qu'elle était découverte, Denise essaya de traiter la situation à la légère.

— Quelle est ma punition ? Cent lignes à copier et privée de récréation ?

Betty aurait voulu la gifler : à cause de ses vantardises, Denise aurait pu mettre en danger la vie de tous les membres de l'équipe.

— Il n'y a pas vraiment de punition, répliqua Paul, glacial.

— Oh ! merci beaucoup.

— Vous ne faites plus partie de l'équipe. Vous ne viendrez pas avec nous. Vous partirez ce soir, avec le capitaine.

— Je vais me sentir un peu bête à retrouver mon vieux poste à Hendon.

— Ce n'est pas à Hendon qu'il vous emmène, fit observer Paul en secouant la tête.

— Pourquoi donc ?

— Vous en savez trop. Je ne peux pas vous laisser libre de circuler.

— Qu'est-ce que vous allez me faire ? s'inquiéta Denise, soudain soucieuse.

— Vous affecter là où vous ne risquez pas de causer de dégâts ; il s'agit généralement d'une base isolée d'Écosse où le principal travail consiste à archiver la comptabilité des régiments.

— Mais c'est aussi terrible que la prison !

Paul resta un moment songeur, puis hocha la tête.

— Presque.

— Pour combien de temps ? interrogea Denise, consternée.

— Qui le sait ? Jusqu'à la fin de la guerre, sans doute.

— Espèce de salopard, s'écria Denise, furieuse. Je regrette de vous avoir rencontré.

— Vous pouvez disposer maintenant, dit Paul. Et félicitez-vous que ce soit moi qui vous ai pincée. Sinon, ça aurait pu être la Gestapo.

Denise sortit à grands pas.

— J'espère, soupira Paul, que je ne me suis pas montré inutilement cruel.

Betty ne le pensait pas. Cette idiote méritait bien pis. Toutefois, elle voulait faire bonne impression sur Paul, et elle se contenta de déclarer :

— Pas la peine de l'accabler. Certains ne sont pas faits pour ce travail. Ce n'est pas de sa faute.

— Vous êtes une sacrée menteuse, fit Paul en souriant. Vous trouvez que je n'ai pas été assez dur, n'est-ce pas ?

— À mon avis, la crucifixion aurait été encore trop douce pour elle, répliqua Betty, furieuse ; mais Paul éclata de rire, ce qui calma sa colère et la fit sourire. On ne peut pas vous la faire, n'est-ce pas ?

— J'espère bien. Heureusement que nous avions un membre en plus dans l'équipe, dit Paul à nouveau sérieux. Nous pouvons nous permettre de renvoyer Denise.

— Oui, mais maintenant, nous sommes réduits au strict minimum, conclut Betty en se levant avec lassitude. Nous ferions mieux d'emmener les autres se coucher. Elles ne connaîtront pas de sommeil convenable d'ici un bon moment.

— Je ne vois ni Diana ni Maude, remarqua Paul qui venait d'inspecter la salle.

— Elles ont dû sortir prendre l'air. Si vous voulez bien rassembler les autres, je vais les chercher.

Paul acquiesça et Betty sortit.

Aucune trace des deux filles. Elle contempla un instant les eaux calmes de l'estuaire qui scintillaient à la lumière du soir, puis elle contourna le pub pour se rendre au parking : une Austin militaire de couleur kaki en démarrait, emmenant Denise qui sanglotait à l'arrière. Diana et Maude restaient introuvables. Soucieuse, Betty traversa le parking et se dirigea vers l'arrière du café. Elle déboucha dans une cour où s'entassaient de vieux tonneaux et des caisses. Au fond, un petit appentis avec une porte en bois entrebâillée. Elle entra.

Au début, l'obscurité l'empêcha de distinguer quoi que ce soit, mais elle entendait respirer, elle n'était donc pas seule. Son instinct lui dit de ne pas bouger et de garder le silence. Ses yeux s'habituèrent à la pénombre. Elle se trouvait dans une cabane à outils, des clefs et des pelles soigneusement alignées en témoignaient ainsi qu'une imposante tondeuse. Diana et Maude étaient tapies dans un coin.

Diana, qui avait dégrafé son corsage révélant un solide soutien-gorge guère affriolant, embrassait Maude adossée à la paroi. Sa jupe de vichy rose était retroussée autour de la taille, et Betty, bouche bée, percevant de mieux en mieux les détails, réalisa que Diana avait plongé la main dans la petite culotte de Maude. Maude aperçut Betty pétrifiée et soutint son regard.

— Vous vous êtes bien rincé l'œil ? lança-t-elle, provocante. Vous voulez prendre une photo ?

Diana sursauta, retira sa main et s'écarta de Maude. Elle se retourna horrifiée.

— Oh ! mon Dieu, fit-elle, honteuse tout en rajustant son corsage.

— Je... je... je venais juste vous dire que nous partions, balbutia Betty.

Puis elle tourna les talons et sortit en trébuchant.

24.

Les opérateurs radio n'étaient pas totalement invisibles. Ils s'activaient dans un monde désincarné où l'on distinguait vaguement leurs formes fantomatiques. De leur côté, scrutant la pénombre pour les traquer, la Gestapo et ses spécialistes en détection radio se terraient dans une grotte du sous-sol parisien. Dieter avait visité les lieux. Trois cents oscilloscopes présentaient des courbes verdâtres sur leurs écrans ; des lignes verticales laissées par les émissions radio, leur disposition indiquait la fréquence et la hauteur du trait, l'amplitude du signal. Jour et nuit, ces opérateurs silencieux et attentifs surveillaient les écrans comme les anges les péchés de l'humanité, se disait Dieter.

Les stations régulières contrôlées par les Allemands ou basées à l'étranger étant connues des opérateurs, ils repéraient immédiatement les intrus ; ils alertaient aussitôt les trois stations de repérage d'Augsbourg, Nuremberg ou Brest qui, d'après la fréquence de l'émission pirate et grâce à leurs goniomètres, étaient en mesure d'indiquer en quelques secondes la provenance de l'émission. On renvoyait alors cette information à Paris où l'opérateur traçait trois droites sur une immense carte murale : la radio suspecte émettait de leur point d'intersection. Le bureau de la Gestapo le plus proche était prévenu et envoyait ses voitures qui attendaient, équipées de leur propre appareil de détection.

Dieter avait maintenant pris place dans l'une d'entre elles, une longue Citroën noire garée dans les faubourgs de Reims. Trois spécialistes en détection radio de la Gestapo l'accompagnaient. On n'avait pas besoin ce soir-là de l'aide du centre de Paris, la fréquence qu'allait utiliser Hélicoptère était connue ; de plus il émettrait à coup sûr intra muros — aller se perdre dans la campagne aurait été une folie. Le récepteur de la voiture était branché sur la fréquence d'Hélicoptère. Il mesurait la force du signal aussi bien que son point d'émission et Dieter saurait qu'il approchait de l'émetteur quand l'aiguille se déplacerait sur le cadran.

L'homme de la Gestapo qui partageait la banquette arrière avec Dieter portait en outre, dissimulé sous son imperméable, un récepteur avec une antenne ; à son poignet un compteur ressemblant à un bracelet-montre mesurait la force du signal. Quand les mailles du filet se resserreraient autour d'une rue, d'un pâté de maisons ou d'un immeuble, il prendrait le relais.

L'Allemand assis à l'avant, quant à lui, tenait sur ses genoux une masse pour enfoncer des portes. Dieter avait déjà chassé une fois : il n'avait guère apprécié cette traque du gibier en rase campagne ; il préférait de beaucoup les plaisirs plus raffinés de la vie citadine. Cela ne l'empêchait pas d'être bon tireur. En attendant qu'Hélicoptère se manifeste, il évoquait ces souvenirs, cette tension qu'on éprouve, à l'affût au petit matin, dans l'impatience de débusquer le cerf.

Ceux de la Résistance, songea Dieter, sont moins des cerfs que des renards tapis dans leur terrier, qui ne sortent que pour ravager les poulaillers avant de rentrer dans leur trou. Il était mortifié d'avoir perdu Hélicoptère. Il tenait tant à le reprendre qu'il aurait fini par accepter l'idée de recourir à l'aide de Willi Weber, son dessein étant de tuer le renard.

C'était une belle soirée d'été. La voiture était garée dans le quartier nord de Reims. Cette agglomération de taille modeste se traverse en voiture, estimait Dieter, en moins de dix minutes.

Il consulta sa montre : vingt heures une. Hélicoptère était en retard. Peut-être n'émettrait-il pas ce soir... mais c'était peu probable, car il avait rencontré Michel aujourd'hui ; il voudrait en informer ses supérieurs le plus tôt possible et leur communiquer des nouvelles du réseau Bollinger.

Deux heures auparavant, Dieter se trouvait rue du Bois ; Michel avait appelé à ce moment-là. Surmontant la tension qui pesait sur elle, Stéphanie avait répondu en imitant la voix de Mlle Lemas. Michel avait donné son code et demandé si Bourgeoise se souvenait de lui : cette question avait rassuré Stéphanie car elle en avait conclu que Michel ne connaissait pas très bien la vieille fille et qu'il ne relèverait pas la supercherie.

Il s'était informé au sujet de sa nouvelle recrue, nom de code Charenton. « C'est mon cousin, avait sèchement répondu Stéphanie. Je le connais depuis notre enfance, je lui confierais ma vie. » Michel avait rétorqué qu'elle n'avait aucun droit de recruter des gens sans au moins en discuter avec lui, mais il avait paru trouver son histoire crédible ; Dieter avait embrassé Stéphanie et l'avait assurée que sa prestation la rendait digne de la Comédie-Française.

Toutefois Hélicoptère se douterait que la Gestapo serait à l'écoute et tenterait de le repérer. C'était un risque à courir : s'il n'envoyait pas de message en Angleterre, il ne servait à rien. Il n'émettrait que le minimum de temps, et, s'il avait beaucoup de renseignements à envoyer, il le ferait en deux ou trois fois et à partir de lieux différents. Dieter comptait — et c'était son seul espoir — sur un léger dépassement à cause du désir d'Hélicoptère de communiquer avec ses compatriotes.

Les minutes s'écoulaient dans le silence de la voiture, et les agents de la Gestapo tiraient nerveusement sur leur cigarette. Puis, à vingt heures cinq, le récepteur émit quelques bips. Comme convenu, le chauffeur démarra aussitôt en direction du sud.

Le signal se faisait de plus en plus fort, mais trop lentement au gré de Dieter : ils ne se dirigeaient pas droit vers la source, s'inquiétait-il. D'ailleurs, quand ils passèrent devant la cathédrale, au centre de la ville, l'aiguille retomba à zéro.

L'agent de la Gestapo assis à la place du passager consulta, grâce à son émetteur à ondes courtes, un de ses collègues à l'affût dans un camion de détection radio à quinze cents mètres de là. Quelques instants plus tard, il ordonna :

— Secteur nord-ouest.

Le chauffeur obtempéra et le signal reprit du volume.

— On le tient, murmura Dieter.

Mais cinq minutes s'étaient écoulées.

La voiture fonçait vers l'ouest et le signal se renforçait. Hélicoptère, de sa cachette — une salle de bains, un grenier, un entrepôt —, continuait à tapoter sur son émetteur, quelque part dans le nord-ouest de la ville. Au château de Sainte-Cécile, un radio opérateur allemand, branché lui aussi sur la fréquence du Britannique, notait le message codé qu'on enregistrait en même temps sur un magnétophone à fil. Dieter le déchiffrerait plus tard en utilisant le bloc recopié par Stéphanie. Toutefois, ce qui comptait le plus, ce n'était pas le message, mais le messager.

Ils pénétrèrent dans un quartier où de grands immeubles du siècle dernier, décrépis pour la plupart, avaient été divisés en petits appartements et studios pour des étudiants ou des infirmières. Le signal se renforça encore puis, soudain, perdit de son intensité.

— Trop loin, trop loin, s'écria le spécialiste.

Le chauffeur fit marche arrière puis s'arrêta brutalement. Dieter et ses trois acolytes sautèrent à terre. Celui qui portait l'appareil de détection marchait d'un pas vif, sans cesser de consulter le cadran, suivi par les autres. Au bout d'une centaine de mètres, il se retourna brusquement et s'arrêta en désignant une maison.

— C'est là, annonça-t-il. Mais l'émission a cessé.

Dieter releva l'absence de rideau aux fenêtres : il avait remarqué que la Résistance utilisait de préférence des maisons délabrées pour ses émissions.

L'homme à la massue fit, en deux coups, voler la porte en éclats. Ils se précipitèrent tous à l'intérieur.

Les planchers étaient nus, il flottait dans la maison une odeur de renfermé. Dieter ouvrit toute grande une première porte : elle donnait sur une pièce vide. Il traversa la chambre du fond en trois enjambées et se retrouva dans une cuisine abandonnée.

Il se précipita dans l'escalier. Du premier, il jeta un coup d'œil par une fenêtre qui ouvrait sur un jardin tout en longueur qu'Hélicoptère et Michel traversaient au pas de course — Michel boitillait, Hélicoptère portait sa petite valise. Dieter poussa un juron. Alertés par les coups, ils s'étaient échappés par l'arrière. Dieter hurla :

— Le jardin, derrière !

Les hommes de la Gestapo foncèrent et il leur emboîta le pas. En débouchant dans le jardin, il vit Michel et Hélicoptère escalader la clôture et passer sur un autre terrain. Il se lança à leur poursuite, mais les fugitifs avaient de l'avance. Les Allemands franchirent la clôture et se précipitèrent à leur tour dans le jardin d'à côté.

Ils déboulèrent dans la rue suivante : une Monaquatre Renault noire disparaissait au coin.

— Bon Dieu, jura Dieter.

Pour la seconde fois de la journée, Hélicoptère venait de lui échapper.

25.

De retour au Pensionnat, Betty prépara du chocolat pour son équipe ; ce genre de tâche était inhabituel pour les officiers — à tort, estimait Betty, car ils démontraient par là leur difficulté à assumer un commandement. Elle sentait le regard de Paul — il était resté dans la cuisine — posé sur elle comme une caresse. Elle savait ce qu'il allait dire et elle avait peaufiné sa réponse. Elle s'interdisait de tomber amoureuse de Paul, car l'idée de trahir un mari qui risquait sa vie en luttant contre les nazis dans la France occupée l'indignait. Toutefois, la question qu'il lui posa la surprit.

— Que ferez-vous après la guerre ?

— Je suppose que je vais m'ennuyer.

— Ce ne sont pas les distractions qui vous auront manqué, en effet, dit-il en riant.

— Il y en a eu trop, soupira-t-elle, songeuse. Je veux toujours être professeur. J'aimerais communiquer à des jeunes mon amour pour la culture française, leur faire connaître la littérature et la peinture de ce pays mais aussi la cuisine et la mode.

— Vous choisissez donc l'enseignement ?

— Terminer mon doctorat, obtenir un poste dans une université et exercer sous le regard condescendant de vieux professeurs à l'esprit étroit. Peut-être aussi écrire un guide sur la France, ou même un livre de cuisine.

— Après tous ces événements, cela vous paraîtra banal.

— Pourtant, c'est important. Mieux les jeunes de tous les

pays se connaîtront, moins ils se conduiront de façon stupide ; ainsi ils n'iront pas, comme nous, faire la guerre à leurs voisins.

— Je me demande si c'est réaliste.

— Et vous ? Quels sont vos projets d'après guerre ?

— Oh ! ils sont très simples : vous épouser et vous emmener passer notre lune de miel à Paris ; ensuite nous installer et avoir des enfants.

Elle le dévisagea.

— Pensiez-vous me demander mon consentement ? répliqua-t-elle, indignée.

— Je ne pense à rien d'autre depuis des jours, déclara-t-il, très grave.

— J'ai déjà un mari.

— Mais vous ne l'aimez pas.

— Vous n'avez pas le droit de dire cela !

— Je sais, mais c'est plus fort que moi.

— Pourquoi étais-je persuadée que vous étiez un baratineur ?

— Parce que, en général, j'en suis un. Votre eau bout.

Elle retira la bouilloire de la plaque et en versa le contenu sur le chocolat en poudre dans un grand pichet de terre cuite.

— Mettez donc des bols sur un plateau, dit-elle à Paul. Quelques travaux ménagers tempéreront peut-être vos rêves de vie domestique.

— Vous ne me découragerez pas par vos réflexions autoritaires, dit-il en s'exécutant. J'aime assez ça.

Elle ajouta au cacao du lait et du sucre et versa le mélange dans les bols qu'il avait préparés.

— Dans ce cas, portez donc ce plateau aux filles.

— Tout de suite, patronne, obéit-il en la suivant dans le salon.

Ils y trouvèrent Jelly et Greta en pleine dispute : elles se faisaient face au milieu de la pièce sous le regard mi-amusé mi-consterné des autres.

— Tu ne t'en servais pas ! râlait Jelly.

— J'avais mes pieds posés dessus, répondit Greta.

— Il n'y a pas assez de sièges.

Jelly tenait à la main un petit pouf capitonné et Betty devina qu'elle l'avait arraché à Greta sans lui demander son avis.

— Mesdames, je vous en prie ! intervint Betty.

Elles l'ignorèrent.

— Tu n'avais qu'à demander, ma chérie, fit Greta.

— Je n'ai aucune permission à demander à des étrangères dans mon propre pays.

— Je ne suis pas une étrangère, grosse pouffiasse.

— Oh !

Piquée par cette insulte, Jelly attrapa Greta par les cheveux, mais la perruque brune de celle-ci lui resta dans la main.

La coupe en brosse de Greta ne laissait aucun doute sur son sexe. Betty et Paul étaient dans le secret et Ruby l'avait deviné, mais Maude et Diana restèrent pétrifiées. Diana dit : « Bonté divine ! » et Maude poussa un petit cri de frayeur. Jelly fut la première à retrouver ses esprits.

— Un pervers ! s'écria-t-elle, triomphante. Bon sang, un pervers d'étranger !

Greta était en larmes.

— Putain de nazi, sanglota-t-elle.

— Je parie que c'est une espionne ! lança Jelly.

— Tais-toi, Jelly, ordonna Betty. Ce n'est pas une espionne. Je savais que c'était un homme.

— Vous le saviez !

— Tout comme Paul. Et Percy.

Jelly regarda son vieil ami qui hocha gravement la tête. Greta s'apprêtait à partir, mais Betty la retint par le bras.

— Ne t'en va pas, je t'en prie. Assieds-toi, dit-elle à Greta qui se laissa convaincre. Jelly, donne-moi cette foutue perruque.

Jelly obtempéra. Betty s'approcha de Greta et remit l'objet du délit en place. Ruby, comprenant aussitôt l'idée de Betty, souleva la glace posée sur la cheminée et la présenta à Greta : elle se regarda dans le miroir, ajusta la perruque et essuya ses larmes avec un mouchoir.

— Maintenant, écoutez-moi toutes, reprit Betty. Greta est ingénieur et nous ne pouvons pas remplir notre mission sans ses connaissances. Or nos chances de survie en territoire occupé sont bien meilleures avec une équipe entièrement féminine. Résultat, nous avons besoin de Greta et nous avons besoin que ce soit une femme. Alors tâchez de vous y faire.

Jelly eut un grognement méprisant.

— Il y a encore une chose que je dois vous expliquer, poursuivit Betty en lançant à Jelly un regard sévère. Vous avez peut-être remarqué l'absence de Denise. On lui a fait passer ce soir un petit test auquel elle a échoué, et elle ne fait donc plus partie de l'équipe. Malheureusement, ces deux derniers jours, elle a appris certains secrets et on ne peut pas la laisser reprendre son ancienne affectation. Elle est donc partie pour une base lointaine en Écosse, où elle sera consignée pour la durée de la guerre, sans permission il va de soi.

— Vous ne pouvez pas faire ça ! s'indigna Jelly.

— Bien sûr que si, espèce d'idiote, riposta Betty, exaspérée. Nous sommes en guerre, tu t'en souviens ? Ce que j'ai fait à Denise, je le ferai à quiconque devrait être viré de cette équipe.

— Je ne me suis même pas engagée dans l'armée ! protesta Jelly.

— Mais si. Tu as été promue officier, hier, après le thé. Toutes autant que vous êtes. Vous en toucherez la solde, même si vous n'en avez pas encore vu la couleur. Cela signifie que vous êtes soumises à la discipline militaire. Toutes, vous en savez trop.

— Alors, nous sommes prisonnières ? demanda Diana.

— Vous êtes dans l'armée, répondit Betty. C'est à peu près la même chose. Buvez votre chocolat et allez vous coucher.

Elles partirent l'une après l'autre jusqu'au moment où il ne resta plus que Diana. Betty s'attendait à cela. Voir les deux femmes s'étreindre avait été un véritable choc ; elle se rappelait certaines filles de l'école entichées l'une de l'autre, s'envoyant des mots d'amour, se tenant la main et s'embrassant même parfois mais, à sa connaissance, ce n'était jamais allé plus loin. Il y a bien longtemps, Diana et elle s'étaient entraînées à s'embrasser sur la bouche de façon à savoir comment s'y prendre quand elles auraient un petit ami : Betty réalisait maintenant que ces baisers avaient certainement davantage compté pour Diana que pour elle. Mais elle n'avait jamais rencontré une adulte qui désirait d'autres femmes. Elle savait, en théorie, qu'il existait des équivalents féminins de son frère Marc et de Greta, mais elle ne les avait jamais imaginés... se pelotant dans une cabane à outils.

Était-ce vraiment important ? Pas dans la vie quotidienne : Marc et ses camarades étaient heureux, du moins quand les gens les laissaient tranquilles. Mais les rapports que Diana entretenait avec Maude affecteraient-ils la mission ? Pas nécessairement. Après tout, Betty elle-même avait travaillé dans la Résistance avec son mari. Bien sûr, ce n'était pas tout à fait pareil. Les débuts d'une aventure passionnée pourraient détourner leur attention.

Si Betty tentait de les séparer, Diana réagirait avec encore plus d'indiscipline. Et puis cette liaison pouvait au contraire les stimuler. Betty s'était désespérément efforcée d'amener ces femmes à travailler en équipe ; pour elles deux, ce serait une solution. Elle avait donc décidé de passer outre. Mais Diana ne voulait pas en rester là.

— Tu sais, déclara-t-elle, sans préambule, ça n'est pas du tout ce que tu imagines. Bon sang, il faut que tu me croies. C'est juste un geste stupide, une plaisanterie...

— Veux-tu encore du chocolat ? proposa Betty. Je crois qu'il en reste dans la cruche.

— Comment peux-tu parler de chocolat ? dit Diana, abasourdie.

— Je veux simplement que tu te calmes et que tu admettes que ce n'est pas la fin du monde parce que tu as embrassé Maude. Tu m'as embrassée moi aussi autrefois..., tu te rappelles ?

— Je savais que tu remettrais ça sur le tapis. Mais c'était juste des histoires de gosses. Avec Maude, ce n'était pas un simple baiser.

Diana s'assit. Son fier visage commença à se décomposer et elle éclata en sanglots.

— Tu sais bien que c'était plus que cela. Tu as vu, oh ! mon Dieu, ce que j'ai pu faire. Qu'est-ce que tu as dû penser ?

Betty choisit ses mots avec soin.

— Je vous ai trouvées toutes les deux très touchantes.

— Touchantes ? fit Diana, incrédule. Tu n'étais pas dégoûtée ?

— Certainement pas. Maude est une jolie fille et tu sembles être tombée amoureuse d'elle.

— C'est exactement ce qui s'est passé.

— Alors cesse d'avoir honte.

— Comment veux-tu que je n'aie pas honte ? Je suis une gouine !

— À ta place, je ne considérerais pas les choses comme ça. Il faut que tu te montres discrète, que tu évites de choquer des gens à l'esprit étroit comme Jelly, mais il n'y a pas de quoi avoir honte.

— Je serai toujours comme ça ?

Betty réfléchit. La réponse était sans doute oui, mais elle ne voulait pas se montrer brutale.

— Écoute, je crois que certaines personnes, comme Maude, adorent qu'on les aime et qu'un homme aussi bien qu'une femme peut les rendre heureuses.

À vrai dire, Maude était une petite pute égoïste et superficielle, mais Betty s'empressa de chasser cette pensée.

— D'autres sont plus inflexibles, reprit-elle. Il faut que tu gardes une certaine ouverture d'esprit.

— J'imagine que c'est la fin de la mission pour Maude et moi.

— Absolument pas.

— Tu nous gardes ?

— Je continue d'avoir besoin de vous. Je ne vois pas en quoi cet incident changerait quoi que ce soit.

Diana prit une pochette pour se moucher. Betty se leva et se dirigea vers la fenêtre pour lui laisser le temps de retrouver son sang-froid. Au bout de quelques instants, Diana reprit d'un ton plus calme :

— Tu es rudement gentille, dit-elle en retrouvant un peu de ses airs hautains.

— Va te coucher.

Diana se leva docilement.

— Et si j'étais toi...

— Quoi ?

— J'irais retrouver Maude. Diana parut choquée. Ce sera peut-être la dernière occasion, dit Betty en haussant les épaules.

— Merci, murmura Diana.

Elle s'avança vers Betty et ouvrit les bras comme pour la serrer contre elle, puis elle s'arrêta.

— Tu n'as peut-être pas envie que je t'embrasse.

— Ne sois pas stupide, dit Betty en l'étreignant.

— Bonne nuit, fit Diana, et elle sortit.

Betty se retourna pour regarder le jardin. La lune était aux trois quarts pleine. Dans quelques jours, ce serait la pleine lune et les Alliés débarqueraient en France. Une petite brise agitait les feuilles toutes neuves de la forêt : le temps allait changer. Pourvu qu'une tempête ne s'abatte pas sur la Manche et ne bouleverse pas, à cause des caprices du climat britannique, les plans du débarquement. Elle imagina tous ceux qui devaient invoquer le beau temps.

Il fallait qu'elle dorme un peu. Aussi quitta-t-elle le salon. En gravissant l'escalier, elle se rappela ce qu'elle avait dit à Diana : Va rejoindre Maude dans son lit. Ce sera peut-être ta dernière occasion. Elle hésita devant la porte de Paul. Contrairement à Diana, Betty, elle, était mariée. Mais, pour elle aussi, ce pourrait bien être sa dernière occasion. Elle frappa à la porte et entra.

26.

Dieter, accablé, regagna le château de Sainte-Cécile en Citroën, avec l'équipe de détection radio. Il descendit dans l'abri antibombardement. Willi Weber était dans la salle d'écoute, furieux. Ma seule consolation au fiasco de ce soir, se dit Dieter, est que Weber ne peut pas se vanter d'avoir réussi là où j'ai échoué. Mais Dieter se serait résigné au triomphe de Weber s'il avait trouvé Hélicoptère dans la salle de torture.

— Vous avez le message qu'il a envoyé ? demanda Dieter.

Weber lui en tendit une copie au carbone.

— C'est déjà parti au bureau du chiffre à Berlin.

Dieter examina les groupes de lettres incompréhensibles. Ils n'arriveront pas à le déchiffrer avec ce système, estima-t-il. Il plia la feuille et la glissa dans sa poche.

— Que pouvez-vous en faire ? s'étonna Weber.

— Je possède une copie du code, répondit Dieter.

Cette victoire un peu mesquine lui fit du bien.

Weber avala sa salive.

— Le message nous permettra peut-être de le localiser.

— Probablement. Il devrait recevoir une réponse à vingt-trois heures. Il regarda sa montre : plus que quelques minutes. Enregistrons cela, je déchiffrerai les deux en même temps.

Weber sortit et Dieter attendit dans la pièce sans fenêtre. À vingt-trois heures pile, un récepteur branché sur la fréquence d'écoute d'Hélicoptère se mit à crépiter au rythme de l'alphabet morse. Un opérateur notait chaque lettre en même temps qu'un magnétophone à fil les enregistrait. Le pianotement s'arrêta, l'opérateur approcha de lui une machine à écrire, dactylographia ce qu'il avait noté sur son bloc et tendit une copie à Dieter.

Ces deux messages peuvent signifier tout ou rien, se dit Dieter en s'installant au volant de sa voiture. La lune éclairait la route serpentant au milieu des vignobles ; arrivé à Reims, il se gara rue du Bois. Beau temps pour un débarquement.

Stéphanie l'attendait dans la cuisine de Mlle Lemas. Il posa sur la table les messages chiffrés ainsi que les copies faites par Stéphanie du bloc de la pochette en soie. Il se frotta les yeux et entreprit le déchiffrage du premier texte, celui qu'Hélicoptère avait écrit en clair sur le bloc-notes de Mlle Lemas.

Stéphanie prépara du café, se pencha quelques instants sur son épaule, posa deux ou trois questions, saisit le second message et entreprit de le décoder elle-même.

La traduction qu'étudiait Dieter contenait un bref récit de l'incident de la cathédrale, révélant que Dieter, alias Charenton, avait été recruté par Bourgeoise (Mlle Lemas) parce qu'elle s'inquiétait de la sécurité du rendez-vous. Il précisait que Monet (Michel) avait pris l'initiative, inhabituelle, de téléphoner à Bourgeoise pour se faire confirmer la fiabilité de Charenton ; il avait été rassuré.

Il trouvait là aussi les noms de code des membres du réseau Bollinger, rescapés de l'embuscade de dimanche dernier et encore en activité. Il n'y en avait que quatre.

Renseignements précieux, certes, mais rien au sujet de la situation géographique des espions.

Il but une tasse de café en attendant que Stéphanie eût terminé. Elle lui tendit une feuille de papier couverte de son écriture ample et élégante dont la lecture le laissa incrédule :

PRÉPAREZ VOUS RECEVOIR GROUPE DE SIX
PARACHUTISTES NOM DE CODE CORNEILLE CHEF
PANTHÈRE ARRIVANT VINGT-TROIS HEURES
VENDREDI 2 JUIN CHAMP DE PIERRE.

— Mon Dieu ! murmura-t-il.

Champ de pierre, un nom de code bien entendu, signifiait quelque chose pour Dieter puisque Gaston lui avait parlé, lors de son tout premier interrogatoire, de cette zone de largage située dans un pré à côté du petit village de Chatelle, à huit kilomètres de Reims. Dieter savait maintenant exactement où arrêter Hélicoptère et Michel le lendemain soir.

Dans ses filets également les six autres agents alliés dont le parachutage était annoncé et, parmi eux Panthère, autrement dit Betty Clairet, celle qui savait tout de la Résistance française, celle qui, sous la torture, lui fournirait les informations dont il avait besoin pour contrer — juste à temps — tous les plans pour aider au débarquement des forces alliées.

— Dieu tout-puissant, exulta Dieter, quel coup de chance !

Le sixième jour

Vendredi 2 juin 1944

27.

Paul et Betty bavardaient, allongés côte à côte sur le lit de Paul. Les lumières étaient éteintes, mais la lune brillait derrière la fenêtre. Il était nu, comme lorsqu'elle était entrée dans la chambre, n'enfilant un pyjama que pour traverser le couloir jusqu'à la salle de bains.

Bien qu'endormi, il avait tout de suite sauté hors du lit, son inconscient lui soufflant qu'il n'y avait que la Gestapo pour ce genre de visite nocturne. Aussi avait-il déjà commencé à l'étrangler quand il réalisa de qui il s'agissait.

Stupéfait, heureux, plein de gratitude, il embrassa la jeune femme avant de s'immobiliser un long moment, persuadé que le rêve qu'il vivait s'évanouirait au moindre mouvement de sa part.

Elle avait caressé et palpé ses épaules, son dos et son torse de ses mains douces mais fermes, à la découverte de ce corps.

— Vous êtes poilu, avait-elle murmuré.

— Velu comme un singe.

— Pas aussi beau, avait-elle lancé en riant.

Il regarda ses lèvres pour savourer la façon dont elles remuaient quand elle parlait, en se disant que dans un instant il les toucherait avec les siennes et que ce serait merveilleux.

— Allongeons-nous, suggéra-t-il en souriant.

Elle lui obéit ; cependant, elle avait gardé ses vêtements et même ses chaussures. La présence de cette femme tout habillée à côté de lui, absolument nu, avait quelque chose d'étrange et d'excitant. Il aimait tant cette sensation qu'il n'était pas pressé de passer au stade suivant. Il aurait voulu que cet instant dure à jamais.

— Dites-moi quelque chose, pria-t-elle d'une voix langoureuse et sensuelle.

— Quoi donc ?

— N'importe quoi. J'ai l'impression de ne pas vous connaître.

Il n'avait jamais vu une femme se conduire ainsi : débarquer dans sa chambre au milieu de la nuit, et s'allonger, entièrement vêtue, pour poser des questions.

— C'est pour ça que vous êtes venue, s'informa-t-il d'un ton léger en observant son visage. Un interrogatoire ?

— Ne vous inquiétez pas, répondit-elle avec un petit rire, j'ai envie de vous, mais je ne suis pas pressée. Parlez-moi de votre premier amour.

Du bout des doigts, il lui caressa la joue en suivant la courbe de sa mâchoire. Elle l'avait pris complètement au dépourvu, et il ne savait ni ce qu'elle voulait, ni où elle allait.

— On peut toucher tout en bavardant ?

— Oui.

Il posa un baiser sur ses lèvres.

— Et embrasser aussi ?

— Oui.

— Alors, je propose que nous bavardions un petit moment, un an ou deux peut-être.

— Comment s'appelait-elle ?

Betty affiche une assurance qu'elle n'a pas, se dit-il. C'est sa nervosité qui lui fait poser des questions. Si cela devait contribuer à la mettre à l'aise, il répondrait volontiers.

— Elle s'appelait Linda. Nous étions terriblement jeunes : je n'ose pas vous dire à quel point. La première fois que je l'ai embrassée elle avait douze ans et moi quatorze, vous vous rendez compte ?

— Oh ! très bien, fit-elle en pouffant et, un instant, elle se retrouva petite fille. J'embrassais des garçons quand j'avais douze ans.

— Nous devions simuler une sortie avec une bande de copains, ce qui était le cas en général, puis nous filions de notre côté pour aller au cinéma ou je ne sais où. Nous n'avons vraiment fait l'amour qu'après deux ans de ce régime.

— Cela se passait où, en Amérique ?

— À Paris. Mon père était attaché militaire à l'ambassade, et les parents de Linda propriétaires d'un hôtel fréquenté surtout par une clientèle d'Américains. Et nous, les gosses, nous retrouvions entre expatriés.

— Où faisiez-vous l'amour ?

— À l'hôtel. C'était facile. Il y avait toujours des chambres libres.

— Comment était-ce la première fois ? Est-ce que vous... vous savez, vous avez pris des précautions ?

— Elle avait volé un préservatif à son père.

Les doigts de Betty descendaient sur son ventre. Il ferma les yeux.

— Qui l'a posé ?

— Elle. C'était très excitant. J'ai failli avoir un orgasme sur-le-champ. Et si vous ne faites pas attention...

Sa main remonta jusqu'à sa hanche.

— J'aimerais vous avoir connu quand vous aviez seize ans.

Il ouvrit les yeux ; ces préliminaires ne faisaient qu'attiser sa hâte de passer à l'étape suivante.

— Est-ce que vous... Est-ce que vous voulez bien ôter quelques vêtements ?

Il avait la bouche sèche et il avala sa salive.

— Oui. Mais, à propos de précaution...

— Dans mon portefeuille. Sur la table de chevet.

— Bon.

Elle se redressa, délaça ses chaussures et les lança sur le sol. Puis elle se leva et entreprit de déboutonner son corsage.

— Prenez votre temps, nous avons toute la nuit, la rassura-t-il, ayant perçu à quel point elle était tendue.

Cela faisait bien deux ans que Paul n'avait pas regardé une femme se déshabiller ; il avait essentiellement bénéficié des charmes de pin-up qui émergeaient d'ensembles sophistiqués de soie et de dentelle, de gaines, de porte-jarretelles et de déshabillés transparents. Betty, elle, portait une chemisette de coton assez vague, ses seins petits et assez fermes — tels qu'il les devinait sous le tissu — se passaient d'un soutien-gorge. Elle laissa tomber sa jupe, révélant une petite culotte de coton blanc agrémentée de volants autour des cuisses. Son corps menu mais musclé évoquait celui d'une collégienne se changeant pour son entraînement de hockey. Ce spectacle lui parut plus excitant que celui d'une star.

— C'est mieux ? demanda-t-elle après s'être rallongée.

Il lui caressa la hanche, passant de sa peau tiède à la douceur du coton, puis revenant à la peau. Mais sentant qu'elle n'était pas encore prête, il s'obligea à la patience et la laissa imposer son rythme.

— Vous ne m'avez pas parlé de votre première fois, dit-il.

Il fut surpris de la voir rougir.

— Elle n'était pas aussi charmante que la vôtre.

— En quoi ?

— L'endroit, un débarras poussiéreux, était horrible.

Il était indigné. Qui avait pu être assez idiot pour entraîner dans un placard une fille comme Betty et l'y prendre à la sauvette ?

— Quel âge aviez-vous ?

— Vingt-deux ans.

Il avait imaginé dix-sept.

— Ça alors ! À cet âge-là, on mérite un lit confortable.

— Ce n'était pas le cas.

Elle commençait à se détendre et Paul l'encouragea à parler encore.

— Alors, qu'est-ce qui n'allait pas ?

— Sans doute le fait qu'on m'avait persuadée alors que je n'en avais pas vraiment envie.

— Vous n'aimiez pas ce garçon ?

— Si. Mais je n'étais pas prête.

— Comment s'appelait-il ?

— Je ne vous le dirai pas.

Il s'agissait donc de Michel, son mari, devina Paul. Il décida de ne plus la questionner.

— Je peux toucher vos seins ? demanda-t-il en l'embrassant.

— Vous pouvez toucher tout ce que vous voulez.

Il n'avait jamais entendu cela. Cette spontanéité l'étonna et le transporta ; il partit à la découverte de son corps. D'après son expérience, la plupart des femmes à ce moment-là fermaient les yeux ; mais les siens étaient grands ouverts pour ne rien perdre du visage de Paul avec un mélange de désir et de curiosité tel qu'il s'enflamma encore davantage. Du regard, elle l'explorait mieux que lui ne le faisait avec ses mains, ses mains qui suivaient le contour charmant de la poitrine et qui cherchaient à deviner comment apporter du plaisir à la jeune femme. Il lui ôta sa petite culotte, découvrant une toison bouclée couleur miel et, plus bas, sur le côté gauche, une tache de naissance, comme une éclaboussure de thé. Il pencha la tête et l'embrassa là, ses lèvres savouraient les boucles drues, sa langue en goûtait la moiteur.

Il la sentit s'abandonner au plaisir. Sa nervosité s'apaisait. Bras et jambes écartés comme une étoile de mer échouée, molle et offerte mais les hanches avidement tendues vers lui. Avec une délicieuse lenteur, il inspecta les plis de son sexe. Ses mouvements se faisaient plus pressants.

Elle lui repoussa la tête. Elle avait le visage un peu congestionné et le souffle court. Tâtonnant sur la table de chevet, elle ouvrit le portefeuille et y trouva les préservatifs, en trois exemplaires dans un petit emballage en papier. Les doigts tremblants, elle ouvrit le paquet, en prit un et le lui passa. Elle le chevaucha et se pencha alors pour l'embrasser et lui souffler à l'oreille : « Oh ! Dieu que c'est bon de te sentir en moi. » Puis elle se redressa et continua ce qu'elle avait entrepris.

— Ôte ta chemisette, dit-il.

Elle la fit passer par-dessus sa tête. Il regarda le joli visage crispé dans une expression d'ardente concentration et les petits seins délicieusement animés. Il était l'homme le plus chanceux du monde et il aurait voulu abolir l'écoulement du temps : plus d'aurore, plus de lendemain, plus d'avion, plus de parachute, plus de guerre.

Dans la vie, songea-t-il, rien ne vaut l'amour.

Quand ce fut terminé, la première pensée de Betty alla à Michel : Que vais-je lui dire ?

Elle se sentait portée par le bonheur, frémissante d'amour et de désir pour Paul avec lequel, en quelques instants, elle était parvenue à une intimité plus grande qu'avec Michel en plusieurs années de vie commune. Elle avait envie de lui faire l'amour tous les jours jusqu'à la fin de sa vie. C'en était donc fini de son mariage, ce qu'elle devait annoncer à Michel dès qu'elle le verrait. Il lui était désormais impossible de feindre, fût-ce pour quelques minutes, d'éprouver pour lui les mêmes sentiments qu'auparavant.

Elle aurait bien dit à Paul que, avant lui, il n'y avait eu que Michel, mais elle trouvait déloyal de parler de son mari, assimilant cet aveu plus à une trahison qu'à un simple adultère. Un jour elle raconterait à Paul qu'il occupait la seconde place dans la liste de ses amants, qui n'en comptait que deux, et elle pourrait lui affirmer qu'il était le meilleur, mais jamais elle ne lui expliquerait comment elle faisait l'amour avec Michel.

Il n'y avait pourtant pas que cela qui avait changé avec Paul, elle même aussi avait changé. Jamais elle n'avait demandé à Michel, comme elle l'avait fait avec Paul, d'évoquer ses premières expériences sexuelles. Jamais elle ne lui avait dit : Vous pouvez toucher tout ce que vous voulez. Elle n'avait jamais pris l'initiative de lui passer un préservatif, ou de se mettre à califourchon sur lui pas plus qu'elle n'avait jamais exprimé son bien-être à le sentir en elle.

C'était une personnalité nouvelle qui l'animait quand elle était venue s'allonger auprès de Paul, une transformation qui rappelait celle de Mark lors de son entrée au club du Carrefour. Subitement elle s'autorisait à tout exprimer, à faire tout ce qui lui passait par la tête, à être elle-même sans se soucier de ce qu'on penserait d'elle. Avec Michel, cela n'avait jamais été comme ça : lorsqu'elle était son étudiante, elle cherchait à l'impressionner. Ne se trouvant jamais avec lui sur un pied d'égalité, elle quêtait sans cesse son approbation, tandis que l'inverse ne s'était jamais produit. Au lit, elle visait son plaisir à lui, pas le sien.

— À quoi penses-tu ? lui demanda Paul au bout d'un moment.

— À mon mariage.

— Alors ?

Elle hésita : jusqu'à quel point pouvait-elle se confesser à lui ? Certes il avait déclaré un peu plus tôt vouloir l'épouser, mais c'était avant ce qui venait de se passer ; or, à en croire le code féminin, les hommes n'épousaient jamais les filles qui commençaient par coucher avec eux. Ce n'était pas toujours vrai, témoin son expérience avec Michel. Mais elle décida tout de même de ne révéler à Paul que la moitié de la vérité.

— C'est fini.

— C'est une décision radicale.

Elle se souleva sur un coude et le regarda.

— Ça t'ennuie ?

— Au contraire. Cela veut dire, j'espère, que nous pourrons nous revoir.

— Tu le penses vraiment ?

— Je n'ose pas te dire à quel point j'en rêve, dit-il en la prenant dans ses bras.

— Tu as peur ?

— De t'effrayer. J'ai dit quelque chose d'idiot tout à l'heure.

— Quand tu as parlé de m'épouser et d'avoir des enfants ?

— C'était sincère, mais je me suis montré arrogant.

— Ce n'est pas grave, dit-elle. La politesse parfaite va généralement à l'encontre de la sincérité, alors qu'une certaine maladresse a le mérite d'être spontanée.

— Tu as sans doute raison. Je n'y avais jamais pensé.

Elle lui caressa le visage. Elle apercevait les poils de sa barbe naissante et elle se rendit compte que le jour se levait. Elle se força à ne pas regarder sa montre : elle ne voulait pas savoir combien de temps il leur restait.

Elle passa les mains sur les contours de son visage, comme pour en graver les traits du bout des doigts : les sourcils broussailleux, le creux des orbites, le nez bien marqué, l'oreille arrachée, les lèvres sensuelles, les joues creuses.

— As-tu de l'eau chaude ? demanda-t-elle soudain.

— Mais oui, c'est chic ici. Il y a un lavabo dans le coin.

Elle se leva.

— Qu'est-ce que tu fais ?

— Reste là.

Elle traversa la chambre sur ses pieds nus ; elle sentait le regard de Paul sur son corps et regrettait ses hanches qu'elle estimait trop larges. Elle trouva sur une étagère de la pâte dentifrice et une brosse à dents de fabrication française, ainsi qu'un rasoir, un blaireau et du savon à barbe. Elle ouvrit le robinet d'eau chaude, trempa le blaireau dans l'eau et fit mousser le savon.

— Allons, dit-il. Qu'est-ce que tu fais ?

— Je vais te raser.

— Pourquoi ?

— Tu verras.

Elle lui couvrit le visage de mousse, puis saisit le rasoir et le verre à dents empli d'eau chaude. Elle l'enfourcha comme pour l'amour et lui rasa le visage à petits coups prudents et tendres.

— Comment as-tu appris ça ? interrogea-t-il.

— Ne parle pas. J'ai regardé ma mère le faire bien des fois pour mon père. Mon père était un ivrogne et, à la fin de sa vie, maman devait le raser tous les jours. Lève le menton.

Il obéit docilement et elle rasa la peau délicate de sa gorge. Enfin, elle enleva l'excès de mousse avec un gant de toilette trempé dans l'eau chaude et lui sécha les joues en les tapotant avec une serviette propre.

— Un peu de crème sur le visage ne te ferait pas de mal, mais je parie que tu trouves ça trop efféminé.

— C'est surtout que je n'y ai jamais pensé.

— Peu importe.

— Et maintenant ?

— Tu te rappelles où tu en étais juste avant que je prenne ton portefeuille.

— Parfaitement.

— Tu ne t'es pas demandé pourquoi je ne t'ai pas laissé continuer ?

— J'ai cru que tu étais impatiente... de passer aux choses sérieuses.

— Pas du tout : ta barbe me grattait les cuisses, là où la peau est la plus tendre.

— Oh ! je suis désolé.

— Eh bien, tu peux te rattraper.

— Comment ? dit-il en haussant les sourcils.

Elle feignit la déception.

— Allons, Einstein. Maintenant que tu n'as plus ta barbe...

— Oh !... je vois ! C'est pour ça que tu m'as rasé ? Mais oui, bien sûr. Tu veux que je...

Elle se mit sur le dos en souriant et écarta les jambes.

— Voilà ce que j'appelle comprendre à demi-mot.

— C'est vrai, fit-il en riant et il se pencha sur elle.

Elle ferma les yeux.

28.

L'ancienne salle de bal se trouvait dans l'aile ouest du château de Sainte-Cécile, celle qui avait été bombardée, sans grands dommages d'ailleurs : dans un coin s'entassaient toutes sortes de gravats, des blocs de pierre, et des débris de frontons sculptés ainsi que des fragments poussiéreux de tentures, mais le reste était intact. Ces colonnes brisées éclairées par les rayons du soleil matinal qui filtrent par un trou du plafond ressemblent, se dit Dieter, aux ruines classiques d'un tableau victorien.

Dieter avait décidé de tenir sa réunion dans la salle de bal plutôt que dans le bureau de Weber, parce que les hommes auraient pu en conclure que Willi dirigeait les opérations. Il avait fait installer un tableau noir sur la petite estrade prévue sans doute, en d'autres temps, pour un orchestre. Des chaises, provenant des autres ailes, avaient été disposées en quatre impeccables rangées de cinq : très allemand, apprécia Dieter avec un petit sourire ; des Français les auraient dispersées n'importe comment. Weber qui avait regroupé l'équipe avait pris place sur l'estrade, face aux hommes, pour bien montrer qu'il était un des chefs et non pas le subordonné de Dieter.

La présence de deux commandants de grade égal et se détestant cordialement constituait pour l'opération, estimait Dieter, la plus grave menace qui soit.

Sur le tableau noir, il avait dessiné à la craie le plan de Chatelle. Il comprenait trois grands bâtiments — des fermes ou des caves sans doute —, six chaumières et une boulangerie, groupés autour d'un carrefour. Au nord, à l'ouest et au sud, des vignobles et, à l'est, bordé par un large étang, un grand pré d'un kilomètre de long qui selon Dieter, devait servir de pâturage car le sol, trop humide, ne convenait pas pour la vigne.

— Les parachutistes chercheront à atterrir dans le pré, expliqua Dieter. C'est un champ classique certainement utilisé aussi bien pour les atterrissages que les décollages : il est bien nivelé, et ses dimensions lui permettent de recevoir un Lysander et même un Hudson. L'étang voisin, visible des airs, constitue un repère précieux. L'étable à l'extrémité sud du pré abritera sans doute le comité d'accueil pendant l'attente. Il marqua un temps. Ce que tout le monde ici doit se rappeler, c'est que nous voulons que ces parachutistes se posent. Nous devons donc éviter toute intervention qui risquerait de révéler notre présence au comité d'accueil et au pilote. Nous devons être silencieux et invisibles. Si l'appareil fait demi-tour sans lâcher les agents à son bord, nous aurons gâché une occasion en or. Parmi eux se trouve une femme susceptible de nous donner des renseignements sur la plupart des réseaux de la Résistance du nord de la France — à condition, bien entendu, de mettre la main sur elle.

Weber ajouta, surtout pour leur rappeler qu'il était là :

— Laissez-moi insister sur ce qu'a dit le major Franck. Ne prenez aucun risque ! Ne vous montrez pas ! Tenez vous-en au plan !

— Merci, major, fit Dieter. Le lieutenant Hesse vous a divisés en équipes de deux hommes, de « A » jusqu'à « L », lettres qui désignent aussi chacune des constructions figurant sur le plan. Nous arriverons au village à vingt heures pour investir rapidement chaque bâtiment ; leurs occupants seront regroupés dans la plus vaste des trois maisons, la ferme Grandin, et retenus là jusqu'à la fin de l'opération.

Un des hommes leva la main. Weber aboya :

— Schuller ! Vous pouvez parler.

— Major, si les gens de la Résistance se présentent dans une maison et la trouvent vide, cela risque d'éveiller leurs soupçons.

— Bonne remarque, approuva Dieter en hochant la tête. À mon avis, ce ne sera pas le cas, le comité de réception étant certainement étranger à la région. On ne parachute généralement pas d'agents à proximité d'un endroit où résident leurs proches : ce serait une tentation inutile. Je parie qu'ils arriveront après la tombée de la nuit et qu'ils gagneront directement l'étable sans s'occuper des villageois.

Weber reprit la parole.

— C'est la procédure normale de la Résistance, dit-il avec l'air d'un médecin posant un diagnostic.

— La ferme Grandin sera notre quartier général, continua Dieter, et le major Weber en prendra le commandement.

C'était son plan pour éloigner Weber du véritable théâtre des opérations.

— Les prisonniers seront enfermés dans un endroit commode — une cave serait l'idéal — et tenus au silence pour que nous puissions entendre arriver le véhicule du comité de réception et plus tard l'avion.

— Tout prisonnier qui fera du bruit, précisa Weber, pourra être abattu.

— Aussitôt les villageois enfermés, reprit Dieter, les équipes A, B, C et D iront se cacher dans des positions réparties sur les routes menant au village. Signalez par ondes courtes toute entrée dans le village, mais ne faites rien de plus. Pour le moment, n'empêchez pas les gens d'aller et venir et ne trahissez pas votre présence.

Parcourant du regard la salle, Dieter se demanda avec inquiétude si les hommes de la Gestapo avaient assez de cervelle pour suivre ces instructions.

— L'ennemi aura à transporter six parachutistes en plus du comité d'accueil : ils arriveront donc en camion, en car ou peut-être à plusieurs voitures. Je pense qu'ils accéderont au pré par cette barrière — le sol est très sec à cette époque de l'année, il n'y a donc aucun danger de voir les voitures s'enliser — et ils se gareront entre la barrière et l'étable, ici, fit-il en désignant un point sur le plan.

« Les équipes E, F, G et H se tiendront dans ce bouquet d'arbres auprès de l'étang, chacune équipée d'un gros projecteur fonctionnant sur piles. Les équipes I et J resteront à la ferme Grandin pour garder les prisonniers et occuper le QG avec le major Weber. Dieter ne voulait pas le voir sur les lieux de l'arrestation. Les équipes K et L seront avec moi, derrière cette haie près de l'étable.

Hans avait repéré les meilleurs tireurs et les avait affectés à Dieter.

— Je serai en contact radio avec toutes les équipes et j'assurerai le commandement dans le pré. Quand nous entendrons l'avion... nous ne ferons rien ! Quand nous apercevrons les parachutistes... nous ne ferons rien ! Nous les regarderons se poser et nous attendrons que le comité d'accueil les rassemble et les regroupe près de l'endroit où seront garés les véhicules. Dieter haussa le ton en s'adressant principalement à Weber. Nous ne procéderons à aucune arrestation avant.

Les hommes n'utiliseraient pas leur fusil à moins qu'un officier nerveux leur en donne l'ordre.

— Quand nous serons prêts, je vous donnerai le signal. À partir de cet instant et jusqu'à ce qu'elles aient reçu l'ordre de se retirer, les équipes A, B, C et D arrêteront quiconque tentera d'entrer dans le village ou d'en sortir. Les équipes E, F, G et H allumeront leur projecteur et les braqueront sur l'ennemi. Seules les équipes E et F sont autorisées à faire usage de leurs armes, la consigne étant de ne tirer que pour blesser. Nous voulons ces parachutistes en état de répondre aux interrogatoires.

Le téléphone sonna et Hans Hesse décrocha.

— C'est pour vous, dit-il à Dieter. Le quartier général de Rommel.

Heureuse coïncidence, pensa Dieter en prenant le combiné. Il avait appelé un peu plus tôt Walter Goedel à La Roche-Guyon et laissé un message demandant que celui-ci le rappelle.

— Walter, mon ami, comment va le feld-maréchal ?

— Très bien, que voulez-vous ? scanda Goedel toujours aussi brusque.

— Je pensais que le feld-maréchal serait content de savoir que nous comptons réussir un petit coup de main ce soir : l'interception d'un groupe de saboteurs à leur arrivée. D'après mes renseignements, l'un d'eux connaîtrait à fond plusieurs réseaux de résistance.

Dieter hésitait à donner des détails au téléphone, cependant il était peu probable que la Résitance réussisse à capter une ligne militaire allemande, et obtenir le soutien de Goedel était capital.

— Excellent, dit Goedel. Justement, je vous appelle de Paris. Combien me faudrait-il de temps en voiture pour aller jusqu'à Reims... deux heures ?

— Trois.

— Alors, je vais participer à l'opération.

— Mais certainement, fit Dieter, ravi, si c'est ce que souhaite le feld-maréchal. Retrouvez-nous au château de Sainte-Cécile au plus tard à dix-neuf heures.

Dieter jubila : Weber avait légèrement pâli.

— Très bien, fit Goedel en raccrochant.

Dieter rendit le combiné à Hesse.

— L'aide de camp du feld-maréchal Rommel, le major Goedel, nous rejoindra ce soir, annonça-t-il d'un ton triomphant. Raison de plus pour nous assurer que tout se passe avec la plus totale efficacité. Il parcourut l'assistance d'un regard souriant et s'arrêta finalement sur Weber. Quelle chance, vous ne trouvez pas ?

29.

Les Corneilles à bord d'un petit bus roulèrent toute la matinée vers le nord. Ce fut un long voyage à travers des bois touffus et des champs de blé encore verts, zigzaguant d'une bourgade endormie à l'autre en contournant Londres par l'ouest. La campagne semblait ignorer la guerre, et même le XXe siècle, et Betty espérait que le pays resterait longtemps ainsi. Tout en traversant le quartier médiéval de Winchester, elle évoqua Reims et sa cathédrale, les nazis en uniforme se pavanant dans les rues et les voitures noires de la Gestapo omniprésentes ; elle remercia le ciel que la Manche les eût arrêtés. Assise auprès de Paul, elle observa quelque temps la campagne, puis — comme elle avait passé toute la nuit à faire l'amour — elle sombra dans un sommeil béat, la tête sur son épaule.

Ils atteignirent le village de Sandy dans le Bedfordshire à quatorze heures. Le car dévala le lacet d'une route de campagne, déboucha sur un chemin de terre qui traversait un bois et arriva à Tempsford House. Betty connaissait cette vaste demeure, point de rassemblement du terrain d'aviation voisin. Oubliée l'ambiance paisible qui y régnait alors et l'élégance du XVIIIe siècle. Ne restait plus que la tension insupportable des heures précédant un départ en territoire ennemi.

Il était trop tard pour le déjeuner, mais on leur servit du thé et des sandwiches dans la salle à manger. L'angoisse empêcha Betty de manger. Les autres toutefois dévorèrent de bon cœur la collation. Puis on leur montra leur chambre.

Un peu plus tard, les femmes se retrouvèrent dans la bibliothèque qui, en fait, évoquait davantage la garde-robe d'un studio de cinéma : des manteaux et des robes suspendus à des cintres, des cartons à chapeaux, des boîtes de chaussures, des tiroirs avec des étiquettes *Culottes, Chaussettes, Mouchoirs* et, sur une grande table au milieu de la pièce, plusieurs machines à coudre.

La responsable, une certaine Mme Guillemin, menue, la cinquantaine, vêtue d'une robe chemisier et d'une élégante petite veste assortie, des lunettes sur le bout du nez et un mètre autour du cou, s'adressa à Betty dans un français parfait à l'accent parisien.

— Comme vous le savez, les tenues en France sont très différentes de ce qu'on porte en Angleterre. Je ne dirais pas qu'elles ont plus de chic, mais... pourtant, je ne saurais pas m'exprimer autrement, elles ont... plus de chic.

Elle eut un petit haussement d'épaules très français et les femmes éclatèrent de rire. Ce n'est pas une simple question de chic, songea Betty : non seulement les vestes des Françaises mesurent en général une vingtaine de centimètres de plus qu'en Angleterre, mais il y a de nombreuses autres différences de détail qui risquent de trahir un agent. Tous les vêtements entreposés là avaient donc été achetés en France, échangés avec des garde-robes de réfugiés contre des toilettes britanniques neuves, ou bien fidèlement copiés à partir d'originaux français, et portés quelque temps pour ne pas avoir l'air neuf.

— Pour l'été, nous avons des robes de cotonnade, des tailleurs de laine légers et des imperméables. Mes assistantes feront des retouches si besoin est.

De la main elle désigna les deux jeunes femmes installées derrière les machines à coudre.

— Ce qu'il nous faut, expliqua Betty, ce sont des toilettes assez chères, mais un peu usées, qui nous donnent un air respectable au cas où nous serions interrogées par la Gestapo.

Se faire passer pour des femmes de ménage serait facile : il leur suffirait de se débarrasser des accessoires élégants, comme chapeaux, gants ou ceintures.

Mme Guillemin commença par Ruby. Elle l'examina une minute avant de décrocher une robe bleu marine et un imperméable beige.

— Essayez donc cela. C'est un modèle pour homme, mais

aucune femme en France aujourd'hui n'a les moyens de faire la difficile. Si vous voulez, dit-elle en désignant le fond de la pièce, vous pourrez vous changer derrière ce paravent et, pour les plus pudiques, dans un petit vestibule derrière le bureau, où, à notre avis, le propriétaire de cette maison devait s'enfermer pour lire des livres polissons.

Les filles se remirent à rire, à l'exception de Betty qui avait déjà entendu cette plaisanterie. La couturière toisa longuement Greta, puis repartit en disant :

— Je reviendrai m'occuper de vous.

Elle choisit des tenues pour Jelly, Diana et Maude qui, toutes passèrent derrière le paravent. Puis elle se tourna vers Betty et dit à voix basse :

— C'est une plaisanterie ?

— Pourquoi dites-vous cela ?

— Vous êtes un homme, affirma-t-elle en se tournant vers Greta, à la grande déception de Betty.

La couturière avait en quelques secondes percé son déguisement. C'était mauvais signe.

— Vous pourriez tromper pas mal de gens, ajouta-t-elle, mais pas moi. Je devine tout de suite.

— Comment ? demanda Greta.

— À cause des proportions, expliqua Mme Guillemin. Carrure, tour du bassin et des mollets, taille des mains... Quand on s'y connaît, ça saute aux yeux.

— Pour cette mission, déclara Betty avec agacement, elle *doit* être une femme, alors veuillez, je vous prie, l'habiller du mieux que vous pourrez.

— Naturellement. Mais, au nom du ciel, évitez qu'elle rencontre une couturière.

— Pas de problème. La Gestapo n'en emploie pas beaucoup.

Betty feignait l'assurance, ne voulant pas montrer son inquiétude à Mme Guillemin. Le regard de la couturière revint à Greta.

— Je vais vous trouver une jupe et un corsage qui fassent contraste, pour que vous paraissiez moins grande, ainsi qu'un manteau trois quarts.

Son choix ne plut guère à Greta qui préférait les tenues plus habillées, toutefois elle ne protesta pas.

— Je vais être pudique et m'enfermer dans l'antichambre, annonça-t-elle.

Pour finir, Mme Guillemin proposa à Betty une robe vert pomme avec un manteau assorti.

— Cet ensemble mettra vos yeux en valeur, dit-elle. Dès l'instant que vous n'êtes pas voyante, il ne vous est pas interdit de paraître jolie. Le charme peut aider à se tirer d'un mauvais pas.

La robe sans forme tombait sur Betty comme un sac, mais elle souligna sa taille avec une ceinture de cuir.

— Je vous trouve très chic, on dirait une Française, approuva Mme Guillemin.

Betty ne lui avoua pas que la ceinture était surtout destinée à cacher un pistolet.

Arborant leurs nouvelles toilettes, les Corneilles paradèrent dans la pièce en pouffant de rire. Les choix de Mme Guillemin leur plaisaient, mais certaines toilettes nécessitaient un ajustage.

— Choisissez des accessoires, proposa la couturière, pendant que nous faisons les retouches.

Oubliant rapidement leur timidité et leur tenue limitée à leurs seuls sous-vêtements, elles firent les pitres en essayant chapeaux, chaussures, écharpes et sacs. Elles ne pensent pas pour l'instant aux dangers qui les attendent, se dit Betty, toutes au plaisir simple que procure une nouvelle toilette.

Greta émergea de l'antichambre, étonnamment élégante. Betty l'examina avec intérêt. Elle avait relevé le col de son corsage blanc, ce qui lui donnait un certain chic, et posé l'imperméable sur ses épaules comme une cape. Mme Guillemin haussa un sourcil mais s'abstint de tout commentaire.

Pendant qu'on lui raccourcissait sa robe, Betty inspecta le manteau. Travailler dans la clandestinité lui avait donné le sens du détail et elle vérifia avec soin que piqûres, doublure, boutons et poches faisaient bien français. Rien ne clochait ; l'étiquette sur le col précisait même « Galeries Lafayette ».

Betty montra à Mme Guillemin son couteau de poche ; à peine huit centimètres de longueur, une lame très étroite, mais terriblement tranchante, il tenait dans un mince étui de cuir percé d'un trou où pouvait passer un fil.

— Pouvez-vous me coudre ça sous le revers de mon manteau ? demanda Betty.

— C'est faisable, fit Mme Guillemin en hochant la tête.

Elle donna ensuite à chacune des jeunes femmes un assortiment de lingerie, en double exemplaire, provenant — les étiquettes l'attestaient — de magasins français. Avec un flair sans faille, elle avait choisi non seulement la taille appropriée, mais le style qui convenait à chacune : une gaine pour Jelly, une jolie combinaison ornée de dentelle pour Maude, une culotte bleu marine et un soutien-gorge à armature pour Diana, de simples chemisettes et petites culottes pour Ruby et pour Betty.

— Les mouchoirs portent la marque de différentes blanchisseries de Reims, fit observer Mme Guillemin avec une certaine fierté.

Pour finir, elle exhiba une collection de bagages : un sac de marin en toile, un petit sac de voyage en cuir, un sac à dos et un assortiment de vieilles valises de carton de différentes couleurs et de différentes tailles. Chacune reçut le sien et trouva à l'intérieur une brosse à dents, de la pâte dentifrice, de la poudre, du cirage, des cigarettes et des allumettes — tout cela de marque française. Betty avait en effet insisté pour que, malgré la brièveté du déplacement chacune ait une trousse complète.

— Rappelez-vous, dit Betty, qu'il est hors de question que vous emportiez *quoi que ce soit* qui ne vous aurait pas été remis cet après-midi. Votre vie en dépend.

Les ricanements cessèrent à l'évocation du danger qu'elles allaient affronter dans quelques heures.

— Bon, conclut Betty, retournez dans vos chambres et enfilez vos vêtements français, y compris des dessous. Nous nous retrouverons ensuite en bas pour dîner.

On avait installé un bar dans le grand salon de la maison, que Betty trouva occupé par une douzaine d'hommes, certains en uniforme de la RAF, mais tous — Betty le savait pour être déjà venue ici — désignés pour effectuer des vols clandestins au-dessus de la France. Sur un tableau noir, les noms, ou les noms de code, de ceux qui décolleraient ce soir, et l'heure de leur départ.

Aristote : 19 heures 50
Capt. Jenkins & lieut. Ramsey : 20 heures 5
Groupe Corneilles : 20 heures 30
Colgate & Bunter : 21 heures
Mr Blister, Paradox, Saxophone : 22 heures 05

Elle consulta sa montre. 18 heures 30 : encore deux heures.

Elle s'assit au bar et regarda tous ces gens, en se demandant lesquels reviendraient et lesquels mourraient là-bas. Certains étaient terriblement jeunes, ils fumaient et échangeaient des plaisanteries, l'air parfaitement insouciants. Les plus âgés, apparemment endurcis, savouraient qui un whisky, qui un gin, peut-être le dernier. Elle pensa à leurs parents, leurs épouses ou leurs petites amies, leurs bébés et leurs enfants. Les missions de ce soir en laisseraient avec une douleur qui ne s'effacerait jamais complètement.

Elle fut interrompue dans ces sombres réflexions par un spectacle qui la décontenança : vêtu d'un costume rayé, Simon Fortescue, l'onctueux bureaucrate du MI6, faisait son entrée dans le bar accompagné de Denise Bowyer. Elle en resta bouche bée.

— Elizabeth, dit Simon, je suis bien content de vous rencontrer. Sans attendre d'y être invité, il approcha un tabouret pour Denise. Gin-tonic, je vous prie, barman. Que désirez-vous, lady Denise ?

— Un Martini, très sec.

— Et pour vous, Elizabeth ?

— Elle est censée être en Écosse ! s'écria-t-elle, ne répondant pas à la question.

— Écoutez, il semble y avoir eu un malentendu. Denise m'a tout raconté à propos de ce policier...

— Il n'y a aucun malentendu, rétorqua sèchement Betty. Denise a loupé son stage, voilà tout.

Denise émit un grognement écœuré.

— Je ne vois vraiment pas, reprit Fortescue, comment une fille remarquablement intelligente, et issue d'une illustre famille, pourrait échouer...

— Parce que c'est une grande gueule.

— Pardon ?

— Elle est incapable de tenir sa langue : on ne peut pas lui faire confiance, et elle ne devrait pas se promener ainsi, en liberté !

— Sale petite insolente, lança Denise.

Au prix d'un effort, Fortescue se maîtrisa et baissa la voix.

— Écoutez, son frère est le marquis d'Inverlocky, un

proche du Premier ministre. Inverlocky lui-même m'a demandé de m'assurer que Denise aurait l'occasion de servir sa patrie. Alors, vous comprenez, il serait extrêmement indélicat de la renvoyer.

— Permettez-moi de mettre les choses au point, dit Betty en haussant le ton, si bien qu'un ou deux hommes installés au bar levèrent les yeux. Pour faire plaisir à votre ami de la haute, vous me demandez d'emmener quelqu'un qui n'est pas fiable dans une mission dangereuse derrière les lignes ennemies. C'est bien cela ?

À cet instant, Percy et Paul arrivèrent. Percy lança à Fortescue un regard sans bienveillance et Paul lâcha :

— J'ai bien entendu ?

— J'ai amené Denise avec moi, déclara Fortescue, parce que ce serait franchement extrêmement gênant pour le gouvernement si on la laissait là...

— Ce serait un danger pour moi si elle venait ! lança Betty. Vous gaspillez votre salive. Elle ne fait plus partie de l'équipe.

— Écoutez, je ne veux pas faire jouer mon grade...

— Quel grade ? demanda Betty.

— J'ai démissionné des Gardes avec le grade de colonel...

— À la retraite !

— ... et, en tant que fonctionnaire, j'ai rang de général de brigade.

— Ne soyez pas ridicule, vous n'appartenez même pas à l'armée.

— Je vous ordonne de prendre Denise avec vous.

— Voilà qui mérite réflexion.

— C'est mieux ainsi. Je suis sûr que vous ne le regretterez pas.

— Très bien, c'est tout réfléchi. Allez vous faire foutre.

Fortescue devint tout rouge. Jamais sans doute une femme ne lui avait parlé sur ce ton. Il restait muet, ce qui n'était pas son habitude.

— Eh bien ! remarqua Denise. Nous savons maintenant à quel genre de personne nous avons affaire.

— C'est à moi que vous avez affaire, intervint Paul. Je suis le responsable de cette opération et à aucun prix je ne prendrai Denise dans l'équipe. Si vous n'êtes pas d'accord, Fortescue appelez Monty.

— Bien dit, mon garçon, renchérit Percy.

Fortescue avait enfin retrouvé sa voix. Il menaça Betty du doigt.

— Le temps viendra, madame Clairet, où vous regretterez de m'avoir dit cela, dit-il en se levant. Je suis désolé de cet incident, lady Denise, mais je crois que nous avons fait tout ce que nous pouvions ici.

Ils sortirent.

— Petite idiote, marmonna Percy.

— Allons dîner, conclut Betty.

Les autres attendaient déjà dans la salle à manger. Comme les Corneilles attaquaient leur dernier repas en Angleterre, Percy leur fit à chacune un joli cadeau : un étui à cigarettes pour les fumeuses, un poudrier en or pour les autres.

— Ils ont tous des poinçons français, alors vous pouvez les emporter, précisa-t-il. Ces objets ont une autre utilité : vous pouvez facilement les mettre en gage pour vous dépanner en cas de gros pépins.

Les femmes étaient ravies de son geste, mais sa remarque les ramena à des considérations plus sérieuses.

La nourriture était abondante — un vrai banquet par ces temps de guerre — et les Corneilles y firent honneur. Betty, quant à elle, n'avait pas très faim, mais elle se força à avaler un steak respectable sachant que c'était plus de viande qu'elle n'en aurait en France en toute une semaine. La fin du repas sonna l'heure du départ pour le terrain d'aviation. Elles remontèrent dans leur chambre, prirent leur bagage français, puis embarquèrent dans le bus. Il emprunta une autre route de campagne, traversa une voie ferrée et approcha d'un groupe de bâtiments au bord d'un grand champ plat ; un panneau annonçait la ferme Gibraltar. Betty savait que s'y dissimulait en réalité le terrain d'aviation de Tempsford avec ses casernements en tôle camouflés en étables.

Dans l'une d'entre elles, un officier de la RAF en uniforme montait la garde devant des étagères croulant sous les équipements. On distribua son matériel à chacune des Corneilles après une fouille en bonne et due forme. On découvrit dans la valise de Maude une boîte d'allumettes anglaises, dans la poche de Diana une grille de mots croisés arrachée au *Daily Mirror* que, jura-t-elle, elle comptait laisser dans l'avion, et dans les affaires de Jelly, la joueuse invétérée, un jeu de cartes dont chacune portait la mention « *made in Birmingham* ».

Paul distribua papiers d'identité, cartes de ravitaillement et tickets de textile. En outre, chaque femme reçut cent mille francs français, presque uniquement en coupures de mille, crasseuses : de quoi acheter deux conduites intérieures Ford.

On leur remit aussi des armes, des colts automatiques 12 mm, et des poignards de commando à deux lames, extrêmement tranchants. Betty refusa les deux, préférant son propre browning automatique de 9 mm qu'elle glisserait dans sa ceinture de cuir ainsi que, en cas d'urgence, une mitraillette. Au lieu du poignard de commando, elle garda son canif, moins long et moins redoutable, mais également moins encombrant ; ainsi un agent interpellé pourrait plonger la main dans sa poche et en retirer, au lieu de ses papiers qu'on lui demandait, le couteau.

Diana et Betty reçurent en outre, la première un fusil Lee-Enfield, la seconde une mitraillette Sten Mark II avec un silencieux.

Le plastic dont Jelly aurait besoin fut réparti équitablement entre les six femmes, si bien qu'il en resterait encore assez même si un ou deux bagages se perdaient.

— Mais je risque de sauter avec ! s'exclama Maude.

Jelly lui expliqua qu'elle ne risquait absolument rien.

— Je me rappelle un type qui a pris ça pour du chocolat et qui en a croqué un bout, raconta-t-elle. Quelle courante après !

On leur proposa les traditionnelles grenades Mills rondes à écailles, mais Betty insista pour la catégorie des défensives qui pouvaient aussi faire office de charges explosives. Chaque femme reçut enfin un stylo dont le capuchon creux cachait un comprimé de cyanure.

Puis ce fut le passage obligatoire par les toilettes avant d'enfiler la combinaison de vol avec une poche revolver, ce qui permettait de se défendre dès l'atterrissage — le casque, les lunettes et, en dernier lieu, le harnais du parachute.

Paul demanda à Betty de sortir un moment : il avait gardé les laissez-passer indispensables à l'équipe pour accéder au château, car si une Corneille était capturée par la Gestapo, un tel document trahirait le véritable objectif de la mission. Pour plus de sûreté, il les confia donc tous à Betty qui ne les distribuerait qu'à la dernière minute.

Alors, il l'embrassa. Se plaquant contre son corps, elle lui rendit son baiser avec une passion désespérée, faisant fi sans vergogne de sa réserve, jusqu'à en perdre haleine.

— Ne te fais pas tuer, lui souffla-t-il à l'oreille.

Une toux discrète accompagnée de l'odeur de la pipe de Percy vint les interrompre. Elle se dégagea.

— Le pilote attend vos instructions, signala Percy à Paul.

Paul acquiesça et s'éloigna.

— Faites-lui bien comprendre que c'est Betty qui commande, lui cria Percy.

— Bien sûr, répondit Paul.

Percy avait l'air préoccupé et Betty eut un mauvais pressentiment.

— Que se passe-t-il ? demanda-t-elle.

— Un motard venant de Londres, dit-il en lui tendant une feuille de papier qu'il avait prise dans la poche de son blouson, a apporté cela du QG du SOE juste avant notre départ. C'est Brian Standish qui l'a envoyé hier soir.

Il tira nerveusement sur sa pipe et exhala un nuage de fumée. Betty examina la feuille dans la lumière du soir. C'était un message déchiffré dont la teneur la frappa comme un coup à l'estomac. Elle leva les yeux, consternée.

— Brian est tombé aux mains de la Gestapo !

— Juste quelques secondes.

— C'est ce qu'il prétend.

— Vous n'y croyez pas ?

— Ah ! putain ! dit-elle tout haut provoquant la stupéfaction d'un pilote qui passait, peu habitué à entendre ce genre de terme dans la bouche d'une femme.

Betty roula le papier en boule et le jeta sur le sol. Percy se baissa pour le ramasser et le défroissa.

— Essayons de garder notre calme et de réfléchir de façon positive..

Betty prit une profonde inspiration.

— Nous avons un principe, dit-elle d'un ton catégorique. Tout agent capturé par l'ennemi, *quelles que soient les circonstances*, doit être immédiatement rappelé à Londres pour être débriefé.

— Alors, vous n'aurez pas d'opérateur radio.

— Je peux m'en passer. Et ce Charenton ?

— Je trouve naturel que Mlle Lemas ait recruté quelqu'un pour l'aider.

— Toutes les recrues doivent être avalisées par Londres.

— Vous savez que c'est une règle qu'on n'a jamais appliquée.

— Au minimum, elles devraient être approuvées par le commandement local.

— Eh bien, c'est fait maintenant : Michel estime qu'on peut se fier à Charenton. Et Charenton a sauvé Brian de la Gestapo. Toute cette scène à la cathédrale, ça ne peut pas être un coup monté, non ?

— Peut-être qu'elle n'a jamais eu lieu et que ce message émane directement du quartier général de la Gestapo.

— Mais il contient tous les codes de sécurité. D'ailleurs, ils n'iraient pas inventer qu'il a été fait prisonnier et qu'il s'est échappé. Ils sauraient que ça éveillerait nos soupçons. Ils se contenteraient de dire qu'il était bien arrivé.

— Vous avez raison, mais je n'aime quand même pas ça.

— Non, moi non plus, dit-il à l'étonnement de Betty. Mais je ne sais que faire.

— Il faut courir le risque, soupira-t-elle. Nous n'avons pas le temps de prendre des précautions. Si nous ne mettons pas hors d'usage le central téléphonique dans les trois jours qui viennent, ce sera trop tard. Il faut y aller de toute façon.

Percy acquiesça, les larmes aux yeux. Il prit sa pipe entre ses dents puis la retira.

— C'est bien, mon petit, dit-il dans un souffle. C'est bien.

Le septième jour

Samedi 3 juin 1944

30.

Le SOE ne possédait pas d'avion : il devait les emprunter à la RAF, situation extrêmement pénible. En 1941, l'aviation lui avait confié deux Lysander, trop lents et trop lourds pour assurer le rôle de soutien sur le champ de bataille pour lequel on les avait prévus, mais parfaits pour les atterrissages clandestins en territoire ennemi. Plus tard, sous la pression de Churchill, deux escadrilles de bombardiers démodés furent affectées au SOE, même si le chef du Bomber Command, Arthur Harris, ne cessa jamais d'intriguer pour les récupérer. Au printemps 1944, à l'époque où l'on parachutait en France des douzaines d'agents pour préparer le débarquement, le SOE disposait de trente-six appareils.

Les Corneilles embarquèrent à bord d'un Hudson, un bombardier léger, bimoteur américain fabriqué en 1939 et depuis lors dépassé par le bombardier lourd Lancaster quadrimoteur. Le Hudson avait deux mitrailleuses à l'avant auxquelles la RAF en avait ajouté deux en installant une tourelle à l'arrière. Dans le fond de la cabine des passagers, une glissière en forme de toboggan permettait aux parachutistes de se jeter dans le vide. Il n'y avait pas de sièges et les six femmes et leur contrôleur étaient donc assis à même le métal de la carlingue. C'était froid, inconfortable et elles avaient peur, mais Jelly fut prise d'un fou rire qui les ragaillardit toutes.

Elles partageaient l'espace avec douze conteneurs métalliques de la taille d'un homme et munis d'un parachute qui renfermaient — Betty le présumait — des armes et des munitions pour que d'autres réseaux de résistance puissent intervenir derrière les lignes allemandes au moment du débarquement. Après avoir largué les Corneilles à Chatelle, le Hudson se rendrait à une autre destination avant de rebrousser chemin pour regagner Tempsford.

Le décollage avait été retardé à cause d'un altimètre défectueux qu'il avait fallu remplacer : il était donc une heure du matin quand elles laissèrent derrière elles la côte anglaise. Au-dessus de la Manche, le pilote choisit de voler à quelques dizaines de mètres au-dessus de la mer pour échapper aux radars ennemis ; Betty, quant à elle, espérait sans rien dire qu'elles ne serviraient pas de cible aux navires de la Royal Navy, mais il reprit bientôt une altitude de deux mille quatre cents mètres pour franchir les fortifications de la côte française. Il passa ainsi le mur de l'Atlantique, puis redescendit à moins de cent mètres pour faciliter la tâche du navigateur.

Celui-ci, plongé dans ses cartes, calculait à l'estime la position de l'appareil. La lune serait pleine dans trois jours, aussi, malgré le black-out, distinguait-on sans mal les grandes villes. Toutefois, comme elles disposaient, pour la plupart, de batteries antiaériennes, il était préférable de les éviter, tout comme, pour la même raison, les camps et les bases militaires. Les rivières et les lacs étaient les accidents de terrain les plus précieux, surtout quand la lune se reflétait dans l'eau. Les forêts faisaient des taches sombres et toute disparition inattendue de l'une d'elles montrait clairement que le pilote s'était écarté de sa route. La lune qui faisait briller les rails de chemin de fer, le rougeoiement d'une locomotive et parfois les phares d'une voiture méprisant le black-out étaient autant d'utiles indications.

Pendant tout le vol, Betty repensa aux nouvelles qu'on lui avait données de Brian Standish et de ce nouveau venu, Charenton. L'histoire était sans doute vraie. Par l'intermédiaire d'un des prisonniers raflés au château par la Gestapo le dimanche précédent, les Allemands avaient découvert les rendez-vous dans la crypte de la cathédrale et ils avaient tendu un piège dans lequel Brian était tombé mais dont il avait réussi à s'échapper grâce à la nouvelle recrue de Mlle Lemas. Tout cela était parfaitement possible. Betty toutefois se méfiait des explications plausibles, ne se sentant en sûreté que quand les événements suivaient la procédure habituelle et n'exigeaient aucune explication supplémentaire.

En approchant de la Champagne, une autre aide à la navigation intervint, l'invention récente connue sous le nom d'Eureka-Rebecca. Une balise émettait un appel radio d'un emplacement secret quelque part à Reims — Betty savait qui l'avait installée dans la tour de la cathédrale, mais l'équipage du Hudson l'ignorait. C'était la moitié, Eureka. L'autre, Rebecca, se trouvait à bord de l'appareil : un récepteur radio coincé dans la cabine auprès du navigateur. Ils étaient à environ quatre-vingts kilomètres au nord de Reims quand ce dernier capta le message d'Eureka envoyé depuis la cathédrale.

La première idée des inventeurs avait été de placer Eureka sur le terrain d'atterrissage avec le comité d'accueil, mais ce n'était pas faisable. L'appareil, pesant près de cinquante kilos, était trop encombrant pour être transporté discrètement ; de plus, on aurait du mal, au premier poste de contrôle, à en expliquer la présence, fût-ce au fonctionnaire de la Gestapo le plus crédule. Michel et les autres chefs de la Résistance voulaient bien qu'on installe Eureka dans une position permanente, mais absolument pas qu'on le trimbale.

Le navigateur devait donc recourir aux méthodes traditionnelles pour repérer Chatelle. Il bénéficiait toutefois de la présence de Betty à ses côtés : elle s'était posée là à diverses occasions et reconnaîtrait donc l'endroit. En fait, ils passèrent à un peu plus d'un kilomètre à l'est du village, mais Betty repéra l'étang et remit le pilote sur la bonne trajectoire.

Ils tournèrent à moins de cent mètres au-dessus du pré. Betty aperçut les quatre lumières vacillantes en forme de L, et celle qui se trouvait au pied du L, clignotant suivant le code convenu. Le pilote remonta à près de deux cents mètres, l'altitude idéale pour un largage : plus haut, le vent ferait dériver les parachutistes, plus bas, leur parachute risquait de s'ouvrir trop tard.

— Quand vous voudrez, dit le pilote.

— Je ne suis pas prête.

— Qu'est-ce qui se passe ?

— Quelque chose ne va pas.

L'instinct de Betty déclenchait chez elle une sonnette

d'alarme, outre ce qui concernait Brian Standish et Charenton. Elle désigna le village à l'ouest et ajouta :

— Regardez, aucune lumière.

— Ça vous surprend ? C'est le black-out. Et il est plus de trois heures du matin.

— C'est la campagne, fit Betty en secouant la tête, ils se moquent du black-out. Et puis il y a toujours au moins une personne éveillée : une mère avec un nouveau-né, un insomniaque, un étudiant qui potasse son examen. Je n'ai jamais vu le village plongé dans une obscurité totale.

— Si vous avez vraiment l'impression que quelque chose cloche, nous devrions filer dare-dare, grommela le pilote, un peu nerveux.

Une autre raison la préoccupait. Perplexe, elle voulut se gratter la tête, mais ses doigts rencontrèrent le casque, et l'idée qu'elle poursuivait lui échappa.

Que faire ? Elle ne pouvait tout de même pas annuler la mission sous le prétexte que, pour une fois, les villageois de Chatelle respectaient les règles du black-out.

L'avion survola le champ et amorça un virage.

— Rappelez-vous, fit observer le pilote d'un ton anxieux, chaque passage augmente les risques. Tous les habitants ont entendu maintenant nos moteurs et l'un d'entre eux va appeler la police.

— Justement ! fit-elle. Nous avons dû réveiller tout le monde et pourtant personne n'a allumé une lumière.

— Je ne sais pas, moi, les gens de la campagne n'ont parfois aucune curiosité. Ils aiment bien rester sur leur quant-à-soi, comme ils disent.

— Allons donc. Ils sont aussi curieux que n'importe qui. C'est bizarre.

Le pilote avait l'air de plus en plus soucieux, mais il continuait à tourner en rond. Elle se rappela tout d'un coup ce qui l'avait frappé.

— Le boulanger aurait dû allumer son four. En temps normal, on voit la lueur d'en haut.

— Il est peut-être fermé aujourd'hui.

— Quel jour est-on ? Samedi. Un lundi ou un mardi d'accord, mais jamais un samedi. Qu'est-il arrivé ? On dirait une ville fantôme.

Comme si, pensa-t-elle, les villageois, y compris le boulanger, avaient été rassemblés et enfermés dans une grange — ce que la Gestapo avait sans doute fait si elle les attendait.

— Alors, allons-nous-en.

Je ne peux pas annuler la mission, réfléchissait Betty, c'est trop important. Mais tous ses sens lui dictaient de ne pas sauter à Chatelle.

— C'est quand même risqué, murmura-t-elle.

Le pilote perdait patience.

— Alors décidez-vous !

— Quelle est votre prochaine destination ? demanda-t-elle, se souvenant soudain des conteneurs dans la cabine.

— Je ne suis pas censé vous le dire.

— Non, en général pas, mais cette fois j'ai vraiment besoin de savoir.

— Un champ au nord de Chartres.

Autrement dit, le réseau du Sacristain.

— Je le connais, s'écria Betty, qui sentait son excitation monter. Vous pourriez nous larguer avec les conteneurs. Leur comité d'accueil nous prendra en charge et nous pourrions être à Paris cet après-midi, à Reims demain matin.

Il saisit le manche à balai.

— C'est ce que vous voulez faire ?

— C'est possible ?

— Je peux vous larguer là-bas, pas de problème. La décision vous appartient. Vous êtes responsable de la mission : on me l'a très clairement expliqué.

Betty réfléchit : il fallait qu'elle transmette un message à Michel par la radio de Brian pour le prévenir que, si le parachutage avait été annulé, elle était quand même en route. Mais, au cas où la radio de Brian serait entre les mains de la Gestapo, elle devrait ne fournir que le minimum de renseignements. Cela dit, c'était faisable. Elle rédigerait un bref message radio que le pilote apporterait à Percy : Brian le recevrait d'ici deux heures.

Elle devrait également modifier les dispositions prises pour le ramassage des Corneilles après la mission. Pour l'instant, un Hudson devait se poser à deux heures du matin dimanche à Chatelle et, au cas où elles n'y seraient pas, revenir la nuit suivante à la même heure. Si on avait livré le nom de Chatelle à la Gestapo, ce qui rendait la prairie inutilisable, elle devrait recourir au terrain de Laroque, à l'ouest de Reims, nom de code : Champ d'or. La mission durerait un jour de plus parce qu'elles devraient faire le trajet de Chartres à Reims, en prévoyant le passage de l'avion de ramassage lundi à deux heures du matin, ou le lendemain à la même heure.

Elle évalua les conséquences : Chartres lui faisait perdre un jour, mais atterrir à Chatelle pouvait signifier l'échec de la mission et l'emprisonnement des Corneilles dans les chambres de torture de la Gestapo. Pas d'hésitation.

— Cap sur Chartres, ordonna-t-elle au pilote.

— Roger, j'exécute.

L'appareil vira sur l'aile et changea de cap ; Betty revint dans la cabine, sous les regards convergents des Corneilles.

— Changement de programme, annonça-t-elle.

31.

Tapi sous une haie, Dieter regarda avec stupéfaction l'avion britannique tourner au-dessus du pâturage.

Pourquoi ces atermoiements ? Le pilote avait exécuté deux passages au-dessus du terrain. Les flambeaux étaient bien en place. Le responsable du comité d'accueil avait-il fait clignoter un code erroné ? Les hommes de la Gestapo avaient-ils éveillé les soupçons ? Quelle situation exaspérante : Elizabeth Clairet à seulement quelques mètres de lui, si près qu'avec son pistolet il pourrait toucher l'appareil.

Là-dessus, l'avion vira sur l'aile, changea de direction et fila vers le sud. Dieter était mortifié. Elizabeth Clairet lui avait échappé — sous le nez de Walter Goedel, de Willi Weber et de vingt hommes de la Gestapo. Il enfouit son visage entre ses mains.

Que s'était-il passé ? Il pouvait y avoir une douzaine de raisons. Tandis que le ronronnement des moteurs s'éloignait, Dieter entendit des cris d'indignation en français. Les hommes de la Résistance semblaient aussi perplexes que lui. À son avis, Betty, qui avait de l'expérience, avait flairé un piège et annulé le parachutage. Walter Goedel, allongé par terre auprès de lui, demanda :

— Qu'allez-vous faire maintenant ?

Dieter réfléchit brièvement. Quatre membres de la Résistance se trouvaient à proximité : Michel, le chef, que sa blessure faisait encore boiter ; Hélicoptère, l'opérateur radio britannique ; un Français que Dieter ne reconnut pas et une jeune femme. Qu'allait-il faire d'eux ? Laisser Hélicoptère libre de ses mouvements était un bon plan en théorie, mais cela lui avait déjà valu deux revers humiliants ; il n'avait pas le cran de continuer. Il fallait à partir du fiasco de ce soir, en revenant aux méthodes traditionnelles d'interrogatoire, sauver au moins quelque chose de l'opération — notamment sa réputation.

Il porta à ses lèvres le micro de sa radio à ondes courtes. « À toutes les unités, ici le major Franck, dit-il à voix basse. Allez-y, je répète, Allez-y. » Puis il se leva et dégaina son pistolet. Les projecteurs dissimulés dans les arbres s'allumèrent, éclairant impitoyablement les quatre terroristes plantés au milieu du champ, soudain ahuris et vulnérables.

— Vous êtes cernés ! Les mains en l'air ! cria Dieter en français.

Auprès de lui, Goedel prit son Luger. Les quatre hommes de la Gestapo qui accompagnaient Dieter braquèrent leur fusil sur les jambes des résistants. Il y eut un moment de flottement : les résistants allaient-ils ouvrir le feu ? S'ils le faisaient, ils seraient fauchés par les Allemands, ou au mieux blessés ; mais Dieter n'avait guère eu de chance ce soir : s'ils étaient tous les quatre tués, c'en serait fini. Profitant de l'hésitation des résistants, Dieter s'avança dans la lumière, flanqué de ses quatre compatriotes.

— Il y a vingt fusils braqués sur vous, cria-t-il. Ne touchez pas à vos armes.

L'un d'eux, ignorant l'avertissement, se mit à courir arrachant un juron à Dieter : l'imbécile qui, dans le faisceau des projecteurs, fonçait à travers le pré comme un taureau furieux, avait les cheveux roux d'Hélicoptère.

— Abattez-le, ordonna calmement Dieter.

Ceux-ci visèrent soigneusement avant de tirer. Les détonations claquèrent dans le silence de la prairie. Hélicoptère fit encore deux pas, puis s'écroula.

Dieter regarda les trois autres qui attendaient ; lentement, ils levèrent les mains au-dessus de leur tête. Dieter transmit par radio : « À toutes les équipes dans le pré, avancez et emparez-vous des prisonniers. » Il rengaina son pistolet.

Il s'approcha de l'endroit où gisait Hélicoptère : il ne bougeait pas. Les hommes de la Gestapo avaient visé les jambes, mais toucher une cible en mouvement dans le noir était difficile et l'un d'eux avait misé trop haut : dans le cou, sectionnant la moelle épinière, ou la jugulaire ou les deux. Dieter s'agenouilla auprès de lui et tâta son pouls : rien.

— Tu n'étais pas un agent très malin, mais tu t'es comporté en brave, murmura-t-il. Que Dieu ait ton âme, fit-il en lui fermant les yeux.

Il observa les trois autres qu'on désarmait avant de leur passer les menottes. Michel résisterait à un interrogatoire ; Dieter l'avait vu au combat, il était courageux. Son point faible était sans doute la vanité, aussi torturer ce beau coureur de jupons devant un miroir serait la bonne méthode — lui casser le nez, lui briser les dents, lui lacérer les joues, lui faire comprendre que chaque minute d'obstination supplémentaire le défigurerait davantage.

Venait ensuite un professeur ou un avocat : on trouva sur lui un laissez-passer autorisant le Dr Claude Bouler à circuler après le couvre-feu. Dieter pensa à un faux mais il y avait bel et bien dans l'une de leurs voitures une authentique sacoche de médecin, pleine d'instruments et de médicaments. Arrêté, il avait pâli mais restait maître de lui — lui aussi poserait des problèmes.

La plus prometteuse, c'était la fille. Dix-neuf ou vingt ans, jolie, de longs cheveux bruns et de grands yeux, mais le regard vide. D'après ses papiers, il s'agissait de Gilberte Duval. Dieter avait retenu de l'interrogatoire de Gaston que Gilberte était la maîtresse de Michel et la rivale de Betty. Habilement manipulée, elle se laisserait facilement retourner.

On fit venir jusqu'à la ferme Grandin les véhicules allemands garés dans l'étable. Les prisonniers montèrent dans un camion avec les hommes de la Gestapo. Dieter ordonna qu'on les garde dans des cellules séparées et qu'on les empêche de communiquer.

La Mercedes de Weber les ramena, lui et Goedel, à Sainte-Cécile.

— Quelle farce ! cracha Weber d'un ton méprisant. Que de temps et d'énergie gâchés !

— Pas tout à fait, observa Dieter. Nous avons retiré de la circulation quatre agents subversifs — ce qui, après tout, est le boulot de la Gestapo — mieux encore, trois d'entre eux sont en vie et pourront être interrogés.

— Qu'espérez-vous obtenir d'eux ? demanda Goedel.

— Le mort, Hélicoptère, était un opérateur radio, expliqua Dieter. J'ai une copie de son livre de code. Malheureusement il n'avait pas emporté son émetteur. Retrouvons-le et nous nous ferons passer pour Hélicoptère.

— Vous n'avez qu'à utiliser n'importe quelle radio puisque vous connaissez la fréquence qui lui est attribuée ?

— Pour une oreille expérimentée, expliqua Dieter en secouant la tête, chaque émetteur est différent. Et ces petites radios portables ont des caractéristiques particulières. On a supprimé tous les circuits qui ne sont pas essentiels, afin de les miniaturiser au maximum et le résultat est d'une piètre qualité sonore. Si nous en possédions une exactement comme la sienne, confisquée à un autre agent, on pourrait prendre le risque.

— Il se peut que nous en ayons une quelque part.

— Oui, mais à Berlin. Il est plus facile de retrouver celle d'Hélicoptère.

— Comment vous y prendrez-vous ?

— La fille me dira où elle est.

Pendant le reste du trajet, Dieter réfléchit à sa stratégie d'interrogatoire. Torturer la fille devant les hommes : ils résisteraient... Les torturer devant la fille... Il y avait peut-être un moyen plus facile.

Un plan s'esquissait dans son esprit au moment où ils passèrent devant la bibliothèque municipale au centre de Reims. Il avait déjà remarqué ce bâtiment : un petit bijou Art déco bâti en pierre sombre au milieu d'un parc.

— Voudriez-vous faire arrêter un instant la voiture, je vous prie, major Weber ?

Weber donna un ordre à son chauffeur.

— Avez-vous des outils dans le coffre ?

— Je n'en ai aucune idée. Pour quoi faire ?

— Bien sûr, major, intervint le chauffeur, nous avons une trousse à outils.

— Un marteau de bonne taille ?

— Mais oui, fit l'homme en sautant à terre.

— J'en ai pour un instant, dit Dieter en descendant.

Muni d'un marteau à long manche avec une solide tête en acier, Dieter passa devant un buste d'Andrew Carnegie et se dirigea vers la bibliothèque. Bien sûr, tout était fermé et plongé dans l'obscurité. Les portes vitrées étaient protégées par une grille de fer forgé. Contournant le bâtiment, il découvrit au sous-sol l'entrée des archives municipales commandée par une porte en bois.

Dieter fit sauter la serrure, entra et alluma. Il repéra un petit escalier qui menait au rez-de-chaussée, à la salle de lecture. Il s'orienta vers la section « Romans », précisément à la lettre F, pour Flaubert, et prit un exemplaire du livre qu'il cherchait, *Madame Bovary.* Ce n'était pas un coup de chance extraordinaire : s'il existait une œuvre qui figurait dans toutes les bibliothèques de France, c'était bien celle-là.

Il feuilleta l'ouvrage jusqu'au chapitre neuf et trouva le passage auquel il songeait. Sa mémoire ne l'avait pas trompé : c'était exactement ce qu'il lui fallait.

Il revint à la voiture. Goedel avait l'air de s'amuser. Weber, quant à lui, lança d'un ton incrédule :

— Vous cherchiez de la lecture ?

— J'ai parfois du mal à m'endormir, répliqua Dieter.

Goedel se mit à rire. Il prit le livre des mains de Dieter et en lut le titre.

— Un classique de la littérature mondiale certes, déclara-t-il ; j'imagine cependant que c'est la première fois qu'on fracture la porte d'une bibliothèque pour l'emprunter.

Ils poursuivirent vers Sainte-Cécile. Lorsqu'ils arrivèrent au château, le plan de Dieter était au point. Il ordonna au lieutenant Hesse de préparer Michel, de le déshabiller et de le ligoter à une chaise dans la chambre de torture.

— Montrez-lui l'instrument qu'on utilise pour arracher les ongles, dit-il. Laissez-le sur la table devant lui.

Pendant ce temps, il prit une plume, une bouteille d'encre et un bloc de papier à lettres. Walter Goedel s'était installé dans un coin pour observer la scène.

Dieter examina Michel pendant quelques instants : grand, de séduisantes petites rides autour des yeux, le chef du réseau affichait cet air de voyou qui plaît aux femmes. Maintenant, il avait peur, mais il était résolu. Sans doute, songea Dieter, se demande-t-il comment faire pour tenir le plus longtemps possible sous la torture.

Dieter campa le décor, celui de l'alternative qu'il proposait à Michel : sur la table d'un côté la plume, l'encre et le papier, de l'autre la pince pour arracher les ongles.

— Détachez-lui les mains, ordonna-t-il.

Hesse obéit. Il comprenait à voir le visage de Michel qu'il éprouvait un immense soulagement en même temps qu'il redoutait de s'être trompé.

— Avant d'interroger les prisonniers, expliqua Dieter à Walter Goedel, je vais recueillir des échantillons de leur écriture.

— Leur écriture ?

Dieter confirma, sans perdre Michel de vue : apparemment plein d'espoir, celui-ci semblait avoir compris ce bref échange en allemand. Dieter tira de sa poche *Madame Bovary*, l'ouvrit et le posa sur la table.

— Copiez le chapitre neuf, dit-il à Michel en français. Mais remplacez les « vous » par des « tu », précisa-t-il sans donner d'explication.

Michel hésita devant cette demande bien anodine. Il soupçonnait un piège, devina Dieter, mais il ne voyait pas lequel. Dieter attendit. Les résistants avaient pour consigne de tout faire pour reculer le moment où l'on commencerait à les torturer. Il y avait peu de chance que ce soit inoffensif, mais cela valait mieux que de se faire arracher les ongles.

— Très bien, dit-il après un long silence, et il se mit à couvrir cinq feuillets de papier à lettres — deux pages du livre — d'une grande écriture énergique.

Michel s'apprêtait à tourner une nouvelle page quand Dieter l'arrêta. Il demanda à Hans de le reconduire dans sa cellule et de lui amener Gilberte. Goedel examina ce que Michel avait écrit et secoua la tête d'un air perplexe.

— Je ne vois pas où vous voulez en venir, dit-il.

Il lui rendit les feuillets et regagna sa chaise. Dieter déchira soigneusement une des pages pour ne garder que certains mots.

Gilberte arriva, terrifiée mais avec un air de défi.

— Je ne vous dirai rien, déclara-t-elle. Jamais je ne trahirai mes amis. D'ailleurs, je ne sais rien. Je ne fais que conduire des voitures.

Dieter lui dit de s'asseoir et lui offrit du café.

— Du vrai, précisa-t-il en lui tendant une tasse.

Elle but une gorgée et le remercia. Dieter l'examina : malgré son expression un peu rustre, elle était très belle, avec de longs cheveux bruns et des yeux sombres.

— Vous êtes une femme charmante, Gilberte, commença-t-il. Je ne crois pas que, au fond du cœur, vous soyez une meurtrière.

— Absolument pas ! affirma-t-elle.

— Il arrive à une femme de faire des choses par amour, n'est-ce pas ?

— Vous comprenez, dit-elle en le regardant d'un air surpris.

— Je sais tout de vous. Vous êtes amoureuse de Michel.

Elle baissa la tête sans rien dire.

— Un homme marié, évidemment. C'est regrettable. Mais vous l'aimez. Voilà pourquoi vous aidez la Résistance, par amour pas par haine.

Elle hocha la tête.

— J'ai raison ? fit-il. Il me faut une réponse.

— Oui, murmura-t-elle.

— Vous avez été mal inspirée, ma chère.

— Je sais que j'ai eu tort.

— Vous vous méprenez. Vous avez été mal inspirée, non pas en enfreignant la loi, mais en tombant amoureuse de Michel.

Elle fixa sur lui un regard étonné.

— Je sais qu'il est marié, mais...

— J'ai peur qu'il ne vous aime pas vraiment.

— Mais si !

— Non. Il aime sa femme. Elizabeth Clairet, dite Betty. Une Anglaise — ni très chic ni très belle, quelques années de plus que vous — mais il l'aime.

Les larmes aux yeux, elle lança :

— Je ne vous crois pas.

— Il lui écrit, vous savez. Il utilise probablement les courriers pour faire parvenir ses messages en Angleterre. Il lui envoie des lettres d'amour pour lui dire combien elle lui manque. Il ne manque pas de poésie, dans un genre un peu démodé. J'en ai lu certaines.

— Ce n'est pas possible.

— Il en avait une sur lui quand nous vous avons arrêtés. Il a essayé de la détruire, mais nous avons réussi à en sauver des fragments. Dieter sortit de sa poche la feuille qu'il avait déchirée et la lui tendit. Ce n'est pas son écriture ?

— Si.

— Si ce n'est pas une lettre d'amour... qu'est-ce que c'est ?

Gilberte se mit à déchiffrer lentement en remuant les lèvres :

> *Je pense à toi continuellement. Ton souvenir me désespère ! Pardon ! ... Je te quitte... Adieu ! ... J'irai loin..., si loin que tu n'entendras plus parler de moi !..., et cependant..., aujourd'hui..., je ne sais quelle force encore m'a poussé vers toi ! On ne lutte pas contre le ciel, on ne résiste point aux sourires des anges ! On se laisse entraîner par ce qui est beau, charmant, adorable.*

Elle reposa la feuille avec un sanglot.

— Je suis désolé de vous apprendre cela moi-même, reprit Dieter avec douceur.

Il ôta de sa poche de poitrine un mouchoir de batiste blanc et le lui tendit. Elle y enfouit son visage.

Le moment était venu de faire dériver imperceptiblement la conversation vers l'interrogatoire.

— Je suppose que Michel vit avec vous depuis le départ de Betty.

— Depuis plus longtemps, protesta-t-elle avec indignation. Tous les soirs depuis six mois, sauf quand *elle* est en ville.

— Dans votre maison ?

— J'ai un appartement. Petit. Mais suffisant pour deux... deux personnes qui s'aiment, poursuivit-elle en sanglotant.

Dieter s'efforçait de garder à la conversation un ton léger tout en approchant obliquement du sujet qui l'intéressait vraiment.

— Devoir partager un espace aussi exigu avec Hélicoptère n'a pas dû être facile.

— Il n'habite pas là. Il n'est arrivé qu'aujourd'hui.

— Mais vous avez dû vous demander où l'installer.

— Non, Michel lui a trouvé un endroit, une chambre vide au-dessus de la vieille librairie de la rue Molière.

Walter Goedel s'agita soudain sur son siège : il venait de comprendre où tout cela les menait. Dieter, sans un regard dans sa direction, demanda, comme si cela n'avait aucune importance :

— Il n'a pas laissé ses affaires chez vous quand vous êtes allés à Chatelle pour accueillir l'avion ?

— Non, il a tout emporté dans sa chambre.

Dieter alors posa la question clé :

— Y compris sa petite valise ?

— Oui.

Dieter savait ce qu'il voulait. La radio d'Hélicoptère l'attendait dans une chambre au-dessus de la librairie de la rue Molière.

— J'en ai fini avec cette andouille, dit-il à Hans en allemand. Passez-la à Becker.

La voiture de Dieter, l'Hispano-Suiza bleue était garée devant le château. Walter Goedel assis auprès de lui et Hans Hesse à l'arrière, il traversa en trombe les villages jusqu'à Reims et eut tôt fait de trouver la librairie de la rue Molière.

Ils enfoncèrent la porte et grimpèrent un escalier aux marches nues jusqu'à la pièce au-dessus de la boutique. Il n'y avait aucun meuble à part une paillasse sur laquelle on avait jeté une couverture. Sur le plancher, auprès du lit improvisé, une bouteille de whisky, une trousse de toilette et la petite valise. Dieter l'ouvrit pour montrer la radio à Goedel.

— Avec ça, dit-il d'un ton triomphant, je peux devenir Hélicoptère.

En retournant à Sainte-Cécile, ils discutèrent du message qu'il fallait envoyer.

— En premier lieu, Hélicoptère voudrait savoir pourquoi les parachutistes n'ont pas été largués, déclara Dieter. Il va donc demander : « Que s'est-il passé ? » Vous êtes d'accord ?

— Il serait furieux, précisa Goedel.

— Alors, il dirait peut-être : « Bon sang, que s'est-il passé ? »

Goedel secoua la tête.

— J'ai suivi des études en Angleterre avant la guerre. « Bon sang » est trop poli. C'est un euphémisme pour « mon Dieu. » Jamais, dans l'Armée, un jeune homme ne l'utiliserait.

— Alors : « Putain, qu'est-ce qui s'est passé ? »

— Trop grossier, protesta Goedel. Il sait que le message peut être déchiffré par une femme.

— Choisissez : votre anglais est meilleur que le mien.

— Je crois qu'il dirait : « Que diable s'est-il passé ? » Cela exprimerait sa colère, et ce juron masculin ne choquerait pas une femme.

— D'accord. Il voudrait savoir ce qu'il doit faire ensuite, alors il demanderait quels sont les ordres. Comment s'exprimerait-il ?

— Sans doute : « Envoyez instructions. » Les Anglais détestent le mot « ordre » : pour eux cette notion manque de raffinement.

— Très bien. Nous demanderons une réponse rapide car Hélicoptère serait impatient, et nous aussi.

Arrivés au château, ils descendirent au sous-sol pour gagner la salle d'écoute radio. Un opérateur radio d'un certain âge, du nom de Joachim, brancha l'émetteur et le régla sur la fréquence d'urgence d'Hélicoptère tandis que Dieter griffonnait le message qu'ils étaient convenus d'envoyer :

QUE DIABLE S'EST-IL PASSÉ ?
ENVOYEZ INSTRUCTIONS. RÉPONDEZ IMMÉDIATEMENT.

Dieter fit un effort pour maîtriser son impatience et montra soigneusement à Joachim comment chiffrer le message, y compris les codes de sécurité.

— Le doigté d'un expéditeur, comme son écriture, demanda Goedel, n'est-il pas reconnaissable ? Peuvent-ils découvrir que ce n'est pas Hélicoptère qui utilise l'émetteur ?

— C'est vrai, reconnut Joachim. Mais j'ai écouté deux ou trois fois ce type émettre et je peux l'imiter. C'est un peu comme copier un accent pour, par exemple, parler comme un habitant de Francfort.

— Vous vous sentez capable de l'imiter parfaitement après l'avoir entendu deux fois ? demanda Goedel, sceptique.

— Parfaitement, non. Mais les agents émettent souvent dans des conditions difficiles, éprouvantes pour les nerfs ; ils sont inquiets à l'idée de se faire repérer ; on mettra les petites variantes sur le compte de la tension.

Il se mit à pianoter les lettres. Dieter évaluait l'attente au minimum à une heure : les Britanniques devront déchiffrer le message, puis le transmettre à l'officier traitant d'Hélicoptère qui sera sûrement en train de dormir ; on le lui téléphonera donc et il composera immédiatement sa réponse qui devra être chiffrée avant d'être envoyée. Restera enfin pour Joachim à décoder le texte.

Dieter et Goedel, mettant à profit ce délai imposé, se rendirent à la cuisine. Un caporal du mess y commençait les préparatifs du petit déjeuner : ils se firent servir des saucisses et du café. Goedel, bien que pressé de retourner au QG de Rommel, avait décidé de rester, curieux de voir comment la situation allait évoluer.

Le jour se levait quand une jeune femme en uniforme de SS vint les prévenir : la réponse était arrivée et Joachim finissait de la dactylographier.

Ils se précipitèrent au sous-sol, pour y trouver Weber, décidément passé maître dans l'art de surgir au bon moment. Joachim lui remit le message dactylographié et tendit des carbones à Dieter et à Goedel.

LES CORNEILLES ONT ANNULÉ LARGAGE
ET ONT ATTERRI AILLEURS
ATTENDEZ CONTACT DE PANTHÈRE

— Ça ne nous dit pas grand-chose, marmonna Weber.

— Quelle déception ! renchérit Goedel.

— Vous avez tort tous les deux ! s'exclama Dieter. Panthère est en France — et j'ai une photo d'elle !

Il tira d'un geste de prestidigitateur les photos de Betty Clairet qu'il avait dans sa poche et en tendit une à Weber.

— Sortez un imprimeur de son lit et faites tirer un millier d'exemplaires. Je veux voir, dans les douze heures qui suivent, cette photo placardée dans tout Reims. Hans, faites le plein de ma voiture.

— Où allez-vous ? s'enquit Goedel.

— À Paris faire la même chose avec l'autre cliché. Maintenant, je la tiens !

32.

Le parachutage se passa sans encombre. On largua d'abord les conteneurs pour éviter qu'ils ne tombent sur la tête d'une des Corneilles ; puis celles-ci s'assirent à tour de rôle sur le toboggan et, au signal du contrôleur, se laissèrent glisser dans le vide.

Betty souhaita bonne chance à l'équipage et sauta la dernière. L'Hudson vira aussitôt vers le nord et disparut dans la nuit. L'aube pointait : à cause des diverses péripéties de la nuit, la dernière partie du vol s'effectuerait avec tous les risques du plein jour.

Betty fit un atterrissage parfait, les genoux fléchis et les bras le long du corps. Elle resta un moment immobile. Le sol français, songea-t-elle avec un frisson d'appréhension, était un territoire ennemi où on la considérait comme une criminelle, une terroriste, une espionne. Si elle se faisait prendre, elle serait exécutée.

Elle chassa cette pensée et se releva. À quelques mètres de là, dans le clair de lune, un âne la contempla un instant avant de recommencer à brouter. Dispersés dans la prairie, quelques résistants travaillant deux par deux ramassaient les volumineux conteneurs dont trois gisaient non loin d'elle.

Elle se débarrassait de son équipement quand un jeune homme s'approcha d'elle en courant et lui dit dans un français haletant :

— Nous n'attendions pas de personnel, rien que du matériel !

— Un changement de plan, dit-elle. Ne vous inquiétez pas. Anton est avec vous ?

Anton était le nom de code du chef du réseau Sacristain.

— Oui.

— Dites-lui que Panthère est ici.

— Ah !... Vous êtes Panthère ? fit-il, visiblement impressionné.

— Oui.

— Je suis Chevalier. Je suis très heureux de vous rencontrer.

Elle leva les yeux vers le ciel qui virait du noir au gris.

— Chevalier, trouvez Anton le plus vite possible, je vous prie. Dites-lui que j'ai six personnes qu'il faut transporter. Il n'y a pas de temps à perdre.

— Très bien, fit-il en s'éloignant rapidement.

Elle replia soigneusement son parachute, puis entreprit de retrouver les autres Corneilles. Greta avait atterri dans un arbre et récolté quelques bleus en heurtant les plus hautes branches sans, toutefois, se blesser sérieusement ; elle avait réussi à se débarrasser de son harnais et à descendre jusqu'au sol. Les autres avaient toutes atterri sur l'herbe sans dommage.

— Je suis très fière de moi, déclara Jelly, mais je ne le referais pas pour un million de livres.

Betty emmena les Corneilles vers l'extrémité sud du champ où étaient transférés les conteneurs. Elle trouva là une camionnette d'entrepreneur, une charrette attelée d'un cheval et une vieille limousine Lincoln avec le capot relevé sur une sorte de moteur à vapeur. Le spectacle ne l'étonna pas : l'essence étant réservée aux activités essentielles, les Français inventaient des systèmes tous plus ingénieux les uns que les autres pour faire fonctionner leur voiture.

Les hommes de la Résistance avaient chargé les conteneurs dans la charrette, les avaient dissimulés sous des cageots de légumes vides. D'autres s'entassaient à l'arrière de la camionnette. Tout cela sous la direction d'Anton, un homme fluet d'une quarantaine d'années arborant une casquette graisseuse et un blouson de travail bleu, une Gitane maïs au coin des lèvres.

— Six femmes ? s'étonna-t-il. C'est un club de couture ?

Betty l'avait constaté, mieux valait ignorer les plaisanteries sur les femmes. Elle prit un ton solennel.

— C'est l'opération la plus importante dont on m'ait jamais chargée et j'ai besoin de votre aide.

— Bien sûr.

— Il faut que nous prenions un train pour Paris.

— Je peux vous conduire à Chartres.

Il jeta un coup d'œil au ciel pour estimer le temps dont ils disposaient jusqu'au lever du jour, puis désigna de l'autre côté du champ une ferme qu'on distinguait à peine.

— Pour l'instant, vous pouvez vous cacher dans une grange. Nous reviendrons quand nous aurons déchargé ces conteneurs.

— Non, dit Betty d'un ton ferme, nous devons partir tout de suite.

— Le premier train pour Paris est à dix heures. Je peux vous amener là-bas à temps.

— Non, je ne me fie pas aux horaires. Déposez les conteneurs dans la grange et emmenez-nous maintenant.

C'était vrai. À cause des bombardements alliés, des sabotages par les maquisards et des erreurs délibérées des cheminots antinazis, ceux-ci étaient totalement incertains et la seule solution était de se rendre à la gare et d'y camper jusqu'à l'arrivée d'un train. Mieux valait prendre position de bonne heure.

— Impossible, il faut que le matériel soit entreposé avant le lever du jour.

Les hommes s'interrompirent pour suivre la discussion. Betty soupira. Anton accordait une priorité absolue aux armes et aux munitions ; c'est de là qu'il tirait son pouvoir et son prestige.

— Croyez-moi, reprit-elle, cette mission est plus importante.

— Je regrette...

— Anton, écoutez-moi bien. Si vous ne m'aidez pas, je vous promets que vous ne recevrez plus jamais un seul conteneur d'Angleterre. Vous savez que je peux le faire, n'est-ce pas ?

Il y eut un silence. Anton ne voulait pas abdiquer en présence de ses hommes. Par ailleurs, ils le quitteraient si on ne le ravitaillait plus en armes. C'était le seul moyen de pression des officiers britanniques sur la Résistance.

La manœuvre réussit. Il lui lança un regard noir puis, lentement, il ôta le mégot calé au coin de sa bouche, en écrasa l'extrémité et le lança par terre.

— Très bien, lâcha-t-il, montez dans la camionnette.

Les femmes les aidèrent à décharger les conteneurs avant de s'installer par terre tant bien que mal, utilisant ce qu'elles trouvaient pour protéger leur tenue de la poussière de ciment, des plaques de boue et des flaques d'huile qui encrassaient le plancher du véhicule. Anton ferma la porte derrière elles. Chevalier se mit au volant.

— Allons, mes petites dames, dit-il en anglais. En route !

Betty répondit en français d'un ton glacial :

— Pas de plaisanterie, je vous prie, et pas un mot d'anglais.

Il démarra.

Après avoir, pendant huit cents kilomètres, tâté du plancher métallique d'un bombardier, les Corneilles goûtaient maintenant pour une trentaine de kilomètres au confort de la plateforme d'une camionnette. Contrairement à ce qu'on aurait pu imaginer, ce fut Jelly — la plus vieille, la plus grosse et la moins en forme des six — qui se montra la plus stoïque, plaisantant sur l'inconfort du véhicule et riant quand un virage un peu sec la projetait contre le hayon. Leur arrivée à Chartres coïncida avec les premiers rayons du soleil, qui n'empêchèrent pas leur humeur de s'assombrir à nouveau.

— Je n'arrive pas à réaliser ce qu'on est en train de faire, marmonna Maude.

Diana lui pressa la main sans rien dire.

— À partir de maintenant, annonça Betty, nous nous répartissons par couples et nous nous séparons.

On avait formé les équipes avant de quitter le Pensionnat. Diana avec Maude, ce qui éviterait à l'aristocrate de faire des histoires ; Betty avec Ruby, la plus maligne des Corneilles, afin de pouvoir discuter des problèmes avec quelqu'un ; malheureusement cela obligeait Greta et Jelly à s'associer.

— Je ne comprends toujours pas pourquoi je dois aller avec cette étrangère, râla Jelly.

— Tu n'es pas conviée, répliqua Betty avec agacement, à t'asseoir dans un salon de thé avec ta meilleure copine. C'est une opération militaire et tu fais ce qu'on te dit.

Jelly se tut.

— Il va falloir modifier vos couvertures pour expliquer le voyage en train, reprit Betty. Vous avez des idées ?

— Je suis, annonça Greta, la femme du major Remmer, un

officier allemand en poste à Paris. Je voyage avec ma femme de chambre française. Je devais visiter la cathédrale de Reims. Je suppose que je peux tout aussi bien revenir d'une excursion à la cathédrale de Chartres.

— Pas mal. Diana ?

— Maude et moi sommes des secrétaires employées à la compagnie d'électricité de Reims. Nous nous sommes rendues à Chartres parce que... Maude ayant perdu le contact avec son fiancé, nous espérions qu'il s'y trouverait. Ce n'est pas le cas.

Betty acquiesça : ces récits la satisfaisaient. Des milliers de Françaises se mettaient en quête de parents disparus, surtout des jeunes gens, qui avaient pu être blessés dans un bombardement, arrêtés par la Gestapo, envoyés en Allemagne pour travailler ou recrutés par la Résistance.

— Et moi, dit-elle, je suis la veuve d'un agent de change tué en 1940. Je suis allée à Chartres rechercher ma cousine orpheline pour l'héberger à Reims.

Les femmes pouvaient circuler sans attirer les soupçons, contrairement aux hommes qui, repérés loin de leur lieu de travail, étaient rapidement catalogués comme résistants, surtout s'ils étaient jeunes. Cela faisait de celles-ci de précieux agents secrets. Betty s'adressa au chauffeur.

— Chevalier, tâchez de trouver un endroit discret pour nous permettre de descendre. Nous trouverons la gare nous-mêmes.

Six femmes convenablement vêtues sortant de l'arrière d'une camionnette ne manqueraient pas d'attirer l'attention, même dans la France occupée où on avait pris l'habitude d'emprunter n'importe quoi en guise de moyen de transport.

Deux minutes plus tard, il arrêta la voiture, fit une marche arrière dans un virage, puis sauta à terre pour ouvrir le hayon : les Corneilles se retrouvaient dans une étroite petite rue pavée, bordée de maisons à plusieurs étages. Par une brèche entre les toits, elles purent apercevoir un pan de la cathédrale.

Betty leur rappela leurs instructions.

— Allez jusqu'à la gare, achetez des allers simples pour Paris et prenez le premier train. Chaque couple ignorera les autres, mais s'assiéra cependant à proximité. Vous avez l'adresse à Paris : c'est une pension minable, l'Hôtel de la Chapelle. La propriétaire n'appartient pas, à proprement parler, à la Résistance ; elle ne posera pas de questions et vous hébergera si vous arrivez trop tard pour continuer immédiatement vers Reims.

Transiter par Paris n'enchantait pas Betty — la ville grouillait d'agents de la Gestapo et de collabos —, cependant on ne pouvait pas contourner la capitale.

Seules Betty et Greta connaissaient la véritable mission des Corneilles. Les autres croyaient encore qu'elles allaient faire sauter un tunnel de chemin de fer.

— Diana et Maude d'abord, allez-y, vite ! Jelly et Greta ensuite, plus doucement.

Elles s'éloignèrent, pas rassurées du tout. Chevalier serra la main de Betty, lui souhaita bonne chance et repartit s'occuper des conteneurs. Betty et Ruby sortirent de la ruelle.

Les premiers pas dans une ville française étaient toujours les plus durs, comme si une pancarte accrochée dans son dos proclamait : « Agent britannique ! Abattez-la ! » Mais les gens passaient, indifférents, et le pouls de Betty retrouva un rythme normal quand elle eut croisé sans encombre un gendarme et deux officiers allemands.

Elle éprouvait quand même un sentiment très étrange : ayant toujours mené une vie parfaitement respectable, elle considérait les agents de police comme des amis.

— J'ai horreur de ce genre de situation, murmura-t-elle à Ruby en français. On dirait que j'ai mal agi.

Ruby eut un petit rire étouffé.

— Moi, dit-elle, j'ai l'habitude. Les policiers ont toujours été mes ennemis.

Betty se rappela brusquement que, mardi dernier, Ruby était encore en prison pour meurtre. Ces quatre jours lui semblaient bien longs.

Elles atteignirent la cathédrale ; Betty eut un petit frisson en découvrant ce sanctuaire unique, un des sommets de l'architecture médiévale française, et elle éprouva un petit pincement au cœur en pensant à la visite qu'elle lui aurait consacrée en temps de paix.

Elles descendirent jusqu'à la gare, un bâtiment moderne, édifié avec les mêmes pierres que la cathédrale. Elles pénétrèrent dans un grand hall en marbre brun ; de nombreux voyageurs attendaient au guichet, ce qui était bon signe : les gens du pays pensaient qu'il y aurait bientôt un train. Greta et Jelly faisaient la queue, mais pas trace de Diana et Maude qui devaient être sur le quai.

Elles attendirent devant une affiche contre la Résistance montrant une brute avec un fusil et Staline derrière lui. On pouvait lire :

ILS TUENT !
enveloppés dans les plis de
NOTRE DRAPEAU

Voilà ce que je suis censée être, se dit Betty.

Elles achetèrent leurs billets sans incident. Pour atteindre le quai, elles durent passer devant un contrôle de la Gestapo et Betty sentit son pouls battre plus vite : Greta et Jelly allaient rencontrer l'ennemi pour la première fois et tester leur capacité à garder leur sang-froid. Diana et Maude avaient déjà dû passer.

Greta s'adressa en allemand aux hommes de la Gestapo. Betty l'entendit clairement raconter son histoire.

— Je connais un major Remmer, dit un des factionnaires, un sergent. Il est dans le génie ?

— Non, dans le Renseignement, répondit Greta.

Elle paraissait remarquablement calme et Betty se dit que simuler était pour elle une seconde nature.

— Il faut aimer les cathédrales, reprit l'Allemand pour faire la conversation, parce qu'il n'y a rien d'autre à voir dans ce bled.

— C'est vrai.

Inspectant ensuite les papiers de Jelly, il se mit à parler français.

— Vous voyagez partout avec Frau Remmer ?

— Oui, elle est très bonne avec moi, répondit Jelly.

Betty perçut le tremblement de sa voix, Jelly était terrifiée.

— Avez-vous vu l'évêché ? reprit le sergent. C'est quelque chose.

— Oui..., répondit Greta en français, très impressionnant.

Le sergent regarda Jelly, attendant sa réaction. Elle parut un moment abasourdie, puis déclara :

— La femme de l'évêque a été charmante.

Betty sentit son cœur se serrer. Jelly parlait un français parfait, mais n'avait jamais mis les pieds à l'étranger. Elle ignorait que, hormis ceux de l'Église d'Angleterre, les évêques n'avaient pas le droit de se marier, que la France était un pays catholique dont les prêtres respectaient la règle du célibat. Jelly venait de se trahir au premier contrôle.

Qu'allait-il se passer maintenant ? La Sten était démontée en trois morceaux dans sa valise, il ne restait plus à Betty que son Browning qu'elle avait glissé dans le sac de cuir usé qu'elle portait en bandoulière. Elle en fit discrètement glisser la fermeture pour avoir rapidement accès à son arme pendant que Ruby, de son côté, plongeait sa main droite dans la poche de son imperméable où se trouvait son pistolet.

— Sa femme ? dit le sergent, s'adressant à Jelly. Quelle femme ?

Jelly parut interloquée.

— Vous êtes française ? demanda-t-il.

— Bien sûr.

Greta s'empressa d'intervenir.

— Pas sa femme, sa femme de ménage, précisa-t-elle en français.

C'était une explication plausible. Jelly se rendit compte qu'elle avait fait une erreur et dit :

— Oui, bien sûr, sa femme de ménage, c'est ce que je voulais dire.

Betty retint son souffle. Le sergent hésita encore un moment, puis haussa les épaules et leur rendit leurs papiers.

— J'espère que vous n'aurez pas trop longtemps à attendre le train, dit-il en allemand.

Greta et Jelly avancèrent et Betty put recommencer à respirer. Ruby et elle s'apprêtaient à présenter leurs papiers quand deux gendarmes français en uniforme passèrent devant tout le monde. Ils s'arrêtèrent au contrôle en esquissant un vague salut à l'adresse des Allemands, mais sans montrer leurs papiers. Le sergent acquiesça et leur dit de passer.

Si j'étais chargée de la sécurité ici, songea Betty, je serais plus sévère. N'importe qui peut prétendre être de la police. Mais les Allemands manifestent un respect exagéré pour l'uniforme : cela explique en partie pourquoi ils ont laissé des psychopathes mettre la main sur leur pays.

C'était maintenant son tour de raconter son histoire à la Gestapo.

— Vous êtes cousines ? dit le sergent, son regard allant de l'une à l'autre.

— On ne se ressemble pas beaucoup, n'est-ce pas ? fit Betty avec un entrain qu'elle n'éprouvait absolument pas, mais consciente que ses cheveux blonds, ses yeux verts et sa peau claire contrastaient avec les cheveux bruns et les yeux noirs de Ruby.

— On dirait une gitane, remarqua-t-il grossièrement.

— Eh bien, ce n'est pas le cas, répliqua Betty indignée. Sa mère, la femme de mon oncle, était de Naples, expliqua-t-elle pour expliquer le teint basané de Ruby.

Il haussa les épaules et demanda à Ruby :

— Comment sont morts vos parents ?

— Dans un déraillement provoqué par des saboteurs, répondit-elle.

— La Résistance ?

— Oui.

— Toutes mes condoléances, ma petite demoiselle. Ces gens-là sont vraiment des bêtes sauvages, fit-il en lui rendant ses papiers.

— Merci, monsieur, dit Ruby.

Betty se contenta de le saluer de la tête. Elles avancèrent. Cela n'avait pas été facile. J'espère que les contrôles ne sont pas tous comme ça, songea Betty. Mon cœur ne le supporterait pas.

Diana et Maude étaient au bar. Par la vitre, Betty constata qu'elles buvaient du champagne. Cela la rendit furieuse : d'abord les billets de mille francs du SOE n'étaient pas destinés à cela, et en plus Diana semblait oublier qu'elle devait garder son sang-froid intact. Mais pour l'instant, Betty n'y pouvait rien.

Greta et Jelly étaient assises sur un banc, cette dernière l'air un peu penaud : sans doute réalisait-elle que quelqu'un qu'elle considérait comme un étranger pervers venait juste de lui sauver la vie. Betty se demanda si elle n'allait pas maintenant se montrer plus aimable.

Ruby et elle trouvèrent un autre banc un peu plus loin et s'assirent pour attendre le train.

Pendant les heures qui suivirent, les gens, arrivant de plus en plus nombreux, s'entassaient sur le quai. Des hommes en complet veston — avocats ou fonctionnaires appelés à Paris pour leurs affaires —, quelques Françaises relativement bien habillées, et une poignée d'Allemands en uniforme. Grâce à leur argent et à leurs fausses cartes de rationnement, les Corneilles se procurèrent du pain noir et de l'ersatz de café.

Il était onze heures quand un train entra en gare. Les wagons, très pleins, libérèrent très peu de voyageurs, si bien que Betty et Ruby durent rester debout, tout comme Greta et Jelly. Diana et Maude parvinrent quant à elles à partager un compartiment avec deux femmes d'un certain âge et deux gendarmes.

La présence de ces gendarmes inquiétait Betty ; aussi se faufila-t-elle dans le couloir d'où elle pourrait les surveiller. Par chance, à cause de la nuit sans sommeil et du champagne qu'elles avaient bu à la gare, Diana et Maude s'endormirent dès le départ du train.

Le convoi avançait lentement au milieu des bois et des champs où ondulaient les blés. Une heure plus tard, les deux Françaises descendirent, libérant des places que Betty et Ruby s'empressèrent d'occuper. Betty regretta presque aussitôt sa décision. Les gendarmes, qui avaient tous deux une vingtaine d'années, engagèrent sans tarder la conversation, ravis d'avoir des femmes à qui parler durant cet interminable voyage.

Ils s'appelaient Christian et Jean-Marie, le premier, était un bel homme aux cheveux noirs et bouclés et aux yeux bruns, le second cachait un air rusé derrière sa moustache blonde. Christian, le plus bavard, occupait la place du milieu, Ruby, assise à côté de lui. Betty était installée sur la banquette d'en face avec auprès d'elle Maude, affalée de l'autre côté, la tête sur l'épaule de Diana.

Les gendarmes expliquèrent qu'ils se rendaient à Paris pour ramener un prisonnier. Rien à voir avec la guerre : c'était un homme du pays qui avait assassiné sa femme et son beau-fils avant de s'enfuir à Paris où il venait d'être arrêté par la police, et de tout avouer. Ils avaient pour mission de le ramener à Chartres pour qu'il passe en jugement. Christian fouilla dans la poche de sa tunique pour exhiber les menottes qu'on lui passerait, comme pour bien montrer à Betty qu'il ne se vantait pas.

Une heure plus tard, Betty savait tout de Christian. Comme on attendait d'elle qu'elle en fasse autant, elle dut développer son histoire bien au-delà des éléments de base qu'elle avait prévus jusque-là. Cela lui imposait un effort d'imagination, mais au fond c'était un bon exercice pour se préparer à un interrogatoire plus poussé.

Le train dépassa Versailles et avança à petite allure dans le dépôt de Saint-Quentin-en-Yvelines ravagé par les bombes. Maude se réveilla. Elle se rappela qu'elle devait parler français, mais elle oublia qu'elle n'était pas censée connaître Betty et dit :

— Tiens, où sommes-nous, vous savez ?

Les gendarmes parurent surpris que Maude s'adressât comme à une amie à Betty, qui leur avait révélé n'avoir aucun rapport avec les deux filles endormies.

Betty garda son sang-froid et dit en souriant :

— Nous ne nous connaissons pas. Vous avez dû me prendre pour votre amie de l'autre côté. Vous êtes encore à moitié endormie.

Maude lui lança un regard du genre ne-soyez-pas-stupide, puis elle surprit le regard de Christian. Comme réalisant soudain son erreur, elle mima l'embarras et, confuse, porta la main à sa bouche, avant de lancer d'un ton peu convaincant :

— Bien sûr, vous avez raison, excusez-moi.

Christian, par bonheur, n'était pas un homme méfiant ; il sourit à Maude en expliquant :

— Vous avez dormi deux heures. Nous sommes dans la banlieue de Paris, mais, vous pouvez le voir, le train n'avance plus.

Maude le gratifia de son plus éblouissant sourire.

— À votre avis, quand allons-nous arriver ?

— Là, mademoiselle, vous m'en demandez trop. Je ne suis qu'un humain. Dieu seul le sait.

Maude se mit à rire, comme d'une exquise drôlerie, et Betty se détendit. Là-dessus, Diana s'éveilla et lança d'une voix claire en anglais :

— Bon sang, j'ai mal au crâne, il est quelle heure ?

Un instant plus tard elle aperçut les gendarmes et comprit aussitôt ce qu'elle avait fait — mais c'était trop tard.

— Elle a parlé anglais ! s'exclama Christian.

Betty vit Ruby chercher son arme.

— Vous êtes anglaise ! lança-t-il à Diana. Puis, il regarda Maude. Vous aussi ! Son regard balaya le compartiment et la vérité lui apparut. Vous toutes !

Betty tendit le bras et saisit Ruby par le poignet au moment où son pistolet émergeait de sa poche d'imperméable. Ce geste n'échappa pas à Christian, il regarda ce que Ruby tenait dans sa main et ajouta :

— Et armées ?

Sa stupéfaction aurait été comique si elles n'avaient pas risqué leur vie.

— Oh ! Seigneur, dit Diana, il ne manquait plus que ça.

Christian baissa la voix.

— Vous êtes des agents alliés !

Betty attendait sur des charbons ardents de voir ce qu'il allait faire. S'il dégainait son arme, Ruby l'abattrait sur place. Elles devraient alors sauter à bas du train. Avec de la chance, elles pourraient disparaître dans les faubourgs qui bordaient la voie avant qu'on eût donné l'alerte à la Gestapo. Le train reprit de la vitesse : il fallait peut-être sauter maintenant, avant qu'il roule trop vite.

Quelques secondes interminables s'écoulèrent. Puis Christian sourit.

— Bonne chance ! dit-il dans un souffle. Avec nous, vous ne risquez rien !

Dieu merci, des sympathisants ! Betty se détendit, soulagée.

— Merci, dit-elle.

— Le débarquement, reprit Christian, c'est pour quand ?

Quelle naïveté : croire qu'un secret pareil pourrait être révélé par qui le détenait ; mais elle avait intérêt à ce qu'il reste motivé, aussi répondit-elle :

— D'un jour à l'autre maintenant. Peut-être mardi.

— Vraiment ? C'est formidable. Vive la France !

— Je suis si heureuse, reprit Betty, que vous soyez de notre côté.

— J'ai toujours été contre les Allemands, fit Christian, se rengorgeant un peu. Mon travail m'a permis de rendre quelques précieux services à la Résistance, discrètement, fit-il en se tapotant l'aile du nez.

Betty n'en crut pas un mot. À n'en pas douter, il était contre les Allemands : c'était le cas de la plupart des Français qui subissaient depuis quatre ans couvre-feu et rationnements, tout cela, qui plus est, dans des vêtements usés jusqu'à la corde. S'il avait vraiment travaillé avec la Résistance, il n'en aurait rien dit à personne, affolé au contraire à l'idée qu'on le découvre.

Peu importait. Ce qui comptait c'était qu'il sache de quel côté soufflait le vent ; il n'allait pas livrer des agents alliés à la Gestapo quelques jours avant le débarquement.

Le train ralentit, il arrivait en gare d'Orsay. Elle se leva. Christian prit sa main, l'embrassa et lui dit avec des trémolos dans la voix :

— Vous êtes une femme courageuse. Bonne chance !

Elle descendit la première. En avançant sur le quai, elle remarqua un ouvrier en train de coller une affiche ; quelque chose lui parut familier et elle regarda plus attentivement. Elle sentit son cœur s'arrêter : c'était un portrait d'elle.

Elle ne l'avait jamais vu auparavant et elle ne se rappelait pas s'être jamais fait photographier en costume de bain. L'arrière-plan, nuageux comme s'il avait été peint, ne donnait aucune indication. L'affiche sur laquelle on pouvait lire son nom et l'un de ses anciens pseudonymes, Françoise Boule, précisait qu'elle était recherchée pour meurtre.

L'homme terminait tout juste sa tâche. Il ramassa son pot de colle ainsi qu'un rouleau d'affiches et partit. Betty comprit qu'on avait dû placarder son portrait dans tout Paris. C'était un coup terrible. Elle resta pétrifiée, si terrifiée que la nausée la submergea. Puis elle se reprit.

Son premier problème était de sortir de la gare d'Orsay, et de franchir le contrôle qu'elle apercevait un peu plus loin. Force lui était de supposer que les agents de la Gestapo qui surveillaient la sortie avaient vu son portrait.

Comment passer devant eux ? Pas question de compter sur son bagou ; aussitôt reconnue, aussitôt arrêtée ; aucune histoire à dormir debout ne convaincrait les officiers allemands. Les Corneilles pourraient-elles lui frayer un passage à coups de pistolet ? Elles tueraient certes les contrôleurs, mais il en surgirait de tous les coins de la gare, sans oublier la police française qui commencerait probablement par tirer pour poser des questions plus tard. C'était trop risqué.

Il y a une solution, se dit-elle : confier le commandement de l'opération à une de ses camarades — sans doute Ruby — et se rendre après avoir franchi le contrôle. De cette façon, la mission ne sera pas condamnée.

Elle se retourna. Ruby, Diana et Maude étaient descendues du train. Christian et Jean-Marie allaient en faire autant. Là-dessus, Betty se rappela les menottes que Christian avait exhibées, ce qui fit naître dans son esprit un plan insensé. Elle demanda à Christian de remonter dans le compartiment où elle le suivit.

— Qu'y a-t-il ? interrogea-t-il, inquiet, ne comprenant pas la situation.

— Écoutez-moi, dit-elle, mon portrait est placardé sur tous les murs.

Les deux gendarmes se regardèrent, Christian devint tout pâle et Jean-Marie proféra :

— Mon Dieu ! vous êtes vraiment des espionnes !

— Il faut que vous me sauviez, dit-elle.

— Comment ? fit Christian. La Gestapo...

— Il faut que je passe ce contrôle.

— Ils vont vous arrêter.

— Pas si c'est déjà fait.

— Comment ça ?

— Passez-moi les menottes, comme si vous m'aviez capturée. Faites-moi franchir le contrôle. Si on vous demande quelque chose, dites que vous m'emmenez au 84 avenue Foch, le quartier général de la Gestapo.

— Ensuite ?

— Réquisitionnez un taxi. Montez avec moi. Une fois que nous nous serons éloignés de la gare, enlevez-moi les menottes et laissez-moi dans une rue tranquille. Puis continuez jusqu'à votre véritable destination.

Christian avait l'air terrifié et Betty devinait chez lui une folle envie de faire machine arrière. Mais ses récentes vantardises à propos de la Résistance le lui interdisaient. Jean-Marie était plus calme.

— Ça marchera, déclara-t-il. Ils ne se méfieront pas de gendarmes en uniforme.

Ruby remonta dans le wagon.

— Betty ! Cette affiche...

— Je sais. Les gendarmes vont me faire passer le barrage menottes aux mains et me relâcher plus tard. Si les choses tournent mal, je te charge de la mission. Oublie le tunnel de chemin de fer, ça n'est qu'une couverture, continua-t-elle en anglais. Le véritable objectif, c'est le central téléphonique de Sainte-Cécile. Mais ne le dis aux autres qu'à la dernière minute. Maintenant, fais-les remonter ici, rapidement.

Quelques instants plus tard, elles étaient réunies dans le compartiment. Betty leur expliqua son plan, puis elle ajouta :

— Si ça ne marche pas et qu'on m'arrête, *quoi qu'il arrive, ne tirez pas.* Il y a trop de police dans la gare. Si vous déclenchez une fusillade, vous êtes fichues. La mission passe avant tout. Abandonnez-moi, sortez de la gare, regroupez-vous à l'hôtel et continuez. C'est Ruby qui assurera le commandement. Pas de discussion, nous n'avons pas le temps. Christian, les menottes.

Il hésitait. Betty avait envie de hurler : Vas-y, espèce de lâche avec ta grande gueule, mais elle se contenta de baisser la voix jusqu'à ce que ce ne fût plus qu'un murmure confidentiel et dit :

— Merci de me sauver la vie... Je ne vous oublierai pas, Christian.

Il se décida enfin.

— Les autres, allez-y, ordonna Betty.

Christian attacha les menottes à la main droite de Betty et à la gauche de Jean-Marie, puis ils descendirent du train et avancèrent sur le quai à trois de front, Christian portant la valise de Betty et son sac à main qui contenait le pistolet.

Il y avait la queue au barrage. Jean-Marie dit d'une voix forte :

— Laissez passer. Laissez passer, mesdames et messieurs.

Ils gagnèrent le premier rang, comme ils l'avaient fait à Chartres. Les deux gendarmes saluèrent les officiers de la Gestapo sans s'arrêter. Toutefois, le capitaine qui assurait le contrôle leva les yeux de la carte d'identité qu'il examinait et dit doucement :

— Attendez.

Ils s'immobilisèrent tous les trois. Betty savait qu'elle frôlait la mort. Le capitaine la dévisagea.

— C'est celle de l'affiche.

Christian semblant trop affolé pour parler, ce fut Jean-Marie qui répondit :

— Oui, mon capitaine, nous l'avons arrêtée à Chartres.

Betty remercia le ciel que l'un des deux au moins soit capable de garder la tête froide.

— Bien joué, dit le capitaine. Où la conduisez-vous ?

— Nos ordres, reprit Jean-Marie, sont de la remettre avenue Foch.

— Avez-vous besoin d'un moyen de transport ?

— Un véhicule de police nous attend devant la gare.

Le capitaine acquiesça, mais ne les lâcha pas pour autant. Il continuait à dévisager Betty. Elle se dit qu'un signe chez elle avait trahi son subterfuge, qu'il avait lu sur son visage qu'elle faisait seulement semblant d'être prisonnière. Mais il finit par dire, secouant la tête d'un air incrédule :

— Ah ! ces Anglais. Ils envoient des petites filles se battre pour eux.

Jean-Marie eut le bon sens de ne rien dire.

— Allez-y, lança enfin le capitaine.

Betty escortée des gendarmes franchit le barrage et déboucha dans le soleil qui inondait le trottoir.

33.

Paul Chancellor était furieux contre Percy Thwaite, absolument furieux quand il découvrit le message de Brian Standish.

— Vous m'avez trompé ! s'était exclamé Paul. Vous avez délibérément attendu que je ne sois pas là pour le montrer à Betty !

— C'est vrai, mais il m'a paru préférable...

— C'est moi qui commande... Vous n'avez aucun droit de me dissimuler des informations !

— Vous auriez annulé le vol.

— Peut-être... Peut-être que j'aurais dû.

— Vous l'auriez décidé pour l'amour de Betty, non parce que le sort de l'opération l'imposait.

Percy avait touché là la faille chez Paul : celui-ci avait en effet compromis sa position de chef en couchant avec un membre de son équipe. Cela l'avait exaspéré encore davantage, mais force lui avait été de réprimer sa rage.

Impossible de contacter l'avion, car les appareils devaient observer le silence radio au-dessus du territoire ennemi ; les deux hommes étaient donc restés toute la nuit sur le terrain d'aviation, à faire les cent pas en fumant cigarette sur cigarette, inquiets au sujet de la femme qu'ils aimaient tous les deux, chacun à sa façon. Paul avait glissé dans la poche de sa chemise la brosse à dents de fabrication française que Betty et lui avaient partagée vendredi matin, après leur nuit passée ensemble. Il n'était pas d'un tempérament superstitieux, mais il ne cessait de la toucher comme si c'était elle qu'il palpait pour s'assurer qu'elle allait bien.

Quand l'avion revint et que le pilote leur raconta comment, à cause de ses soupçons sur le comité d'accueil de Chatelle, Betty avait fini par se faire parachuter près de Chartres, Paul avait été si soulagé qu'il avait failli éclater en sanglots.

Quelques minutes plus tard, Percy avait reçu un appel du quartier général du SOE à Londres qui l'informait d'un message de Brian Standish voulant savoir ce qui avait mal tourné. Paul avait décidé de réagir en envoyant la réponse préparée par Betty et rapportée par le pilote. Dans l'hypothèse où Brian serait encore libre, il lui annonçait que les Corneilles avaient atterri et le contacteraient, mais ne donnait pas davantage de renseignements, envisageant le cas où il serait tombé entre les mains de la Gestapo.

Toutefois, personne n'était sûr de ce qui s'était passé là-bas et Paul avait du mal à supporter cette incertitude. La mission de Betty était de se rendre à Reims par n'importe quel moyen, et lui, il devait absolument savoir si la Gestapo lui avait tendu un piège. Il devait quand même exister une façon de vérifier l'authenticité des transmissions de Brian.

Ses messages portaient bien les bons codes de sécurité : Percy avait vérifié et revérifié. Mais la Gestapo en connaissait l'existence et aurait facilement pu les obtenir de Brian en le torturant. Il y a des méthodes plus subtiles, expliqua Percy, mais elles dépendent des filles de la station d'écoute. Paul avait donc décidé d'aller là-bas.

Percy avait commencé par s'y opposer. Une descente de responsables d'opérations dans les centres de transmission entraîne un danger, déclara-t-il, car elle perturbe des centaines d'agents. Paul ne voulut rien entendre. Le chef de station fit alors savoir qu'il recevrait Paul avec plaisir pour une visite du centre dans, mettons deux ou trois semaines. Paul avait refusé, il pensait plutôt à deux ou trois heures. Il avait insisté, doucement mais fermement, utilisant en dernier ressort la menace des foudres de Monty. C'est ainsi qu'il était parti pour Grendon Underwood.

Quand, enfant, il fréquentait l'école du dimanche, Paul avait été tourmenté par un problème théologique. À Arlington, en Virginie, où il habitait avec ses parents, la plupart des enfants de son âge allaient se coucher à dix-neuf heures trente, et faisaient donc leur prière au même moment. Comment, parmi toutes ces voix qui montaient jusqu'au ciel, Dieu pourrait-Il entendre ce que lui, Paul, disait ? Il ne trouva pas satisfaisante la réponse du pasteur qui s'était contenté de dire que Dieu était capable d'accomplir n'importe quoi. Et cette question ainsi éludée avait continué de le préoccuper pendant des années.

S'il avait pu voir Grendon Underwood, il aurait compris. Comme Dieu, le Special Operations Executive avait à écouter d'innombrables messages qui arrivaient souvent par dizaines. De leur cachette, des agents secrets pianotaient simultanément, tout comme les garçonnets d'Arlington s'agenouillaient au pied de leur lit à dix-neuf heures trente. Le SOE, pourtant, entendait tous leurs messages.

Grendon Underwood figurait dans le contingent de maisons de campagne cossues, libérées par leur propriétaire pour être réquisitionnées par les militaires. Officiellement dénommée Station 53a, c'était un centre d'écoute. Dans le vaste parc, des antennes radio s'accrochaient à de larges arcs comme des oreilles divines, pour capter les messages qui parvenaient d'une foule d'endroits disséminés dans une zone allant des régions arctiques de la Norvège jusqu'au sud poussiéreux de l'Espagne. Quatre cents opérateurs radio et employés du chiffre, pour la plupart des jeunes femmes du SEIN, travaillaient dans le vaste manoir et vivaient dans des baraquements hâtivement installés au milieu les jardins.

Paul fut accueilli par une surveillante, Jane Bevins, forte femme à lunettes, terrifiée de recevoir la visite d'une huile qui représentait Montgomery en personne, mais que Paul, à force de sourires et de propos lénifiants, mit à l'aise. Elle l'emmena dans la salle de transmissions où une centaine de filles étaient assises en rang, chacune avec casque, calepin et crayon. Sur un grand tableau étaient inscrits les noms de code des agents ainsi que les horaires prévus pour l'émission et les fréquences qu'ils utiliseraient. Régnait là une atmosphère d'intense concentration, le seul bruit étant le pianotement des clefs Morse quand une opératrice répondait à un agent qu'elle le recevait cinq sur cinq.

Jane présenta Paul à Lucy Briggs, une jolie blonde à l'accent du Yorkshire si prononcé qu'il dut faire un effort pour la comprendre.

— Hélicoptère ? dit-elle. Oui, je connais Hélicoptère... C'est un nouveau. Il appelle à vingt heures pour recevoir à vingt-trois heures. Pour l'instant pas de problème.

— Que voulez-vous dire ? lui demanda-t-il. Qu'entendez-vous par problème ?

— Eh bien, certains ne règlent pas bien leur émetteur, ce qui oblige à chercher la fréquence. Il peut arriver aussi que le signal soit faible, que les lettres ne soient pas très audibles et qu'on se demande si on n'a pas confondu des traits avec des points — la lettre B, par exemple, ressemble beaucoup au D. Et puis la qualité est toujours mauvaise avec ces petites valises radio.

— Reconnaîtriez-vous son doigté ?

Elle hésita.

— Il n'a émis que trois fois. Mercredi, il était un peu nerveux, sans doute parce que c'était son premier message, mais son rythme était régulier, comme s'il savait qu'il avait tout son temps. Ça m'a fait plaisir : je me suis dit qu'il devait se sentir raisonnablement à l'abri. On se fait du mauvais sang pour eux, vous savez. On est assis ici bien au chaud et eux sont quelque part derrière les lignes ennemies à jouer au chat et à la souris avec cette saloperie de Gestapo.

— Et sa seconde émission ?

— C'était jeudi, et il était bousculé. Quand ils sont pressés, on a quelquefois du mal à être sûr : vous comprenez, est-ce que c'étaient deux points qui se confondaient ou un tiret bref ? Je ne sais pas d'où il émettait, mais il n'avait pas envie de traîner là.

— Et ensuite ?

— Vendredi, il n'a pas émis. Mais je ne me suis pas inquiétée. Ils n'appellent que s'il le faut, c'est trop dangereux. Et puis il a émis samedi matin, juste avant le lever du jour. C'était un message d'urgence, mais il n'avait pas l'air affolé, je me rappelle même m'être dit qu'il commençait à s'y mettre. Vous voyez, c'était un signal fort, le rythme était régulier, les lettres bien claires.

— Est-ce que ça aurait pu être quelqu'un d'autre, quelqu'un qui aurait utilisé son émetteur ?

Elle parut songeuse.

— Ça avait l'air d'être lui... mais c'est vrai que ça aurait pu être quelqu'un d'autre : un Allemand qui se ferait passer pour lui émettrait bien régulièrement, puisqu'il n'aurait rien à craindre.

Paul pédalait dans la choucroute : chacune de ses questions recevait deux réponses. Il avait besoin de précision. Il luttait contre la panique dès qu'il évoquait la perspective de perdre Betty, moins d'une semaine après qu'elle fut arrivée dans sa vie comme un don des dieux.

Jane avait disparu, mais pour revenir quelques instants plus tard avec une liasse de papiers.

— J'ai apporté le déchiffrage des trois messages que nous avons reçus d'Hélicoptère, expliqua-t-elle.

Appréciant son efficacité tranquille, il se lança dans l'examen de la première feuille.

INDICATIF HLCP (HÉLICOPTÈRE)
CODE SÉCURITÉ OK
30 MAI 1944
TEXTE MESSAGE :
ARRIVÉE OK STOP RENDÉVOUS CRYT DANGEREUX STOP
COINCÉ PAR GGESTAPO MAIS ÉCHAPPÉ STOP
POUR AVENIR RENDEZVOUS AU CAFÉ DE LA GARE TERMINÉ

— C'est plein de fautes d'orthographe, observa Paul.

— Ça ne reflète pas ses capacités en orthographe, dit Jane. À cause du morse, ils font toujours des erreurs que les décodeurs ont ordre de respecter dans le déchiffrage plutôt que de les corriger, au cas où elles auraient une signification.

La seconde émission de Brian, concernant les effectifs du réseau Bollinger, était plus longue.

INDICATIF HLCP (HÉLICOPTÈRE)
CODE SÉCURITÉ OK
30 MAI 1944
TEXTE MESSAGE :
AGENTS ACTIF CINQ COMME SUIT STOP
MONET QUI EST BLÉSSÉ STOP COMTESSE OK STOP
CHEVAL AIDE À L'OCASION STOP BOURGEOISE
TOUJOURS EN PLACE STOP PLUS MON SAUVEUR NOM DE COD
CHARENTON STOP

— C'est bien pire cette fois-ci, fit Paul en levant les yeux.

— Je vous ai dit, rappela Lucy, que la seconde fois il était pressé.

Il y avait une suite au second message, pour l'essentiel un récit détaillé de l'incident de la cathédrale. Paul passa au troisième.

> INDICATIF HLCP (HÉLICOPTÈRE)
> CODE SÉCURITÉ OK
> 2 JUIN 1944
> TEXTE MESSAGE :
> QUE DIABLE EST-IL ARRIVÉ DEMANDE ENVOYER
> INSTRUCTIONS
> STOP RÉPONDEZ IMMÉDIATEMENT TERMINÉ

— Il fait des progrès, remarqua Paul. Il n'y a qu'une seule erreur.

— Je l'ai trouvé plus détendu samedi, expliqua Lucy.

— C'est peut-être aussi que quelqu'un d'autre a envoyé ce message. Lucy, vous arrive-t-il de commettre des erreurs quand vous transmettez ?

Paul se dit soudain qu'il voyait un moyen pour vérifier si « Brian » était bien Brian ou si un agent de la Gestapo avait pris sa place. Si cela marchait, il aurait au moins une certitude.

— Presque jamais répondit-elle en jetant un regard inquiet à sa surveillante. Si une nouvelle n'est pas tout à fait au point, l'agent peut faire tout un tintouin. Et à juste titre. Les erreurs sont inadmissibles ; on ne va pas ajouter ça à leurs problèmes.

Paul se tourna vers Jane.

— Si je rédige un message, voudriez-vous le chiffrer exactement comme il est ? Ce serait une sorte de test.

— Bien sûr.

Il regarda sa montre. Sept heures et demie.

— Il devrait émettre à huit heures. Pouvez-vous l'envoyer à ce moment-là.

— Oui, dit la surveillante. Nous n'aurons qu'à lui signaler qu'il devra rester à l'écoute après l'émission pour recevoir un message d'urgence.

Paul s'assit, réfléchit un moment puis écrivit sur un bloc :

DONNEZ INVENTAIRE ARMEMANTS COMBIEN AUTOMATIQUES
COMBIEN STENS COMBIEN MUNITION COMBIEN
CARTOUCHES PLUS GRENADES RÉPONDEZ IMMÉDIATEMENT

Il relut le texte. C'était une demande déraisonnable, formulée sur un ton déplaisant, autoritaire, et dont la rédaction, la transcription et la transmission avaient été effectuées négligemment, avec un certain je-m'en-foutisme.

— C'est un message terrible. J'aurais honte.

— À votre avis, quelle serait la réaction d'un agent ?

Elle eut un rire un peu grinçant.

— Il enverrait une réponse furieuse, émaillée de quelques solides jurons.

— S'il vous plaît chiffrez-le tel quel et envoyez-le à Hélicoptère.

— Si c'est ce que vous voulez, dit-elle, déconcertée.

— Oui, je vous en prie.

— Parfait, fit-elle en prenant la feuille.

Paul se mit en quête du mess qui fonctionnait vingt-quatre heures sur vingt-quatre, comme la station, quête décevante puisqu'il n'y trouva qu'un café fade, quelques sandwiches rassis et des tranches de cake desséchées.

Quelques minutes après huit heures, la surveillante entra au mess.

— Hélicoptère vient d'appeler pour dire qu'il était toujours sans nouvelles de Panthère. Nous lui envoyons tout de suite le message d'urgence.

— Merci.

Il faudrait à Brian — ou à son double de la Gestapo — au moins une heure pour déchiffrer le message, composer une réponse, la coder et l'envoyer. Paul contempla son assiette en se demandant comment les Anglais avaient le toupet d'appeler cela un sandwich : deux tranches de pain blanc tartinées de margarine, deux minces tranches de jambon.

Et pas de moutarde.

34.

Non loin de la gare du Nord s'étendait jusqu'à la porte de la Chapelle un des quartiers chauds de Paris avec ses rues étroites et sales. C'est là qu'on trouvait notamment la « Charbo », la rue de la Charbonnière. Sur le côté nord, le couvent de la Chapelle se dressait comme une statue de marbre au milieu d'une décharge. L'ensemble comprenait une toute petite église et une maison où huit religieuses consacraient leur vie à aider les plus misérables des Parisiens. Elles préparaient de la soupe pour des vieillards affamés, persuadaient des femmes déprimées de renoncer au suicide, ramassaient dans le ruisseau des mariniers ivres et apprenaient à lire et à écrire aux enfants des prostituées. L'Hôtel de la Chapelle se trouvait juste à côté.

Ce n'était pas à proprement parler un bordel, car il n'y avait pas de putains parmi les pensionnaires mais, quand l'établissement n'était pas complet, la propriétaire ne voyait pas d'inconvénient à louer des chambres à l'heure à des femmes extrêmement maquillées dans des robes du soir bon marché, qui arrivaient escortées d'hommes d'affaires français bedonnants, de soldats allemands à la démarche furtive ou de naïfs jeunes gens trop ivres pour y voir clair.

Betty éprouva un immense soulagement en franchissant le seuil. Les gendarmes l'avaient déposée à huit cents mètres de là. En chemin, elle avait vu deux exemplaires de son avis de recherche. Christian lui avait donné son mouchoir, un carré de coton rouge à pois blancs qu'elle avait noué sur sa tête pour tenter de dissimuler ses cheveux blonds, mais elle savait qu'il suffirait de bien la dévisager pour la reconnaître. Tout ce qu'elle avait pu faire, c'était garder les yeux baissés et croiser les doigts. Jamais trajet ne lui avait paru aussi long.

La propriétaire était une grosse femme accueillante arborant un peignoir de soie rose par-dessus son corset. Sans doute, se dit Betty, dégageait-elle jadis un certain charme. Betty était déjà descendue dans cet hôtel, mais la propriétaire n'avait pas l'air de se souvenir d'elle. Betty l'appela « madame », ce à quoi elle lui répondit : « Appelez-moi Régine. » Elle empocha l'argent de Betty et lui donna les clefs sans poser de questions.

Betty s'apprêtait à monter dans sa chambre quand, en jetant un coup d'œil par la fenêtre, elle vit Diana et Maude arriver dans un étrange taxi : une sorte de divan à roulettes fixé à une bicyclette. Leur brève rencontre avec les gendarmes ne semblait pas les avoir dégrisées et leur moyen de locomotion les faisait pouffer.

— Bonté divine, quel taudis ! fit Diana en entrant. Peut-être qu'on pourra sortir pour manger quelque chose.

Les restaurants à Paris avaient continué à fonctionner durant l'Occupation mais, comme il fallait s'y attendre, la grande majorité de la clientèle était composée d'officiers allemands que les agents, évidemment, évitaient dans la mesure du possible.

— Ce n'est même pas la peine d'y penser, rétorqua sèchement Betty. Nous allons nous planquer ici quelques heures puis, dès le lever du jour, nous rendre à la gare de l'Est.

Maude lança à Diana un regard accusateur.

— Tu avais promis de m'emmener au Ritz.

Betty maîtrisa son exaspération.

— Dans quel monde vis-tu ?

— Bon, ne vous énervez pas.

— Personne ne sort d'ici ! C'est compris ?

— Oui, oui.

— L'une de nous ira faire des courses plus tard. Pour l'instant, il ne faut pas que je me montre. Diana, assieds-toi ici et attends les autres pendant que Maude s'installe dans ta chambre. Préviens-moi quand tout le monde sera là.

Dans l'escalier, Betty rencontra une jeune Noire en robe rouge moulante ; elle arborait une crinière de cheveux noirs et raides.

— Attendez, lui dit Betty. Voulez-vous me vendre votre perruque ?

— Mon chou, tu peux t'en acheter une au coin de la rue. Mais, franchement, je ne crois pas qu'une perruque suffira.

Elle toisa Betty de la tête aux pieds, la prenant pour une tapineuse amateur.

— Je suis pressée.

La fille ôta son postiche, révélant un crâne couvert de courtes boucles noires.

— Je ne peux pas m'en passer pour travailler.

Betty prit dans la poche de son blouson un billet de mille francs.

— Achetez-en une autre.

La fille regarda Betty d'un autre œil : trop d'argent pour une prostituée. En haussant les épaules, elle accepta le billet et lui tendit la perruque.

— Merci, dit Betty.

La Noire hésita, supputant sans doute ce dont Betty disposait encore.

— Je fais les femmes aussi, proposa-t-elle et, tendant la main, elle effleura du bout des doigts le sein de Betty.

— Non, merci.

— Peut-être que votre petit ami et vous...

— Non.

La fille contempla le billet de mille francs.

— Bien, je vais me donner congé pour ce soir. Bonne chance, mon chou.

— Merci, dit Betty, j'en ai besoin.

Elle trouva sa chambre, posa sa valise sur le lit et ôta son blouson. Utilisant une petite glace au-dessus du lavabo, Betty se lava les mains puis se dévisagea un moment.

Avec son peigne, elle ramena ses cheveux blonds sur ses oreilles et les fixa avec des barrettes. Puis elle posa la perruque sur son crâne et l'ajusta : un peu grande, mais elle tiendrait. Les cheveux noirs la changeaient radicalement. En revanche, ses sourcils blonds ressortaient maintenant de façon bizarre. Elle prit son crayon à sourcils dans sa trousse de maquillage et les fonça soigneusement. C'était beaucoup mieux. Non seulement elle passait pour une brune, mais elle paraissait beaucoup plus redoutable que la douce jeune fille en maillot de bain. Même nez droit et même menton accentué, comme un vague air de famille entre deux sœurs à cela près très différentes.

Elle prit ensuite ses papiers d'identité dans sa poche de blouson. Très soigneusement, elle retoucha la photo, en utilisant le crayon à cils pour tracer de légères lignes de cheveux et de sourcils bruns. Son travail terminé, elle examina la photo. À son avis, personne ne pourrait s'apercevoir qu'on l'avait maquillée à moins de frotter assez fort pour étaler les marques de crayon.

Elle retira la perruque, ôta ses chaussures et s'allongea sur le lit. Cela faisait deux nuits qu'elle ne dormait pas : elle avait passé celle de jeudi à faire l'amour à Paul, et celle de vendredi sur le plancher métallique d'un bombardier Hudson. Elle ferma les yeux et, au bout de quelques secondes, sombra dans le sommeil.

Un coup frappé à la porte vint l'éveiller. Elle fut étonnée de constater que la nuit tombait : elle avait dormi deux heures. Elle s'approcha de la porte et dit :

— Qui est-ce ?

— Ruby.

Elle la fit entrer.

— Tout va bien ?

— Je ne suis pas sûre.

Betty tira les rideaux, puis alluma.

— Que s'est-il passé ?

— Tout le monde est arrivé. Mais je ne sais pas où sont passées Diana et Maude. Elles ne sont pas dans leur chambre.

— Où as-tu cherché ?

— Dans le bureau de la propriétaire, dans la petite église à côté, au bar en face.

— Oh ! bon sang, fit Betty consternée. Les idiotes, elles sont sorties.

— Où seraient-elles allées ?

— Maude voulait aller au Ritz.

— Elles ne peuvent pas être aussi stupides ! fit Ruby incrédule.

— Maude, si.

— Je croyais que Diana était plus raisonnable.

— Diana est amoureuse, répondit Betty. À mon avis, elle fera n'importe quoi si Maude le demande. Elle veut l'impressionner, l'emmener dans des endroits chics, lui montrer qu'elle connaît le monde de la haute société.

— On dit que l'amour est aveugle.

— Dans ce cas, l'amour est fichtrement suicidaire. Je n'arrive pas à y croire... mais je parierais que c'est là qu'on peut les trouver. Tant pis pour elles si leur lubie leur est fatale.

— Qu'allons-nous faire ?

— Aller au Ritz et les tirer de là... s'il n'est pas trop tard.

Betty mit sa perruque.

— Je me demandais, observa Ruby, pourquoi vos sourcils avaient foncé. C'est très bien fait : vous avez vraiment l'air de quelqu'un d'autre.

— Tant mieux. Prends ton arme.

Dans le hall, Régine tendit un mot à Betty. L'adresse était de l'écriture de Diana. Betty déchira l'enveloppe et lut :

> *Nous allons dans un meilleur hôtel. Nous vous retrouverons à la gare de l'Est à cinq heures du matin. Pas de panique !*

Elle montra le mot à Ruby, puis le déchira en petits morceaux. Plus qu'à Diana, c'était surtout à elle-même qu'elle en voulait : elle connaissait depuis toujours Diana, son étourderie et son irresponsabilité. Pourquoi l'ai-je choisie ? se demanda-t-elle. Parce que je n'avais personne d'autre, voilà la réponse.

Elles quittèrent le petit hôtel. Betty ne voulait pas prendre le métro car il y avait des barrages de la Gestapo dans certaines stations et parfois des contrôles dans les rames. Le Ritz se trouvait place Vendôme, à une bonne demi-heure de marche de la Charbo. Le soleil était couché et la nuit tombait vite. Il leur faudrait surveiller l'heure : le couvre-feu était à vingt-trois heures.

Betty tentait d'évaluer le temps nécessaire au personnel du Ritz pour prévenir la Gestapo de la présence de Diana et de Maude : il flairerait tout de suite chez elles quelque chose de bizarre. Que faisaient au Ritz deux secrétaires rémoises ? Convenablement habillées certes pour la France occupée, mais certainement pas assez pour fréquenter le Ritz où l'on pouvait croiser les femmes de diplomates des pays neutres, les petites amies de trafiquants du marché noir ou les maîtresses d'officiers allemands. Le directeur de l'hôtel lui-même n'agirait sans doute pas surtout s'il était antinazi, mais pour les informateurs que la Gestapo recrutait dans tous les grands hôtels et restaurants, il était toujours bon de signaler la présence d'inconnus à l'histoire rocambolesque. On serinait ce genre de détails dans les cours d'entraînement du SOE — mais ils duraient trois mois — Diana et Maude n'avaient bénéficié que de deux jours.

Betty hâta le pas.

35.

Dieter était épuisé. Il lui avait fallu déployer tous ses trésors de persuasion et d'intimidation pour faire imprimer et distribuer en une demi-journée un millier d'affiches. Patient et tenace tant que cela avait été suffisant, il s'était mis dans une rage folle quand c'était devenu nécessaire. Comme de plus, il n'avait pas dormi la nuit précédente, il avait les nerfs en pelote et, tenaillé par la migraine, il était d'une humeur de chien.

Le simple fait de se retrouver dans le somptueux immeuble de la porte de la Muette dominant le bois de Boulogne lui causa cependant une merveilleuse impression de paix. La mission dont Rommel l'avait chargé l'obligeait à voyager dans tout le nord de la France à partir d'une base parisienne ; il l'avait enfin trouvée grâce à un habile dosage de menaces et de pots-de-vin ; l'endroit en valait la peine. Dieter adorait les lambris d'acajou sombre, les épais rideaux, la hauteur des plafonds, l'argenterie du XVIIIe siècle exposée sur le buffet. Il arpenta l'appartement plongé dans une pénombre fraîche, tout heureux de retrouver ses possessions préférées : une main sculptée par Rodin, un pastel de Degas représentant une danseuse enfilant un chausson, l'édition originale du *Comte de Monte Cristo.* Il s'assit au Steinway demi-queue pour jouer une version langoureuse de *Ain't Misbehavin'* : *« No one to talk with, all by myself... »*

Avant la guerre, l'appartement et une grande partie de ce qu'il contenait aujourd'hui appartenaient à un ingénieur originaire de Lyon qui avait fait fortune en fabriquant de petits appareils électriques, des aspirateurs, des radios et des sonneries. Dieter avait appris cela d'une voisine, une riche veuve dont le mari dans les années trente avait été l'un des dirigeants de l'extrême-droite française. Cet ingénieur, lui avait-elle dit, était un nouveau riche. Il avait engagé des spécialistes pour choisir à sa place papiers peints et objets d'art, tout ce qui, selon lui, ne servait qu'à impressionner les amis de sa femme. Il était parti pour l'Amérique, un pays de parvenus, avait précisé la veuve. Elle était ravie que l'appartement soit maintenant occupé par un locataire qui sache l'apprécier.

Dieter se débarrassa de sa veste et de sa chemise et se lava le visage pour effacer la saleté de Paris. Puis il passa une chemise blanche propre, fixa des boutons de manchette en or et choisit une cravate gris argent qu'il noua en écoutant les nouvelles. Le présentateur annonçait que les Allemands livraient en Italie de rudes combats d'arrière-garde. Dieter en conclut que dans les prochains jours Rome tomberait. Mais l'Italie n'était pas la France.

Il lui fallait maintenant attendre qu'Elizabeth Clairet soit repérée. Naturellement, il n'avait pas la certitude qu'elle passerait par Paris ; cependant, après Reims, c'était l'endroit le plus probable pour la retrouver. De toute façon, il ne pouvait rien faire de plus. Il regrettait de ne pas avoir ramené Stéphanie avec lui : elle occupait la maison de la rue du Bois. Il y avait une chance pour que d'autres agents alliés soient parachutés et viennent frapper à sa porte. Il était essentiel de les attirer doucement dans le filet. Il avait laissé des instructions pour qu'en son absence ni Michel ni le Dr Bouler ne fussent torturés : ils pourraient encore lui servir.

Il ouvrit la bouteille de Dom Pérignon que contenait toujours la glacière et versa un peu de champagne dans une flûte en cristal. Puis avec le sentiment qu'après tout la vie n'était pas si terrible, il s'assit à son bureau pour lire son courrier.

Il y avait une lettre de son épouse, Waltraud.

Mon bien aimé Dieter,

Je suis si navrée que nous ne soyons pas ensemble pour fêter ton quarantième anniversaire.

Dieter avait oublié. La pendule Cartier indiquait en effet : 3 juin. Quarante ans aujourd'hui. Il se versa une nouvelle rasade de champagne pour fêter cela.

L'enveloppe de sa femme contenait deux autres missives : un dessin de sa fille de sept ans, Margarete surnommée Mausi — elle avait représenté son père en uniforme debout à côté de la tour Eiffel, plus grand que le monument (les enfants magnifient toujours leur père) — et une lettre de Rudi, son fils de dix ans, une vraie lettre d'adulte, aux lettres tracées avec soin à l'encre bleu noir :

Mon cher papa,

Je travaille bien à l'école et pourtant on a bombardé la salle de classe du docteur Richer. Heureusement, c'était la nuit et l'école était déserte.

Le cœur serré, Dieter ferma les yeux. Il ne supportait pas l'idée que des bombes tombent sur la ville où vivaient ses enfants. Il maudit les assassins de la RAF, même s'il avait conscience que des bombes allemandes touchaient elles aussi des écoliers britanniques.

Il regarda le téléphone posé sur son bureau, se demandant s'il allait essayer d'appeler chez lui. La communication était difficile à obtenir : le réseau téléphonique français était surchargé et le trafic militaire avait la priorité sur les coups de fil personnels. Il décida quand même de tenter sa chance, prêt à attendre des heures. Il éprouvait brusquement une envie impérieuse d'entendre la voix de ses enfants et de s'assurer qu'ils étaient toujours en vie. Il tendait la main vers le combiné quand le téléphone se mit à sonner avant même qu'il le touche.

— Ici le major Franck, annonça-t-il en décrochant.

— C'est le lieutenant Hesse.

Dieter sentit son pouls s'accélérer.

— Vous avez trouvé Elizabeth Clairet ?

— Non. Mais c'est presque aussi bien.

36.

Betty était allée une fois au Ritz, avec une amie, alors qu'elle faisait ses études à Paris avant la guerre. Maquillées, portant chapeau, bas et gants, elles avaient franchi la porte comme si c'était, pour elles, la routine quotidienne. Elles avaient déambulé le long de l'arcade qui abritait les boutiques de l'hôtel, pouffant devant les prix absurdes des foulards, des stylos et des parfums. Confortablement assises dans le hall, elles jouaient à la citadine désœuvrée attendant un admirateur en retard et critiquaient les toilettes des clientes du salon de thé. Cependant elles n'avaient même pas osé demander un verre d'eau. En ce temps-là, Betty économisait sou après sou pour se payer des places au poulailler de la Comédie-Française.

Depuis le début de l'Occupation, lui avait-on dit, les propriétaires s'efforçaient de diriger l'hôtel aussi normalement que les circonstances le permettaient, même si de nombreuses chambres avaient été réquisitionnées à titre permanent par des dignitaires nazis. Aujourd'hui, jambes nues et sans gants, mais le visage poudré et son béret incliné de façon désinvolte, il ne lui restait plus qu'à espérer que certaines des clientes actuelles recourraient aux mêmes subterfuges.

Des voitures militaires grises et des limousines noires stationnaient place Vendôme devant l'hôtel. Sur la façade, six drapeaux nazis rouge sang claquaient fièrement dans la brise. Un portier en haut de forme et pantalon rouge toisa Betty et Ruby d'un air dubitatif.

— Vous ne pouvez pas entrer, annonça-t-il.

Betty portait un tailleur bleu clair très froissé et Ruby une robe bleu marine sous un imperméable d'homme. Pas vraiment la tenue idéale pour dîner au Ritz. Betty tenta de prendre l'air hautain d'une Française ayant affaire à un subalterne irritant.

— Qu'y a-t-il ? lança-t-elle en levant le menton.

— Cette entrée est réservée aux personnalités, madame, même les colonels allemands ne peuvent pas passer par ici. Il faut que vous fassiez le tour par la rue Cambon et que vous utilisiez la porte de derrière.

— Comme vous voudrez, dit Betty avec une courtoisie un peu lasse, mais à vrai dire elle était contente qu'il n'ait pas mis leur tenue en cause.

Ruby et elle s'empressèrent de faire le tour du pâté de maisons et trouvèrent l'entrée qu'on leur avait désignée.

Le hall brillait de toutes ses lumières et chacun des bars qui le flanquaient grouillait d'hommes en habit ou en uniforme. Dans le brouhaha des conversations dominait le claquement des consonnes allemandes et non le murmure chantant du français, donnant à Betty l'impression qu'elle avait pénétré dans une forteresse ennemie. Elle s'approcha de la réception où un concierge en jaquette avec des boutons de cuivre, après l'avoir toisée de la tête aux pieds et avoir jugé qu'elle n'était ni une Allemande ni une riche Française, lâcha d'un ton glacial :

— Oui ?

— Veuillez vérifier si Mlle Legrand est dans sa chambre déclara Betty d'un ton sans réplique. J'ai rendez-vous.

Diana devait utiliser le faux nom de ses papiers, Simone Legrand.

Le concierge fit machine arrière.

— Puis-je lui dire qui la demande ?

— Mme Martigny. Je suis son employée.

— Très bien. En fait, mademoiselle est dans la salle à manger du fond avec son amie. Je vous conseille de vous adresser au maître d'hôtel.

Betty et Ruby traversèrent le hall et s'avancèrent dans le restaurant, reflet parfait de l'élégance : nappes immaculées, couverts et chandeliers en argent et des cohortes de serveurs en noir évoluant sans bruit pour apporter les plats. Difficile ici d'imaginer que la moitié de Paris était affamée. Betty huma même une odeur de vrai café.

Du seuil, elle avait repéré Diana et Maude, installées à une petite table au fond de la salle. Sous le regard scandalisé de Betty, Diana s'empara d'une bouteille de vin qui rafraîchissait dans un seau d'argent et leur servit à boire. Betty l'aurait étranglée. Elle allait foncer vers la table quand le maître d'hôtel s'interposa. Regardant avec insistance son tailleur de mauvaise qualité, il dit :

— Madame ?

— Bonsoir, dit-elle. Il faut que je parle à cette dame là-bas.

Il ne bougea pas. C'était un petit homme à l'air soucieux, mais visiblement il ne fallait pas lui marcher sur les pieds.

— Je peux peut-être lui transmettre un message de votre part.

— Malheureusement pas, c'est trop personnel.

— Alors je vais lui annoncer que vous êtes ici. Votre nom ?

Betty lança un regard furieux dans la direction de Diana, mais celle-ci ne levait pas les yeux.

— Je suis Mme Martigny, déclara Betty renonçant à la lutte. Dites-lui que je dois lui parler immédiatement.

— Très bien. Si Madame veut bien attendre ici.

Exaspérée, Betty serra les dents. Voyant le maître d'hôtel s'éloigner, la tentation lui vint de tout simplement passer devant lui. Là-dessus, elle remarqua à une table voisine un jeune homme arborant l'uniforme noir d'un major SS qui la dévisageait. Elle croisa son regard et détourna la tête, la gorge nouée. S'intéressait-il, par désœuvrement, à son altercation avec le maître d'hôtel ? Essayait-il de se rappeler où il l'avait aperçue auparavant — sur l'affiche, mais sans avoir encore fait le rapprochement — ou bien simplement la trouvait-il séduisante ? En tout cas, se dit Betty, mieux vaut ne pas faire d'histoire.

Chaque seconde à rester plantée là présentait un danger, et elle dut faire un effort pour ne pas céder à la tentation de tourner les talons et de s'enfuir en courant.

Le maître d'hôtel s'adressa à Diana, puis se retourna et fit signe à Betty.

— Tu ferais mieux d'attendre ici, recommanda-t-elle à Ruby : nous nous ferons moins remarquer.

Puis elle traversa rapidement la salle jusqu'à la table de Diana.

Furieuse, Betty observa que ni Diana ni Maude n'avait l'élégance de paraître confuse. Maude avait même l'air contente d'elle, alors que Diana regardait Betty de haut. Celle-ci s'appuya des deux mains sur le bord de la table et se pencha pour parler d'une voix étouffée.

— C'est terriblement dangereux. Levez-vous tout de suite et suivez-moi. Nous réglerons la note en sortant.

Elle avait mis dans ses paroles toute l'énergie dont elle était capable, mais ces deux filles vivaient dans un monde totalement imaginaire.

— Sois raisonnable, Betty, déclara Diana provoquant l'indignation de Betty.

Comment Diana pouvait-elle être à la fois aussi stupide et aussi arrogante ?

— Pauvre andouille, tu ne comprends donc pas que tu vas te faire tuer ?

Elle comprit tout de suite qu'elle avait eu tort de l'insulter, parce que Diana rétorqua aussitôt en prenant un air supérieur.

— C'est de ma vie qu'il s'agit. J'ai le droit de prendre ce risque...

— C'est nous toutes que tu mets en danger, et tu risques de compromettre l'ensemble de la mission. Maintenant lève-toi de ce fauteuil !

— Écoute..., commença Diana avant de s'arrêter pour regarder derrière Betty.

Une certaine agitation régnait en effet derrière elle. Betty la perçut et se retourna. Suffoquée, elle aperçut planté à l'entrée de la salle l'élégant officier allemand de la place de Sainte-Cécile. Elle reconnut tout de suite la haute silhouette dans son élégant costume sombre avec une pochette blanche. Le cœur battant, elle s'empressa de lui tourner le dos en priant qu'il ne l'ait pas remarquée. Il y avait de bonnes chances que la perruque noire l'empêchât de la reconnaître sur-le-champ.

Son nom lui revenait : Dieter Franck, cet ancien inspecteur de police dont elle avait retrouvé la photo dans les archives de Percy Thwaite. Elle se souvint de la note au verso du cliché : « Un crack des services de renseignement de Rommel, réputé être un habile interrogateur et un bourreau sans pitié. »

Pour la seconde fois en une semaine, elle se trouvait assez près pour l'abattre sur place.

Betty ne croyait pas aux coïncidences : cet homme avait une raison de se trouver là en même temps qu'elle.

Elle ne tarda pas à découvrir laquelle : il traversait le restaurant à grands pas dans sa direction, flanqué de quatre agents de la Gestapo. Affolé, le maître d'hôtel leur emboîtait le pas.

Prenant soin de regarder ailleurs, Betty s'éloigna. Franck alla droit jusqu'à la table de Diana. Le silence s'abattit soudain sur le restaurant : les clients s'arrêtèrent au milieu d'une phrase, les garçons interrompirent leur service, le sommelier se figea, une carafe de bordeaux à la main. Betty rejoignit Ruby qui murmura :

— Il va les arrêter.

Sa main s'approcha de son arme.

— Laisse-le dans ta poche, chuchota Betty, son regard croisant une nouvelle fois celui du major SS. Nous ne pouvons rien faire. S'il n'y avait que lui et ses quatre sbires, passe encore, mais avec tous ces officiers allemands... nous n'aurions pas plus tôt liquidé ces cinq-là, que les autres nous faucheraient sur place.

Franck interrogeait Diana et Maude. Betty n'entendait pas ce qu'il disait, mais Diana avait pris le ton d'indifférence hautaine qui était le sien quand elle se savait en tort et Maude était en pleurs.

Franck avait dû leur demander leurs papiers car d'un même geste les deux femmes se penchèrent vers leur sac à main posé par terre auprès de leur siège. Franck se déplaça : il était maintenant à côté de Diana légèrement en arrière et regardait par-dessus son épaule. Betty devina soudain ce qui allait se passer.

Maude sortit ses papiers et Diana braqua un pistolet. Un coup de feu retentit, un des agents de la Gestapo en uniforme se plia en deux et s'écroula. Ce fut aussitôt une folle bousculade dans le restaurant : les femmes hurlaient, les hommes cherchaient à se mettre à l'abri. Une seconde détonation claqua et un deuxième homme de l'escorte de Franck poussa un cri. Ce fut alors la ruée vers la sortie.

Diana visait maintenant le troisième, ce qui évoqua soudain une scène dans la mémoire de Betty : Diana dans les bois de Sommersholme, assise par terre et fumant une cigarette, entourée de dépouilles de lapins. Elle lui avait alors dit : « Tu es une tueuse. » Elle ne s'était pas trompée.

Mais elle ne tira pas : Dieter Franck avait saisi à deux mains l'avant-bras droit de Diana et frappé le poignet contre le rebord de la table. Elle poussa un cri de douleur et son pistolet lui échappa. Il l'arracha de son fauteuil, la plaqua le nez contre la moquette et se laissa tomber les deux genoux au creux de ses reins. Il lui mit les mains derrière le dos et lui passa les menottes, sans se soucier de ses hurlements quand il malmena son poignet blessé. Puis il se releva.

— Filons, dit Betty à Ruby.

À l'entrée de la salle, les gens se bousculaient, des dîneurs affolés s'efforçaient de passer tous en même temps. Betty n'avait pas encore réussi à franchir le seuil que le jeune major SS qui l'avait dévisagée quelques instants plus tôt se leva d'un bond et la prit par le bras.

— Un moment, dit-il en français.

— Ne me touchez pas ! fit Betty en s'efforçant de garder son calme.

Il resserra son étreinte.

— Vous m'avez l'air de connaître ces femmes là-bas, dit-il.

— Pas du tout ! fit-elle en essayant d'avancer.

Il la tira brutalement en arrière.

— Vous feriez mieux de rester ici pour répondre à quelques questions.

Un nouveau coup de feu claqua. On entendit de nouveaux hurlements, mais personne ne savait d'où le coup était parti. Un affreux rictus tordit le visage de l'officier SS qui s'affala sur le sol. Au même instant, Betty vit derrière lui Ruby qui remettait son pistolet dans la poche de son imperméable.

Elles réussirent à se frayer un passage à travers la foule et débouchèrent dans le hall. Comme tout le monde en faisait autant, elles purent courir sans attirer l'attention sur elles.

Des voitures attendaient le long du trottoir de la rue Cambon, abandonnées, pour la plupart, par les chauffeurs qui s'étaient précipités vers l'hôtel pour voir ce qui se passait. Betty choisit une Mercedes 230 noire avec une roue de secours fixée au marchepied. Elle jeta un coup d'œil : la clef était sur le tableau de bord.

— Monte ! cria-t-elle à Ruby.

Elle s'installa au volant et tira le démarreur. Aussitôt le puissant moteur se mit à rugir. Elle passa en première, tourna non sans mal le volant et s'engagea dans la rue. La lourde voiture n'avait aucune reprise, mais elle tenait bien la route : à vive allure, elle prenait les virages comme un train.

Quelques pâtés de maisons plus loin, Betty examina la situation. Elle venait de perdre un tiers de son équipe, dont sa meilleure tireuse. Elle songea à renoncer, pour décider aussitôt de continuer. Les choses se compliquaient : elle devrait expliquer pourquoi quatre femmes de ménage seulement se présentaient au château au lieu des six habituelles. Elle trouverait bien une excuse. On leur poserait peut-être plus de questions, mais elle était prête à courir ce risque.

Elle abandonna la voiture rue de la Chapelle. Pour l'instant, Ruby et elle s'en étaient tirées, et elles se dépêchèrent de regagner leur hôtel à pied. Ruby fit venir Greta et Jelly dans la chambre de Betty qui leur raconta ce qui s'était passé.

— Diana et Maude vont être interrogées sur-le-champ, expliqua-t-elle. Dieter Franck est un excellent interrogateur, sans pitié, qui saura leur faire dire tout ce qu'elles savent : y compris l'adresse de cet hôtel. Cela signifie que la Gestapo va débarquer ici d'un moment à l'autre et qu'il faut partir immédiatement.

— Pauvre Maude, dit Jelly en pleurant. Elle était idiote, mais elle ne méritait pas d'être torturée.

Greta était plus pragmatique.

— Où va-t-on aller ?

— Dans le couvent à côté de l'hôtel. Elles accueillent n'importe qui. J'ai déjà caché là des prisonniers de guerre évadés. Nous pourrons y rester jusqu'au lever du jour.

— Ensuite ?

— Nous irons à la gare comme prévu. Diana va donner à Dieter Franck nos vrais noms, nos noms de code et nos fausses identités. Il lancera un avis contre quiconque utilisera nos noms d'emprunt. Heureusement, j'ai pour nous toutes un autre jeu de papiers utilisant les mêmes photos avec d'autres identités. La Gestapo n'a pas de photo de vous, et moi, j'ai changé mon aspect physique : aux barrages, personne n'aura le moyen de nous reconnaître. Toutefois, pour plus de sûreté, nous n'irons à la gare que vers dix heures, quand il y aura davantage d'animation.

— Diana, reprit Ruby, va leur dire aussi en quoi consiste notre mission.

— Elle leur dira que nous allons faire sauter le tunnel de chemin de fer de Marles. Heureusement, ce n'est pas notre véritable mission. C'est une version de couverture que j'ai inventée.

— Betty, murmura Jelly d'un ton admiratif, vous pensez à tout.

— Oui, fit-elle l'air sombre. C'est pourquoi je suis encore en vie.

37.

Cela faisait plus d'une heure que Paul, assis dans le sinistre mess de Grendon Underwood, se rongeait les sangs en pensant à Betty : l'incident de la cathédrale, Chatelle plongée dans une obscurité totale et l'étrange exactitude du troisième message radio, tous ces indices réunis le poussaient à croire que Brian Standish était grillé.

Suivant le plan original, Betty aurait dû être accueillie à Chatelle par un comité de réception comprenant Michel et les survivants du réseau Bollinger. Michel aurait alors emmené les Corneilles quelques heures dans une cachette, le temps de prendre ses dispositions pour le transport jusqu'à Sainte-Cécile. Elles auraient ensuite pénétré dans le château et fait sauter le central téléphonique puis il les aurait ramenées à Chatelle où elles auraient pris l'avion qui devait les ramener en Angleterre. Tout cela avait changé maintenant, sauf la nécessité pour Betty d'avoir un moyen de transport et une planque en arrivant à Reims ; et elle comptait sur le réseau Bollinger. Seulement, qu'en restait-il, si Brian avait été pris ? La planque était-elle sûre ? Michel n'était-il pas lui aussi entre les mains de la Gestapo ?

Lucy Briggs vint enfin le chercher.

— Jane, lui dit-elle, m'a demandé de vous signaler qu'on est en train de décrypter la réponse d'Hélicoptère. Suivez-moi, s'il vous plaît.

Elle le précéda jusqu'à une pièce minuscule, un ancien placard, se dit-il, qui faisait office de bureau pour Jane Bevins.

Elle tenait une feuille de papier qu'elle regardait d'un air contrarié.

— Je n'arrive pas à comprendre, déclara-t-elle.

Paul lut rapidement.

INDICATIF HLCP (HÉLICOPTÈRE)
CODE DE SÉCURITÉ OK
3 JUIN 1944

TEXTE DU MESSAGE :

DEUX STENS AVEC SIX CHARGEURS POUR CHACUN STOP
UN FUSIL LEE ENFELD AVEC DIX CHARGEURS STOP
SIX AUTOMATIQUES COLT AVEC ENVIRON
CENT CARTOUCHES STOP PAS DE GRENADE
TERMINÉ

Paul, consterné, lisait et relisait le texte décodé, comme si la réalité des mots allait s'humaniser, mais, bien sûr, rien ne changea.

— Je m'attendais à une réaction furieuse, s'étonnait Jane. Il ne râle même pas, il répond tout simplement à vos questions.

— Exactement, soupira Paul, parce que ce n'est pas lui.

Ce message n'émanait pas d'un agent sur le terrain, d'un agent harassé auquel ses chefs, en bons bureaucrates, auraient brusquement posé une question complètement insensée. La réponse avait été rédigée par un officier de la Gestapo acharné à sauver les apparences d'une situation parfaitement normale. En outre la seule faute d'orthographe, « Enfeld » au lieu de « Enfield », le confirmait car *feld* était le mot allemand pour l'anglais *field*.

Le doute n'était plus permis : Betty courait un grand danger. Paul se massa les tempes. Plus question de tergiverser : l'opération tombant en quenouille, il fallait la sauver — et sauver Betty. Levant les yeux vers Jane, il surprit dans son regard l'expression d'une profonde compassion.

— Je peux utiliser votre téléphone ? demanda-t-il.

— Bien sûr.

Il appela Baker Street. Percy était à son bureau.

— Ici Paul. Je suis convaincu que Brian a été capturé. C'est la Gestapo qui utilise sa radio.

Jane Bevins étouffa un cri.

— Oh ! bon sang, fit Percy. Et, sans la radio, nous n'avons aucun moyen d'avertir Betty.

— Si, nous en avons un, objecta Paul.

— Comment cela ?

— Procurez-moi un avion. Je pars pour Reims... ce soir.

Le huitième jour

Dimanche 4 juin 1944

38.

De l'Arc de triomphe au bois de Boulogne, l'avenue Foch était bordée de luxueux immeubles — dénotant l'extrême richesse de ses occupants — auxquels on accédait par des jardins. Le 84, particulièrement élégant, comportait cinq étages d'appartements somptueux desservis par un escalier monumental. La Gestapo en avait fait un immense espace réservé à la torture.

Installé dans un salon aux proportions parfaites, Dieter fixa un moment le plafond surchargé de décorations puis ferma les yeux, pour se préparer : un interrogatoire requérait un esprit aux aguets et, en même temps, des sentiments engourdis.

Certains prenaient plaisir à torturer les prisonniers — le sergent Becker, à Reims, par exemple —, souriaient aux hurlements de leurs victimes, jouissaient jusqu'à l'érection des blessures qu'ils infligeaient et du spectacle de malheureux se débattant dans les affres de la mort. Mais, concentrés sur la souffrance plutôt que sur l'information, ils se révélaient de piètres inquisiteurs. Les meilleurs bourreaux étaient des hommes comme Dieter qui, dans leur for intérieur, abhorraient ces méthodes.

Il s'imaginait maintenant claquant des portes dans son âme, enfermant ses émotions dans des placards. Pour lui, les deux femmes ne représenteraient plus que des distributeurs d'informations dès l'instant où il aurait compris comment en déclencher le mécanisme. Un froid familier tomba doucement sur lui comme une couverture de neige et il comprit qu'il était prêt.

— Amenez-moi la plus âgée, ordonna-t-il au lieutenant Hesse.

Il l'observa avec soin quand elle entra et vint s'asseoir sur la chaise. Les cheveux courts, les épaules larges, elle portait un tailleur de coupe masculine. De la main gauche, elle soutenait son avant-bras droit gonflé d'où pendait mollement sa main droite : Dieter lui avait brisé le poignet. De toute évidence elle souffrait, son visage était pâle et luisant de sueur, mais ses lèvres serrées exprimaient une volonté inflexible. Il s'adressa à elle en français.

— Votre sort est entre vos mains, commença-t-il. Vos décisions et vos paroles soit vous causeront des souffrances intolérables, soit vous apporteront le soulagement. Cela dépend entièrement de vous.

Elle resta muette. Elle avait peur, mais elle ne s'affolait pas. Elle serait difficile à briser, il le devinait déjà.

— Tout d'abord, demanda-t-il, dites-moi où se trouve le quartier général londonien du Special Operations Executive.

— 81 Regent Street, répondit-elle.

Il hocha la tête.

— Laissez-moi vous préciser un point. Je sais très bien que le SOE enseigne à ses agents de ne pas opposer le silence à un interrogateur mais de donner des indications fausses et difficiles à vérifier. Sachant cela, je vais vous poser de nombreuses questions dont je connais déjà les réponses. Je saurais ainsi si vous mentez ou non. Où est le quartier général à Londres ?

— Carlton House Terrace.

Il s'approcha d'elle et la gifla à toute volée. Elle poussa un cri de douleur. Sa joue devint toute rouge. Commencer par une gifle donnait souvent des résultats intéressants : pas très douloureux, ce coup était une humiliante démonstration du désarroi du prisonnier et ne tardait pas à saper sa bravoure des premiers instants.

— C'est de cette façon que les officiers allemands traitent les dames ? riposta-t-elle.

Son air hautain et le français qu'elle parlait avec l'accent de la haute société l'amenèrent à supposer qu'il s'agissait d'une aristocrate.

— Des dames ? lança-t-il d'un ton méprisant. Vous venez d'abattre deux policiers dans l'exercice de leur fonction. La jeune épouse de Specht est maintenant veuve, et les parents de Rolfe ont perdu leur unique fils. Vous n'êtes pas un soldat en uniforme, vous n'avez aucune excuse. Pour répondre à votre question, non, ce n'est pas ainsi que nous traitons les dames, c'est ainsi que nous traitons les meurtrières.

Elle détourna les yeux. Il avait marqué un point. Il commençait à ébranler son moral.

— Encore une chose. Vous connaissez bien Betty Clairet ?

Elle ouvrit tout grand les yeux d'un air surpris. Il avait bien deviné : ces deux-là faisaient partie de l'équipe du major Clairet. Une fois de plus, il avait frappé juste. Mais elle eut tôt fait de retrouver ses esprits et dit :

— Je ne connais personne de ce nom.

Tendant le bras, il repoussa sa main gauche : privé de son soutien, son poignet cassé retomba lui arrachant un cri de douleur. Puis il saisit sa main droite et la secoua. Elle se mit à hurler.

— Bon sang, s'écria-t-il, pourquoi dîniez-vous au Ritz ?

Ses hurlements cessèrent. Il répéta sa question. Elle reprit son souffle et répondit :

— J'en aime la cuisine.

Elle était encore plus coriace qu'il ne l'avait cru.

— Emmenez-la, ordonna-t-il. Amenez-moi l'autre.

La plus jeune était très jolie. Elle n'avait opposé aucune résistance quand on l'avait arrêtée : sa robe sans faux pli et son maquillage intact lui avaient conservé un air présentable. Elle semblait toutefois bien plus effrayée que sa collègue. Il lui posa la même question :

— Pourquoi dîniez-vous au Ritz ?

— J'ai toujours voulu y aller, répondit-elle.

Il n'en croyait pas ses oreilles.

— Vous ne craigniez pas que cela puisse être dangereux ?

— Je pensais que Diana s'occuperait de moi.

L'autre s'appelait donc Diana.

— Comment vous appelez-vous ?

— Maude.

Cela se passait avec une facilité déconcertante.

— Et que faites-vous en France, Maude ?

— Nous étions censées faire sauter quelque chose.

— Quoi donc ?

— Je ne m'en souviens pas. Quelque chose à voir avec les chemins de fer.

Dieter commençait à se demander si l'on n'était pas en train de le faire marcher.

— Depuis combien de temps connaissez-vous Elizabeth Clairet ?

— Vous voulez dire Betty ? Depuis quelques jours seulement. Elle est fichtrement autoritaire. Cela dit, elle avait raison : nous n'aurions pas dû aller au Ritz, dit-elle en se mettant à pleurer. Je voulais seulement prendre un peu de bon temps et sortir, c'est tout.

— Quel est le nom de code de votre équipe ?

— Les Merles, dit-elle en anglais.

Il fronça les sourcils. Le message radio adressé à Hélicoptère avait mentionné le nom de Corneilles.

— Vous êtes sûre ?

— Oui. C'est à cause d'un poème, « Le merle de Reims », je crois. Non, c'est « La corneille de Reims », voilà.

Si elle n'était pas complètement idiote, c'était remarquablement imité.

— À votre avis, où est Betty actuellement ?

Maude réfléchit un long moment, puis dit :

— Je ne sais vraiment pas.

Dieter eut un sourire exaspéré. Une prisonnière trop coriace pour qu'on lui arrache une information, l'autre trop idiote pour rien savoir d'utile. Tout cela allait lui prendre plus de temps que prévu.

Ayant des doutes sur la nature de leurs relations, il entrevoyait un moyen d'accélérer l'interrogatoire. En effet, pourquoi la plus âgée, dominante et un peu masculine, risquait-elle sa vie pour emmener cette jolie petite écervelée dîner au Ritz ? J'ai peut-être l'esprit mal tourné, se dit-il, mais quand même...

— Emmenez-la, dit-il en allemand, et mettez-la avec l'autre. Assurez-vous que la porte a un judas.

Quand on les eut enfermées, le lieutenant Hesse conduisit Dieter dans une petite pièce du grenier. Un judas permettait de regarder ce qui se passait dans la pièce voisine. Les deux femmes étaient assises côte à côte au bord du petit lit, Maude en larmes et Diana la réconfortant. Dieter observa soigneusement la scène. Diana avait posé son poignet droit cassé sur son genou et, de la main gauche, elle caressait les cheveux de Maude. Elle lui parlait à voix basse et Dieter ne pouvait pas entendre.

Quelle était la nature de leur relation ? Sœurs d'armes, amies très proches... ou davantage ? Diana se pencha et posa un baiser sur le front de Maude. Cela ne voulait pas dire grand-chose. Là-dessus, Diana posa son index sur le menton de Maude, orienta son visage vers le sien et l'embrassa sur les lèvres. Un geste de réconfort ? Mais assurément très intime.

Pour finir, Diana sortit le bout de sa langue pour lécher les larmes de Maude. Dieter savait à quoi s'en tenir : ce n'étaient pas des préliminaires — personne ne ferait l'amour dans de telles circonstances —, simplement le genre de consolation que seule pouvait apporter une amante, pas une simple amie. Diana et Maude étaient lesbiennes. Et voilà qui résolvait le problème.

— Ramenez-moi la plus âgée, dit-il et il regagna la salle d'interrogatoire.

Quand on lui amena Diana pour la seconde fois, il la fit ligoter à la chaise. Puis il dit :

— Préparez l'appareillage électrique.

Il attendit impatiemment qu'on poussât la machine à électrochocs sur son chariot et qu'on la branchât dans une prise murale. Chaque minute qui s'écoulait permettait à Betty Clairet de mettre entre eux une distance grandissante.

Quand tout fut prêt, il empoigna les cheveux de Diana de la main gauche et, sans lui lâcher la tête, il lui fixa deux pinces crocodiles à la lèvre inférieure. Il mit le courant : Diana poussa un hurlement. Puis Dieter arrêta dix secondes après. Quand elle commença à se calmer, il précisa :

— L'appareil développait moins de la moitié de sa puissance.

C'était vrai. Il avait rarement utilisé la machine à son maximum. Seulement quand, après prolongation de la torture, on branchait l'appareil à fond pour tenter de pénétrer jusqu'à la conscience défaillante d'une victime qui ne cessait de s'évanouir, c'était généralement trop tard, car la folie s'installait. Diana ne le savait pas.

— Arrêtez, supplia-t-elle. Je vous en prie, je vous en prie, arrêtez.

— Êtes-vous disposée à répondre à mes questions ?

Elle poussa un gémissement, mais sans dire oui.

— Amenez l'autre, ordonna Dieter.

Diana sursauta. Le lieutenant Hesse amena Maude et l'attacha à une chaise.

— Qu'est-ce que vous voulez ? cria Maude.

— Ne dis rien, fit Diana... Ça vaut mieux.

Maude portait un léger corsage d'été sur sa poitrine bien faite. D'un geste, Dieter fit voler les boutons.

— Je vous en prie ! cria Maude. Je vous dirai tout.

Sous son chemisier, elle portait une combinaison de coton avec de la dentelle. Il la prit par le décolleté et la déchira. Maude se mit à hurler.

Il recula pour regarder. Maude avait des seins ronds et fermes. Dans un coin de son esprit, il nota combien ils étaient charmants. Diana doit en être folle, se dit-il.

Il ôta les pinces crocodiles des lèvres de Diana pour les attacher à chacun des petits bouts de sein de Maude. Puis il revint vers l'appareil et posa la main sur la manette.

— Très bien, murmura Diana. Je vais tout vous dire.

Dieter prit des dispositions pour que soit renforcée la surveillance du tunnel de chemin de fer de Marles. Si les Corneilles arrivaient jusque-là, ce serait pour découvrir qu'il était pratiquement impossible d'y pénétrer. Il était convaincu désormais que Betty ne parviendrait pas à atteindre son objectif. Mais c'était secondaire. Ce qu'il voulait avant tout, c'était la capturer et l'interroger.

Il était déjà deux heures du matin, dimanche. Mardi, ce serait la nuit de pleine lune, et quelques heures seulement les séparaient peut-être du débarquement. Mais Dieter saurait les mettre à profit pour briser les reins de la Résistance française — à condition d'amener Betty dans une chambre de torture et qu'elle décline la liste des noms et des adresses qu'elle avait dans sa tête. Il mobiliserait la Gestapo de toutes les villes de France, mettrait en œuvre des milliers d'agents bien entraînés qui, même s'ils n'étaient pas très futés, savaient procéder à des arrestations. En deux heures, ils jetteraient en prison des centaines de cadres de la Résistance. Au lieu du soulèvement massif sur lequel les Alliés, à n'en pas douter, comptaient pour faciliter le débarquement, les Allemands jouiraient du calme et de l'ordre nécessaires pour préparer leur réaction et repousser les envahisseurs à la mer.

Il avait envoyé, pour la forme, une équipe de la Gestapo faire une descente à l'hôtel de la Chapelle, mais il était certain que Betty et les trois autres avaient décampé quelques minutes après l'arrestation de leurs camarades. Où était-elle maintenant ? Reims faisait un point de départ tout indiqué pour une attaque sur Marles, ce qui expliquait pourquoi les Corneilles avaient prévu à l'origine de se faire parachuter non loin de la ville. Dieter estimait probable que Betty passerait quand même par Reims qui, par la route ou la voie ferrée, se trouvait sur le chemin de Marles, et où l'attendait, pour lui prêter main-forte, ce qui restait du réseau Bollinger. Il était prêt à parier qu'elle avait maintenant quitté Paris pour Reims.

Il donna des ordres pour qu'aucun des points de contrôle de la Gestapo entre les deux villes n'ignore le détail des fausses identités utilisées par Betty et son équipe. Cela aussi, c'était un peu pour la forme : soit elles avaient un autre jeu d'identités, soit elles trouveraient un moyen d'éviter les barrages.

Il appela Reims, tira Weber de son lit et lui expliqua la situation. Pour une fois, celui-ci ne fit pas obstruction. Il accepta de dépêcher deux de ses hommes surveiller la maison de Michel, deux autres se planquer auprès de la résidence de Gilberte et deux autres enfin à la maison de la rue du Bois pour protéger Stéphanie.

La migraine commençait à le gagner, mais il appela Stéphanie.

— Les terroristes britanniques sont en route pour Reims, lui annonça-t-il. J'envoie deux hommes pour veiller sur toi.

— Merci, répondit-elle, sans se départir de son calme.

— Il est important que tu continues à te présenter au rendez-vous.

Avec un peu de chance, Betty ne soupçonnerait pas que Dieter avait infiltré le réseau Bollinger à ce point, et elle lui tomberait dans les bras.

— N'oublie pas, nous avons changé d'endroit : ce n'est plus la crypte de la cathédrale, mais le café de la Gare. Si quelqu'un se présente, contente-toi de le ramener à la maison comme tu l'as fait avec Hélicoptère. À partir de là, la Gestapo prendra les choses en main.

— D'accord.

— Tu es sûre ? J'ai réduit les risques au minimum, mais c'est quand même dangereux.

— J'en suis persuadée. On dirait que tu as la migraine.

— Ça commence tout juste.

— As-tu ton médicament ?

— Hans l'a pris.

— Je regrette de ne pas être là pour te soigner.

Il le regrettait aussi.

— J'avais envie de regagner Reims ce soir par la route, mais je ne crois pas que je puisse y arriver.

— Il n'en est pas question. Je m'en tirerai très bien. Fais-toi une piqûre, couche-toi et ne reviens que demain.

Elle avait raison : il appréhendait déjà de regagner son appartement, à moins d'un kilomètre ; il serait, de toute façon, incapable de faire le trajet jusqu'à Reims avant de s'être remis de la tension de l'interrogatoire.

— D'accord, fit-il. Je vais dormir quelques heures et je partirai au matin.

— Bon anniversaire.

— Tu t'en es souvenu ! Moi, j'avais oublié.

— J'ai quelque chose pour toi. Quelque chose... de très personnel.

Il sourit malgré sa migraine.

— Oh là, là.

— Je te le donnerai demain.

— Je meurs d'impatience.

— Je t'aime.

Les mots, *je t'aime aussi,* lui vinrent aux lèvres, mais il hésita. Il s'était trop souvent interdit de les prononcer. Il y eut un déclic : Stéphanie avait raccroché.

39.

Le dimanche matin à la première heure, Paul Chancellor fut parachuté dans un champ de pommes de terre non loin du village de Laroque, à l'ouest de Reims, sans bénéficier des avantages — ni des risques — d'un comité d'accueil.

L'atterrissage ébranla douloureusement son genou blessé. Serrant les dents, il resta un moment immobile, attendant que la douleur s'estompe. Il en souffrirait par crises sans doute jusqu'à la fin de ses jours. Une fois vieux, il pourrait, après un élancement, prédire la pluie. S'il vivait jusque-là.

Au bout de cinq minutes, il se sentit capable de se remettre debout et de se débarrasser de son harnais. Il trouva la route, s'orienta aux étoiles et partit, mais il boitait sérieusement et n'avançait pas bien vite.

Percy Thwaite lui avait bricolé précipitamment l'identité d'un instituteur d'Épernay, à quelques kilomètres de là. Il allait à Reims en stop pour rendre visite à son père souffrant. Tous les papiers nécessaires, dont certains fabriqués à la hâte la veille au soir, lui avaient été apportés à Tempsford par un motard. Sa claudication convenait fort bien à la couverture qu'on lui avait choisie : un ancien combattant blessé pouvait exercer en tant qu'instituteur alors qu'un jeune homme valide aurait déjà été envoyé dans un camp de travail en Allemagne.

Le trajet ne présentait pas de difficultés. Contacter Betty ne pouvait se faire que par l'intermédiaire du réseau Bollinger, en misant sur l'efficacité du groupe, et en partant de l'hypothèse que Brian était le seul à être tombé entre les mains de la Gestapo. Comme tout nouvel agent parachuté à Reims, Paul contacterait Mlle Lemas. Il lui faudrait seulement se montrer particulièrement prudent.

Peu après les premières lueurs du jour, un bruit de moteur lui fit quitter la route pour se cacher derrière une rangée de pieds de vigne. Il s'agissait en fait d'un tracteur, ce qui lui parut sans risque, la Gestapo ne se déplaçant certainement jamais sur un engin agricole. Il regagna la route et leva le pouce à l'adresse du conducteur, un garçon d'une quinzaine d'années, qui transportait un chargement d'artichauts.

— Blessure de guerre ? s'informa celui-ci en désignant de la tête la jambe de Paul

— Oui, répondit Paul. Sedan, 1940.

— J'étais trop jeune, observa le garçon d'un ton de regret.

— Vous avez de la chance.

— Mais attendez un peu que les Alliés reviennent. Là, ça va barder, dit-il en lançant à Paul un regard en coulisse. Je ne peux pas vous en dire plus. Mais vous allez voir.

Paul réfléchit. Ce garçon appartenait-il au réseau Bollinger ?

— Mais, reprit-il, est-ce que nos gens ont les armes et les munitions nécessaires ?

Si le jeune homme était dans la confidence, il saurait que les Alliés avaient largué des tonnes de matériel au cours des derniers mois.

— Nous utiliserons ce qui nous tombera sous la main.

Paul ne le trouvait pas très discret. Ses propos étaient trop vagues : il fantasmait. Et Paul s'en tint là jusqu'à l'entrée de Reims où le garçon le déposa. Il gagna le centre en boitillant. Le rendez-vous dans la crypte avait été remplacé par le café de la Gare, mais l'heure n'avait pas changé : aussi jusqu'à quinze heures lui restait-il plusieurs heures à tuer.

Il entra dans le café pour prendre un petit déjeuner et reconnaître les lieux. Il demanda un café noir. Le serveur, un homme d'un certain âge, haussa les sourcils et Paul, conscient de sa bévue, s'empressa de la réparer.

— Pas la peine de dire « noir », j'imagine. De toute façon vous n'avez sans doute pas de lait.

Rassuré, le garçon sourit.

— Malheureusement pas, fit-il en s'éloignant.

Paul soupira. Huit mois qu'il n'avait pas effectué de mission clandestine en France, et il avait oublié la tension constante qu'imposait le fait de jouer à être quelqu'un d'autre.

Il passa la matinée à sommeiller tandis que les services se succédaient dans la cathédrale, puis à treize heures trente, il retourna au café pour déjeuner. L'établissement se vida vers quatorze heures trente et il ne resta plus que lui devant un ersatz de café. À quatorze heures quarante-cinq, deux hommes entrèrent et commandèrent une bière. Paul les examina soigneusement : vêtus de vieux costumes sombres croisés, ils parlaient cépages dans un français familier. Ils discutaient savamment de la floraison des vignes, une période critique qui touchait à sa fin. Ce n'était sans doute pas des agents de la Gestapo.

À quinze heures précises, une grande femme séduisante arriva, vêtue avec une discrète élégance d'une robe d'été en cotonnade verte et coiffée d'un chapeau de paille. Elle portait des chaussures dépareillées : une noire, une brune. Bourgeoise.

Paul était un peu surpris, car il s'attendait à une femme plus âgée, supposition gratuite puisque Betty, à vrai dire, ne la lui avait jamais décrite. De toute façon, n'étant pas encore disposé à lui faire confiance, il se leva et quitta le café.

Il suivit le trottoir jusqu'à la gare et se planta à l'entrée pour surveiller l'établissement. Il ne risquait pas de se faire remarquer : comme toujours plusieurs personnes traînaient dans les parages attendant des amis voyageant sur le prochain train.

Il observa la clientèle du café. Une femme passa avec un petit garçon qui réclamait un gâteau ; la mère céda et entraîna l'enfant à l'intérieur. Les deux experts viticoles s'en allèrent. Un gendarme entra pour ressortir immédiatement avec un paquet de cigarettes.

La Gestapo ne semblait pas avoir tendu un piège ; personne ne paraissait le moins du monde dangereux. Peut-être les avait-on semés en changeant le lieu du rendez-vous.

Pourtant un détail intriguait Paul. Où était passé Charenton, l'ami de Bourgeoise qui avait sauvé Brian Standish ? S'il l'a surveillée à la cathédrale, pourquoi pas ici ? Il est vrai que pour l'instant aucun danger ne menaçait et qu'il pouvait y avoir un tas d'explications bien simples.

La mère et son enfant quittèrent le café, imités à quinze heures trente par Bourgeoise qui partit dans la direction opposée à la gare. Paul la suivit sur le trottoir d'en face. Elle remonta la rue jusqu'à une petite voiture noire, une Simca 5. Paul traversa. Elle monta dans la voiture et mit le contact.

Paul devait maintenant prendre une décision ; sans aucune certitude que ce fût la bonne, il était cependant allé aussi loin que la prudence l'autorisait, sans se présenter directement au lieu de rendez-vous. À un moment, il fallait bien prendre des risques. Sinon, autant rester en Angleterre. Il s'approcha de la voiture et ouvrit la portière côté passager.

— Monsieur ? interrogea-t-elle en le regardant calmement.

— Priez pour moi, dit-il.

— Je prie pour la paix.

Il monta dans la voiture et s'inventa un nom de code.

— Je suis Danton, annonça-t-il.

Elle embraya.

— Pourquoi ne m'avez-vous pas parlé au café ? demanda-t-elle. Je vous ai tout de suite remarqué en entrant. Vous m'avez fait attendre une demi-heure, c'est dangereux.

— Je voulais être certain que ce n'était pas un piège.

Elle lui jeta un bref coup d'œil.

— Vous avez appris ce qui est arrivé à Hélicoptère.

— Oui. Où est votre ami qui l'a sauvé, Charenton ?

Se dirigeant vers le sud, elle roulait bon train.

— Il travaille aujourd'hui.

— Dimanche ? Que fait-il ?

— Il est pompier. C'est son tour de garde.

Voilà qui expliquait son absence. Paul s'empressa d'aborder le vrai motif de sa visite.

— Où est Hélicoptère ?

Elle secoua la tête.

— Aucune idée. Ma maison n'est qu'une étape. J'accueille des gens, je les remets à Monet. Je ne suis pas censée connaître la suite.

— Monet va bien ?

— Oui. Il m'a téléphoné jeudi après-midi pour s'assurer que Charenton était bien là.

— Pas depuis ?

— Non. Mais ça n'a rien d'extraordinaire.

— Quand l'avez-vous vu pour la dernière fois ?

— Personnellement ? Je ne l'ai jamais vu.

— Avez-vous entendu parler de Panthère ?

— Non.

Il resta silencieux tandis que la voiture se faufilait dans les faubourgs. Bourgeoise ne détenait aucune information pour lui, et il devrait passer au maillon suivant de la chaîne. Elle s'arrêta dans une cour le long d'une grande maison.

— Entrez donc faire un peu de toilette, proposa-t-elle.

Il descendit de voiture. Tout semblait normal : Bourgeoise avait respecté le rendez-vous fixé, lui avait donné le mot de passe convenu et personne ne la suivait. En revanche, elle ne lui avait fourni aucun renseignement utile et il ne savait toujours pas jusqu'à quel point le réseau Bollinger avait été infiltré ni quel danger courait exactement Betty. Bourgeoise le précéda jusqu'à la porte d'entrée qu'elle ouvrit avec sa clef. Il tâta la brosse à dents dans sa poche de chemise ; de fabrication française, on lui avait permis de l'emporter. Une idée soudain lui vint : au moment où Bourgeoise pénétrait dans la maison, il tira la brosse à dents de sa poche et la laissa tomber par terre juste devant la porte. Puis il entra.

— C'est grand, dit-il. Ça fait longtemps que vous êtes ici ?

Le papier peint sombre et démodé, les meubles massifs ne coïncidaient pas du tout avec le style de sa propriétaire.

— Je l'ai héritée il y a trois ou quatre ans. J'aimerais bien refaire la décoration, mais les matériaux sont introuvables. Elle ouvrit une porte et s'écarta pour le laisser passer. Entrez donc, c'est la cuisine.

Il s'avança et vit deux hommes en uniforme braquant sur lui leur pistolet automatique.

40.

Une crevaison sur la nationale 3, entre Paris et Meaux, obligea le chauffeur à arrêter soudain la voiture de Dieter : un clou s'était fiché dans le pneu. Agacé par ce retard, il arpentait nerveusement le bas-côté pendant que le lieutenant Hesse soulevait la voiture avec le cric puis changeait la roue sans s'énerver ; quelques minutes plus tard, ils reprenaient la route.

Sous l'effet de la morphine que Hans lui avait administrée, Dieter avait dormi tard et maintenant il trouvait que le sinistre paysage industriel de la banlieue est de Paris cédait trop lentement la place aux cultures. Il aurait déjà voulu être à Reims pour voir Betty Clairet tomber dans le piège qu'il lui avait tendu.

La grosse Hispano-Suiza filait sur une longue route droite bordée de peupliers — sans doute le tracé d'une ancienne voie romaine. Au début de la guerre, Dieter avait cru que le IIIe Reich, comme l'Empire romain, régnerait sur l'Europe entière et apporterait à tous ses sujets une paix et une prospérité comme ils n'en avaient jamais connu. Aujourd'hui, il n'en était plus aussi sûr.

Il s'inquiétait au sujet de sa maîtresse en danger à cause de lui ; malheureusement, se dit-il, de nos jours chacun risque sa vie : la guerre moderne met toute la population en première ligne, et la meilleure façon de protéger Stéphanie — ainsi que lui et sa famille en Allemagne — c'était de repousser le débarquement. Mais parfois il se maudissait de l'avoir impliquée si étroitement dans la mission qu'on lui avait confiée. Il menait un jeu risqué dans lequel il se servait d'elle.

Les combattants de la Résistance ne faisaient pas de prisonnier. Risquant sans cesse leur vie eux-mêmes, ils n'avaient aucun scrupule à se débarrasser des Français qui collaboraient avec l'ennemi — ainsi de Stéphanie, songea Dieter avec angoisse.

Il envisageait mal la vie sans elle et comprit qu'il était amoureux de cette belle courtisane dont il avait profité. Il réalisait maintenant sa méprise, ce qui exacerbait d'autant son désir d'être déjà à Reims auprès d'elle.

Grâce au peu de circulation dimanche après-midi, ils avançaient rapidement.

La seconde crevaison se produisit alors qu'ils étaient à moins d'une heure de Reims. Dieter en aurait hurlé d'exaspération. Encore un clou. Les pneus en temps de guerre sont-ils de si mauvaise qualité, se demanda-t-il, ou bien les Français sèment-ils délibérément leurs vieux clous sur la chaussée en sachant pertinemment que neuf véhicules sur dix appartiennent aux troupes d'occupation ?

La voiture ne disposait que d'une seule roue de secours : il fallait donc réparer. Ils l'abandonnèrent et durent parcourir à pied environ un kilomètre et demi, avant de trouver une ferme. Toute une famille était assise autour des reliefs d'un substantiel déjeuner dominical : du fromage et des fraises, ainsi que plusieurs bouteilles de vin vides s'étalaient sur la table. Seuls les paysans étaient bien nourris en France. Dieter obligea le fermier à atteler son cheval et à les conduire avec sa charrette jusqu'à la prochaine agglomération.

L'unique pompe à essence du village se dressait sur la place devant l'échoppe du charron ; malgré l'écriteau « Fermé » accroché à la fenêtre, ils frappèrent énergiquement et finirent par réveiller de sa sieste un garagiste maussade. L'homme fit démarrer un camion décrépi au volant duquel il partit, Hans assis auprès de lui.

Dieter s'installa dans la salle sous les regards convergents de trois jeunes enfants dépenaillés. L'épouse du garagiste, une femme lasse aux cheveux dépeignés, s'affairait dans la cuisine mais ne lui proposa même pas un verre d'eau fraîche. Soudain Dieter pensa de nouveau à Stéphanie.

— Est-ce que je peux téléphoner ? demanda-t-il courtoisement, ayant avisé un téléphone dans l'entrée. Bien entendu, je paierai la communication.

— C'est pour où ? grogna-t-elle en lui lançant un regard hostile.

— Pour Reims.

Elle acquiesça et nota l'heure qu'indiquait la pendule posée sur la cheminée. Dieter demanda à la standardiste le numéro de la maison de la rue du Bois. Une voix bourrue répéta aussitôt le numéro avec un accent provincial marqué. Soudain sur ses gardes, Dieter répondit en français :

— Ici Pierre Charenton.

Il retrouva la voix de Stéphanie à l'autre bout du fil :

— Mon chéri.

Prudente, elle avait répondu en imitant Mlle Lemas.

— Tout va bien ? lui demanda-t-il soulagé.

— J'ai capturé un autre agent ennemi pour toi, annonça-t-elle calmement.

— Mon Dieu... Bien joué ! Comment est-ce arrivé ?

— Je l'ai trouvé au café de la Gare et je l'ai amené ici.

Dieter ferma les yeux. Si jamais cela s'était mal passé — si jamais un détail quelconque avait attiré sur elle les soupçons de l'agent — elle aurait pu être morte à l'heure actuelle.

— Et ensuite ?

— Tes hommes l'ont ligoté. Il ne s'est pas débattu.

Elle avait dit *il*. Il ne s'agissait donc pas de Betty. Dieter était déçu. Mais sa stratégie était payante. Cet homme était le second agent allié à tomber dans le piège.

— Comment est-il ?

— Un homme jeune qui boite et à qui il manque la moitié d'une oreille.

— Qu'as-tu fait de lui ?

— Il est par terre dans la cuisine. Je m'apprêtais à appeler Sainte-Cécile pour qu'on vienne le chercher.

— Non, enferme-le dans la cave. Je veux lui parler avant Weber.

— Où es-tu ?

— Dans un village. Nous avons crevé.

— Dépêche-toi.

— Je devrais être ici dans une heure ou deux.

— Bon.

— Comment vas-tu ?

— Bien.

— Vraiment, comment te sens-tu ? insista Dieter en quête d'une réponse plus précise.

— Comment je me *sens* ? Elle marqua un temps. C'est une question que tu ne poses pas en général.

Dieter hésita.

— Je ne te demande généralement pas non plus de capturer des terroristes.

— Je me sens bien, fit-elle avec tendresse. Ne t'inquiète pas pour moi.

— Que ferons-nous après la guerre ? s'enquit-il sans l'avoir prévu.

Silence surpris à l'autre bout du fil.

— Bien sûr, continua Dieter, la guerre pourrait aussi bien se poursuivre dix ans que se terminer dans deux semaines. Alors que ferons-nous ?

Elle retrouva un peu de son sang-froid, mais il percevait un frémissement inhabituel dans sa voix lorsqu'elle demanda à son tour :

— Qu'aimerais-tu faire ?

— Je ne sais pas.

Mais cette réponse ne le satisfaisait pas et il finit par balbutier :

— Je ne veux pas te perdre.

— Oh !...

Il attendit qu'elle ajoute quelque chose.

— À quoi penses-tu ? insista-t-il.

Elle ne disait toujours rien, mais un son bizarre lui révéla qu'elle pleurait. Lui-même avait la gorge serrée. Il surprit le regard de la femme du garagiste qui chronométrait la durée de la communication. Il avala sa salive et détourna la tête, ne voulant pas qu'une étrangère remarque son trouble.

— Je ne vais pas tarder, dit-il. Nous bavarderons tout à l'heure.

— Je t'aime, conclut-elle.

Il jeta un nouveau coup d'œil à la femme du garagiste qui continuait à le dévisager. Qu'elle aille au diable, songea-t-il.

— Je t'aime aussi, murmura-t-il.

Puis il raccrocha.

41.

Le trajet de Paris à Reims demanda le plus clair de la journée aux Corneilles.

Elles franchirent sans encombre tous les contrôles. Leurs nouvelles identités passaient aussi bien que les précédentes et personne ne remarqua les retouches de la photographie de Betty.

De fréquents arrêts au milieu de nulle part retardaient le train qui s'arrêtait alors un temps interminable. Assise dans le wagon surchauffé, Betty piaffait d'impatience pendant ces précieuses minutes qui s'écoulaient, inutiles. Elle comprenait la raison de ces haltes : les bombardiers de l'Air Force américaine et de la RAF avaient, par endroits, détruit les voies. Puis le train repartait à petite vitesse, ce qui permettait d'observer les équipes de réparation d'urgence qui découpaient les rails tordus et ramassaient les traverses brisées pour réparer la voie. Ces retards — et c'était une consolation pour Betty — exaspéreraient encore plus Rommel lorsqu'il tenterait de déployer ses troupes pour repousser le débarquement.

Une boule glacée obstruait sa poitrine quand ses pensées, avec une régularité douloureuse, ne cessaient de revenir à Diana et Maude. On les avait certainement interrogées, probablement torturées et peut-être tuées. Betty connaissait Diana depuis toujours, et c'était elle qui devrait annoncer ce qui s'était passé à son frère William. La mère de Betty serait sans doute bouleversée elle aussi car elle avait en partie élevé Diana.

On commença à apercevoir des vignobles, puis des caves à

champagne le long de la voie et, peu après seize heures, les Corneilles arrivèrent enfin à Reims. Les craintes de Betty étaient avérées : elles n'exécuteraient pas leur mission ce dimanche soir. À l'épreuve de ces vingt-quatre heures supplémentaires en territoire occupé s'ajoutait le problème très précis de la nuit : où les Corneilles la passeraient-elles ?

Reims, à la différence de Paris, ne proposait pas de quartiers chauds avec des hôtels louches tenus par des propriétaires sans curiosité, ni de religieuses prêtes à cacher dans leur couvent quiconque demandait asile. Pas davantage de ruelles sombres où les sans-abri dormaient parmi les poubelles sans que la police se soucie d'eux.

Betty connaissait trois cachettes possibles, l'hôtel particulier de Michel, l'appartement de Gilberte et la maison de Mlle Lemas rue du Bois, toutes trois probablement surveillées, malheureusement cela dépendait du degré d'infiltration du réseau Bollinger par la Gestapo. Si Dieter Franck avait été chargé de l'enquête, il lui fallait craindre le pire. Aller vérifier sur place restait la seule solution.

— Nous allons une nouvelle fois nous séparer, annonça-t-elle aux autres. Quatre femmes ensemble, c'est trop voyant. Ruby et moi partirons en premier, Greta et Jelly à cent mètres derrière nous.

Elles commencèrent par l'adresse de Michel, non loin de la gare — domicile conjugal de Betty, elle le considérait cependant comme sa maison à lui : quatre femmes pouvaient aisément y vivre. Mais la Gestapo, à coup sûr, connaissait l'endroit : ce serait bien étonnant qu'aucun des hommes faits prisonniers dimanche dernier n'en ait révélé l'adresse sous la torture.

La maison était située dans une rue animée où se trouvaient plusieurs magasins. Tout en avançant, Betty inspectait subrepticement chaque voiture en stationnement tandis que Ruby examinait maisons et boutiques. La propriété de Michel était un bâtiment étroit et tout en hauteur au milieu d'une élégante rangée de bâtiments du XVIIIe siècle. La petite cour sur le devant s'ornait d'un magnolia. Tout semblait calme et silencieux, rien ne bougeait aux fenêtres. Il y avait de la poussière sur le pas de la porte.

À leur premier passage, elles n'aperçurent rien de suspect. Pas de terrassier en train de creuser la chaussée, pas de consommateur vigilant installé à la terrasse de Chez Régis, personne lisant son journal, appuyé à un poteau télégraphique.

Elles revinrent par l'autre trottoir : devant la boulangerie, deux hommes en costume, assis à l'avant d'une traction avant noire, fumaient en ayant l'air de s'ennuyer.

Betty tressaillit : ils ne reconnaîtraient pas, sous sa perruque noire, la fille de l'avis de recherche, mais son pouls quand même battit plus fort et elle hâta le pas. Un moment elle guetta un cri derrière elle, comme rien ne venait, elle finit par tourner au coin en respirant plus calmement.

Elle ralentit l'allure. Elle avait eu raison de se méfier : la maison de Michel était inutilisable — intégrée à un ensemble sans ouverture sur l'autre façade, elle n'offrait aucune chance aux Corneilles de déjouer la vigilance de la Gestapo.

Elle passa en revue les deux autres possibilités : le studio de Gilberte où Michel vivait sans doute toujours, s'il n'avait pas été capturé, disposait d'un accès par l'arrière bien utile ; mais, trop exigu, il ne pouvait pas offrir à quatre personnes de passage des conditions de séjour assez décentes pour ne pas attirer l'attention des autres locataires.

Ne restait plus que la maison de la rue du Bois que Betty connaissait pour s'y être rendue deux fois. Elle disposait de plusieurs chambres et Mlle Lemas serait certainement disposée à nourrir des hôtes imprévus. Depuis des années maintenant, elle abritait agents britanniques, aviateurs abattus en plein vol et prisonniers de guerre évadés. Peut-être saurait-elle ce qu'il était advenu de Brian Standish.

Les quatre Corneilles partirent à pied, toujours deux par deux, à une centaine de mètres les unes des autres, et couvrirent en une demi-heure les deux ou trois kilomètres qui séparaient la maison du centre de la ville.

La rue du Bois était une paisible artère de banlieue où une équipe de surveillance aurait du mal à passer inaperçue et il n'y avait qu'une seule voiture garée dans les parages ; d'ailleurs c'était une Peugeot 201, vide et beaucoup trop lente pour la Gestapo.

Betty et Ruby effectuèrent un premier passage : tout semblait normal. Seul détail inhabituel, la Simca 5, en général dans le garage, stationnait dans la cour. Betty ralentit le pas et jeta subrepticement un coup d'œil par la fenêtre. Elle ne vit personne, mais Mlle Lemas n'utilisait que rarement le salon démodé, avec son piano soigneusement épousseté, ses coussins jamais affaissés et sa porte perpétuellement fermée, sauf pour les réceptions officielles. Ses invités clandestins se tenaient toujours dans la cuisine, à l'arrière du bâtiment, où ils ne risquaient pas d'être vus par les passants.

Au moment où Betty longeait le seuil, un objet sur le sol attira son regard. C'était une brosse à dents. Sans s'arrêter, elle se pencha et la ramassa.

— Vous avez besoin de vous laver les dents ? s'étonna Ruby.

— On dirait celle de Paul. Elle était presque certaine que c'était bien celle de Paul, même si on devait en trouver en France des centaines voire des milliers comme celle-ci.

— Est-ce qu'il pourrait être ici ?

— Peut-être.

— Pourquoi serait-il venu ?

— Je ne sais pas. Pour nous avertir d'un danger, qui sait ?

Elles firent le tour du pâté de maisons, laissant à Greta et à Jelly le temps de les rejoindre avant de s'approcher une nouvelle fois de la maison.

— Cette fois, nous irons ensemble, déclara-t-elle. Greta et Jelly, frappez à la porte.

— Ouf, mes aïeux, fit Jelly, j'ai les pieds en bouillie.

— Pour plus de précaution, Ruby et moi passerons par-derrière. Ne parlez pas de nous, attendez seulement que nous arrivions.

Elles remontèrent la rue, ensemble cette fois. Betty et Ruby entrèrent dans la cour, passèrent devant la Simca 5 et se glissèrent à pas de loup vers la porte de derrière. La cuisine occupait presque toute la largeur et ouvrait sur le fond du terrain par une porte encadrée par deux fenêtres. Betty ne risqua un coup d'œil à l'intérieur qu'au tintement métallique de la sonnette.

Son cœur s'arrêta.

Trois personnes se tenaient dans la cuisine : deux hommes en uniforme et une grande femme avec une somptueuse chevelure rousse, assurément pas Mlle Lemas.

En une fraction de seconde, Betty remarqua que tous trois ne regardaient plus la fenêtre mais avaient machinalement tourné la tête vers la porte d'entrée.

De nouveau elle plongea pour qu'on ne la voie pas.

Il fallait réfléchir rapidement. De toute évidence, les hommes étaient des agents de la Gestapo, et la femme, une collaboratrice qui se faisait passer pour Mlle Lemas. Même de dos, elle lui avait paru vaguement familière : un détail dans l'élégant drapé de sa robe d'été verte éveillait un souvenir dans la mémoire de Betty.

La planque était perdue pour elle et servait maintenant de piège pour les agents alliés. Le pauvre Brian Standish avait dû tomber droit dedans. Betty se demanda s'il était toujours en vie. En proie à une froide détermination, elle dégaina son pistolet et Ruby fit de même.

— Ils sont trois, murmura-t-elle à Ruby. Deux hommes et une femme. Nous allons abattre les hommes, dit-elle. D'accord ?

Elle prit une profonde inspiration. Ce n'était pas le moment de faire du sentiment.

Ruby acquiesça. Dieu merci, Ruby avait la tête froide.

— Je préférerais garder la femme en vie pour l'interroger, mais si elle tente de s'échapper, nous la liquiderons.

— Compris.

— Les hommes sont à gauche, et la femme va sans doute se diriger vers la porte. Prends cette fenêtre, je m'occuperai de l'autre. Vise l'homme le plus proche de toi. Tire en même temps que moi.

Elle se glissa à l'autre bout de la maison et s'accroupit sous la fenêtre. Elle avait le souffle court, le cœur battant, mais l'esprit aussi clair que si elle jouait aux échecs. Sans aucune expérience du tir à travers une vitre, elle décida de faire feu à trois reprises, très rapidement : d'abord pour faire voler le carreau en éclats, ensuite pour abattre son homme et enfin pour être sûre de son coup. Elle ôta le cran de sûreté de son pistolet et le braqua vers le ciel. Puis elle se redressa et regarda par la fenêtre.

Les deux hommes, pistolet à la main, faisaient face à la porte du couloir. Betty braqua son arme sur le plus proche. La femme avait disparu mais, au moment où Betty regardait, elle rouvrait la porte de la cuisine. Greta et Jelly s'avancèrent, sans méfiance ; puis elles aperçurent les hommes de la Gestapo. Greta poussa un petit cri de frayeur. Quelqu'un parla — Betty n'entendit pas précisément — puis Greta et Jelly levèrent les mains en l'air.

La fausse Mlle Lemas entra derrière elles dans la cuisine. En voyant son visage, Betty eut un choc. Elle l'avait déjà vue. Un instant plus tard, elle se rappela où. La femme se trouvait sur la place de Sainte-Cécile le dimanche précédent avec Dieter Franck. Betty avait pensé qu'elle était la maîtresse de l'officier. De toute évidence, son rôle était plus étendu.

Presque en même temps, la femme aperçut le visage de Betty derrière la fenêtre ; bouche bée, ouvrant de grands yeux, elle leva la main pour désigner ce qu'elle venait de voir. Les deux hommes se retournèrent. Betty pressa la détente. Le fracas de la détonation parut se confondre avec le bruit du verre brisé. Tenant son arme d'une main ferme, elle tira encore à deux reprises. Une seconde plus tard, Ruby l'imita. Les deux hommes s'écroulèrent.

Betty ouvrit toute grande la porte de derrière et entra. La jeune femme avait déjà tourné les talons et se précipitait vers la porte d'entrée. Betty braqua son arme, trop tard : une fraction de seconde et la femme était dans le vestibule hors de sa portée. Intervenant, avec une surprenante rapidité, Jelly se précipita vers la porte. On entendit un bruit de corps qui tombaient et de mobilier brisé.

Betty traversa la cuisine, pour constater que Jelly avait plaqué la femme contre le carrelage du couloir, mais aussi brisé les pieds délicatement incurvés d'une table rognon, fracassé un vase chinois posé sur la table et fait valser son bouquet de fleurs séchées. Comme la Française essayait de se relever, Betty braqua son pistolet sur elle, mais elle n'eut pas à tirer. Réagissant avec une remarquable vivacité, Jelly empoigna la crinière rousse et cogna la tête sur les carreaux jusqu'au moment où elle cessa de se débattre. La femme portait des chaussures dépareillées, une noire et une marron.

Betty se retourna pour regarder les deux hommes qui gisaient immobiles sur le sol de la cuisine. Elle ramassa leurs armes et les empocha. Inutile de laisser traîner des pistolets que l'ennemi risquait d'utiliser. Pour l'instant, les quatre Corneilles étaient sauves.

Betty fonctionnait à l'adrénaline. Le moment redoutable viendrait, elle le savait, lorsqu'elle penserait à l'homme qu'elle avait tué. Même si on l'oubliait sur le moment, la gravité d'un tel geste finissait toujours par revenir vous hanter. Dans quelques heures, quelques jours, Betty se demanderait si le jeune homme en uniforme avait laissé derrière lui une veuve, des orphelins. Mais, dans l'immédiat, elle réussissait à chasser ces idées, à ne penser qu'à sa mission.

— Jelly, dit-elle, surveille la femme. Greta, trouve de la ficelle et attache-la à une chaise. Ruby, monte t'assurer qu'il n'y a personne d'autre dans la maison. Je vais inspecter le sous-sol.

Elle dévala l'escalier jusqu'à la cave. Là, sur le sol en terre battue, elle aperçut la silhouette d'un homme ligoté et bâillonné. Le bâillon recouvrait une grande partie de son visage, mais elle constata qu'il avait la moitié d'une oreille arrachée.

Elle lui ôta son bâillon, se pencha et lui donna un long baiser passionné.

— Bienvenue en France.

— Quel accueil ! fit-il en souriant.

— J'ai ta brosse à dents.

— Un réflexe de toute dernière minute, car je n'étais pas tout à fait sûr de la rousse.

— Je me suis davantage méfiée.

— Dieu soit loué.

Elle prit sous son revers le petit canif et entreprit de couper les cordes qui le ligotaient.

— Comment es-tu arrivé ici ?

— J'ai été parachuté hier soir.

— Pourquoi ?

— Parce que, manifestement, la Gestapo utilise la radio de Brian. J'ai voulu t'avertir.

— Je suis si contente que tu sois ici ! fit-elle en se jetant à son cou.

Il la serra contre lui et l'embrassa.

— J'ai donc bien fait de venir !

Ils remontèrent.

— Regardez qui j'ai trouvé dans la cave, annonça Betty.

Les Corneilles attendaient des instructions. Betty réfléchit un moment. Vingt minutes s'étaient écoulées depuis la fusillade. Les voisins avaient dû entendre les coups de feu mais, en ce temps-là, rares étaient les citoyens français qui se précipitaient pour appeler la police : ils craignaient de se faire interroger par la Gestapo. Elle ne voulait toutefois pas prendre de risques inutiles ; il fallait déguerpir le plus vite possible.

Elle se tourna vers la fausse Mlle Lemas, maintenant ligotée à une chaise de cuisine. Elle savait ce qu'elle avait à faire et son cœur se serrait à cette idée.

— Quel est votre nom ? lui demanda-t-elle.

— Stéphanie Vinson.

— Vous êtes la maîtresse de Dieter Franck.

Pâle comme un linge, elle gardait cependant un air provocant, et Betty admit en son for intérieur qu'elle était vraiment belle.

— Il m'a sauvé la vie.

Voilà donc comment Franck s'est acquis sa fidélité, se dit Betty. Peu importe : quel qu'en soit le mobile, une trahison reste une trahison.

— Vous avez conduit Hélicoptère jusqu'à cette maison pour le livrer.

Elle ne répondit rien.

— Il est vivant ou mort ?

— Je ne sais pas.

— Vous l'avez amené ici lui aussi, reprit Betty en désignant Paul. Vous auriez aidé la Gestapo à nous capturer tous.

Sa voix vibrait de colère tandis qu'elle imaginait le sort auquel, pour l'instant, Paul avait échappé. Stéphanie baissa les yeux. Betty passa derrière la chaise et dégaina son pistolet.

— Vous êtes française et pourtant vous avez collaboré avec la Gestapo. Vous auriez pu tous nous faire tuer.

Voyant ce qui se préparait, les autres s'écartèrent pour ne pas rester dans sa ligne de feu. Stéphanie ne pouvait pas voir le pistolet, mais elle sentait ce qui se passait.

— Qu'allez-vous faire de moi ? murmura-t-elle.

— Si nous vous abandonnons ici, déclara Betty, vous signalerez à Dieter Franck combien nous sommes, vous lui donnerez notre signalement ; ainsi vous l'aiderez à nous capturer et à nous supprimer.

Elle ne répondit pas. Betty appuya le canon de son arme contre la nuque de Stéphanie.

— Pouvez-vous justifier votre attitude ?

— J'ai fait ce que j'avais à faire. Est-ce que ce n'est pas notre cas à tous ?

— Exactement, dit Betty et elle pressa à deux reprises la détente.

Le fracas de la détonation retentit dans l'espace confiné. Du sang jaillit du visage de la femme en éclaboussant le bas de son élégante robe verte ; elle s'affaissa sans bruit. Jelly tressaillit, Greta se détourna. Même Paul devint blême. Seule Ruby resta impassible. Rompant le silence, Betty déclara :

— Fichons le camp d'ici.

42.

Il était six heures du soir lorsque Dieter se gara devant la maison de la rue du Bois. Après ce long voyage, la voiture bleu ciel était couverte de poussière et de cadavres d'insectes. Au moment où il ouvrait la portière, le soleil du soir en glissant derrière un nuage plongea soudain la petite rue paisible dans l'ombre. Il frissonna.

Il ôta ses grosses lunettes — ils avaient roulé capote baissée — et passa ses doigts dans ses cheveux pour les discipliner.

— Attendez-moi ici, Hans, je vous prie, ordonna-t-il, car il voulait être seul avec Stéphanie.

Il ouvrit la porte et entra dans le petit jardin : il remarqua l'absence de la Simca 5 et la porte grande ouverte sur le garage vide. Stéphanie avait-elle eu besoin de la voiture ? Pour aller où ? Elle devait l'attendre ici, gardée par deux agents de la Gestapo.

Il remonta l'allée et tira le cordon de sonnette. Le tintement de la cloche s'éteignit et un silence étrange s'appesantit sur la maison. Par la fenêtre, il regarda dans le salon, mais il était toujours désert. Il sonna une nouvelle fois. Pas de réponse. Il se pencha pour regarder par la fente de la boîte à lettres et il n'entrevit que quelques marches de l'escalier, un tableau représentant une scène de montagne et la porte de la cuisine entrouverte. Rien ne bougeait.

Jetant un coup d'œil à la maison voisine, il eut juste le temps de voir un visage disparaître rapidement d'une fenêtre, un rideau retomber. Contournant la maison, il traversa la cour pour gagner le jardin : les deux fenêtres étaient cassées et la porte grande ouverte. L'appréhension l'étreignait. Que s'était-il passé ?

— Stéphanie ? appela-t-il.

Personne ne répondait. Il entra dans la cuisine. Il ne comprit tout d'abord pas ce qui se présentait à sa vue : une sorte de paquet attaché à une chaise de cuisine avec des bouts de ficelle, comme un corps de femme dont la partie supérieure n'était plus qu'un amas sanguinolent. Très vite son expérience de policier lui permit de comprendre qu'il s'agissait d'une tête humaine qu'une balle avait fait voler en éclats. Puis il remarqua les chaussures dépareillées du cadavre, une noire et une marron et il comprit que c'était Stéphanie. Il poussa un hurlement d'horreur, porta ses mains à ses yeux et s'effondra à genoux, secoué par les sanglots.

Au bout d'un moment, il s'obligea à analyser la scène. Le policier, toujours vivant en lui, remarqua le sang sur le bas de sa robe et conclut qu'on lui avait tiré une balle dans la nuque. Un geste de miséricorde peut-être, pour lui épargner la terreur de voir la mort en face. On a tiré deux balles, se dit-il. C'étaient les plaies béantes à la sortie des projectiles qui avaient donné un aspect si effroyable à son ravissant visage, détruisant les yeux et le nez, mais laissant intactes les lèvres sensuelles maculées de sang. Sans les chaussures, il ne l'aurait pas reconnue. Ses yeux s'emplirent de larmes.

Il ressentait comme une atroce blessure : il n'avait pas encore connu un choc comparable à cette brutale révélation : elle n'était plus. Plus jamais elle ne lui lancerait ce regard orgueilleux, plus jamais elle ne ferait tourner les têtes en traversant une salle de restaurant ; plus jamais il ne la verrait remonter ses bas de soie le long de ses mollets parfaits. Son élégance et son esprit, ses craintes et ses désirs, tout cela avait été balayé, anéanti. Il avait l'impression que c'était lui qu'on avait abattu et qu'il avait perdu là une partie de lui-même. Il murmura son nom : du moins lui restait-il cela.

Là-dessus il entendit une voix derrière lui. Surpris, il poussa un cri. Le bruit recommença : un grognement inintelligible mais humain. Il se releva d'un bond et se retourna en essuyant ses larmes. Il remarqua alors les deux hommes qui gisaient sur le sol : les agents — en uniforme — de la Gestapo qui devaient servir de gardes du corps à Stéphanie. Ils n'avaient pas réussi à la protéger, mais du moins s'étaient-ils sacrifiés pour y parvenir.

L'un d'eux en tout cas, qui gisait immobile ; l'autre essayait de parler : un garçon d'environ vingt ans, avec des cheveux noirs et une petite moustache, sa casquette tombée sur le linoléum auprès de sa tête.

Dieter traversa la pièce et vint s'agenouiller auprès de lui. Il observa les blessures de la poitrine : l'homme avait été abattu par-derrière et gisait dans une mare de sang. Sa tête était agitée de soubresauts et il remuait les lèvres. Dieter se pencha vers lui.

— De l'eau, murmura l'homme.

Il se vidait de son sang. Les blessés demandaient toujours de l'eau quand la fin approchait, Dieter le savait : il l'avait appris dans le désert. Il trouva une tasse, l'emplit au robinet et la porta aux lèvres de l'homme. Celui-ci la vida d'un trait, l'eau ruisselant de son menton sur sa tunique tachée de sang.

Dieter savait que l'état du jeune homme nécessitait un médecin, mais il voulait d'abord comprendre ce qui s'était passé ici ; s'il attendait, l'homme risquait de rendre son dernier soupir sans lui avoir dit ce qu'il savait. Dieter n'hésita qu'un instant, le blessé n'étant pas irremplaçable. Il commencerait par le questionner ; il appellerait ensuite un docteur.

— Qui était-ce ? dit-il en se penchant pour entendre le chuchotement du mourant.

— Quatre femmes, fit l'homme d'une voix rauque.

— Les Corneilles, murmura Dieter rageusement.

— Deux devant... deux par-derrière.

Dieter hocha la tête. Il se représentait sans mal la succession des événements. Stéphanie était allée à la porte d'entrée lorsqu'on avait frappé. Les hommes de la Gestapo étaient restés là, sur leurs gardes, tournés vers le vestibule. Les terroristes s'étaient glissés jusqu'aux fenêtres de la cuisine et les avaient abattus par-derrière. Ensuite...

— Qui a tué Stéphanie ?

— De l'eau...

Au prix d'un effort de volonté, Dieter se maîtrisa. Il alla jusqu'à l'évier, emplit de nouveau la tasse et la posa contre les lèvres de l'homme. Celui-ci but d'un trait et poussa un soupir de soulagement, qui s'acheva en un horrible gémissement.

— Qui a tué Stéphanie ? répéta Dieter.

— La plus petite, dit l'homme de la Gestapo.

— Betty, marmonna Dieter, envahi par un brûlant désir de vengeance.

— Désolé, major..., murmura l'homme.

— Comment est-ce arrivé ?

— Vite... très vite.

— Racontez-moi.

— Elles l'ont attachée... lui disant qu'elle avait trahi... le canon appuyé sur la nuque... puis elles sont parties.

— Qu'elle avait trahi ? répéta Dieter.

L'homme confirma. Dieter réprima un sanglot.

— Elle n'a pourtant jamais abattu quelqu'un d'une balle dans la nuque, s'indigna-t-il d'une voix étranglée.

L'homme de la Gestapo ne l'entendit pas. Ses lèvres étaient immobiles et il ne respirait plus. Dieter lui ferma doucement les yeux.

— Repose en paix, dit-il.

Et, tournant le dos au cadavre de la femme qu'il aimait, il s'approcha du téléphone.

43.

Ce ne fut pas facile d'entasser cinq personnes dans la Simca 5. Ruby et Jelly s'installèrent sur la rudimentaire banquette arrière, Paul se mit au volant, Greta à la place du passager, Betty sur ses genoux.

En temps ordinaire, cela aurait déclenché des fous rires, mais avoir tué trois personnes et failli tomber entre les mains de la Gestapo assombrissaient leur humeur. Elles se tenaient plus que jamais sur leurs gardes, prêtes à réagir immédiatement, avec une idée obsédante en tête : survivre.

Betty guida Paul jusqu'à la rue parallèle à celle de Gilberte, celle où, il y avait de cela sept jours exactement, elle était venue avec son mari blessé. Écoutant ses recommandations, Paul se gara presque au bout de la ruelle.

— Attends ici, dit-elle. Je vais inspecter les lieux.

— Bon sang, fit Jelly, ne traînez pas.

— Je vais me dépêcher.

Betty s'extirpa de la voiture et descendit la rue en longeant l'atelier jusqu'à la porte. Elle traversa en hâte le jardin et se glissa dans l'immeuble, le couloir était désert, tout semblait calme. Elle monta à pas de loup jusqu'au grenier.

Elle s'arrêta devant l'appartement de Gilberte ; il offrait un spectacle consternant : ce qui restait de la porte, qui avait été enfoncée, ne tenait plus que par un gond. Elle tendit l'oreille mais ne perçut aucun bruit ; l'effraction doit remonter à plusieurs jours, estima-t-elle en s'avançant prudemment.

On s'était livré à une fouille sommaire : les coussins des

sièges avaient été déplacés et les placards du petit coin cuisine ouverts. La chambre était dans le même état : commode démontée, penderie béante, et quelqu'un avait piétiné le lit avec des bottes sales.

Elle s'approcha de la fenêtre pour inspecter la rue : une traction avant noire stationnait en face de l'immeuble, deux hommes assis à l'avant.

Tout cela n'est pas brillant, récapitula Betty. Quelqu'un a parlé et Dieter Franck en a tiré le maximum. Il a minutieusement suivi une piste qui l'a d'abord conduit à Mlle Lemas, puis à Brian Standish et, pour finir, à Gilberte. Et Michel ? Est-il prisonnier ? Sans doute.

Elle pensa à Dieter Franck et au frisson de peur qu'elle avait ressenti en étudiant la courte notice biographique inscrite par le MI6 au verso du cliché d'archive. Elle réalisait maintenant que sa frayeur aurait dû être encore plus intense. Intelligent et obstiné, il avait failli la cueillir à Chatelle, fait placarder son portrait dans tout Paris, arrêté et interrogé ses camarades l'un après l'autre.

Elle ne l'avait aperçu que deux fois, et quelques brefs instants seulement. Elle se rappelait pourtant son visage : on y lisait intelligence et énergie, assorties d'une détermination qui pouvait facilement devenir impitoyable. Absolument persuadée qu'il suivait toujours sa piste, elle résolut de se montrer encore plus vigilante.

Elle regarda le ciel : plus que trois heures environ avant la nuit, et elle regagna précipitamment la Simca 5.

— Rien à faire, annonça-t-elle en se glissant dans la voiture. On a perquisitionné l'appartement et la Gestapo surveille la façade.

— Bon sang, fit Paul. Où allons-nous maintenant ?

— Je connais une autre adresse, dit Betty. Retournons en ville.

Elle se demandait pendant combien de temps encore le petit moteur de cinq cents centimètres cubes réussirait à faire avancer la Simca 5 surchargée. S'il ne fallait pas plus d'une heure pour qu'on découvre les corps dans la maison de la rue du Bois, combien faudrait-il de temps à la police et aux hommes de la Gestapo à Reims pour donner l'alerte et faire rechercher la voiture de Mlle Lemas ? Dieter n'avait aucun moyen de contacter ceux qui étaient en train de patrouiller, mais la relève, elle, aurait reçu ses instructions. Betty ignorait l'heure du changement d'équipe, mais elle savait qu'il ne lui restait presque plus de temps.

— Allons jusqu'à la gare, dit-elle. Nous abandonnerons la voiture là-bas.

— Bonne idée, fit Paul. Ils penseront peut-être que nous avons quitté la ville.

Betty scrutait les rues, à l'affût des Mercedes de l'Armée ou des Citroën noires de la Gestapo, retenant son souffle à la vue de deux gendarmes qui faisaient leur ronde. Ils parvinrent cependant au centre de la ville sans incident. Paul se gara à proximité de la gare, et tous s'éloignèrent au plus vite du véhicule compromettant.

— Maintenant, il faut que j'agisse seule, annonça Betty. Allez tous m'attendre à la cathédrale.

— J'y ai passé tellement d'heures aujourd'hui, plaisanta Paul, que tous mes péchés ont dû m'être pardonnés.

— Prie le ciel que nous trouvions un endroit pour la nuit, lui lança Betty en s'éloignant rapidement.

Elle retourna dans la rue où habitait Michel. À cent mètres de sa maison se trouvait le bar Chez Régis. Betty entra. Le propriétaire, Alexandre Régis, fumait, assis derrière le comptoir. Il lui fit un signe de la tête, mais ne dit rien.

Elle se dirigea vers une porte avec l'inscription « Toilettes » qui ouvrait sur un petit couloir dont le fond ressemblait à un placard ; mais Betty l'ouvrit sans hésiter et grimpa l'escalier aux marches raides, qu'il dissimulait en réalité. En haut, une lourde porte avec un judas. Betty frappa, veillant à ce qu'on puisse bien voir son visage. Quelques instants plus tard, Mémé Régis, la mère du propriétaire, vint lui ouvrir.

Betty entra dans une vaste pièce aux fenêtres masquées par d'épais rideaux. Le décor était assez sommaire : une carpette, des murs peints en brun et quelques ampoules nues au plafond. Au fond, une roulette, et un bar dans un coin. Autour d'une grande table ronde, quelques hommes jouaient aux cartes. Il s'agissait d'un tripot clandestin.

Michel aimait jouer gros au poker et n'était pas regardant sur le choix de ses partenaires : il passait donc de temps en temps une soirée ici, et Betty, qui ne jouait jamais, venait parfois suivre la partie un moment : Michel prétendait qu'elle lui portait chance. C'était un bon endroit pour se cacher de la Gestapo et Betty avait espéré le trouver là ; mais, ne voyant pas le visage qu'elle cherchait, elle céda à la déception.

— Merci, Mémé, dit-elle à la mère d'Alexandre.

— Ça fait plaisir de te voir. Comment vas-tu ?

— Bien. Vous n'avez pas vu mon mari ?

— Ah, le charmant Michel. Pas ce soir, je regrette.

Les gens qui fréquentaient le club ne connaissaient pas les activités de Michel dans la Résistance.

Betty s'approcha du bar et s'assit sur un tabouret, adressant un sourire à la barmaid, une femme entre deux âges au rouge à lèvres très voyant. C'était Yvette Régis, l'épouse d'Alexandre.

— Vous avez du scotch ?

— Bien sûr, répondit Yvette. Pour ceux qui ont les moyens.

Elle exhiba une bouteille de Dewar et lui en versa une rasade.

— Je cherche Michel, expliqua Betty.

— Ça fait bien une semaine que je ne l'ai pas vu.

— Bon sang, fit Betty en buvant une gorgée. J'attends quand même un moment, au cas où il se montrerait.

44.

Dieter était au désespoir. Betty se révélait décidément très maligne : elle avait évité son piège. Bien qu'elle fût certainement quelque part dans Reims, il n'avait aucun moyen de la coincer.

Les membres de la Résistance rémoise avaient tous été jetés en prison et ne le conduiraient donc pas à elle. Dieter faisait surveiller la maison de Michel et l'appartement de Gilberte, or il savait Betty beaucoup trop rusée pour se laisser repérer par le gestapiste moyen. Son portrait était placardé sur tous les murs de la ville, mais elle avait certainement modifié son aspect, en se teignant les cheveux ou Dieu sait quoi, car elle n'avait été signalée nulle part. Elle avait déjoué tous ses plans.

Ne comptant plus désormais que sur le coup de génie qu'il venait, lui semblait-il, de mettre au point, il faisait le guet juché sur une bicyclette au bord de la route, en pleine ville, à deux pas du théâtre : béret, lunettes de cycliste, chandail de coton et bas de pantalon rentrés à l'intérieur des chaussettes, il s'était rendu méconnaissable ; de plus, personne n'imaginerait que, à la Gestapo, on circulait à vélo.

Il observait la rue, plissant les yeux dans le soleil couchant pour repérer la Citroën noire qu'il attendait. Il consulta sa montre : elle n'allait pas tarder.

De l'autre côté de la route, Hans était au volant d'une vieille Peugeot poussive, bonne pour la casse, et dont le moteur tournait. Dieter ne voulant pas risquer qu'elle renâcle à démarrer le moment venu. Hans était lui aussi déguisé : lunettes de soleil et casquette, costume élimé et chaussures éculées comme un Français d'alors. Il n'avait encore jamais rien fait de pareil, mais il exécutait les ordres avec un stoïcisme imperturbable.

Dieter, lui aussi, était novice en la matière. Il ne savait vraiment pas si son coup réussirait ; tant d'aléas pouvaient intervenir et faire capoter son scénario. Il avait conçu un projet insensé mais, au fond, qu'avait-il à perdre ? Mardi, ce serait la pleine lune et, il en était convaincu, les Alliés débarqueraient. Betty représentait pour lui le gros lot : elle méritait qu'on prenne des risques.

Mais gagner la guerre ne le préoccupait plus par-dessus tout : il n'avait plus d'avenir et peu lui importait au fond de savoir qui régnerait sur l'Europe. Betty Clairet l'obsédait ; elle avait gâché sa vie en abattant Stéphanie. Il voulait Betty prisonnière dans le sous-sol du château. Là, il goûterait les plaisirs de la vengeance. Il ne cessait de fantasmer sur les moyens de la torturer : des barres d'acier broieraient ses os fragiles, l'appareil à électrochocs serait poussé au maximum, les piqûres feraient d'elle une épave secouée par les spasmes de la nausée, le bain glacé la convulserait et figerait son sang dans ses doigts. Détruire la Résistance et repousser les envahisseurs n'étaient plus maintenant que deux composantes du châtiment qu'il infligerait à Betty.

Mais il fallait d'abord la trouver.

Au loin, il aperçut une Citroën noire et la fixa attentivement. C'était un modèle à deux portes, celui qu'on utilisait toujours pour transporter un prisonnier. Il tenta de voir à l'intérieur et crut distinguer quatre passagers. Ce devait être la voiture qu'il attendait. Il approcha et il reconnut le beau visage de Michel à l'arrière, gardé par un agent de la Gestapo en uniforme.

Il se crispa. Il se félicitait maintenant d'avoir donné l'ordre de ne pas torturer Michel en son absence. Ce plan sinon n'aurait pas été réalisable.

Au moment où la Citroën passait devant Dieter, Hans déboîta brusquement au volant de la vieille Peugeot qui s'engagea sur la chaussée, bondit en avant et heurta de plein fouet la Citroën dans un fracas de métal froissé et de verre brisé. Les deux agents de la Gestapo jaillirent de leur véhicule et se mirent à invectiver Hans en mauvais français — sans remarquer apparemment, que leur collègue à l'arrière s'était affalé, sans connaissance, auprès de son prisonnier.

C'est l'instant critique, pensa Dieter sans lâcher des yeux la scène. Michel va-t-il mordre à l'appât ? Il fallut un long moment à Michel pour réaliser l'occasion qui se présentait — Dieter se demandait d'ailleurs s'il allait la saisir. Puis il parut comprendre : il se pencha par-dessus les sièges avant, ses mains ligotées s'affairèrent sur la poignée de la portière, parvinrent à l'ouvrir, repoussèrent le siège ; il sortit.

Il jeta un coup d'œil à ses deux gardiens qui, le dos tourné, s'en prenaient toujours à Hans. Il tourna les talons et s'éloigna à grands pas : à voir son visage, il ne pouvait pas croire à ce qui lui arriverait.

Le cœur battant, Dieter suivit Michel. Hans leur emboîta le pas. Dieter roula quelques mètres à bicyclette puis, comme il se rapprochait trop de Michel, il mit pied à terre et poussa sa machine le long du trottoir. Michel tourna au premier coin de rue ; malgré sa blessure qui le faisait un peu boitiller, il marchait vite, tenant devant lui ses mains menottées pour qu'on les remarque moins. Dieter suivait discrètement tantôt à pied, tantôt à bicyclette, se cachant chaque fois qu'il le pouvait derrière des voitures. Michel de temps en temps jetait un coup d'œil derrière lui, mais ne semblait pas chercher à semer un poursuivant. Il n'avait pas flairé le piège.

Au bout d'un moment, Hans, comme convenu, dépassa Dieter, qui ralentit pour rester derrière lui. Puis ils changèrent une nouvelle fois de position.

Où irait Michel ? Il fallait absolument, pour la réussite du plan de Dieter, que Michel le conduise à d'autres membres de la Résistance et de là sur la piste de Betty.

Dieter fut donc surpris de voir Michel se diriger vers sa maison près de la cathédrale. Il devait quand même se douter qu'elle était surveillée ? Il s'engagea néanmoins dans la rue mais, au lieu d'entrer chez lui, il s'engouffra dans un bar, Chez Régis, sur le trottoir d'en face.

Dieter appuya son vélo contre le mur de l'immeuble voisin, une charcuterie à l'enseigne à demi effacée, et attendit quelques minutes ; quand il eut la certitude que Michel allait y rester un moment, Dieter entra, simplement pour s'assurer de la présence de son gibier, et comptant sur ses lunettes et son béret pour ne pas être reconnu il achèterait un paquet de cigarettes pour justifier sa venue et retournerait l'attendre dehors. Mais aucune trace de Michel. Déconcerté, Dieter hésita.

— Oui, monsieur ? s'enquit le barman.

— Une bière, fit Dieter. Pression.

Il espérait en réduisant sa conversation au minimum que le barman ne remarquerait pas son léger accent allemand et le prendrait pour un cycliste qui s'était simplement arrêté pour étancher sa soif.

— Bien monsieur.

— Où sont les toilettes ?

Le barman désigna une porte dans le coin. Dieter la poussa : Michel n'était pas là. Dieter risqua un coup d'œil dans les toilettes pour femmes : personne. Il ouvrit ce qui ressemblait à une porte de placard et constata qu'elle donnait sur un escalier. Il monta les marches pour déboucher sur une lourde porte avec un judas. Il frappa, mais n'obtint pas de réponse. Il écouta un moment. Il n'entendait rien, mais la porte était épaisse. Il était persuadé que quelqu'un de l'autre côté l'observait par le judas et ne reconnaissait pas en lui un habitué. Il essaya de faire comme s'il avait raté les toilettes, se gratta la tête, haussa les épaules et redescendit.

Aucune porte ne donnait sur l'arrière, Michel était donc ici, Dieter en avait la certitude, dans la pièce du haut fermée à clef. Que faire ?

Il prit son verre et s'installa à une table pour éviter que le barman engage la conversation. La bière était fade ; même en Allemagne à cause de la guerre, la bière avait perdu sa saveur d'antan. Il s'obligea cependant à la finir, puis sortit.

Hans contemplait la vitrine de la librairie d'en face. Dieter alla le rejoindre.

— Il est dans une sorte de salon privé là-haut, annonça-t-il. Il y a peut-être retrouvé d'autres chefs de la Résistance. D'un autre côté, c'est peut-être un bordel ou Dieu sait quoi. Je ne veux pas débouler sur lui avant qu'il nous ait conduits à quelqu'un d'intéressant.

Comprenant son dilemme, Hans acquiesça. Dieter prit sa décision : trop tôt pour arrêter de nouveau Michel.

— Quand il sortira, je le suivrai. Dès que nous serons hors de vue, faites une descente là-bas.

— Tout seul ?

Dieter désigna les deux hommes de la Gestapo, assis dans une Citroën, qui surveillaient la maison de Michel.

— Prenez-les pour vous aider.

— D'accord.

— Essayez de faire croire à une affaire de mœurs : arrêtez les putains s'il y en a. Ne parlez pas de Résistance.

— Très bien.

— Jusque-là, nous attendons.

45.

Betty broya du noir jusqu'au moment où Michel entra.

Assise au bar de ce petit tripot improvisé, elle faisait la conversation avec Yvette tout en surveillant les visages tendus des hommes concentrés sur leurs cartes, leurs dés et la roulette. Personne ne s'intéressait à elle : des joueurs sérieux ne se laissaient pas distraire par un joli visage.

Si elle ne trouvait pas Michel, la situation devenait grave. Les autres Corneilles, dans la cathédrale pour l'instant, ne pourraient pas y rester toute la nuit. Dormir à la belle étoile en juin ne posait pas de problème, mais elles risquaient de se faire prendre.

Il leur fallait aussi un moyen de transport. Faute de se procurer une voiture ou une camionnette auprès du réseau Bollinger, elles devraient en voler une, ce qui impliquait le danger supplémentaire d'exécuter une mission déjà périlleuse avec un véhicule que la police rechercherait.

Une autre raison mettait à mal son moral : l'image de Stéphanie Vinson qui ne cessait de la hanter. C'était la première fois que Betty tirait sur une personne ligotée et désemparée, la première fois qu'elle abattait une femme.

Un meurtre la bouleversait toujours profondément : bien qu'il fût un combattant armé, elle s'accusait d'avoir commis un acte odieux en liquidant quelques minutes avant Stéphanie l'agent de la Gestapo. Elle avait éprouvé le même remords au sujet des deux miliciens à Paris, du colonel de la Gestapo à Lille, et du collaborateur français à Rouen. Mais en ce qui concernait

Stéphanie, c'était bien pire. Betty avait appuyé le canon d'un pistolet sur sa nuque, elle l'avait exécutée. Exactement comme elle apprenait aux stagiaires du SOE à le faire. Stéphanie méritait son sort, bien entendu : Betty n'avait là-dessus aucun doute. Mais elle se posait des questions sur elle-même. Qui donc était-elle pour être capable de tuer de sang-froid une prisonnière sans défense ? Serait-elle devenue une sorte de bourreau sans pitié ?

Elle termina son verre de whisky et en refusa un second craignant de sombrer dans la sensiblerie. À cet instant, Michel franchit la porte. Ce fut pour elle un immense soulagement : Michel connaissait tout le monde en ville, et elle recommença à croire en sa mission.

En apercevant la silhouette dégingandée dans un blouson fatigué et le beau visage aux yeux souriants, elle sentit monter en elle une affection un peu désabusée, admettant qu'elle éprouverait toujours de la tendresse pour lui, regrettant son amour passionné de jadis. Ce sentiment-là, elle ne le retrouverait jamais, elle en était certaine.

Comme il s'approchait, elle constata qu'il n'avait pas l'air très en forme : elle déplora les nouvelles rides qui sillonnaient son visage. Son expression trahissait l'épuisement et la peur ; on lui donnerait facilement cinquante ans, se dit-elle avec angoisse, alors qu'il n'en a que trente-cinq.

Mais la perspective de lui annoncer que c'en était fini de leur mariage l'inquiétait plus encore. Elle la redoutait même, consciente de l'ironie de la situation : capable d'abattre un agent de la Gestapo et une collaboratrice, et d'opérer clandestinement en territoire occupé, elle se sentait sans courage à l'idée de faire de la peine à son mari.

— Betty ! cria-t-il, visiblement ravi de la voir. Je savais que tu viendrais !

Il traversa la salle en boitillant.

— J'avais peur que la Gestapo ne t'ait arrêté, murmura-t-elle.

— Tu avais raison !

Il se retourna pour que personne dans la pièce ne puisse le voir et lui montra ses poignets solidement liés.

Elle tira son petit canif de l'étui accroché sous le revers de son col et coupa discrètement ses liens. Les joueurs n'avaient rien vu. Elle remit le couteau à sa place.

Mémé Régis l'aperçut juste au moment où il fourrait les bouts de corde dans les poches de son pantalon. Elle le serra dans ses bras et l'embrassa sur les deux joues. Betty le regarda flirter avec la vieille femme et faire le joli cœur en la gratifiant de son sourire enjôleur. Puis Mémé reprit son travail, remplit les verres des joueurs. Et Michel raconta à Betty comment il s'était échappé. Elle avait craint qu'il ne veuille l'embrasser passionnément, ne sachant pas trop comment elle aurait réagi, mais il était encore trop plein de ses propres aventures pour se montrer romantique avec elle.

— Quelle chance j'ai eue ! conclut-il.

Il s'assit sur un tabouret devant le bar en se frictionnant les poignets et commanda une bière.

— Trop, peut-être, insinua Betty en hochant la tête.

— Que veux-tu dire ?

— Que ça pourrait être un piège.

— Je ne pense pas, s'indigna-t-il, n'aimant sans doute pas être taxé de crédulité.

— Aurait-on pu te suivre jusqu'ici ?

— Non, nia-t-il, catégorique. J'ai vérifié, évidemment.

Elle était mal à l'aise, mais elle n'insista pas.

— Brian Standish est mort ; Mlle Lemas, Gilberte et le Dr Bouler sont en prison.

— Les autres sont morts. Les Allemands ont rendu les corps de ceux qui avaient été tués dans l'escarmouche. Les survivants, Gaston, Geneviève et Bertrand, ont été fusillés par un peloton d'exécution sur la place de Sainte-Cécile.

— Seigneur !

Ils restèrent un moment silencieux. Betty était accablée à l'évocation de toutes ces vies sacrifiées et des souffrances subies dans l'intérêt de cette mission.

La bière de Michel arriva. Il en but une petite gorgée et s'essuya les lèvres.

— Je présume que tu es revenue pour faire une nouvelle tentative sur le château.

Elle acquiesça.

— Mais notre couverture, c'est la destruction du tunnel de Marles.

— C'est une bonne idée. Nous devrions le faire d'ailleurs.

— Pas pour l'instant. Deux des filles de mon équipe ont été prises à Paris, elles ont dû parler, et raconter mon histoire — elles ne savaient rien de la vraie mission ; les Allemands y ont certainement doublé la garde. Nous laisserons cela à la RAF pour nous concentrer sur Sainte-Cécile.

— Que puis-je faire ?

— Nous avons besoin d'un endroit où passer la nuit.

Il réfléchit un moment.

— La cave de Joseph Laperrière.

Antoinette, la tante de Michel, avait jadis été la secrétaire de ce fabricant de champagne.

— Il est des nôtres ?

— Sympathisant, fit-il avec un sourire acide. Comme tout le monde aujourd'hui ! Ils croient tous le débarquement imminent. Je suppose qu'ils ont raison...

Il lui lança un regard interrogateur.

— Oui, dit-elle, sans donner plus de détails. La cave est grande ? Nous sommes cinq.

— Énorme : on pourrait y cacher cinquante personnes.

— Parfait. J'ai également besoin d'un véhicule pour demain.

— Pour aller à Sainte-Cécile ?

— Oui, et après, pour retrouver notre avion de ramassage, si nous sommes encore en vie.

— Tu te rends compte que tu ne peux pas utiliser la zone de largage habituelle de Chatelle, n'est-ce pas ? La Gestapo la connaît : c'est là que je me suis fait piquer.

— Oui. L'avion utilisera l'autre, à Laroque. J'ai donné des instructions.

— Le champ de patates. Très bien.

— Et le véhicule ?

— Philippe Moulier a une camionnette. C'est lui qui livre la viande aux bases allemandes. Lundi, c'est son jour de repos.

— Je me souviens de lui : il est pronazi, non ?

— Il l'était. Il a gagné de l'argent grâce à eux pendant quatre ans et, maintenant, il est terrifié à l'idée que le débarquement va réussir et qu'on le pendra après le départ des Allemands. Aussi est-il tout prêt à nous aider, pour prouver qu'il n'est pas un traître. Il nous prêtera sa camionnette.

— Amène-la demain à la cave à dix heures du matin.

— Est-ce qu'on ne peut pas passer la nuit ensemble ? fit-il en lui caressant la joue.

Il arborait son sourire habituel en la regardant de son air canaille. Un frémissement familier, pas aussi fort qu'autrefois cependant, la parcourut, comme le souvenir d'un désir. Jadis, ce sourire l'aurait fait fondre.

Elle aurait voulu lui dire la vérité, car elle ne détestait rien tant que de ne pas être sincère. Mais parler risquait de compromettre la mission, en rendant hasardeuse la coopération de Michel. Ou bien n'était-ce qu'une excuse ? Peut-être n'avait-elle tout simplement pas le courage.

— Non, dit-elle. Nous ne pouvons pas passer la nuit ensemble.

— À cause de Gilberte ? fit-il, dépité.

Elle hocha la tête mais, comme elle était incapable de mentir, elle ajouta :

— Enfin, en partie.

— Quelle est l'autre partie ?

— Je n'ai vraiment pas envie d'en parler au beau milieu d'une mission aussi importante.

Soudain vulnérable, presque effrayé, il demanda :

— Tu as quelqu'un d'autre ?

— Non, répondit-elle sans vergogne, ne pouvant pas se décider à lui faire du mal.

Il la regarda droit dans les yeux.

— Bon, fit-il enfin. Tant mieux.

Betty s'en voulait terriblement. Michel termina sa bière et se leva.

— La cave de Laperrière est sur le chemin de la carrière, à une demi-heure à pied.

— Je connais la rue.

— Je ferais mieux d'aller voir Moulier pour la camionnette.

Il prit Betty dans ses bras et l'embrassa sur les lèvres. Elle se sentait mal. Refuser son baiser maintenant qu'elle avait nié avoir quelqu'un d'autre était difficile, mais embrasser Michel lui semblait terriblement déloyal vis-à-vis de Paul. Elle ferma les yeux et attendit passivement qu'il relâche son étreinte. Il avait dû remarquer son manque d'enthousiasme et la considéra un moment d'un air songeur.

— Je te verrai à dix heures, conclut-il avant de partir.

Elle décida de lui laisser cinq minutes d'avance avant de sortir à son tour et en profita pour demander un autre scotch à Yvette. Elle en avalait une gorgée quand une lumière rouge se mit à clignoter au-dessus de la porte.

Chacun dans la salle s'agita soudain silencieusement : le croupier arrêta sa roulette, la retourna pour la transformer en plateau de table normal ; les joueurs de poker empochèrent leurs cartes et remirent leur veste ; Yvette ramassa les verres du bar et les déposa dans l'évier. Mémé Régis, quant à elle, éteignit les lumières, et la pièce ne fut plus éclairée que par l'ampoule rouge qui clignotait au-dessus de la porte.

Betty ramassa son sac, sa main trouva son pistolet.

— Que se passe-t-il ? demanda-t-elle à Yvette.

— Une descente de police.

Betty jura. Quelle poisse ! Se faire arrêter dans un tripot clandestin !

— Alexandre nous a prévenus d'en bas, expliqua Yvette. Filez vite ! fit-elle en désignant le fond de la salle.

Betty regarda dans la direction qu'indiquait Yvette ; elle vit Mémé Régis entrer dans une sorte de placard et écarter de vieux manteaux pendus à une tringle, révélant au fond de la penderie une porte qu'elle s'empressa d'ouvrir devant les joueurs qui l'empruntèrent l'un après l'autre. Je vais peut-être m'en tirer, se dit Betty.

L'ampoule rouge s'éteignit à son tour et des coups résonnèrent, frappés à l'autre porte. Betty rejoignit dans le noir ceux qui s'engouffraient dans le placard pour déboucher dans une pièce nue. Le plancher se trouvait à une trentaine de centimètres au-dessous du niveau normal et elle comprit qu'ils étaient dans l'appartement correspondant à la boutique voisine. Tout le monde dévala l'escalier et se retrouva dans la charcuterie abandonnée avec son comptoir de marbre et ses vitrines poussiéreuses. Le rideau de la porte était baissé si bien que l'intérieur n'était pas visible de la rue.

Puis, tous franchirent la porte de derrière et traversèrent une cour protégée par un haut mur avant de se retrouver dans une ruelle ouverte sur la rue voisine. Arrivé là, tout le monde se dispersa.

Betty s'éloigna rapidement, se repéra et atteignit enfin la cathédrale où les Corneilles l'attendaient. Mon Dieu, murmura-t-elle, je l'ai échappé belle.

Tout en reprenant son souffle, elle se mit à considérer la descente sur le tripot sous un jour différent. Elle était intervenue quelques minutes à peine après le départ de Michel. Betty ne croyait pas aux coïncidences.

Plus elle réfléchissait, plus elle était convaincue que c'était elle que recherchaient les gens qui frappaient à la porte. Elle savait que bien avant la guerre un petit groupe d'hommes jouait déjà dans cette salle. La police locale connaissait à coup sûr l'endroit. Alors pourquoi décider brusquement de le fermer ? Si ce n'était pas la police, ce devait être la Gestapo qui, ne s'intéressant pas vraiment aux joueurs, recherchait des communistes, des juifs, des homosexuels... et des espions.

Dès le début, l'histoire de l'évasion de Michel avait éveillé ses soupçons, mais il l'avait rassurée en affirmant qu'on ne l'avait pas suivi. Maintenant, elle n'en était plus certaine. Son évasion avait été truquée, comme le « sauvetage » de Brian Standish. Elle voyait derrière tout cela le cerveau rusé de Dieter Franck. Quelqu'un avait suivi Michel jusqu'au café, deviné l'existence de la salle secrète et espéré qu'elle pouvait s'y trouver.

Dans ce cas, Michel était toujours sous surveillance. S'il ne se départait pas de son insouciance, il serait filé ce soir jusqu'à la maison de Philippe Moulier, et demain matin, au volant de la camionnette, jusqu'à la cave à champagne qui abriterait les Corneilles.

Bon sang, songea Betty, comment vais-je m'en sortir ?

Le neuvième jour

Lundi 5 juin 1944

46.

La migraine de Dieter commença à se manifester peu après minuit : debout dans sa chambre de l'hôtel Frankfurt, il regardait le lit que plus jamais il ne partagerait avec Stéphanie. Il aurait voulu pleurer pour apaiser sa douleur mais, comme les larmes ne venaient pas, il se fit une piqûre de morphine et s'effondra sur la courtepointe. Le téléphone le réveilla avant le lever du jour. C'était Walter Goedel, l'aide de camp de Rommel.

— Le débarquement a commencé ? demanda Dieter, encore groggy.

— Non, répondit Goedel, le temps sur la Manche est mauvais aujourd'hui.

Dieter se redressa et fit quelques rotations avec sa tête pour s'éclaircir les idées.

— Quoi donc, alors ?

— La Résistance attendait manifestement quelque chose, sinon pourquoi ce déferlement de sabotages, cette nuit, dans tout le nord de la France ? Le ton froid de Goedel se fit glacial. Vous prétendiez empêcher cela. Que fabriquez-vous au lit ?

Pris au dépourvu, Dieter s'efforça de retrouver son sang-froid habituel.

— Je suis sur la trace d'un des membres les plus importants de la Résistance, expliqua-t-il ne voulant surtout pas qu'on croie qu'il cherchait à se justifier de son échec. J'ai failli la prendre hier soir. Je l'arrêterai aujourd'hui. Ne vous inquiétez pas : d'ici à demain nous ramasserons les terroristes par centaines, je vous le promets.

Il regretta aussitôt la faiblesse que trahissaient ces derniers mots.

— Demain, ce sera probablement trop tard, rétorqua Goedel, inexorable.

— Je sais...

Mais Goedel avait raccroché. Dieter reposa le téléphone, regarda sa montre : elle indiquait quatre heures. Il se leva.

Sa migraine s'était dissipée, mais il se sentait barbouillé : la morphine, ou plutôt ce très désagréable rappel à l'ordre. Il but un verre d'eau et avala trois comprimés d'aspirine avant d'entamer sa toilette. Tout en étalant la mousse à raser, il récapitula rapidement les événements de la soirée précédente. Avait-il vraiment fait tout son possible ?

Laissant le lieutenant Hesse de faction devant Chez Régis, il avait suivi Michel Clairet jusqu'à la boucherie de Philippe Moulier, le fournisseur des restaurants et des cantines militaires. Dieter avait repéré une devanture, un appartement au premier étage et une cour, et les avait surveillés pendant une heure. Mais personne n'en était sorti.

Ayant conclu que Michel comptait y passer la nuit, Dieter avait appelé Hans Hesse d'un bar ; celui-ci s'était procuré une motocyclette et l'avait rejoint devant chez Moulier à dix heures : il avait alors raconté à son supérieur l'histoire de l'inexplicable salle vide au-dessus de Chez Régis.

— Un système d'alarme probablement, fit Dieter songeur, actionné du rez-de-chaussée par le barman si quelqu'un vient fouiner.

— Vous croyez que la Résistance utilisait cet endroit ?

— Sans doute. À mon avis, les communistes s'y réunissaient, les résistants ont pris le relais.

— Mais comment ont-ils filé hier soir ?

— Une trappe sous le tapis, quelque chose comme ça... Les communistes avaient dû prévoir une solution en cas d'ennui. Vous avez arrêté le barman ?

— J'ai emmené au château tous ceux qui se trouvaient là.

Dieter laissa la surveillance de la maison de Moulier à Hans, pour se rendre à Sainte-Cécile afin d'interroger un Alexandre Régis absolument terrifié. Dieter avait rapidement compris que son hypothèse ne tenait pas debout : ni abri pour les résistants ni lieu de réunion des communistes, le café s'avérait, plus trivialement, un tripot clandestin. Alexandre lui confirma néanmoins que Michel Clairet était passé la nuit dernière et que, précisa-t-il, il y avait retrouvé sa femme.

Encore une occasion qui lui passait sous le nez : il avait certes capturé plusieurs membres de la Résistance, mais Betty, elle, avait toujours échappé aux mailles du filet.

Il termina de se raser, s'essuya le visage et téléphona au château pour qu'on lui envoie une voiture avec un chauffeur et deux gestapistes. Il s'habilla et descendit aux cuisines de l'hôtel pour quémander une douzaine de croissants chauds qu'il enveloppa dans une serviette. Puis il sortit dans l'air frais du petit matin. Les premières lueurs de l'aube cernaient d'un fil d'argent les tours de la cathédrale. Une Citroën rapide, de celles que préférait la Gestapo, attendait.

Dieter donna au chauffeur l'adresse de Moulier. À cinquante mètres de là dans la rue, il retrouva Hans qui rôdait devant un entrepôt.

— De toute la nuit, personne n'est entré ni sorti, annonça-t-il.

Michel devait donc être toujours à l'intérieur. Dieter dit à son chauffeur d'attendre au coin de la rue et s'installa auprès de Hans ; ils se partagèrent les croissants devant le spectacle du lever de soleil sur les toits de la ville.

Les minutes, puis les heures s'écoulaient en vain. Dieter luttait pour maîtriser son impatience. La perte de Stéphanie lui pesait encore douloureusement, mais, passé le premier choc, il s'intéressait de nouveau à la guerre. Il songeait aux forces alliées massées quelque part au sud ou à l'est de l'Angleterre, au grouillement d'hommes et de chars impatients de transformer en champs de bataille les paisibles stations balnéaires du nord de la France. Il pensait aux saboteurs français — armés jusqu'aux dents grâce aux largages d'armes, de munitions et d'explosifs — tout prêts à attaquer par-derrière les défenseurs allemands, à les poignarder dans le dos et à paralyser les possibilités de manœuvre de Rommel. Il se sentait stupide et impuissant devant cette porte d'entrepôt à attendre qu'un terroriste amateur termine son petit déjeuner. Cette journée le conduirait peut-être au cœur même de la Résistance — mais cela demeurait un vœu.

Il était neuf heures passées quand la porte de la maison s'ouvrit.

— Enfin, murmura Dieter.

Il se plaqua contre le mur pour ne pas se faire remarquer et Hans éteignit sa cigarette. Michel sortit de l'immeuble accompagné d'un garçon de dix-sept ou dix-huit ans qui, estima Dieter, pourrait bien être un fils de Moulier. Ouvrant un cadenas, celui-ci fit glisser les portes de la cour où était garée une camionnette noire sur laquelle on pouvait lire en lettres blanches *Moulier & Fils — Viandes*. Michel monta.

Dieter était fasciné : sous ses yeux, Michel empruntait une camionnette de livraison — pour les Corneilles, bien sûr !

— Allons-y ! lança-t-il.

Hans se précipita vers sa motocyclette garée le long du trottoir et, le dos à la route, se pencha sur le moteur. Dieter, tout en courant jusqu'à sa voiture, fit signe au chauffeur de mettre le moteur en marche ; puis il observa Michel. Celui-ci quitta la cour et s'éloigna, aussitôt suivi par la moto de Hans et, dans son sillage, par la voiture de Dieter.

Ils se dirigèrent vers l'est. Dieter, à l'avant de la Citroën noire de la Gestapo, ne quittait pas la route des yeux. La camionnette de Moulier était facile à suivre grâce à la bouche d'aération qui couronnait une sorte de cheminée sur un toit déjà assez haut. Ils me conduisent à Betty, songea Dieter.

La camionnette ralentit dans le chemin de la Carrière et s'arrêta dans la cour d'une cave à champagne portant le nom de Laperrière. Hans le dépassa et tourna au prochain coin de rue, imité par le chauffeur de Dieter. Ils s'arrêtèrent et Dieter sauta à terre.

— Je crois que les Corneilles se sont planquées là pour la nuit, déclara-t-il.

— Nous entrons ? demanda Hans.

Dieter réfléchit, confronté au même dilemme que la veille devant le café. Betty était peut-être là. Mais, dans la précipitation, il risquait de compromettre l'espoir qu'il avait de laisser Michel le guider jusqu'à elle.

— Pas encore, dit-il. Attendons.

Dieter et Hans avancèrent jusqu'au bout de la rue pour repérer les lieux : une haute maison assez élégante, une cour encombrée de tonneaux vides et un entrepôt au toit plat, sous lequel Dieter situa les caves. La camionnette de Moulier était garée dans la cour.

Dieter sentait son cœur battre plus vite. D'un instant à l'autre, se dit-il, Michel va réapparaître avec Betty et les autres Corneilles ; tout le monde s'entassera dans la camionnette et gagnera l'objectif. C'est alors que Dieter et la Gestapo arriveront pour les arrêter.

Là-dessus, Michel sortit du petit bâtiment. Manifestement soucieux et indécis, il regardait autour de lui d'un air perplexe.

— Qu'est-ce qu'il a ? s'inquiéta Hans.

Dieter sentit son cœur se serrer.

— Un élément inattendu.

Betty lui aurait-elle une nouvelle fois échappé ? Se décidant enfin, Michel grimpa les quelques marches du perron et frappa. Une femme de chambre coiffée d'un petit bonnet blanc le fit entrer.

Il ressortit quelques minutes plus tard, l'air toujours intrigué, mais décidé cette fois. Il se dirigea vers la camionnette, monta et fit demi-tour.

Dieter étouffa un juron. Les Corneilles, semblait-il, n'étaient pas là. Michel paraissait aussi surpris que Dieter, mais c'était une mince consolation. Il fallait comprendre ce qui s'était passé.

— Nous allons faire comme hier soir, dit-il à Hans, seulement cette fois c'est vous qui suivrez Michel et moi qui entrerai dans la maison.

Hans mit sa moto en marche.

Dieter regarda Michel s'éloigner dans la camionnette de Moulier, suivi à bonne distance par Hans Hesse. Quand ils eurent disparu, il fit signe à ses trois acolytes et s'approcha à grands pas de la maison Laperrière.

— Inspectez la maison, ordonna-t-il aux deux premiers, et assurez-vous que personne ne sort. S'adressant au troisième, il ajouta : Vous et moi allons fouiller la cave.

Il se dirigea vers le petit bâtiment et découvrit un grand pressoir et trois énormes cuves. Le pressoir était d'une propreté immaculée : les vendanges n'auraient lieu que dans trois ou quatre mois. Seul un vieil homme balayait le sol. Dieter trouva l'escalier et s'y engouffra. Dans la fraîcheur de la cave régnait une certaine activité : cinq ou six ouvriers en bleu de travail retournaient des bouteilles alignées. Ils s'interrompirent pour dévisager les intrus.

Dieter et l'homme de la Gestapo fouillèrent une salle après l'autre : des bouteilles de champagne par milliers, les unes alignées contre les murs, d'autres rangées dans des casiers spéciaux, le col incliné vers le bas, mais de femmes, aucune.

Dans un coin tout au fond du dernier tunnel, Dieter trouva des croûtons de pain, des mégots de cigarettes et une pince à cheveux. Voilà qui confirmait ses pires craintes : les Corneilles avaient bien passé la nuit là, mais elles avaient disparu.

Il chercha du regard sur quoi exprimer sa fureur. Les ouvriers ne savaient sans doute rien des Corneilles, mais le propriétaire avait dû les autoriser à se cacher dans sa cave ; il allait le payer. Dieter remonta au rez-de-chaussée, traversa la cour et se dirigea vers la maison. Ce fut un de ses hommes qui le fit entrer.

— Tout le monde est dans le salon, annonça-t-il.

Dieter pénétra dans une pièce spacieuse au mobilier élégant mais fatigué : de lourds rideaux qu'on n'avait pas nettoyés depuis des années, un tapis usé, une longue table de salle à manger entourée de douze chaises. Terrifié, le personnel était groupé au fond de la pièce : la femme de chambre qui avait ouvert la porte, un homme d'un certain âge — un maître d'hôtel, d'après son costume noir usé jusqu'à la corde —, et une femme rebondie portant un tablier qui devait être la cuisinière. Un agent de la Gestapo tenait un pistolet braqué sur eux. Au bout de la table se tenait une femme fluette d'une cinquantaine d'années aux cheveux roux parsemés de fils d'argent et vêtue d'une robe d'été de soie jaune pâle ; elle observait la scène avec un air de supériorité tranquille. Dieter se tourna vers l'homme de la Gestapo et murmura :

— Où est le mari ?

— Il a quitté la maison à huit heures. On ne sait pas où il est allé. On l'attend pour déjeuner.

Dieter tourna un regard sévère vers la femme.

— Madame Laperrière ?

Elle acquiesça, sans daigner prononcer un mot.

Dieter décida d'entamer quelque peu sa dignité. Certains de ses collègues adoptaient une attitude déférente envers les Français de la haute société, ce que Dieter trouvait stupide. Il ne se prêterait pas à son jeu et ne traverserait donc pas la pièce pour lui parler.

— Amenez-la-moi, ordonna-t-il brutalement.

Un des hommes s'adressa à elle. Elle se leva lentement et s'approcha de Dieter.

— Que voulez-vous ? dit-elle.

— Un groupe de terroristes venus d'Angleterre m'a échappé hier après avoir tué deux officiers allemands et une Française.

— Je suis navrée de l'apprendre, déclara Mme Laperrière.

— Ils ont ligoté la femme et lui ont tiré à bout portant une balle dans la nuque, reprit-il. Sa robe était maculée d'éclats de cervelle.

Elle ferma les yeux et détourna la tête.

— La nuit dernière, votre mari a abrité ces terroristes dans votre cave. Pouvez-vous me trouver une bonne raison pour qu'il ne soit pas pendu ?

Derrière lui, la femme de chambre éclata en sanglots. Ébranlée, Mme Laperrière pâlit et s'assit brusquement.

— Non, je vous en prie, murmura-t-elle.

— Vous pouvez aider votre mari en me disant ce que vous savez.

— Je ne sais rien, murmura-t-elle d'une voix étouffée. Ces gens sont venus après le dîner et repartis avant le lever du jour. Je ne les ai jamais vus.

— Comment sont-ils partis ? Votre mari leur a-t-il fourni une voiture ?

— Nous n'avons pas d'essence, répondit-elle en secouant la tête.

— Comment alors effectuez-vous vos livraisons ?

— Ce sont nos clients qui viennent chez nous.

Dieter n'en croyait pas un mot. Betty avait absolument besoin d'un moyen de transport, l'emprunt par Michel de la camionnette de Philippe Moulier en était la preuve. Pourtant, Betty et les Corneilles avaient disparu sans l'attendre, parce qu'elles avaient trouvé un autre véhicule. Betty avait certainement laissé un message pour expliquer la situation et indiquer à Michel comment la rejoindre.

— Vous me demandez de croire qu'ils sont partis d'ici à pied ? lança Dieter.

— Non. Je vous dis que je ne sais pas. Quand je me suis réveillée, ils avaient disparu.

Dieter continuait à croire qu'elle mentait ; il faudrait du temps et de la patience pour lui arracher la vérité, mais il en manquait.

— Arrêtez-les tous, lança-t-il d'un ton où perçait sa mauvaise humeur.

La sonnerie du téléphone retentit dans le hall. Dieter sortit de la salle à manger pour répondre.

— Pourrais-je parler au major Franck, demanda-t-on avec un accent allemand.

— Lui-même.

— Major, ici le lieutenant Hesse.

— Hans, que s'est-il passé ?

— Je suis à la gare. Michel a garé la camionnette et acheté un billet pour Marles. Le train va partir.

Dieter avait vu juste : les Corneilles étaient parties de leur côté en laissant à Michel des instructions pour les rejoindre. Elles comptaient toujours faire sauter le tunnel de chemin de fer. Betty continuait d'avoir une longueur d'avance sur lui — c'était irritant —, mais elle n'avait pas réussi à lui échapper complètement, puisqu'il était toujours sur sa piste. Il n'allait pas tarder à mettre la main sur elle.

— Prenez le train, dit-il à Hans. Ne le lâchez pas, je vous retrouverai à Marles.

— Très bien, fit Hans, et il raccrocha.

Dieter revint dans la salle à manger.

— Appelez le château pour qu'on vous envoie un moyen de transport, dit-il aux hommes de la Gestapo. Remettez tous les prisonniers au sergent Becker pour qu'il les interroge. Dites-lui de commencer par madame. Vous, ordonna-t-il au chauffeur, conduisez-moi à Marles.

47.

Betty et Paul prirent le petit déjeuner au Café de la gare : ersatz de café, pain noir et saucisses avec peu ou pas de viande. Ruby, Jelly et Greta installées à une table séparée faisaient semblant de ne pas les connaître. Betty surveillait la rue du coin de l'œil.

Elle savait Michel en danger. Elle avait bien songé à le prévenir en allant chez Moulier, mais elle aurait fait le jeu de la Gestapo qui devait le filer dans l'espoir qu'il les mènerait à elle. Même téléphoner chez Moulier aurait risqué de révéler sa cachette à une standardiste de la Gestapo. Elle avait fini par conclure que la meilleure solution pour aider Michel était de ne pas le contacter directement. Si sa théorie était juste, Dieter Franck le laisserait en liberté jusqu'au moment où Betty serait arrêtée.

Elle avait donc laissé à Mme Laperrière un message pour Michel :

Michel,

Je suis certaine qu'on te surveille. Il y a eu une descente de police à l'endroit où nous étions hier soir. Ce matin on t'a sans doute suivi. Nous allons partir avant que tu arrives ici et tâcher de passer inaperçus dans le centre de la ville. Laisse la camionnette à côté de la gare avec la clef sous le siège du conducteur. Prends un train pour Marles. Sème les gens qui te filent et reviens.

Je t'en prie... sois prudent !

Betty

Brûle ce mot.

En théorie cela semblait bien raisonné ; elle passa cependant la matinée entière dans un état d'extrême tension.

Enfin, à onze heures, une camionnette se gara non loin de l'entrée de la gare — Betty retint son souffle —, sa raison sociale en lettres blanches sur le côté : *Moulier & Fils — Viandes.*

Michel en descendit et elle put reprendre son souffle. Il entra dans la gare : il suivait le plan de Betty. Elle alla voir si quelqu'un le suivait, mais c'était impossible à déterminer dans le va-et-vient incessant des piétons, des cyclistes et des automobilistes, dont n'importe lequel aurait pu filer Michel.

Elle cherchait à donner l'impression d'une touriste dégustant son pseudo-café, pourtant âcre et mauvais mais, en réalité, elle ne quittait pas des yeux la camionnette, sans pourtant distinguer, dans la foule quelqu'un susceptible de la surveiller. Au bout d'un quart d'heure, elle fit signe à Paul. Ils se levèrent, reprirent leurs valises et sortirent.

Betty, le cœur battant, s'installa au volant de la camionnette, et Paul sur le siège du passager. Si c'était un piège, ce serait maintenant qu'on les arrêterait. Elle tâtonna sous son siège, trouva la clef et mit le moteur en marche sans que personne, apparemment, y fasse attention.

Ruby, Jelly et Greta sortirent du café et, sur un signe de Betty, grimpèrent à l'arrière, au milieu d'étagères, de placards et de bacs à glace, le tout bien nettoyé mais dégageant une légère et déplaisante odeur de viande crue. Ruby ferma les portes. Betty passa en première et démarra.

— On y est arrivé ! fit Jelly. Mince alors.

Betty eut un pâle sourire : le plus dur les attendait. Elle sortit de la ville et s'engagea sur la route de Sainte-Cécile, guettant les voitures de police et les Citroën de la Gestapo, mais, pour le moment, elle se sentait assez en sécurité. Les inscriptions peintes sur les flancs proclamaient le droit du véhicule à circuler et une femme au volant n'étonnait plus personne quand tant de Français étaient soit dans les camps de travail en Allemagne, soit dans le maquis des environs pour éviter d'y être envoyés.

Quand elles arrivèrent à Sainte-Cécile, les premiers coups de midi venaient de sonner, vidant les rues et amenant le calme : la population préparait le premier repas sérieux de la journée. Elle continua jusqu'à la maison d'Antoinette : les grandes portes en bois qui donnaient accès à la cour intérieure étaient entrouvertes. Paul sauta à terre et les poussa pour permettre à Betty d'entrer ; puis il referma les battants derrière elle ; si bien que, maintenant, la camionnette aux inscriptions reconnaissables était invisible de la rue.

— Restez là jusqu'à ce que je siffle, ordonna Betty avant de sauter à terre et de se diriger vers la maison.

La dernière fois qu'elle avait frappé à cette porte, voilà huit jours — une éternité —, Antoinette, la tante de Michel, avait hésité à ouvrir, rendue nerveuse par la fusillade sur la place. Ce jour-là, une femme petite et fluette, entre deux âges, vêtue d'une robe de cotonnade jaune, élégante mais fatiguée, se précipita. Elle dévisagea Betty un moment car celle-ci était toujours affublée de sa perruque brune — avant de la reconnaître.

— Vous ! s'affola-t-elle. Que voulez-vous ?

Betty siffla pour appeler les autres puis repoussa Antoinette à l'intérieur de la maison.

— Ne vous inquiétez pas, dit-elle. Je vais vous ligoter pour faire croire aux Allemands que nous vous avons forcé la main.

— Qu'y a-t-il ? demanda Antoinette d'une voix tremblante.

— Je vous expliquerai. Vous êtes seule ?

— Oui.

— Bon, dit Betty en refermant la porte sur Paul et les Corneilles.

Ils entrèrent dans la cuisine où, disposés sur la toile cirée, du pain noir, des carottes râpées, un bout de fromage et une bouteille de vin sans étiquette indiquaient qu'Antoinette avait commencé à déjeuner.

— Qu'y a-t-il ? répéta Antoinette.

— Asseyez-vous, dit Betty, et terminez votre repas.

— Je n'ai plus faim, dit-elle en se rasseyant.

— C'est très simple, expliqua Betty. Ce soir, ce sera nous, et non vos petites dames habituelles, qui ferons le ménage au château.

— Comment cela ? fit-elle, interloquée.

— Nous allons demander à chacune des femmes de service de passer ici ce soir avant d'aller travailler. Une fois arrivées, nous les ligoterons. Ensuite, nous irons au château à leur place.

— Vous ne pouvez pas, vous n'avez pas de laissez-passer.

— Si, nous en avons.

— Comment... demanda Antoinette, abasourdie. Oh ! vous m'avez volé mon laissez-passer ! Dimanche dernier ! Je croyais l'avoir perdu. J'ai eu de gros ennuis avec les Allemands !

— Je suis désolée.

— Mais, cette fois, ça va être bien pire : vous allez faire sauter le château ! reprit Antoinette dans un gémissement. Ils me rendront responsable, vous savez comment ils sont, et ils nous tortureront toutes.

Betty serra les dents — Antoinette avait peut-être raison : la Gestapo pourrait fort bien abattre les vraies femmes de ménage si elle les croyait complices de cette substitution.

— Nous ferons tout notre possible pour que vous paraissiez innocentes. Vous serez nos victimes, comme les Allemands.

Malgré tout, il y avait un risque, Betty le savait.

— Ils ne nous croiront pas, gémit Antoinette. Nous risquons d'être tuées.

— Oui, énonça Betty, on appelle ça la guerre.

48.

Marles était une petite bourgade à l'est de Reims où la voie ferrée commençait sa longue ascension vers Frankfurt, Stuttgart et Nuremberg. Par le tunnel était acheminé un flux constant de matériel et d'équipement à destination des forces d'occupation allemandes en France. Sa destruction priverait Rommel de tout approvisionnement en munitions.

Des maisons à colombages de couleurs vives donnaient au bourg un air bavarois. La mairie et la gare se faisaient face sur une place bordée d'arbres. Le chef de la Gestapo locale avait réquisitionné le somptueux bureau du maire et il s'y trouvait maintenant, penché sur une carte, avec Dieter Franck et un certain capitaine Bern, responsable des troupes qui gardaient le tunnel.

— J'ai vingt hommes à chaque extrémité ; un autre groupe patrouille constamment dans la montagne, expliqua Bern. La Résistance aurait besoin d'effectifs importants pour en venir à bout.

Dieter fronça les sourcils. À en croire les aveux de Diana Colefield, la lesbienne qu'il avait interrogée, Betty était partie avec une équipe de six femmes, elle comprise, réduite maintenant à quatre. Toutefois, elle avait pu s'adjoindre un autre groupe ou prendre contact avec des résistants de Marles même ou des environs.

— Ils sont nombreux, dit-il. Les Français pensent que le débarquement est imminent.

— Mais ils seraient difficiles à cacher ; jusqu'à maintenant, nous n'avons rien remarqué de suspect.

Bern, de stature frêle, portait des lunettes aux verres particulièrement épais, ce qui expliquait sans doute pourquoi on l'avait affecté dans ce trou perdu plutôt qu'à la tête d'une unité combattante, Dieter voyait cependant en lui un jeune officier intelligent et efficace, ce qui l'incita à tenir compte de ce que celui-ci avançait.

— Dans quelle mesure, demanda Dieter, le tunnel est-il vulnérable aux explosifs ?

— Il est percé dans la roche. Bien sûr, on peut le détruire, mais cela nécessiterait un camion entier de dynamite.

— Ils n'en manquent pas.

— Mais il faudrait la transporter jusqu'ici — là encore, à notre insu.

— En effet. Dieter se tourna vers le chef de la Gestapo. Avez-vous reçu des rapports concernant des véhicules sortant de l'ordinaire ou des groupes de gens arrivant en ville ?

— Absolument pas. L'unique hôtel du bourg ne reçoit, pour l'instant, aucun client. Mes hommes ont fait la tournée des bars et des restaurants à l'heure du déjeuner, comme chaque jour, sans rien constater d'anormal.

— Se pourrait-il, reprit le capitaine Bern d'un ton hésitant, se pourrait-il, major, que le rapport que vous avez reçu concernant une attaque du tunnel soit mensonger ? Que ce soit une diversion pour écarter votre attention du véritable objectif ?

Dieter avait déjà envisagé cette exaspérante hypothèse. Il savait d'expérience — terriblement amère — que Betty Clairet pratiquait avec maestria l'art de tromper son monde. L'aurait-elle dupé encore une fois ? La simple évocation d'une telle idée le plongeait dans un abîme d'humiliation.

— J'ai interrogé moi-même la personne qui m'a renseigné et je suis convaincu qu'elle était sincère, répondit Dieter en s'efforçant de maîtriser sa rage. Mais il n'est pas exclu que vous ayez quand même raison, et il est tout à fait possible qu'on l'ait délibérément mal informée, à titre de précaution.

— Un train arrive, annonça Bern, la tête penchée.

Dieter fronça les sourcils, il n'entendait rien.

— J'ai l'ouïe très fine, expliqua son interlocuteur avec un sourire. Sans doute pour compenser ma myopie.

Selon les calculs de Dieter, le train venant de Reims était celui de onze heures : Michel et le lieutenant Hesse arriveraient donc par le suivant. Le chef de la Gestapo s'approcha de la fenêtre.

— C'est le train qui va vers la côte, précisa-t-il. Votre homme se dirige vers l'intérieur, m'avez-vous dit.

Dieter acquiesça.

— En fait, reprit Bern, ce sont deux trains qui vont se croiser à Marles.

— Vous avez raison, approuva son collègue, qui s'était tourné de l'autre côté.

Les trois hommes sortirent sur la place. Le chauffeur de Dieter, accoudé au capot de la Citroën, se redressa et éteignit sa cigarette. Auprès de lui un motard de la Gestapo se tenait prêt à reprendre la filature de Michel. Ils se dirigèrent vers l'entrée de la gare.

— Y a-t-il une autre sortie ? s'informa Dieter.

— Non.

— Avez-vous entendu la nouvelle ? demanda le capitaine Bern pendant qu'ils attendaient.

— Non, laquelle ?

— Rome est tombée.

— Mon Dieu !

— L'armée américaine a atteint la piazza Venezia hier soir à dix-neuf heures.

Comme il était leur supérieur, Dieter estima de son devoir de maintenir leur moral.

— C'est une mauvaise nouvelle, mais à laquelle on pouvait s'attendre. Par ailleurs, l'Italie n'est pas la France et s'ils essayent de nous envahir, ils auront une vilaine surprise.

Il espérait ne pas se tromper.

Le train à destination de la côte fut le premier à arriver. Ses passagers descendaient sur le quai et déchargeaient encore leurs bagages quand le convoi pour l'intérieur entra en gare. Dieter examina subrepticement un petit groupe de gens qui attendaient à l'entrée — comité d'accueil local ? —, mais il ne vit rien de suspect.

La Gestapo contrôlait la sortie. Le chef rejoignit ses subalternes pendant que le capitaine Bern s'adossait à un pilier pour se faire moins remarquer et que Dieter regagnait sa voiture pour surveiller les parages.

Que ferait-il si l'hypothèse du capitaine Bern était avérée, si le tunnel n'était qu'une diversion ? Quelle alternative à cette consternante perspective ? Parmi les autres objectifs à proximité de Reims, il y avait le château de Sainte-Cécile ; mais voilà juste une semaine la Résistance avait échoué à le détruire, ce n'était pas pour recommencer aussi vite. Sinon, encore une base militaire au nord de la ville, et quelques gares de triages entre Reims et Paris... Tout cela ne menait à rien. Il lui fallait des renseignements.

Il pourrait interroger Michel dès sa descente de train, lui arracher les ongles un par un jusqu'à ce qu'il parle — mais Michel connaîtrait-il la vérité ? Il ne détenait peut-être lui aussi qu'une fausse version, persuadé, comme Diana, que c'était la vraie. Le mieux à faire était de continuer à le suivre jusqu'à ce qu'il retrouve Betty — la seule à être informée de la véritable cible, donc la seule qui vaille, pour l'instant, la peine qu'on l'interroge.

Dieter attendit avec impatience que les voyageurs fussent tous passés. Un coup de sifflet, et le premier train s'ébranla. Encore une trentaine de passagers, puis la rame en direction de l'intérieur partit à son tour. Là-dessus, Hans Hesse sortit de la gare.

— Bon sang, qu'est-ce qui se passe ? lâcha Dieter, en voyant le lieutenant se précipiter vers la Citroën dès qu'il l'eut repérée.

Dieter sauta à terre.

— Qu'est-ce qui s'est passé ? fit Hans. Où est-il ?

— Comment ça ? s'écria Dieter, furieux. C'est *vous* qui le suivez !

— Mais oui ! Il est descendu du train. Je l'ai perdu de vue dans la queue au contrôle. Au bout d'un moment, je me suis inquiété et je suis passé devant tout le monde, mais il était déjà parti.

— Aurait-il pu remonter dans le train ?

— Non, je l'ai suivi jusqu'au bout du quai.

— Dans l'autre train ?

Hans resta bouche bée.

— Je l'ai perdu de vue à peu près au moment où nous arrivions au bout du quai pour Reims...

— Nom de Dieu ! jura Dieter. C'est ça, il est reparti pour Reims. Il nous a leurrés. Tout ce voyage n'était qu'une diversion, lança-t-il, furieux d'être tombé dans le panneau.

— Que faisons-nous ?

— Rattrapons le train et vous reprendrez votre filature. Je suis plus que jamais persuadé qu'il nous mènera à Betty Clairet. Montez, partons !

49.

Betty était stupéfaite d'en être arrivée là : sur six au départ, quatre Corneilles avaient réussi à déjouer les efforts d'un adversaire brillant ; et, avec un peu de chance aussi, elles se trouvaient maintenant dans la cuisine d'Antoinette, à quelques pas de la place de Sainte-Cécile, juste sous le nez de la Gestapo. Dans dix minutes, elles se dirigeraient vers les grilles du château.

Antoinette et quatre de ses compagnes étaient solidement ligotées à des chaises de cuisine. À l'exception d'Antoinette, Paul les avait toutes bâillonnées. Chacune était arrivée avec un petit panier ou un sac de toile contenant son repas — pain, pommes de terre froides, fruits et un Thermos de vin ou d'ersatz de café — qu'elles ouvriraient normalement lors de la pause de vingt et une heures trente, puisqu'elles n'avaient pas accès à la cantine allemande. Les Corneilles s'affairaient à les vider pour y charger leur matériel : torches électriques, pistolets, munitions et pains de plastic de deux cent cinquante grammes ; leurs valises — qui contenaient jusqu'à présent leur précieux chargement — ne convenaient guère à des femmes de ménage se rendant à leur travail.

Betty réalisa rapidement que les sacs n'étaient pas assez grands : pour sa part, la mitraillette Sten et son silencieux mesuraient une trentaine de centimètres ; sans parler des seize détonateurs de Jelly dans leur boîte capitonnée, de sa bombe incendiaire à poudre d'aluminium et du bloc chimique produisant l'oxygène nécessaire pour incendier des espaces confinés comme des casemates. Le matériel, une fois dissimulé parmi les provisions, dépassait des sacs.

— Bon sang, fit Betty, agacée. Antoinette, vous n'avez pas de grands sacs ?

— Que voulez-vous dire ?

— Des grands sacs, comme des sacs à provisions, vous devez bien en avoir.

— Il y en a un dans l'office dont je me sers quand j'achète des légumes.

Betty finit par trouver un panier d'osier.

— Parfait, dit-elle. Vous en avez d'autres ?

Il lui en fallait quatre.

— Non, pourquoi en aurais-je ?

On frappa à la porte. Betty alla ouvrir. Une femme vêtue d'une blouse à fleurs, un filet sur la tête, était plantée là : la dernière de l'équipe du ménage.

— Bonsoir, dit Betty.

La femme hésita, surprise par cette inconnue.

— Antoinette est là ? J'ai reçu...

— Dans la cuisine, la rassura Betty en souriant. Entrez, je vous en prie.

La femme de toute évidence connaissait les lieux et se dirigea directement vers la cuisine où elle s'arrêta net en poussant un petit cri.

— Ne t'inquiète pas, Françoise, expliqua Antoinette, elles nous ligotent pour que les Allemands comprennent bien que nous ne les avons pas aidées.

Betty débarrassa la femme de son sac : un filet idéal pour transporter un bout de pain et une bouteille, mais qui ne lui convenait pas du tout.

Ces détails, négligeables en temps normal, paralysaient Betty qui, avant sa mission, ne pouvait avancer sans avoir résolu ce problème. Elle se força à réfléchir calmement, puis demanda à Antoinette :

— D'où vient votre panier ?

— Du petit magasin de l'autre côté de la rue ; on le voit d'ici.

Antoinette gardait les fenêtres ouvertes à cause de la chaleur et les volets fermés pour donner de l'ombre. Betty en entrebâilla un de quelques centimètres et aperçut sur le trottoir d'en face une sorte de bazar dont la vitrine proposait pêle-mêle des bougies, des fagots, des balais et des pinces à linge.

— Va vite en acheter trois autres, dit-elle en se tournant vers Ruby. Si c'est possible, ajouta-t-elle, choisis des formes et des couleurs différentes.

Betty craignait que des sacs identiques n'attirent l'attention.

— D'accord.

Paul ligota la dernière femme de ménage à une chaise et la bâillonna, se répandant en excuses et déployant tout son charme : elle ne résista pas.

Betty donna à Jelly et à Greta leurs laissez-passer qu'elle avait conservés jusqu'à la dernière minute : trouvés sur une Corneille en cas d'arrestation, ils auraient révélé leur objectif. Tenant dans sa main celui de Ruby, elle s'approcha de la fenêtre. Celle-ci sortait du magasin avec trois paniers à provisions de différents modèles. Betty poussa un soupir de soulagement. Elle regarda sa montre : dix-huit heures cinquante-huit. Soudain, ce fut la catastrophe.

Ruby s'apprêtait à traverser la rue quand elle fut abordée par un homme à la démarche militaire. Il portait une chemise de toile bleue aux poches boutonnées, une cravate bleu marine, un béret et un pantalon sombre enfoncé dans des bottes à la tige haute : l'uniforme de la Milice.

— Oh ! non, s'écria Betty qui avait reconnu la tenue.

Comme la Gestapo, la Milice recrutait des brutes trop stupides pour être engagées par la police. Leurs officiers, patriotes snobinards qui parlaient tout le temps de la gloire de la France et qui envoyaient leurs sbires arrêter les enfants juifs cachés dans les caves, à peine plus évolués, appartenaient à la même engeance.

Paul vint regarder par-dessus l'épaule de Betty.

— Mon Dieu, un putain de milicien, confirma-t-il.

Betty réfléchit rapidement. S'agissait-il d'une rencontre fortuite ou bien d'un ratissage systématique visant les Corneilles ? Abominables fouille-merde, les miliciens savouraient leur autorité qui leur permettait de harceler leurs concitoyens. Ils interpellaient les gens dont l'allure ne leur plaisait pas, épluchaient minutieusement leurs papiers et cherchaient un prétexte pour les arrêter. Ruby était-elle victime de ce genre d'incident ? C'est ce qu'espérait Betty. Si la police contrôlait tous les passants dans les rues de Sainte-Cécile, les Corneilles n'arriveraient peut-être jamais jusqu'aux grilles du château.

L'homme se mit à bombarder Ruby de questions agressives. Betty n'entendait pas très bien, mais elle surprit les mots « métisses » et « noire » et elle se demanda si l'homme n'accusait pas la brune Ruby d'être une gitane. Celle-ci exhiba ses papiers. L'homme les examina, puis poursuivit son interrogatoire sans les lui rendre.

Paul sortit son pistolet de son étui.

— Range ça, ordonna Betty.

— Tu ne vas pas le laisser l'arrêter ?

— Mais si, déclara froidement Betty. Si une fusillade éclate maintenant, nous sommes fichus, et la mission sera dans le lac. La vie de Ruby n'est pas aussi importante que le sabotage du central téléphonique. Range-moi ce foutu pistolet.

Paul le glissa sous la ceinture de son pantalon.

Le ton montait entre Ruby et le milicien. Betty vit avec angoisse Ruby regrouper les trois paniers dans sa main gauche et plonger la main droite dans la poche de son imperméable. L'homme empoigna l'épaule gauche de Ruby : de toute évidence il l'arrêtait.

Puis les réflexes de la jeune femme s'enchaînèrent : elle lâcha les paniers ; sa main droite jaillit de sa poche, serrant un couteau ; elle avança d'un pas et brandit de toutes ses forces le poignard, plongeant la lame sous la chemise de l'homme juste au-dessous des côtes, en remontant vers le cœur.

— Oh merde, lâcha Betty.

L'homme poussa un cri qui se métamorphosa aussitôt en un horrible gargouillis. Ruby retira le couteau et l'enfonça de nouveau, cette fois de côté. Le milicien renversa la tête et ouvrit la bouche, asphyxié de douleur.

Betty réfléchit rapidement. Il fallait faire disparaître le corps au plus vite, c'était le seul moyen de s'en tirer. Quelqu'un avait-il été témoin de la scène ? Gênée par les volets qui bouchaient un peu la vue, Betty les ouvrit complètement et se pencha. Sur sa gauche, la rue du Château était déserte à l'exception d'un camion en stationnement et d'un chien assoupi devant une porte, mais de l'autre côté débouchaient trois jeunes gens en uniforme de policier, deux hommes et une femme, qui devaient appartenir au détachement de la Gestapo occupant le château.

Betty n'eut même pas le temps de crier pour l'avertir que les deux gestapistes avaient déjà saisi Ruby par les bras. Betty s'empressa de reculer à l'intérieur et de refermer les volets. Ruby était perdue.

Par la fente des persiennes, Betty vit qu'on frappait la main droite de Ruby contre le mur du magasin jusqu'à ce qu'elle lâche le couteau. La femme se pencha sur le corps ensanglanté du milicien, lui souleva la tête en lui parlant, puis échangea quelques mots avec ses deux collègues ; elle se précipita alors dans le magasin et en ressortit traînant derrière elle un commerçant en blouse blanche. Il se pencha à son tour sur le milicien, puis se redressa, l'air dégoûté : à cause des affreuses blessures de l'homme ou à cause de l'uniforme exécré ? Betty n'aurait su le dire. La policière partit en courant en direction du château sans doute pour chercher de l'aide, suivie par ses deux acolytes qui entraînaient de force Ruby dans la même direction.

— Paul, dit Betty, va chercher les paniers que Ruby a laissés tomber.

— Bien, madame, fit-il sans hésiter, et il sortit.

Betty le vit apparaître dans la rue et traverser la chaussée. Le commerçant regarda Paul et dit quelque chose. Sans répondre, celui-ci se baissa, ramassa prestement les trois paniers et repartit.

Le propriétaire du magasin suivit Paul du regard, son expression traduisait la succession de ses pensées. Betty y lut d'abord le choc provoqué par l'apparente indifférence de Paul, puis l'interrogation au sujet de son attitude, et enfin un début d'explication.

— Filons, dit Betty quand Paul déboucha dans la cuisine. Chargeons les paniers et en route ! Je veux que nous passions le barrage pendant que les gardes sont encore sous le coup.

Elle s'empressa de fourrer dans un des sacs une torche électrique, sa mitraillette démontée, six chargeurs de 7.65 et sa part de plastic ; son pistolet et son poignard se trouvaient dans ses poches. Elle dissimula les armes sous un torchon et posa pardessus une tranche de terrine de légumes enveloppée dans du papier.

— Et si les gardes à la grille fouillent les paniers ? demanda Jelly.

— Alors, nous sommes mortes, répondit Betty. Nous essaierons simplement d'en descendre autant que nous pourrons. Ne laissez pas les nazis vous capturer vivantes.

— Oh ! doux Jésus, s'écria Jelly, mais, en vraie professionnelle, elle s'assura que le chargeur était bien enfoncé dans son pistolet et le poussa avec un clic déterminé.

Sur la place, la cloche de l'église sonna sept coups. Elles étaient prêtes.

— Quelqu'un va sûrement remarquer qu'il n'y a que trois femmes de ménage au lieu de six, expliqua Betty à Paul. Ils décideront peut-être de demander à Antoinette, la responsable, ce qui se passe. Si quelqu'un se présente ici, il faudra l'abattre.

— D'accord.

Betty embrassa Paul sur la bouche, un baiser bref mais appuyé, puis elle sortit, Jelly et Greta sur ses talons.

De l'autre côté de la rue, le commerçant contemplait toujours le milicien en train d'agoniser sur le pavé. Il leva les yeux vers les trois femmes, puis détourna la tête. Sans doute, se dit Betty, se répète-t-il déjà la réponse qu'il va fournir aux Allemands : « Je n'ai rien vu. Non, il n'y avait personne. »

Les trois Corneilles rescapées se dirigèrent vers la place. Betty marchait d'un pas vif, pressée d'arriver au château. Devant elle, à l'autre extrémité, se dressaient les grilles que Ruby et les deux Allemands venaient de franchir. Bon, se dit Betty, du moins Ruby est entrée.

Arrivées au bout de la rue, les Corneilles s'engagèrent à leur tour sur la place. La vitrine du café des Sports, fracassée lors de la fusillade de la semaine précédente, était condamnée par des planches. Deux gardes qui sortaient du château martelèrent le pavé de leurs bottes, courant, fusil au poing, en direction sans doute du milicien blessé. Ils ne remarquèrent même pas le petit groupe de femmes de ménage qui s'écarta sur leur passage.

Betty se présenta devant la grille, première étape vraiment dangereuse.

Ne restait qu'une sentinelle qui, derrière Betty, regardait ses camarades courir. Il jeta un coup d'œil au laissez-passer de Betty et lui fit signe de passer. Elle s'avança puis se retourna pour attendre les autres.

Vint ensuite le tour de Greta et le soldat la laissa entrer, plus intéressé par ce qui se passait rue du Château.

Betty crut qu'elles étaient tirées d'affaire mais, après avoir examiné le laissez-passer de Jelly, il jeta un coup d'œil à son panier.

— Ça sent bon, dit-il.

Betty retint son souffle.

— C'est de la saucisse, répondit Jelly. Ça sent l'ail.

Il lui fit signe de passer et son regard revint vers la place. Les trois Corneilles remontèrent la petite allée, gravirent les marches du perron et pénétrèrent enfin dans le château.

50.

Dieter passa l'après-midi à suivre le train de Michel, s'arrêtant à la moindre station encore ensommeillée au cas où Michel descendrait. Il était convaincu qu'il perdait son temps et que Michel n'avait qu'un rôle de leurre, mais il n'avait pas le choix. Michel était sa seule piste. Dieter était désespéré.

Michel resta dans le train jusqu'à Reims.

Sentant l'échec imminent, accablé par la honte qui allait bientôt s'abattre sur lui, Dieter, assis dans une voiture auprès d'un immeuble bombardé près de la gare de Reims, attendait de voir sortir Michel. Quelle erreur avait-il commise ? Il avait pourtant l'impression d'avoir fait tout son possible — mais rien n'avait marché.

Et si la filature de Michel ne le menait nulle part ? À un moment, Dieter devrait bien faire la part du feu et l'interroger. Mais combien de temps lui restait-il ? Ce soir, c'était la nuit de pleine lune, mais sur la Manche la tempête de nouveau faisait rage. Les Alliées retarderaient peut-être le débarquement — ou bien ils pourraient décider de tenter la chance malgré le temps. Dans quelques heures, ce pourrait être trop tard.

Michel était arrivé ce matin à la gare dans une camionnette empruntée à Philippe Moulier, boucher en gros, Dieter la chercha du regard et n'en vit pas trace. Sans doute l'avait-on laissée ici pour que Betty Clairet puisse la prendre. À l'heure actuelle, elle pourrait se trouver n'importe où dans un rayon de cent cinquante kilomètres. Il se maudit de ne pas avoir posté quelqu'un pour surveiller la camionnette.

Il se demanda, pour se changer les idées, comment il conduirait l'interrogatoire de Michel. Le point faible chez lui était sans doute Gilberte. Pour l'instant, elle était dans une cellule du château à se demander ce qui allait lui arriver. Elle resterait là jusqu'au moment où Dieter aurait la certitude qu'il en avait fini avec elle, puis elle serait exécutée ou envoyée dans un camp en Allemagne. Comment l'utiliser pour faire parler Michel — et sans tarder ?

En pensant aux camps, Dieter eut une idée. Il se pencha vers son chauffeur et lui dit :

— Quand la Gestapo envoie des prisonniers en Allemagne, ils partent par le train, n'est-ce pas ?

— Oui, major.

— Est-ce vrai qu'on les met dans des wagons utilisés normalement pour le transport du bétail ?

— Tout à fait, major, c'est assez bon pour cette racaille, tous ces communistes et ces juifs.

— Où embarquent-ils ?

— Ici, à Reims. Le train de Paris s'arrête ici.

— Et ils passent souvent ?

— Il y en a un presque tous les jours. Il quitte Paris en fin d'après-midi et s'arrête ici vers vingt heures, théoriquement.

Dieter n'eut pas le temps de pousser son idée plus avant, car il aperçut Michel qui sortait de la gare. Dix mètres derrière lui dans la foule, Hans Hesse. Ils prirent le trottoir d'en face.

Le chauffeur de Dieter mit le moteur en marche. Dieter se retourna pour surveiller Michel et Hans. Ils passèrent devant Dieter puis, à la surprise de ce dernier, Michel s'engagea dans la ruelle qui bordait le café de la Gare.

Hans hâta le pas et tourna à son tour moins d'une minute plus tard. Dieter prit un air soucieux. Michel essayait-il de les semer ?

Hans revint et inspecta la rue d'un air soucieux. Il n'y avait pas beaucoup de gens sur les trottoirs, juste quelques voyageurs qui se rendaient à la gare ou qui en sortaient ; et les derniers ouvriers quittaient le centre de la ville pour rentrer chez eux. Hans jura et repartit dans la ruelle. Dieter étouffa un grognement. Hans avait perdu Michel.

C'était le pire cafouillage dans lequel Dieter s'était trouvé impliqué depuis la bataille d'Alam Halfa, quand de mauvais renseignements avaient entraîné la défaite de Rommel. Cela avait été le tournant de la campagne d'Afrique du Nord, Dieter priait le ciel que ce ne fût pas aussi un tournant en Europe. Il contemplait avec consternation le coin de la ruelle quand Michel sortit par l'entrée principale du café.

Dieter retrouva quelque espoir. Michel avait semé Hans mais sans se rendre compte que quelqu'un d'autre le filait. Tout n'était pas encore perdu. Michel traversa, se mit à courir, revint sur ses pas — vers Dieter toujours assis dans la voiture. Celui-ci réfléchit rapidement. S'il tentait de suivre Michel, lui aussi devrait se lancer au pas de course et cela montrerait clairement qu'il le filait. Ce n'était pas une solution : finie la surveillance. Le moment était venu d'arrêter Michel.

Michel fonçait en écartant les piétons sur son passage. Sa blessure le faisait boitiller, mais il allait vite et approchait rapidement de la voiture de Dieter. Celui-ci se décida.

Il entrebâilla la portière. Au moment où Michel arrivait à son niveau, Dieter descendit en l'ouvrant toute grande. Michel fit un écart pour éviter l'obstacle, mais Dieter tendit la jambe. Michel trébucha et, perdant l'équilibre, il tomba lourdement sur le trottoir.

Dieter sortit son pistolet et ôta le cran de sûreté. Michel resta un instant sur le sol, sonné puis, encore groggy, il essaya de s'agenouiller. Dieter appuya sur la tempe de Michel le canon de son arme.

— Ne vous levez pas, dit-il en français.

Le chauffeur prit une paire de menottes dans le coffre, les referma sur les poignets de Michel et le poussa à l'arrière de la voiture. Hans réapparut l'air penaud.

— Que s'est-il passé ?

— Il est entré par la porte de derrière du café de la Gare et est ressorti par le devant, expliqua Dieter.

— Et maintenant ? demande Hans, soulagé.

— Venez avec moi jusqu'à la gare. Dieter se tourna vers le chauffeur. Vous avez une arme ?

— Oui, major.

— Ne perdez pas cet homme de vue. S'il essaie de s'échapper, tirez-lui une balle dans les jambes.

— Bien, major.

Dieter et Hans s'empressèrent de gagner la gare. Dieter attrapa un cheminot en uniforme et dit :

— Je veux voir tout de suite le chef de gare.

— Je vais vous conduire à son bureau, dit l'homme d'un ton revêche.

Le chef de gare arborait une veste noire et un gilet avec un pantalon rayé, un élégant uniforme démodé, usé jusqu'à la corde aux coudes et aux genoux. Même dans son bureau, il gardait son chapeau melon. De toute évidence cette visite d'un important personnage allemand le terrifiait.

— Que puis-je faire pour vous ? demanda-t-il avec un sourire nerveux.

— Attendez-vous ce soir un train de prisonniers en provenance de Paris ?

— Oui, à vingt heures, comme d'habitude.

— Quand il arrivera, retenez-le en gare jusqu'à ce que je vous donne des instructions. J'ai un prisonnier que je veux faire embarquer.

— Très bien. Si je pouvais avoir une autorisation écrite...

— Bien sûr. Je vais arranger cela. Faites-vous quelque chose de particulier quand le train est en gare ?

— Parfois, nous lavons les wagons au jet. Vous comprenez, on utilise des wagons à bestiaux où il n'y a pas d'installation de toilettes et franchement, sans vouloir critiquer qui que ce soit... ça devient extrêmement déplaisant...

— Ne lavez pas les wagons ce soir. C'est compris ?

— Bien sûr.

— Vous faites autre chose ?

— Pas vraiment, fit l'homme d'un ton hésitant.

Dieter le sentait, quelque chose lui donnait mauvaise conscience.

— Allons, mon vieux, parlez, je ne vais pas vous punir.

— Quelquefois les cheminots ont pitié des prisonniers et leur donnent de l'eau. Ce n'est pas permis, à proprement parler, mais...

— Qu'on ne leur donne pas d'eau ce soir.

— Compris.

Dieter se tourna vers Hans.

— Je veux que vous conduisiez Michel Clairet au poste de police et que vous l'enfermiez dans une cellule, puis que vous retourniez à la gare pour vous assurer qu'on exécute bien mes ordres.

— Bien sûr, major.

Dieter décrocha le téléphone posé sur le bureau du chef de gare.

— Passez-moi le château de Sainte-Cécile. Quand la communication fut établie, Dieter demanda Weber. Il y a dans les cellules une femme du nom de Gilberte.

— Je sais, dit Weber. Jolie fille.

Dieter se demanda pourquoi Weber avait l'air si content de lui.

— Voudriez-vous, je vous prie, la faire conduire en voiture à la gare de chemin de fer de Reims ? Le lieutenant Hesse ici présent la prendra en charge.

— Très bien, dit Weber. Ne quittez pas un instant, voulez-vous ?

Il éloigna le combiné et, s'adressant à quelqu'un qui se trouvait dans la pièce, il donna l'ordre qu'on fasse venir Gilberte. Dieter attendait patiemment, puis Weber revint en ligne.

— C'est arrangé.

— Merci...

— Ne raccrochez pas. J'ai des nouvelles pour vous.

Voilà pourquoi il avait l'air si content.

— J'écoute, fit Dieter.

— J'ai arrêté personnellement un agent allié.

— Quoi ? fit Dieter. Quand ?

Quel coup de chance !

— Il y a quelques minutes.

— Où donc, bon sang ?

— Ici même, à Sainte-Cécile.

— Comment est-ce arrivé ?

— Elle a attaqué un milicien et trois de mes brillants agents ont été témoins de la scène. Ils ont eu la présence d'esprit d'arrêter la coupable qui était armée d'un colt automatique.

— Vous avez bien dit « la » coupable ? C'est une femme ?

— Oui.

Voilà qui était réglé. Les Corneilles étaient à Sainte-Cécile. Leur objectif, c'était le château.

— Weber, reprit Dieter, écoutez-moi. Je pense qu'elle fait

partie d'une équipe de saboteurs qui a l'intention d'attaquer le château.

— Ils ont déjà essayé, dit Weber. Ça leur a coûté cher.

Non sans mal, Dieter se maîtrisa.

— En effet, ils seront peut-être plus astucieux cette fois-ci. Puis-je vous conseiller une alerte de sécurité ? Doublez la garde, fouillez le château, interrogez tout le personnel non allemand qui se trouve dans les bâtiments.

— J'ai déjà donné des ordres à cet effet.

Dieter n'était pas vraiment persuadé que Weber avait déjà déclenché une alerte, peu importait, dès l'instant qu'il le faisait maintenant.

Dieter songea un moment à annuler ses instructions concernant Gilberte et Michel, mais décida de n'en rien faire. Il pourrait bien avoir besoin d'interroger Michel avant la fin de la soirée.

— Je vais rentrer immédiatement à Sainte-Cécile, annonça-t-il à Weber.

— Comme vous voudrez, dit Weber d'un ton qui laissait entendre qu'il pouvait parfaitement se débrouiller sans l'assistance de Dieter.

— Il faut que j'interroge la nouvelle prisonnière.

— J'ai déjà commencé. Le sergent Becker est en train de la préparer.

— Bon sang, je veux qu'elle ait toute sa raison et qu'elle soit capable de parler.

— Évidemment.

— Je vous en prie, Weber, c'est une affaire trop importante pour qu'on puisse commettre des erreurs. Je vous supplie de contrôler Becker jusqu'à mon arrivée.

— Très bien, Franck. Je vais m'assurer qu'il n'en fait pas trop.

— Merci. Je serai là le plus vite possible.

Dieter raccrocha.

51.

Betty s'arrêta sur le seuil de la grande salle du château. Elle avait le cœur battant et la peur au ventre. Elle était dans l'antre du lion. Si elle était capturée, rien ne pourrait la sauver.

Elle examina rapidement la pièce. On avait installé en rangées impeccables des autocommutateurs téléphoniques qui apportaient une touche de modernisme incongrue à la splendeur fanée des murs peints en rose et vert et aux chérubins joufflus qui s'ébattaient au plafond. Des câbles serpentaient sur les dalles de marbre comme des cordages déroulés sur le pont d'un navire.

Un brouhaha de conversations montait des quarante standardistes. Les plus proches jetèrent un coup d'œil aux nouvelles arrivantes. Betty vit une fille s'adresser à sa voisine en les désignant. Les téléphonistes venaient toutes de Reims et des environs, beaucoup même de Sainte-Cécile : elles connaissaient donc les femmes de ménage habituelles et devaient se rendre compte que les Corneilles étaient des inconnues. Mais Betty comptait sur le fait qu'elles ne diraient rien aux Allemands.

Elle s'orienta rapidement en se rappelant le plan qu'avait dessiné Antoinette. L'aile ouest bombardée sur sa droite était abandonnée. Elle partit dans cette direction et, franchissant de hautes portes lambrissées, elle entraîna Greta et Jelly vers l'aile est.

Elles traversèrent une enfilade de pièces, de somptueuses salles de réception encombrées de standards et de panneaux qui bourdonnaient et cliquetaient à mesure que l'on composait des numéros. Betty ne savait pas si les femmes de ménage avaient l'habitude de saluer les téléphonistes ou bien si elles passaient en silence : les Français avaient le bonjour facile, mais, ici, c'était les militaires allemands qui régnaient. Elle se contenta donc d'un vague sourire et évita de regarder qui que ce soit.

Dans la troisième salle, une surveillante en uniforme allemand était assise à un bureau. Betty continua sans broncher, mais la femme cria :

— Où est Antoinette ?

Sans s'arrêter, Betty répondit :

— Elle arrive.

Elle sentit sa voix trembler de peur et espéra que la surveillante n'avait rien remarqué. La femme jeta un coup d'œil à la pendule qui indiquait sept heures cinq.

— Vous êtes en retard.

— Je suis désolée, madame, nous allons commencer tout de suite.

Betty s'engouffra dans la salle suivante. Elle resta un instant, l'oreille tendue, s'attendant à ce qu'une voix furieuse la rappelle, mais rien ne vint et, reprenant son souffle, elle poursuivit son chemin, Greta et Jelly sur ses talons.

Au fond de l'aile est se trouvait un escalier permettant d'accéder aux bureaux dans les étages ou au sous-sol. C'était le sous-sol qui intéressait les Corneilles, mais elles avaient d'abord quelques préparatifs à faire.

Elles tournèrent à gauche et entrèrent dans l'office. Suivant les instructions d'Antoinette, elles découvrirent une petite pièce où était entreposé le matériel de nettoyage : balais, éponges, seaux et les blouses brunes que revêtaient les femmes de ménage pour leur service. Betty referma la porte.

— Pour l'instant, ça va, dit Jelly.

— J'ai une trouille ! fit Greta, pâle et tremblante. Je crois que je ne vais pas tenir le coup.

— Ça ira très bien, dit Betty avec un sourire rassurant. Au travail. Mets ton matériel dans ces seaux.

Jelly se mit à entasser ses explosifs dans un baquet et, après un bref moment d'hésitation, Greta l'imita. Betty monta les pièces de sa mitraillette, mais sans la crosse, ce qui en réduisait la longueur d'une trentaine de centimètres et la rendait plus facile à dissimuler. Elle ajusta le silencieux et bloqua le tir au coup par coup. Quand on utilisait le silencieux. il fallait recharger manuellement avant de tirer.

Elle glissa l'arme sous sa ceinture de cuir. Puis elle passa sa blouse qui cachait la mitraillette. Elle ne ferma pas les boutons pour mieux la saisir. Les deux autres enfilèrent à leur tour une blouse, gardant armes et munitions entassées dans leurs poches.

Elles étaient presque prêtes à descendre au sous-sol. Toutefois, c'était un secteur de haute sécurité, avec une sentinelle à la porte et le personnel français n'était pas admis jusque-là : les Allemands faisaient eux-mêmes le ménage. Avant d'entrer, les Corneilles devaient donc provoquer une certaine confusion.

Elles s'apprêtaient à quitter la pièce quand la porte s'ouvrit, livrant passage à un officier allemand qui jeta un coup d'œil en aboyant :

— Laissez-passer !

Betty se crispa. Elle s'attendait à une alerte. La Gestapo avait dû deviner que Ruby était un agent allié — qui d'autre aurait sur soi un pistolet automatique et un poignard à cran d'arrêt ? il fallait donc s'attendre à ce qu'ils redoublent de précautions au château. Elle avait toutefois espéré que la Gestapo agirait trop lentement pour la gêner dans sa mission. C'est un vœu qui n'avait pas été exaucé. Sans doute contrôlait-on tout le personnel français qui se trouvait sur les lieux.

— Vite ! dit l'homme avec impatience.

C'était un lieutenant de la Gestapo, constata Betty en voyant l'écusson qu'il avait sur sa chemise d'uniforme. Elle exhiba son laissez-passer. Il l'examina avec soin, comparant la photo avec son visage et le lui rendit. Il fit de même avec Jelly et Greta.

— Il faut que je vous fouille, dit-il en regardant le seau de Jelly.

Derrière son dos, Betty sortit la mitraillette de sous sa blouse. D'un air étonné, l'officier prit dans le seau de Jelly le récipient capitonné qu'elle y avait mis. Betty retira le cran de sûreté.

L'officier dévissa le couvercle du récipient. On pouvait lire la stupéfaction sur son visage lorsqu'il aperçut les détonateurs.

Betty lui tira une balle dans le dos. Le silencieux n'était pas totalement efficace et il y eut un bruit étouffé, comme la chute d'un livre. Un spasme secoua le lieutenant de la Gestapo qui s'écroula.

Betty éjecta la douille, appuya sur la détente et, pour plus de sûreté, lui tira une autre balle dans la tête. Puis elle remit une balle dans le canon et glissa sa mitraillette sous sa blouse.

Jelly traîna le corps jusqu'au mur et le poussa derrière la porte pour le dissimuler aux yeux d'un veilleur éventuel.

— Fichons le camp, dit Betty.

Jelly sortit. Greta restait blême et pétrifiée à regarder le corps de l'officier.

— Greta, dit Betty. Nous avons un travail à accomplir. En route.

Greta finit par hocher la tête, ramassa son seau et son balai et franchit la porte d'un pas de robot. Elles se rendirent alors au réfectoire. À part deux filles en uniforme qui buvaient du café et fumaient, personne. En français et à voix base, Betty murmura :

— Vous savez ce que vous avez à faire.

Jelly se mit à balayer. Greta hésitait toujours.

— Ne me laisse pas tomber, dit Betty.

Greta acquiesça. Elle prit une profonde inspiration, se redressa et déclara :

— Je suis prête.

Betty entra dans la cuisine, et Greta lui emboîta le pas. D'après Antoinette, les boîtes de fusibles du bâtiment étaient à côté de la cuisine dans un placard derrière le grand four électrique. Un jeune Allemand s'activait près de la cuisinière. Betty lui adressa un sourire aguicheur en disant :

— Qu'avez-vous à offrir à une pauvre fille affamée ?

Il se tourna vers elle en souriant. Derrière son dos, Greta tira de sa poche une grosse paire de pinces avec des poignées caoutchoutées, puis ouvrit la porte du placard.

Des nuages couraient dans le ciel et le soleil se couchait quand Dieter Franck déboucha sur la pittoresque place de Sainte-Cécile. Les nuages avaient la même nuance gris foncé que le toit d'ardoises de l'église.

Il remarqua que quatre sentinelles étaient postées à la grille du château au lieu de deux habituellement. Bien qu'il fût dans une voiture de la Gestapo, le sergent examina attentivement son laissez-passer et celui de son chauffeur avant d'ouvrir les grilles en fer forgé et de leur faire signe d'entrer. Dieter était enchanté : Weber avait pris au sérieux la nécessité de renforcer la sécurité.

Rafraîchi par une légère brise, il quitta la voiture pour gravir le perron de l'entrée principale. Il traversa le hall, passant devant les rangées de femmes installées à leur standard, il songea à cet agent secret femme que Weber avait arrêtée. Le réseau Corneille était un groupe exclusivement féminin. L'idée lui vint qu'elles pourraient tenter de pénétrer dans le château déguisées en téléphonistes. Était ce possible ?

— Est-ce qu'aucune de ces femmes est arrivée ces derniers jours ? demanda-t-il à la surveillante allemande.

— Non, major, dit-elle. Nous en avons engagé une il y a trois semaines, et c'était la dernière.

Autant pour sa théorie. Il acquiesça et passa son chemin. Arrivé à l'extrémité de l'aile est, il descendit par l'escalier. La porte du sous-sol était ouverte comme d'habitude, mais au lieu de l'unique sentinelle habituelle, deux hommes étaient en faction. Weber avait doublé la garde. Le caporal salua et le sergent demanda son laissez-passer.

Dieter observa que le caporal se tenait derrière le sergent tandis que celui-ci inspectait le laissez-passer.

— Dans la position où vous êtes, dit-il, il est très facile de vous liquider tous les deux. Caporal vous devriez vous placer de côté à deux mètres de distance de façon à pouvoir tirer si le sergent est attaqué.

— Bien, major.

Dieter s'engagea dans le couloir du sous-sol. Il entendait la vibration du générateur Diesel qui alimentait en électricité le réseau téléphonique. Il franchit les portes des réserves de matériel et entra dans la salle d'interrogatoire. Il espérait y trouver la nouvelle prisonnière, mais la pièce était vide.

Surpris, il entra et referma la porte. De la pièce voisine lui parvint un long cri déchirant. Dieter ouvrit toute grande la porte.

Becker était debout à côté de l'appareil à électrochocs. Weber était assis sur une chaise juste à côté. Une jeune femme était allongée sur la table d'opération, les poignets et les chevilles retenus par des sangles et la tête bloquée par une courroie.

Elle portait une robe bleue et les fils sortant de l'appareil remontaient entre ses cuisses sous la jupe.

— Bonjour, Franck, dit Weber. Installez-vous, je vous en prie. Becker a mis au point une méthode nouvelle. Montrez-lui, sergent.

Becker plongea la main sous la jupe de la femme et exhiba un cylindre d'ébonite long d'une quinzaine de centimètres et large de deux ou trois. Deux bandes métalliques, séparées de trois ou quatre centimètres, encerclaient le cylindre, et deux fils en partaient, reliés à l'appareil.

Dieter avait l'habitude de la torture, mais cette abominable caricature de rapport sexuel l'écœura. Il frissonna de dégoût.

— Elle n'a encore rien dit, mais nous venons à peine de commencer, commenta Weber. Donnez-lui encore une décharge, sergent.

Becker remonta la jupe de la femme et lui glissa le cylindre dans le vagin. Il arracha une bande d'un rouleau de chatterton pour bien fixer le cylindre et l'empêcher de tomber.

— Mettez un voltage plus fort, cette fois, dit Weber.

Becker se tourna vers l'appareil. Là-dessus, toutes les lumières s'éteignirent.

Il y eut un éclair bleuté, un claquement sec provenant du four. Les lumières s'éteignirent et une odeur de fils électriques brûlés emplit la cuisine. Avec la coupure de courant, le moteur du réfrigérateur s'arrêta dans un gémissement. Le jeune cuisinier dit en allemand :

— Qu'y a-t-il ?

Betty traversa le réfectoire, suivie de Jelly et de Greta. Elles suivirent un petit corridor puis s'engagèrent dans l'escalier. Arrivée en haut, Betty s'arrêta. Elle empoigna sa mitraillette en la dissimulant sous le pan de sa blouse.

— Le sous-sol sera plongé dans une obscurité totale ? demanda-t-elle.

— J'ai coupé tous les câbles y compris l'alimentation de l'éclairage d'urgence, lui assura Greta.

— Allons-y.

Elles dévalèrent l'escalier. À mesure qu'elles descendaient, la lumière du jour entrant par les fenêtres du rez-de-chaussée déclina rapidement et l'entrée du sous-sol était dans la pénombre.

Deux soldats étaient postés juste derrière la porte. L'un d'eux, un jeune caporal avec un fusil, dit en souriant :

— Ne vous inquiétez pas, mes petites dames, ce n'est qu'une coupure de courant.

Betty lui tira une balle dans la poitrine, puis faisant pivoter son arme, elle abattit le sergent.

Les trois Corneilles franchirent le seuil. Betty tenait son arme dans la main droite et sa torche électrique dans la main gauche. Elle entendait un sourd grondement de machines et des voix au loin qui criaient des questions en allemand.

Elle alluma un instant une torche électrique : elle se trouvait dans un large couloir au plafond bas. Plus loin, des portes s'ouvraient. Elle éteignit la lampe. Quelques instants plus tard, elle aperçut une allumette qu'on craquait au fond. Une trentaine de secondes s'étaient écoulées depuis que Greta avait coupé le courant. Il ne faudrait pas longtemps aux Allemands pour se remettre du choc et trouver des torches. Elle n'avait qu'une minute, peut-être moins pour s'éclipser.

Elle essaya la porte la plus proche. Elle était ouverte. Elle braqua à l'intérieur le faisceau de sa torche. C'était un labo de photo avec des épreuves en train de sécher et un homme en blouse blanche qui tâtonnait dans l'obscurité.

Elle claqua la porte, traversa le couloir en deux enjambées et essaya une porte de l'autre côté. Fermée à clef. D'après l'emplacement de la pièce sur le devant du château sous un coin du parking, elle devina qu'elle contenait les réservoirs de fioul.

Elle s'avança dans le couloir et ouvrit la porte suivante. Le grondement de machines se fit plus fort. Elle alluma sa torche une fraction de seconde, juste le temps d'apercevoir un générateur — celui, supposa-t-elle, qui alimentait le réseau téléphonique —, puis elle souffla :

— Traînez les corps ici !

Jelly et Greta firent glisser sur le sol les cadavres des gardes. Betty revint jusqu'à l'entrée du sous-sol et claqua la porte blindée. Le couloir maintenant était dans une obscurité totale. Après réflexion, elle poussa les gros loquets à l'intérieur. Voilà qui pourrait lui faire gagner quelques précieuses secondes supplémentaires.

Elle regagna la salle du générateur, ferma la porte et alluma sa torche. Jelly et Greta étaient encore tout essoufflées d'avoir poussé les cadavres à l'intérieur.

— Ça y est, murmura Greta.

La pièce était encombrée de dizaines de canalisations et de câbles ordonnés selon des codes de couleurs, avec une efficacité tout allemande. Betty s'y retrouvait fort bien : les conduits de ventilation en jaune, les canalisations de carburant en brun, les tuyaux d'eau en vert et les câbles électriques avec des rayures rouges et noires. Elle braqua le faisceau de sa lampe sur la canalisation de fioul qui aboutissait au générateur.

— Plus tard, si nous avons le temps, je veux que tu perces un trou là-dedans.

— Pas de problème, fit Jelly.

— Maintenant, pose ta main sur mon épaule et suis-moi. Greta, tu suis Jelly de la même façon. D'accord ?

— D'accord.

Betty éteignit sa torche et ouvrit la porte. Il leur fallait maintenant explorer le sous-sol à l'aveuglette. Elle posa la main contre le mur pour se guider et avança vers l'intérieur. Un brouhaha confus de voix lui révéla que plusieurs hommes tâtonnaient dans le couloir.

— Qui a fermé la grande porte ? dit une voix autoritaire en allemand.

Elle entendit Greta répondre dans la même langue et d'une voix masculine :

— On dirait qu'elle est coincée.

L'Allemand poussa un juron. Quelques instants plus tard, on perçut le grincement d'un pêne. Betty arriva devant une autre porte. Elle l'ouvrit et alluma un instant sa lampe. La pièce contenait deux grands coffres en bois de la taille d'un cercueil.

— La salle des batteries, murmura Greta. Passez à la porte suivante.

— C'était une torche électrique ? fit la voix de l'Allemand. Venez par ici !

— J'arrive, dit Greta de sa voix de Gerhard, mais les trois Corneilles s'éloignèrent dans la direction opposée.

Betty avança jusqu'à la pièce suivante, fit entrer les deux autres et referma la porte avant d'allumer sa torche. C'était une longue salle étroite avec contre chaque mur des étagères encombrées de matériel. Presque à l'entrée se trouvait un classeur contenant probablement de grandes feuilles de croquis. Au fond, le faisceau de sa torche éclaira une petite table. Trois hommes étaient assis, tenant des cartes à jouer à la main.

Comme ils se levaient, Betty braqua sa mitraillette. Jelly fut tout aussi rapide. Betty en abattit un. On entendit le claquement du pistolet de Jelly et l'homme à côté de lui s'écroula. Le troisième plongea pour se mettre à l'abri, mais le faisceau de Betty le suivit. Betty et Jelly firent feu en même temps et l'homme s'effondra.

Betty refusait de considérer les morts comme des gens. L'heure n'était pas aux sentiments. Elle éclaira la salle. Ce qu'elle vit lui réjouit le cœur. C'était selon toute probabilité la pièce qu'elle cherchait.

À un mètre environ d'un long mur se dressaient deux étagères allant du sol au plafond, hérissées de milliers de fiches électriques soigneusement alignées. Les câbles téléphoniques venant de l'extérieur passaient par le mur en faisceaux reliés à l'arrière des fiches se trouvant sur l'étagère la plus proche. Plus loin, d'autres câbles partaient des fiches vers le plafond jusqu'aux autocommutateurs du rez-de-chaussée. Sur le devant, un enchevêtrement cauchemardesque de jarretières reliait les fiches de la première étagère à celles de la seconde. Betty regarda Greta.

— Alors ?

Fascinée, Greta examinait l'installation à la lueur de sa propre lampe.

— C'est le RP — le répartieur principal, dit-elle. Mais c'est un système un peu différent de celui que nous utilisons en Angleterre.

Betty dévisagea Greta d'un air surpris. Quelques minutes plus tôt, celle-ci avait déclaré qu'elle avait trop peur pour continuer. Voilà maintenant que le meurtre de trois hommes la laissait indifférente.

Le long du mur du fond, on apercevait d'autres appareils.

— Et là-bas ? demanda Betty.

Greta braqua le faisceau de sa torche.

— Ce sont des amplificateurs et un équipement de circuits porteurs pour les lignes à longue distance.

— Bon. Montre à Jelly où placer les charges.

Elles se mirent toutes les trois au travail. Greta ouvrit les paquets de papier végétal enveloppant les pains de plastic tandis que Betty découpait des longueurs de cordeaux qui devraient brûler d'un centimètre par seconde.

— Je vais découper tous les cordeaux par segment de trois mètres, dit Betty. Ça nous donnera exactement cinq minutes pour filer.

Jelly procéda à l'assemblage : cordeau, détonateur et amorce. Éclairée par Betty, Greta modelait les charges sur le châssis des parties vulnérables tandis que Jelly enfonçait l'amorce dans la pâte molle de l'explosif.

En cinq minutes, tout le matériel était hérissé de charges. Les cordeaux étaient tous reliés à une source commune où ils se rejoignaient si bien qu'une seule étincelle servirait à les allumer tous ensemble.

Jelly prit une bombe thermique, un boîtier noir ayant à peu près la forme et les dimensions d'une boîte de soupe contenant une fine poudre d'oxyde d'aluminium et d'oxyde de fer. L'engin dégagerait une chaleur intense et libérerait les flammes. Elle ôta le couvercle pour libérer deux amorces et plaça l'engin sur le sol auprès du répartiteur principal.

— Il doit y avoir quelque part ici, dit Greta, des milliers de fiches indiquant les connexions des circuits. Nous devrions les brûler. De cette façon, il faudra deux semaines à l'équipe de réparation plutôt que deux jours pour refaire les branchements des câbles.

Betty ouvrit le placard et trouva quatre classeurs contenant des diagrammes soigneusement ordonnés.

— C'est ce que nous cherchons ?

Greta examina une fiche à la lueur de sa torche.

— Oui.

— Éparpille-les autour de la bombe. Ça prendra feu tout de suite.

Betty répandit les fiches sur le sol. Jelly déposa au fond de la pièce un petit générateur d'oxygène.

— Ça brûlera encore plus fort, dit-elle. En général, on n'arrive qu'à brûler les cadres en bois et l'isolant qui entoure les câbles mais avec ça le cuivre des câbles devrait fondre.

Tout était prêt.

Betty promena autour de la salle le faisceau de sa torche.

Les murs extérieurs étaient en vieilles briques, mais de légères cloisons de bois séparaient les pièces. L'explosion les anéantirait et le feu ne tarderait pas à gagner le reste du sous-sol.

Cinq minutes s'étaient écoulées depuis que les lumières s'étaient éteintes.

Jelly prit un briquet.

— Vous deux, dit Betty, gagnez l'extérieur. Jelly, en partant, arrête-toi dans la salle du générateur et perce un trou dans le conduit d'alimentation en carburant, là où je t'ai montré.

— Entendu.

— Rendez-vous chez Antoinette.

— Et vous, demanda Greta d'un ton anxieux, où allez-vous ?

— Trouver Ruby.

— Vous avez cinq minutes, la prévint Jelly.

Betty acquiesça.

Jelly alluma le cordeau.

Quand Dieter émergea de l'obscurité du sous-sol dans la pénombre de l'escalier, il remarqua l'absence de sentinelle à l'entrée. Sans doute les hommes étaient-ils allés chercher de l'aide, mais ce manque de discipline l'exaspérait. Ils auraient dû rester à leur poste.

Peut-être les avait-on obligés à partir. Les avait-on emmenés sous la menace d'un fusil ? Une attaque contre le château avait-elle déjà commencé ?

Il grimpa les marches quatre à quatre. Au rez-de-chaussée, aucune trace de lutte. Les standardistes continuaient à travailler : le réseau téléphonique opérait sur un circuit distinct de l'installation électrique du bâtiment et il passait encore assez de lumières par les fenêtres pour qu'on puisse voir les autocommutateurs. Il traversa en courant le réfectoire, se précipitant vers l'arrière du château où se trouvaient les ateliers d'entretien mais, au passage, il examina la cuisine où il vit trois soldats en salopette qui contemplaient une boîte de fusibles.

— Il y a une coupure de courant au sous-sol, leur dit Dieter.

— Je sais, dit un des hommes qui avait des galons de sergent sur sa chemise. Tous ces fils ont été coupés.

— Alors, fit Dieter en haussant le ton, prenez vos outils et rebranchez-les. Ne restez pas là à vous gratter la tête comme un idiot !

— Bien, major.

— Je crois, dit un jeune cuistot embarrassé, que c'est le four électrique, major.

— Que s'est-il passé ? aboya Dieter.

— Eh bien, major, on nettoyait derrière le four et il y a eu un bang...

— Qui ça ? Qui nettoyait ?

— Je ne sais pas, major.

— Un soldat, quelqu'un que vous avez reconnu ?

— Non, major... juste une femme de ménage.

Dieter ne savait que penser. De toute évidence on attaquait le château. Mais où était l'ennemi ? Il sortit de la cuisine, fonça vers l'escalier et monta jusqu'au bureau du premier étage.

Au passage, quelque chose arrêta son regard et il se retourna. Une grande femme en blouse de femme de ménage remontait du sous-sol avec un seau et un balai.

Étonné, il s'arrêta pour la regarder. Elle n'aurait pas dû être là. Les Allemands seuls avaient accès au sous-sol. Évidemment, il aurait pu arriver n'importe quoi dans la confusion d'une coupure de courant. Or le cuisinier avait rendu responsable une femme de ménage de la panne d'électricité. Il se rappela sa brève conversation avec la surveillante des standardistes. Il n'y avait pas de nouvelles parmi elles — mais il n'avait pas posé de questions à propos des femmes de ménage françaises.

Il revint sur ses pas et la retrouva au rez-de-chaussée.

— Pourquoi étiez-vous au sous-sol ? lui demanda-t-il en français.

— J'étais allée faire le ménage, mais il n'y a pas de lumière. Dieter fronça les sourcils. Elle parlait français avec un accent qu'il n'arrivait pas tout à fait à situer.

— Vous n'êtes pas censée aller là-bas, dit-il.

— Je sais, le soldat me l'a dit : ils font le ménage eux-mêmes, je ne savais pas.

Elle n'avait pas l'accent anglais, se dit Dieter. Mais qu'était-il donc ?

— Depuis combien de temps travaillez-vous ici ?

— Ça ne fait qu'une semaine et jusqu'à aujourd'hui j'ai toujours fait le ménage en haut.

L'histoire était plausible, mais Dieter ne s'en contenta pas.

— Venez avec moi.

Il la prit solidement par le bras et lui fit traverser la cuisine sans qu'elle oppose de résistance.

— Reconnaissez-vous cette femme ? demanda Dieter au cuistot.

— Oui, major. C'est elle qui nettoyait derrière le four.

— C'est vrai ? fit Dieter en la regardant.

— Oui, monsieur, je suis désolée si j'ai endommagé quelque chose.

— Vous êtes allemande, dit-il, reconnaissant son accent.

— Non, monsieur.

— Saleté de traître. Il se tourna vers le cuisinier. Tenez-la bien et suivez-moi. Elle va tout me dire.

Betty ouvrit la porte avec la mention « salle d'interrogatoire », elle entra, ferma la porte derrière elle et promena dans la pièce le faisceau de sa torche.

Elle aperçut une méchante table en bois blanc avec des cendriers, quelques chaises et un bureau métallique. Mais personne.

Elle était surprise. Elle avait repéré les cellules qui bordaient le couloir et avait regardé avec sa lampe à travers le judas de chaque porte. Les cellules étaient vides : les prisonniers ramassés par la Gestapo depuis huit jours, y compris Gilberte, avaient dû être emmenés ailleurs ou exécutés. Mais Ruby devait bien être quelque part.

Là-dessus, elle remarqua sur sa gauche une porte qui devait donner sur une pièce voisine. Elle éteignit sa torche, ouvrit la porte, s'avança, la referma et ralluma sa lampe.

Elle vit tout de suite Ruby, allongée sur quelque chose qui ressemblait à une table d'opération. Des courroies spécialement conçues lui attachaient les poignets et les chevilles et l'empêchaient de bouger la tête. Un fil qui partait d'un appareil électrique remontait sous sa jupe. Betty devina aussitôt ce qu'on avait fait à Ruby et eut un sursaut horrifié. Elle s'approcha de la table

— Ruby, tu m'entends ?

Ruby poussa un gémissement. Betty sursauta : elle était encore en vie.

— Je vais te libérer, dit-elle en posant sa Sten sur la table.

Ruby s'efforçait de parler, mais elle n'arrivait qu'à pousser des gémissements. Betty s'empressa de déserrer les sangles qui attachaient Ruby à la table.

— Betty, dit enfin Ruby.

— Quoi ?

— Derrière vous.

Betty fit un bond de côté. Un objet lourd lui effleura l'oreille et s'abattit violemment sur son épaule gauche. Elle poussa un cri de douleur, lâcha sa torche et s'écroula. En touchant le sol, elle roula de côté pour s'éloigner le plus possible et empêcher son assaillant de la frapper une nouvelle fois.

Le spectacle de Ruby l'avait tellement secouée qu'elle n'avait pas inspecté toute la pièce avec sa lampe. Quelqu'un rôdait dans l'ombre, attendant l'occasion, et s'était sans bruit glissé derrière elle.

Elle avait le bras gauche totalement engourdi. Elle se servit de sa main droite pour chercher à tâtons sa torche mais, avant qu'elle l'eût trouvée, il y eut un déclic et tout se ralluma.

Clignant les yeux, elle distingua un homme petit et trapu avec une tête ronde et des cheveux taillés en brosse. Ruby se tenait derrière lui. Dans l'obscurité, elle avait ramassé ce qui avait l'air d'être une barre d'acier qu'elle brandissait au-dessus de sa tête. Dès que les lumières revinrent, Ruby vit l'homme, pivota vers lui et lui abattit de toutes ses forces la barre d'acier sur la tête. C'était un coup à assommer un bœuf, l'homme s'affala sur le sol et ne bougea plus.

Betty se leva. Retrouvant rapidement les sensations de son bras, elle ramassa sa mitraillette. Ruby était agenouillée au-dessus du corps inanimé.

— Je vous présente le sergent Becker.

— Ça va ? demanda Betty.

— Ça me fait un mal de chien, mais je vais me rattraper sur cette ordure.

Empoignant Becker par le devant de sa tunique, Ruby le souleva puis, non sans mal, le poussa sur la table d'opération.

Il poussa un gémissement.

— Il revient à lui ! dit Betty. Je vais l'achever.

— Donnez-moi dix secondes.

Ruby allongea les bras et les jambes de l'homme, passa les

sangles sur ses poignets et sur ses chevilles, puis lui bloqua la tête pour l'empêcher de bouger. Elle prit ensuite l'embout cylindrique de l'appareil à électrochocs et le lui fourra dans la bouche. Il suffoqua, s'étrangla, mais il ne pouvait pas bouger la tête. Elle prit un rouleau de chatterton, en arracha un bout avec ses dents et colla soigneusement le cylindre pour qu'il ne lui sorte pas de la bouche. Puis elle s'approcha de l'appareil et abaissa la mannette. Il y eut un sourd bourdonnement. L'homme poussa un hurlement étouffé. Des convulsions lui secouèrent le corps. Ruby le regarda un moment puis dit :

— Allons-y.

Elles sortirent, laissant le sergent Becker se tordre sur la table en piaillant comme un porc à l'abattoir.

Betty jeta un coup d'œil à sa montre : deux minutes s'étaient écoulées depuis que Jelly avait allumé les cordeaux.

Elles traversèrent la salle d'interrogatoire et débouchèrent dans le couloir. L'agitation suivant le début de la panne s'était calmée. Il n'y avait dans l'entrée que trois soldats qui discutaient calmement. Betty s'approcha rapidement, Ruby sur ses talons.

Le premier réflexe de Betty avait été de continuer en passant devant les soldats d'un air assuré, mais elle aperçut par l'entrebâillement de la porte la haute silhouette de Dieter Franck qui s'avançait suivi de trois autres personnes qu'elle ne distinguait pas bien. Elle s'arrêta brusquement, Ruby lui heurta le dos. Betty se tourna vers la porte la plus proche où l'on pouvait lire « salle radio ». Elle l'ouvrit. Personne. Elles entrèrent.

Elle laissa la porte entrouverte, ce qui lui permit d'entendre le major Franck aboyer en allemand :

— Capitaine, où sont les deux hommes qui devraient garder cette entrée ?

— Je ne sais pas, major, je me le demandais.

Betty ôta le silencieux de sa Sten et mit son arme en position de tir rapide. Elle n'avait jusqu'à maintenant utilisé que quatre balles : il en restait vingt-huit dans le chargeur.

— Sergent, montez la garde avec le caporal. Capitaine, allez au bureau du major Weber et dites-lui que le major Franck lui recommande vivement de faire sans tarder une fouille du sous-sol. Allez, et que ça saute !

Un instant plus tard, Betty entendit Franck passer devant la salle radio. Elle attendit, écoutant. Une porte claqua. Elle jeta un coup d'œil dans le couloir. Franck avait disparu.

— Allons-y, dit-elle à Ruby.

Elles sortirent de la salle radio et se dirigèrent vers l'entrée principale.

— Qu'est-ce que vous faites ici ? demanda le caporal en français.

Betty avait une réponse toute faite.

— Mon amie Valérie est nouvelle et, dans la confusion de la coupure de courant, elle s'est trompée de chemin.

— Il fait encore jour là-haut, fit le caporal d'un ton méfiant. Comment a-t-elle pu se perdre ?

— Je suis vraiment désolée, monsieur, dit Ruby. Je croyais que je devais faire le ménage ici, et personne ne m'a arrêtée.

— Caporal, dit le sergent en allemand, nous sommes censés les empêcher d'entrer et non les garder à l'intérieur.

Il se mit à rire et leur fit signe de passer.

Dieter attacha la prisonnière à la chaise, puis congédia le cuisinier qui l'avait accompagnée jusqu'à la cuisine. Il considéra la femme et se demanda de combien de temps il disposait. Un agent avait été arrêté devant le château. L'autre, si elle était aussi une espionne, avait été surprise en remontant du sous-sol. Les autres étaient-elles reparties ? Ou bien étaient-elles en ce moment même dans le château ? C'était exaspérant de ne pas savoir ce qui se passait. Dieter avait ordonné qu'on fouille le sous-sol. Tout ce qu'il pouvait faire de son côté, c'était interroger la prisonnière.

Dieter commença par la traditionnelle gifle en pleine figure, soudaine et démoralisante. La femme eut un sursaut de surprise et de douleur.

— Où sont vos amies ? lui demanda-t-il.

La femme avait la joue toute rouge. Il l'examina : ce qu'il vit le déconcerta. Elle avait l'air heureuse.

— Vous êtes dans le sous-sol du château, lui déclara-t-il. Derrière cette porte, c'est la chambre de torture. De l'autre côté, derrière cette cloison, se trouve le commutateur téléphonique. Nous sommes au fond d'un tunnel, dans un cul-de-sac, comme disent les Français. Si vos amies ont l'intention de faire sauter le bâtiment, vous et moi mourrons sûrement ici dans cette pièce.

Elle demeura impassible.

Peut-être le château n'allait-il pas sauter, songea Dieter. Mais alors quel était l'objectif de la mission ?

— Vous êtes allemande, dit-il. Pourquoi aidez-vous les ennemies de votre pays ?

Elle finit par parler.

— Je vais vous le dire, fit-elle avec un accent de Hambourg, le regard perdu dans le vague. Il y a bien des années, j'avais un amant qui s'appelait Manfred. Vos nazis l'ont arrêté et envoyé dans un camp. Je crois qu'il est mort là-bas — je n'ai jamais eu de nouvelles.

Elle s'interrompit, la gorge serrée. Dieter attendit. Au bout d'un moment, elle poursuivit.

— Quand ils me l'ont pris, j'ai juré que je me vengerais. Eh bien, ça y est, fit-elle avec un sourire radieux. Votre abominable régime est presque mort et j'ai contribué à le détruire.

Quelque chose clochait. Elle parlait comme si le commando avait déjà réussi. En outre, le courant avait été coupé puis était revenu. Cette panne avait-elle déjà rempli son office ? Cette femme ne manifestait aucune crainte. Peut-être lui était-ce égal de mourir ?

— Pourquoi a-t-on arrêté votre amant ?

— Ils disaient que c'était un pervers.

— De quel genre ?

— Il était homosexuel.

— Et il était votre amant ?

— Oui.

Dieter fronça les sourcils. Puis il regarda plus attentivement la femme. Elle était grande, large d'épaules et, sous le maquillage, on voyait un nez et un menton bien masculins...

— Vous êtes un homme ? dit-il stupéfait.

Elle se contenta de sourire. Un terrible soupçon venait à l'esprit de Dieter.

— Pourquoi me racontez-vous cela ? Vous essayez de m'occuper pendant que vos amis s'enfuient ? Vous sacrifiez votre vie pour assurer la réussite de la mission...

Un faible bruit vint interrompre le cours de ses réflexions. Comme un hurlement étouffé. Il se rendait compte maintenant qu'il l'avait déjà entendu à deux ou trois reprises sans s'en occuper. Le bruit semblait venir de la pièce voisine.

Dieter se leva d'un bond et entra dans la chambre de torture. Il espérait voir l'autre espionne sur la table et ce fut un choc de découvrir quelqu'un d'autre. C'était un homme, il s'en aperçut aussitôt mais ne le reconnut pas tout de suite car le visage était déformé : la mâchoire disloquée, les dents brisées, les joues souillées de sang et de vomissures. Il reconnut alors la silhouette trapue du sergent Becker. Les fils sortant de l'appareil à électrochocs aboutissaient à sa bouche. Dieter comprit que l'embout de la canule se trouvait dans la bouche de Becker, attachée par du chatterton. Becker vivait toujours, secoué de convulsions et poussant des cris abominables.

Horrifié, Dieter s'empressa d'arrêter la machine. Les convulsions cessèrent. Dieter saisit le fil électrique et le tira d'un coup sec. La canule sortit de la bouche de Becker. Il la jeta sur le sol. Il se pencha sur la table.

— Becker ! Vous m'entendez ? Que s'est-il passé ?

Pas de réponse.

Là haut, tout était normal. Betty et Ruby passèrent rapidement devant les standardistes qui, derrière leur tableau, murmuraient à mi-voix dans leur casque tout en enfonçant des fiches dans des plots, branchant entre eux les décideurs à Berlin, à Paris et en Normandie. Betty consulta sa montre : dans deux minutes exactement toutes ces liaisons allaient être coupées et la machine militaire allait s'écrouler, laissant un amas de composants isolés hors d'état de fonctionner. Maintenant, se dit Betty, il s'agit de s'en aller d'ici...

Elles sortirent du château sans incident. Dans quelques secondes, elles seraient sur la place de la ville. Elles y étaient presque. Mais dans la cour elles rencontrèrent Jelly qui revenait sur ses pas.

— Où est Greta ? dit-elle.

— Elle était avec toi ! répondit Betty.

— Je me suis arrêtée, comme vous me l'aviez dit, pour placer une charge d'explosif contre la canalisation de fioul dans la salle du générateur. Greta est partie en avant, mais elle n'est jamais arrivée chez Antoinette. Je viens de rencontrer Paul : il ne l'a pas vue. Je revenais la chercher. Jelly tenait à la main un paquet enveloppé dans du papier. J'ai dit à la sentinelle de la grille que j'étais juste sortie chercher mon casse-croûte.

Betty était consternée.

— Bon sang... Greta doit être à l'intérieur !

— Je retourne la chercher, déclara Jelly d'un ton déterminé. Elle m'a sauvée de la Gestapo à Chartres, je ne peux pas la laisser tomber.

— Nous avons moins de deux minutes, fit Betty en regardant sa montre. Allons-y !

Elles s'engouffrèrent à l'intérieur. Les standardistes les dévisagèrent en les voyant traverser les salles en courant. Betty se posait déjà des questions : en tentant de sauver un membre de leur équipe, allait-elle en sacrifier deux autres — et se sacrifier aussi ?

En arrivant au pied de l'escalier, Betty s'arrêta. Les deux soldats qui leur avaient permis de sortir du sous-sol en plaisantant n'allaient pas les laisser recommencer si facilement.

— Comme tout à l'heure, dit-elle calmement. Approche des gardes d'un air innocent et tire au dernier moment.

D'en haut, une voix dit :

— Qu'est-ce qui se passe ici ?

Betty s'immobilisa.

Elle regarda par-dessus son épaule. Quatre hommes en haut de l'escalier descendaient du premier étage. L'un d'eux, en uniforme de major, braquait un pistolet sur elle. Elle reconnut le major Weber.

C'était le groupe à qui Dieter Franck avait ordonné de fouiller le sous-sol. Il surgissait juste au plus mauvais moment.

Betty se maudit d'avoir pris cette stupide décision qui allait maintenant faire quatre victimes au lieu d'une.

— Je vous trouve des airs de conspiratrices, dit Weber.

— Qu'est-ce que vous nous voulez ? lança Betty. Nous sommes les femmes de ménage.

— Peut-être bien. Mais il y a dans le secteur une équipe de femmes agents secrets.

Betty feignit le soulagement.

— Ah, bon, dit-elle. Si vous cherchez des agents ennemis, nous ne risquons rien. J'avais peur que vous ne soyez pas content du ménage.

Elle eut un rire forcé. Ruby fit chorus. Mais tout cela sonnait faux.

— Levez les mains en l'air, dit Weber.

Son poignet à cet instant passa à la hauteur de son visage et Betty regarda sa montre.

Encore trente secondes.

— Descendez l'escalier, ordonna Weber.

À contrecœur, Betty descendit. Ruby et Jelly avançaient avec elle et les quatre hommes suivaient. Elle allait aussi lentement qu'elle le pouvait en comptant les secondes.

Elle s'arrêta au pied des marches. Vingt secondes.

— Encore vous ? dit un des gardes.

— Adressez-vous à votre major, répliqua Betty.

— Avancez, dit Weber.

— Je croyais que nous n'étions pas censées mettre les pieds au sous-sol.

— Je vous dis d'avancer !

Cinq secondes.

Elles franchirent la porte du sous-sol.

Il y eut un formidable bang.

Tout au bout du couloir, les cloisons de la salle de l'équipement téléphonique explosèrent. On entendit une succession de chocs sourds. Des flammes jaillirent des débris. Betty fut renversée par le souffle.

Elle se releva sur un genou, tira la mitraillette de sous sa blouse et pivota sur place. Jelly et Ruby l'entouraient. Les gardes du sous-sol, Weber et les trois autres étaient déjà tombés par terre. Betty pressa la détente.

Des six Allemands, seul Weber avait gardé sa présence d'esprit. Tandis que Betty tirait une rafale, Weber fit feu avec son pistolet. Auprès de Betty, Jelly qui essayait de se relever poussa un cri et retomba. Là-dessus, Betty toucha Weber en pleine poitrine et il s'écroula.

Betty vida son chargeur dans les six corps étendus sur le sol. Elle l'éjecta, en prit un autre dans sa poche et le mit en place.

Ruby se pencha sur Jelly, chercha son pouls. Au bout d'un moment, elle releva la tête.

— Morte, annonça-t-elle.

Betty regarda vers le fond du couloir, là où se trouvait Greta. Des flammes sortaient de la salle du matériel téléphonique, mais les murs de la salle d'interrogatoire semblaient intacts.

Elle se précipita vers le brasier.

Dieter se retrouva allongé sur le sol sans comprendre comment il était arrivé là. Il entendit le grondement des flammes et une odeur de fumée. Il se releva et regarda la salle d'interrogatoire.

Il se rendit compte aussitôt que les murs de briques de la chambre de torture lui avaient sauvé la vie. La cloison qui séparait la salle d'interrogatoire de celle où se trouvait l'installation téléphonique avait disparu. Le prisonnier ou la prisonnière avait subi le même sort et gisait sur le sol toujours ligoté à la chaise, le cou penché suivant un angle abominable qui indiquait qu'il avait été brisé et qu'on n'avait plus affaire qu'à un cadavre. La salle où se trouvait le matériel téléphonique était en flammes et le feu se propageait rapidement.

Dieter comprit qu'il n'avait que quelques secondes pour s'enfuir. La porte de la salle d'interrogatoire s'ouvrit et Betty Clairet apparut, tenant une mitraillette.

Elle portait une perruque noire de guingois qui révélait dessous des cheveux blonds. Un peu rouge, le souffle court, une lueur sauvage dans le regard, elle était superbe.

Si à cet instant il avait eu un pistolet à la main, il l'aurait abattue dans un accès de rage aveugle. Elle représenterait pourtant une prise de choix s'il la capturait vivante, toutefois il était si exaspéré et humilié par tout ce qu'elle avait réussi et ce que lui avait manqué qu'il n'aurait pas pu se maîtriser.

Mais c'était elle qui avait l'arme.

Tout d'abord, elle ne vit pas Dieter : elle fixait le corps de sa camarade. La main de Dieter glissa sous sa tunique. À cet instant, elle releva les yeux et croisa son regard. Il vit à son visage qu'elle savait qui il était. Elle savait contre qui elle luttait depuis neuf jours. Une lueur triomphale passa dans son regard. Mais il vit aussi dans la crispation de sa bouche la soif de vengeance tandis qu'elle braquait sa mitraillette sur lui et faisait feu.

Dieter recula dans la chambre de torture tandis que les balles faisaient jaillir du mur des fragments de brique. Il tira de son étui son Walther P38 automatique, ôta le cran de sûreté et le braqua sur l'encadrement de la porte, en attendant que Betty avance.

Elle ne bougea pas.

Il attendit quelques secondes, puis se risqua à regarder.

Betty avait disparu.

Il se précipita dans la salle d'interrogatoire en feu, ouvrit toute grande la porte et avança dans le couloir. Betty et une autre femme couraient tout au fond. Il braqua son pistolet tandis qu'elles sautaient par-dessus un groupe de corps en uniforme gisant sur le sol. Il allait tirer quand une brûlure lui déchira le bras. Poussant un cri, il lâcha son arme. Il constata que sa manche était en feu et arracha sa veste.

Quand il releva les yeux, les femmes avaient disparu.

Dieter ramassa son pistolet et se lança à leur poursuite. Tout en courant, il sentit une odeur de fioul. Il devait y avoir une fuite — ou peut-être les saboteurs avaient-ils percé une canalisation. D'une seconde à l'autre, le sous-sol allait exploser comme une bombe géante.

Mais il pourrait encore attraper Betty.

Il fonça et s'engagea dans l'escalier.

Dans la chambre de torture, l'uniforme du sergent Becker commençait à se consumer.

La chaleur et la fumée lui firent reprendre connaissance : il appela à l'aide, mais personne n'entendait.

Il se débattit pour se dégager des sangles qui le ligotaient, comme tant de ses victimes l'avaient fait dans le passé. Comme elles, il était impuissant.

Quelques instants plus tard, ses vêtements prirent feu. Il hurla.

Betty vit Dieter gravir les marches derrière elle, pistolet au poing. Elle craignait si elle s'arrêtait et se retournait pour le viser qu'il ait le temps de tirer le premier. Elle décida donc de continuer à courir plutôt que de s'arrêter pour se battre.

Quelqu'un avait déclenché la sirène d'incendie et elle entendait les hurlements d'un klaxon retentir dans le château tandis que Ruby et elle passaient en courant devant les autocommutateurs. Toutes les standardistes avaient quitté leur poste et se pressaient aux portes. Betty se trouva prise dans la bousculade.

La cohue empêcherait Dieter de tirer sur elle ou sur Ruby, mais les autres femmes les ralentissaient. Betty faisait des pieds et des mains sans pitié pour écarter la foule.

Elles atteignirent l'entrée et dévalèrent le perron. Sur la place, Betty aperçut la camionnette de Moulier, l'arrière tourné vers les portes du château, le moteur tournant et les portières ouvertes. Debout à côté, Paul regardait avec angoisse par les grilles. Betty se dit que c'était le plus beau spectacle qu'elle eût jamais vu.

Tandis que les femmes sortaient en foule du château, deux sentinelles les dirigeaient vers le vignoble à gauche de la cour, loin des voitures garées. Sans se soucier des signes qu'ils leur faisaient, Betty et Ruby partirent en courant vers les grilles. En voyant la mitraillette de Betty, les soldats empoignèrent leurs armes.

Paul prit un fusil et visa entre les barreaux de la grille. Deux coups de feu claquèrent, les deux soldats s'effondrèrent.

Paul repoussa la grille. Au moment où Betty franchissait le passage, des balles sifflèrent au-dessus de sa tête et frappèrent la camionnette : c'était Dieter qui tirait.

Paul sauta au volant tandis que Betty et Ruby se jetaient à l'arrière. La camionnette démarra et Betty vit Dieter courir vers le parking où était garée sa voiture bleu ciel.

Au même instant, dans les profondeurs du sous-sol, le feu atteignit les réservoirs de fioul. Il y eut un sourd grondement souterrain comme un tremblement de terre. Une explosion secoua le parking, de la terre, du gravier et des blocs de ciment furent projetés dans les airs. La moitié des voitures garées autour de la vieille fontaine furent renversées. De grosses pierres et des blocs de brique s'abattirent sur les autres. Dieter fut plaqué contre le perron. La pompe à essence s'envola dans les airs et une langue de flamme jaillit du sol à l'endroit où elle était installée. Plusieurs voitures prirent feu et leurs réservoirs d'essence se mirent à exploser l'un après l'autre. Là-dessus, la camionnette déboucha dans la rue au bout de la place et Betty n'en vit pas davantage.

Paul fonçait à tombeau ouvert, Betty et Ruby rebondissaient sur le plancher métallique de la fourgonnette. Betty peu à peu commençait à réaliser qu'elles avaient accompli leur mission. Elle avait du mal à le croire. Elle pensa à Greta et à Jelly, toutes deux mortes. À Diana et à Maude, mortes ou agonisant dans un camp de concentration et elle n'arrivait pas à se réjouir. Mais elle éprouvait un farouche sentiment de plaisir en revoyant dans son esprit la salle du matériel téléphonique en flammes et le parking qui sautait.

Elle regarda Ruby qui lui fit un grand sourire.

— On y est arrivé, dit celle-ci.

Betty acquiesça.

Ruby la prit dans ses bras et la serra contre son cœur.

— Oui, dit Betty. On y est arrivé.

Dieter se releva. Il avait mal partout, mais il pouvait marcher. Le château était en feu et le parking offrait un spectacle chaotique. Partout des femmes affolées poussaient des hurlements.

Il contempla le carnage. Le réseau Corneille avait réussi sa mission. Mais tout n'était pas encore fini. Elles étaient toujours en France. Et s'il parvenait à capturer et à interroger Betty Clairet, il pouvait encore transformer la défaite en victoire. Plus tard, ce soir, elle devait retrouver un petit avion dans un champ non loin de Reims. Il devait maintenant trouver où et quand.

Et il savait qui le lui dirait.

Son mari.

Le dernier jour

Mardi 6 juin 1944

52.

Dieter était assis sur le quai de la gare de Reims. Des cheminots français et des soldats allemands attendaient aussi, debout sous les lumières crues des lampadaires. Le train des prisonniers était en retard de plusieurs heures, mais il arrivait, on le lui avait assuré. Il devait donc attendre. C'était son dernier atout.

Il bouillait de rage. Une femme l'avait humilié et vaincu. Si ça avait été une Allemande, il aurait été fier d'elle. Il l'aurait trouvée courageuse et formidable. Il aurait même pu tomber amoureux d'elle. Mais voilà, elle appartenait au camp ennemi et chaque fois elle lui avait damé le pion. Elle avait tué Stéphanie, elle avait détruit le château et elle s'était échappée. Mais il la capturerait quand même. Alors, elle subirait des tortures qui dépasseraient tout ce que son imagination pourrait concevoir de terrifiant — et elle parlerait.

Tout le monde parlait.

Peu après minuit, le train entra en gare.

Avant que le convoi s'arrête, il remarqua la puanteur. On aurait dit des relents de cour de ferme, mais c'étaient d'écœurantes odeurs humaines.

De nombreux wagons défilèrent, aucun n'était conçu pour des passagers : wagons de marchandises, de bétail, même un wagon postal avec ses étroits hublots brisés. Dans chacun d'eux, des gens étaient entassés.

Les wagons à bestiaux avaient de hauts montants en bois où étaient percées des fentes permettant d'observer les animaux. Les prisonniers les plus proches passaient les bras par ces interstices, les mains tendues, suppliantes. Ils demandaient qu'on les laisse sortir, qu'on leur donne à manger, mais la plupart réclamaient de l'eau. Les soldats regardaient, impassibles : Dieter avait donné pour instruction qu'on ne leur donnât rien à Reims ce soir. Il avait avec lui deux caporaux SS, provenant de la garnison du château, tous deux tireurs d'élite, qu'il avait tirés des décombres de Sainte-Cécile en faisant valoir ses galons de major. Il se tourna vers eux en disant :

— Amenez-moi Michel Clairet.

Michel était enfermé dans la pièce sans fenêtre où le chef de gare entreposait l'argent. Les caporaux s'éloignèrent et revinrent, encadrant le prisonnier. Il avait les mains liées derrière le dos et les chevilles entravées. On ne lui avait rien dit de ce qui s'était passé à Sainte-Cécile. Tout ce qu'il savait, c'était que pour la seconde fois en une semaine il avait été capturé. Ce qui avait sérieusement émoussé son assurance. Il essayait bien de faire le fier, de garder le moral, mais cela ne trompait personne. Il boitait plus bas, il avait des vêtements crasseux et un air sinistre : l'air d'un vaincu.

Dieter prit Michel par le bras et l'approcha du convoi. Michel tout d'abord ne comprit pas ce qu'il regardait et son visage n'exprimait qu'un mélange de perplexité et d'appréhension. Puis, quand il aperçut les mains suppliantes et qu'il comprit les appels pitoyables, il trébucha comme si on l'avait frappé et Dieter dut le soutenir.

— J'ai besoin de renseignements, annonça Dieter.

Michel secoua la tête.

— Mettez-moi dans le train, répondit-il. Je préfère être avec eux qu'avec vous.

Cette rebuffade choqua Dieter qui resta surpris du courage de Michel.

— Dites-moi, demanda-t-il, où va se poser l'avion des Corneilles — et à quelle heure.

Michel le dévisagea.

— Vous ne les avez pas arrêtées, dit-il, l'espoir revenant sur son visage. Elles ont fait sauter le château, n'est-ce pas ? Elles ont réussi. Bien joué, Betty !

Il renversa la tête en arrière et poussa un grand cri de joie.

Dieter fit parcourir à Michel toute la longueur du train, à

pas lents, pour bien lui montrer le nombre de prisonniers et l'horreur de leur souffrance.

— L'avion, répéta-t-il.

— Dans le champ à côté de Chatelle, à trois heures du matin, répondit Michel.

Dieter était pratiquement sûr que c'était un faux renseignement. Betty devait arriver à Chatelle soixante-douze heures plus tôt, mais avait annulé l'atterrissage, sans doute parce qu'elle se méfiait d'un piège de la Gestapo. Dieter savait qu'il existait un point d'atterrissage de secours, parce que Gaston le lui avait dit. Gaston n'en connaissait que le nom de code, le Champ d'or, mais pas l'emplacement. Michel, lui, devait le connaître.

— Vous mentez, dit Dieter.

— Alors, mettez-moi dans le train, répliqua Michel.

— Il ne s'agit pas de cela, fit Dieter en secouant la tête... Rien d'aussi facile.

Il lut dans les yeux du prisonnier l'étonnement et l'ombre de la peur. Dieter le fit revenir sur ses pas et s'arrêter devant le wagon des femmes. Leurs voix suppliaient en français et en allemand, les unes invoquant la miséricorde divine, d'autres demandant aux hommes de penser à leur mère et à leur sœur, quelques-unes proposant leur corps.

Dieter fit signe à deux silhouettes dans l'ombre.

Michel leva les yeux, horrifié.

Hans Hesse émergea de la pénombre, escortant une jeune femme. Elle avait dû être belle, mais son visage était d'une pâleur de spectre, ses cheveux pendaient en mèches graisseuses et elle avait des meurtrissures sur les lèvres. Affaiblie, elle semblait avoir du mal à marcher.

C'était Gilberte.

Michel sursauta.

Dieter répéta sa question.

— Où va atterrir l'avion et quand ?

Michel ne dit rien.

— Mettez-la dans le train, ordonna Dieter.

Michel poussa un gémissement.

Un garde ouvrit la porte d'un wagon à bestiaux. Tandis que deux autres maintenaient à l'intérieur les femmes avec leur baïonnette. L'homme poussa Gilberte à l'intérieur.

— Non, cria-t-elle. Non, je vous en prie !

Le garde allait refermer la porte, mais Dieter dit :

— Attendez.

Il regarda Michel : des larmes ruisselaient sur son visage.

— Je t'en prie, Michel, je t'en supplie, fit Gilberte.

Michel hocha la tête.

— Bon, fit-il.

— Ne me mentez pas une nouvelle fois, le prévint Dieter.

— Laissez-la descendre.

— L'heure et le lieu.

— Le champ de pommes de terre à l'est de Laroque, à deux heures du matin.

Dieter regarda sa montre. Minuit et quart.

— Montrez-moi.

À cinq kilomètres de Laroque, le village de l'Épine était endormi. Un brillant clair de lune baignait la grande église. Derrière, la camionnette de Moulier était discrètement garée à côté d'une grange. Les Corneilles survivantes attendaient dans l'ombre épaisse d'un contrefort.

— Qu'est-ce que vous aimeriez maintenant ? demanda Ruby.

— Un steak, dit Paul.

— Un bon lit avec des draps propres, fit Betty. Et toi ?

— Voir Jim.

Betty se rappela que Ruby avait un faible pour le moniteur.

— J'avais cru..., puis elle s'arrêta.

— Vous aviez cru que c'était juste une passade ? fit Ruby.

Embarrassée, Betty acquiesça.

— Jim aussi, reprit Ruby. Mais j'ai d'autres projets.

— Je parie que quand vous voulez quelque chose, vous l'obtenez, fit Paul avec un petit rire.

— Et vous deux ? demanda Ruby.

— Je suis célibataire, dit Paul en regardant Betty.

Elle secoua la tête.

— Je comptais demander le divorce à Michel... mais comment aurais-je pu, au milieu d'une opération ?

— Alors, nous attendrons la fin de la guerre pour nous marier, dit Paul. Je suis patient.

C'est bien un homme, songea Betty. Il glisse l'idée de

mariage dans la conversation comme un détail mineur, comme on se demande si on va acheter un chien. Quel romantisme !

Mais, à vrai dire, elle était enchantée. C'était la seconde fois qu'il parlait mariage. Le romantisme, songea-t-elle, qu'est-ce qu'on en a à faire ?

Elle regarda sa montre. Une heure et demie.

C'est le moment d'y aller, dit-elle.

Dieter avait réquisitionné une limousine Mercedes garée devant le château qui avait survécu à l'explosion. La voiture était maintenant stationnée au bord du vignoble, à côté du champ de pommes de terre de Laroque, sous un camouflage de feuilles de vigne arrachées aux ceps. Sur la banquette arrière, Michel et Gilberte pieds et poings liés, gardés par Hans.

Dieter avait également avec lui les deux caporaux, chacun armé d'un fusil. Tous trois regardaient le champ de pommes de terre illuminé par le clair de lune.

— Les terroristes, dit Dieter, seront ici dans quelques minutes. Nous avons l'avantage de la surprise. Ils ne se doutent absolument pas que nous sommes ici. Mais n'oubliez pas, je les veux vivants — surtout leur chef, la petite femme. Il faudra tirer pour blesser, pas pour tuer.

— Nous ne pouvons pas le garantir, observa un des tireurs. Ce champ doit avoir au moins trois cents mètres de large. Disons que l'ennemi se trouve à cent cinquante mètres : à cette distance personne ne pourrait être certain de toucher aux jambes un homme qui court.

— Ils ne courront pas, dit Dieter. Ils attendent un avion. Ils doivent être alignés et braquer des torches électriques sur l'avion pour guider le pilote. Cela veut dire que, pendant plusieurs minutes, ils resteront immobiles.

— Au milieu du champ ?

— Oui.

— Alors, acquiesça l'homme, c'est faisable. Il regarda le ciel. À moins que la lune ne se cache derrière un nuage.

— Dans ce cas, au moment crucial, nous allumerons les phares de la voiture.

La Mercedes avait des phares grands comme des assiettes.

— Écoutez, dit l'autre tireur.

Ils se turent. Un véhicule à moteur approchait. Ils s'agenouillèrent tous. Malgré le clair de lune, on ne les verrait pas devant la masse sombre des vignes à condition qu'ils baissent la tête.

Une camionnette arrivant du village déboucha sur la route, tous feux éteints. Elle s'arrêta auprès de la barrière du champ de pommes de terre. Une silhouette féminine sauta à terre et ouvrit toute grande la barrière. La camionnette s'arrêta et le moteur se tut. Deux autres personnes descendirent, une femme et un homme.

— Silence maintenant, chuchota Dieter.

Le hurlement assourdissant d'un klaxon vint soudain fracasser le silence. Dieter sursauta en jurant. Le bruit venait de juste derrière lui.

— Bon Dieu ! explosa-t-il.

C'était la Mercedes. Il se releva d'un bond et se précipita sur la vitre ouverte de la portière du conducteur. Il vit tout de suite ce qui s'était passé.

Michel avait bondi en avant, en se penchant par-dessus la banquette et, sans laisser à Hans le temps de l'arrêter, il avait pressé de ses mains liées le bouton du klaxon. À la place du passager, Hans s'efforçait maintenant de le mettre en joue, mais Gilberte s'était mise de la partie et, à demi allongée sur Hans, elle le paralysait si bien qu'il devait sans cesse la repousser.

Dieter se pencha pour écarter Michel, qui résistait et Dieter, dans la position où il était, les bras tendus par la vitre ouverte, ne pouvait pas pousser bien fort. Le klaxon continuait à lancer un avertissement fracassant que les agents de la Résistance ne pouvaient manquer d'entendre.

Dieter chercha son pistolet.

Michel trouva l'interrupteur et alluma les phares de la voiture. Dieter releva la tête. Les tireurs étaient exposés comme des cibles dans la lueur éblouissante des phares. Tous deux se relevèrent, mais ils n'avaient pas pu se mettre hors de portée que jaillit du champ un crépitement de mitrailleuse. Un tireur poussa un cri, lâcha son fusil, se prit le ventre à deux mains et s'effondra sur le capot de la Mercedes ; l'autre reçut une balle en pleine tête. Dieter ressentit une violente douleur au bras gauche et poussa un cri de surprise. Là-dessus, un coup de feu claqua à l'intérieur de la voiture et Michel se mit à crier. Hans s'était enfin débarrassé de Gilberte et avait dégagé son pistolet.

Il tira encore une fois et Michel s'affala, mais il avait toujours une main sur le klaxon, le poids de son corps pesait sur son bras et le hurlement du klaxon ne s'arrêtait pas. Hans tira une troisième balle... dans un cadavre. Gilberte poussa un hurlement et se jeta de nouveau sur Hans, ses mains menottées se refermant sur le bras qui tenait le pistolet. Dieter avait dégainé son arme mais ne pouvait pas tirer sur Gilberte de crainte de toucher Hans.

Il y eut un quatrième coup de feu. C'était encore Hans qui tirait mais il tenait maintenant son arme braquée vers le haut : il venait de se tirer une balle sous le menton. Il émit un horrible gargouillis, du sang lui jaillissant de la bouche et il s'effondra contre la portière, le regard perdu dans le vide.

Dieter visa soigneusement et tira une balle dans la tête de Gilberte. Il plongea son bras droit par la vitre ouverte et repoussa le corps de Michel. Le klaxon se tut.

Il actionna le commutateur et éteignit les phares.

Il regarda le champ.

La camionnette était toujours là mais les Corneilles avaient disparu.

Il écouta. Rien ne bougeait.

Il était seul.

Betty traversa le vignoble à quatre pattes pour se diriger vers la voiture de Dieter Franck. Le clair de lune, si indispensable pour les vols clandestins au-dessus de territoires occupés, était maintenant son ennemi. Elle aurait voulu voir un nuage masquer la lune, mais pour l'instant le ciel était parfaitement dégagé. Elle avait beau ne pas s'éloigner des rangées de ceps, elle projetait sous la lune une ombre parfaitement nette.

Elle avait ordonné à Paul et à Ruby de rester en arrière, cachés au bord du champ près de la camionnette. Trois personnes faisaient trois fois plus de bruit et elle ne voulait pas que quelqu'un risque de trahir sa présence.

Tout en rampant, elle guettait un bruit d'avion. Elle devait repérer tous les ennemis qui restaient et s'en débarrasser avant l'arrivée de l'appareil. Les Corneilles ne pouvaient pas demeurer plantées au milieu du champ en brandissant des torches électriques tandis que des soldats en armes les visaient depuis le vignoble. Et, si elles n'avaient pas une torche à la main, l'avion repartirait pour l'Angleterre sans se poser. C'était une idée insoutenable.

Elle s'enfonça un peu plus parmi les vignes pour approcher la voiture de Franck par-derrière, sa mitraillette dans la main droite, prête à faire feu.

Elle arriva à la hauteur de la voiture. Franck l'avait camouflée sous du feuillage mais, en regardant entre les pieds de vigne, elle vit le clair de lune se refléter sur la lunette arrière.

Les sarments s'entrecroisaient, mais elle pouvait se glisser sous les pousses les plus basses. En passant la tête, elle inspecta la rangée suivante. Personne. Elle avança et répéta la manœuvre. Elle redoublait de précautions en approchant la voiture, mais elle ne vit âme qui vive.

Arrivée à deux rangées de son objectif, elle aperçut les roues de l'automobile et un peu de terrain alentour. Elle crut pouvoir distinguer deux corps inertes en uniforme. Combien étaient-ils au total ? C'était une longue limousine Mercedes qui pouvait facilement transporter six personnes.

Elle s'avança. Rien ne bougeait. Étaient-ils tous morts ? Ou bien y avait-il un ou des survivants dissimulés dans les parages prêts à bondir ?

Elle arriva à la voiture. Les portières étaient grandes ouvertes et plusieurs corps gisaient à l'intérieur. À l'avant, elle reconnut Michel. Elle étouffa un sanglot. C'était un mauvais mari, mais elle l'avait choisi et maintenant il était là sans vie, avec trois traces de balles cernées de rouge dans sa chemise bleue. Ce devait être lui qui avait actionné le klaxon. Dans ce cas, il était mort en lui sauvant la vie. Mais ce n'était pas le moment de penser à cela : elle y réfléchirait plus tard, si elle vivait assez longtemps.

Auprès de Michel était étendu un homme qui lui était inconnu et qui avait été abattu d'une balle dans la gorge. Il portait un uniforme de lieutenant. À l'arrière, elle aperçut d'autres corps par la portière ouverte. L'un était celui d'une femme. Elle se pencha à l'intérieur pour mieux voir et sursauta : c'était Gilberte et on aurait dit qu'elle la dévisageait. Un instant affreux s'écoula et Betty comprit que ces yeux-là ne voyaient rien, que Gilberte était morte, tuée d'une balle dans la tête.

Elle se pencha un peu plus pour regarder le quatrième cadavre. Brusquement, il se souleva. Sans lui laisser le temps de pousser un hurlement, le corps l'avait empoignée par les cheveux en enfonçant au creux de sa gorge le canon d'un pistolet.

C'était Dieter Franck.

— Lâchez votre arme, dit-il en français.

Elle tenait bien sa mitraillette dans la main droite, mais elle était braquée vers le haut et, avant qu'elle puisse la retourner contre lui, il aurait le temps de l'abattre. Elle n'avait pas le choix : elle la laissa tomber. Le cran de sûreté n'était pas mis et elle espérait un peu que, sous le choc, la mitraillette allait tirer une rafale, mais elle toucha le sol sans dommage.

— Reculez.

Il la suivit en même temps, descendant de la voiture tout en la menaçant de son arme. Il se redressa et dit en la toisant de la tête aux pieds :

— Vous êtes toute petite. Et vous avez fait tant de dégâts.

Elle vit du sang sur la manche de sa tunique et se dit qu'elle avait dû le blesser avec sa mitraillette.

— Pas seulement à moi, dit-il. Ce central téléphonique était en effet d'une importance cruciale.

— Bon, fit-elle, retrouvant sa voix.

— N'ayez pas l'air si contente de vous. Maintenant c'est à la Résistance que vous allez causer des dégâts.

Elle regretta d'avoir catégoriquement interdit à Paul et à Ruby de la suivre. Il n'y avait aucune chance maintenant qu'ils viennent à son secours.

Dieter déplaça le pistolet enfoncé contre sa gorge pour le lui braquer sur l'épaule.

— Je ne veux pas vous tuer, mais je me ferai un plaisir de vous estropier. Bien sûr, il faut que vous puissiez parler. Vous allez me donner tous les noms et toutes les adresses que vous avez dans la tête.

Elle pensa à la pilule de cyanure dissimulée dans le capuchon creux de son stylo. Aurait-elle une occasion de s'en saisir ?

— C'est dommage que vous ayez anéanti nos installations d'interrogatoire à Sainte-Cécile, reprit-il. Il va falloir que je vous conduise à Paris, où j'ai le même équipement.

Elle songea avec horreur à la table d'opération et à l'appareil à électrochocs.

— Je me demande, dit-il, ce qui va vous faire craquer. Évidemment, la simple douleur finit par briser tout le monde, mais j'ai l'impression que vous pourriez supporter la douleur plus longtemps qu'il le faudrait.

Il leva son bras gauche. Sa blessure semblait lui donner des élancements et il tressaillit, mais tint bon. Il lui toucha le visage.

— Peut-être vous enlaidir à jamais. Imaginez ce joli minois défiguré : le nez cassé, les lèvres lacérées, un œil arraché, les oreilles coupées.

Betty était au bord de la nausée, mais elle resta impassible

— Non ? demanda-t-il en lui caressant le cou, puis le sein. Humiliation sexuelle, alors. Être nue devant une foule de gens, tripotée par un groupe d'ivrognes, obligée à des accouplements obscènes avec des animaux...

— Et lequel de nous serait le plus humilié ? répliqua-t-elle d'un ton de défi. Moi, la victime impuissante... ou vous le véritable auteur de ces gestes immondes ?

Il retira sa main.

— Puis aussi, nous avons des tortures qui interdisent à jamais à une femme d'avoir des enfants.

Betty pensa à Paul et ne put réprimer un frisson.

— Ah, dit-il d'un air satisfait. Je crois que j'ai trouvé la clef pour vous faire parler.

Elle se rendit compte qu'elle avait été stupide de lui adresser la parole. Maintenant elle lui avait donné des renseignements qu'il pourrait utiliser pour briser sa volonté.

— Nous allons partir directement pour Paris, dit-il. Nous y serons à l'aube. À midi, vous me supplierez d'arrêter la torture et de vous écouter déverser tous les secrets que vous connaissez. Demain soir, nous arrêterons tous les membres de la Résistance du nord de la France.

Betty était glacée de terreur. Franck ne se vantait pas. Il en était capable.

— Je crois que vous pouvez voyager dans le coffre de la voiture, dit-il. Vous ne suffoquerez pas : ce n'est pas étanche. Mais je mettrai avec vous les corps de votre mari et de sa maîtresse. Quelques heures à rester secouée avec des morts vous mettront dans les dispositions qui conviennent, me semble-t-il.

Betty se sentit frémir de dégoût.

Appuyant toujours le pistolet contre son épaule, il fouilla dans sa poche avec son autre main. Il bougeait le bras avec précaution : sa blessure lui faisait mal mais ne le paralysait pas. Il exhiba une paire de menottes.

— Donnez-moi vos mains, dit-il.

Elle resta immobile.

— Ou bien je vous passe les menottes, ou bien je peux rendre vos bras inutiles en vous tirant une balle dans chaque épaule.

Désemparée, elle tendit les mains.

Il referma une menotte autour de son poignet gauche. Elle lui tendit la droite. Ce fut alors qu'elle tenta l'ultime geste désespéré.

De sa main gauche menottée, elle le frappa de côté, si bien qu'elle n'avait plus le pistolet contre l'épaule. En même temps, elle se servit de sa main droite pour dégainer le petit poignard caché derrière le revers de sa veste.

Il recula en trébuchant, mais pas assez vite.

Elle se précipita et lui enfonça son poignard directement dans l'œil gauche. Il tourna la tête, mais le couteau était déjà en place, et Betty avança encore, plaquant son corps contre le sien, la lame lui labourant l'orbite. Un mélange de sang et d'un liquide visqueux jaillit de la plaie. Franck poussa un hurlement de douleur et se mit à tirer, mais les balles se perdaient dans le vide.

Il recula en chancelant mais elle le suivit, enfonçant toujours plus avant son poignard qui n'avait pas de garde. Elle continua jusqu'au moment où elle lui avait plongé dans la tête ses huit centimètres de lame. Il bascula en arrière et heurta le sol.

Elle se laissa tomber sur lui, les genoux sur sa poitrine et elle sentit des côtes se briser. Il lâcha son pistolet et ses deux mains remontèrent vers son œil pour essayer de saisir le couteau, mais il était enfoncé trop profondément. Betty saisit le Walther P38. Elle se redressa, le tenant à deux mains et le braqua sur Franck.

Là-dessus, il cessa de bouger.

Elle entendit un martèlement de pas et Paul arriva en courant.

— Betty ! Ça va ?

Elle acquiesça de la tête.

Elle avait toujours le Walther braqué sur Dieter Franck.

— Je ne pense pas que ce soit nécessaire, murmura Paul.

Au bout d'un moment, il lui repoussa les mains puis lui prit doucement le pistolet et remit en place le cran de sûreté. Ruby surgit.

— Écoutez ! cria-t-elle. Écoutez !

Betty entendit le vrombissement d'un Hudson.

— Allons-y, dit Paul.

Ils se précipitèrent dans le champ pour faire des signaux à l'avion qui allait les ramener en Angleterre.

Ils traversèrent la Manche par un vent violent et sous des rafales de pluie. Profitant d'une accalmie, le navigateur revint dans le compartiment des passagers pour leur dire :

— Vous voudriez peut-être jeter un coup d'œil dehors.

Betty, Ruby et Paul sommeillaient. Le plancher métallique était dur, mais ils étaient épuisés. Betty, blottie dans les bras de Paul, n'avait aucune envie de bouger.

Le navigateur insista.

— Vous feriez mieux de vous dépêcher avant que ça se couvre de nouveau. Vous ne reverrez jamais ça même si vous vivez jusqu'à cent ans.

La curiosité l'emporta sur l'épuisement de Betty. Elle se leva et s'approcha d'un pas incertain du petit hublot rectangulaire. Ruby en fit autant. Le pilote obligeamment amorça un virage sur l'aile.

La mer était agitée, et le vent soufflait en tempête, mais la lune était pleine et elle distinguait clairement la scène. Au début, elle n'en croyait pas ses yeux. Juste sous l'appareil se trouvait un navire de guerre peint en gris hérissé de canons. À côté, un petit paquebot d'une blancheur éblouissante dans le clair de lune. Derrière eux, un vieux vapeur tout rouillé tanguait dans la houle. Plus loin et derrière, des cargos, des transports de troupes, de vieux ravitailleurs fatigués et de grandes péniches de débarquement. Aussi loin que pouvait porter son regard, Betty voyait des navires par centaines.

Le pilote vira sur l'autre aile : de l'autre côté, c'était le même spectacle.

— Paul, regarde ça ! cria-t-elle.

Il vint s'installer auprès d'elle.

— Bon sang ! fit-il. Je n'ai jamais vu autant de navires de toute ma vie !

— C'est le débarquement ! dit-elle.

— Regardez devant, dit le navigateur.

Betty entra dans le poste de pilotage et regarda par-dessus l'épaule du pilote. Les navires recouvraient la mer comme un tapis s'étendant sur des kilomètres. Elle entendit Paul dire d'un ton incrédule :

— Je ne savais qu'il y avait autant de navires dans ce foutu monde.

— Combien croyez-vous qu'il y en ait ? demanda Ruby.

— J'ai entendu cinq mille, précisa le navigateur.

— Stupéfiant, fit Betty.

— Je donnerais cher pour être de la partie, pas vous ?

Betty regarda Paul et Ruby, et ils sourirent tous les trois.

— Oh ! mais si, dit-elle. On en fait partie.

Un an plus tard

Mercredi 6 juin 1945

53.

L'artère londonienne qu'on appelle Whitehall est bordée d'imposantes constructions incarnant la splendeur de l'Empire britannique comme on l'a connu cent ans plus tôt. À l'intérieur, on avait divisé un grand nombre des vastes salons avec leurs hautes fenêtres par des cloisons de fortune pour les transformer en bureaux pour les fonctionnaires subalternes et en salles de réunion pour les groupes de moindre importance. En tant qu'annexe d'une sous-commission, le Groupe de travail des décorations pour actions clandestines était réuni dans une pièce sans fenêtre de trente mètres carrés avec une immense cheminée glaciale qui occupait la moitié d'un mur.

Simon Fortescue, du MI6, présidait la réunion, vêtu d'un costume rayé, d'une chemise et d'une cravate rayées. Le Special Operations Executive était représenté par John Graves, du ministère de la Guerre économique qui en théorie avait coiffé le SOE pendant toute la guerre. Comme les autres fonctionnaires de la commission, Graves arborait l'uniforme de Whitehall : veston noir et pantalon gris à rayures. L'évêque de Marlborough était là dans sa robe violette, sans doute pour conférer une dimension morale à cette cérémonie destinée à honorer des hommes pour avoir tué un certain nombre de leurs semblables. Le colonel Algernon « Nobby » Clarke, un officier de renseignement, était le seul membre de la commission à avoir vu le feu durant la guerre.

La secrétaire servit le thé et on fit circuler un plateau de biscuits tandis que les hommes délibéraient.

Ce fut vers le milieu de la matinée qu'on en arriva au cas des Corneilles de Reims.

— Il y avait six femmes dans cette équipe, déclara John Graves, et deux seulement sont revenues. Mais elles ont détruit le central téléphonique de Sainte-Cécile où se trouvait aussi le quartier général de la Gestapo locale.

— Des femmes ? fit l'évêque. Vous avez bien dit six femmes ?

— Oui.

— Seigneur, fit-il d'un ton désapprobateur. Pourquoi des femmes ?

— Le central téléphonique était sévèrement gardé, mais elles ont pu y accéder en se faisant passer pour des femmes de ménage.

— Je vois.

Nobby Clarke, qui avait passé le plus clair de la matinée à fumer cigarette sur cigarette sans rien dire, intervint.

— Après la libération de Paris, j'ai interrogé un certain major Goedel qui avait été aide de camp de Rommel. Il m'a assuré qu'ils avaient été pratiquement paralysés par la rupture des communications le jour J. C'était à son avis un élément capital pour la réussite du débarquement. Je ne me doutais absolument pas que c'était une poignée de femmes qui en était responsable. Il me semble que nous devons envisager la Military Cross, n'est-ce pas ?

— Peut-être, dit Fortescue prenant un ton un peu collet monté. Toutefois, il y a eu des problèmes de discipline au sein de ce groupe. Une plainte officielle a été déposée contre leur chef, le major Clairet, après qu'elle eut insulté un officier des gardes.

— Insulté ? reprit l'évêque. Comment cela ?

— Au cours d'une querelle dans un bar, je crois bien qu'elle lui a dit d'aller se faire foutre, si je puis me permettre ce terme en votre présence, monseigneur.

— Bonté divine. Elle ne me paraît pas le genre de personne qu'on devrait citer en exemple pour la génération suivante.

— Exactement. Une décoration moins prestigieuse que la Military Cross, alors : le MBE, peut-être.

Nobby Clark reprit la parole.

— Je ne suis pas d'accord, fit-il doucement. Après tout, si cette femme avait été une poule mouillée elle n'aurait probablement pas été capable de faire sauter un central téléphonique sous le nez de la Gestapo.

Fortescue était agacé. Il n'avait pas l'habitude de se heurter à la moindre opposition. Il avait horreur des gens qu'il n'intimidait pas. Son regard parcourut la table.

— Il me semble que la majorité de cette assemblée soit contre vous.

Clark se rembrunit.

— Je présume que je peux exprimer une recommandation minoritaire, insista-t-il.

— Assurément, dit Fortescue. Même si je n'en vois guère l'intérêt.

Clarke tira sur sa cigarette d'un air songeur.

— Et pourquoi ?

— Le ministre prendra connaissance d'un ou deux candidats de notre liste. Dans ces cas-là, il suivra sa propre inclination, sans tenir compte de nos recommandations. Dans tous les autres cas qui ne l'intéresseront pas directement, il suivra nos suggestions. Si la commission n'est pas unanime, il tiendra compte des recommandations de la majorité.

— Je comprends, fit Clarke. Quoi qu'il en soit, j'aimerais qu'il soit noté dans le procès-verbal que je n'étais pas d'accord avec la commission et que j'ai recommandé le major Clairet pour la Military Cross.

Fortescue regarda la secrétaire, la seule femme de la pièce.

— Ne manquez pas de le noter, je vous prie, mademoiselle Gregory.

— Très bien.

Clarke éteignit sa cigarette pour en allumer une autre.

Et on en resta là.

Frau Waltraud Franck rentra chez elle de bonne humeur. Elle avait réussi à acheter un collier de mouton. C'était le premier morceau de viande qu'elle voyait depuis un mois. Elle était venue à pied de sa maison de banlieue jusqu'au centre de Cologne ravagé par les bombes et elle avait fait la queue toute la matinée devant la boucherie. Elle s'était également forcée à sourire quand le boucher, Herr Beckmann, lui avait peloté les fesses ; si elle avait protesté, elle se serait à jamais entendu déclarer après cela qu'« il n'y avait plus rien ». Mais elle pouvait bien accepter les mains baladeuses de Beckmann : un collier de mouton lui ferait trois repas.

— Je suis là, proclama-t-elle en entrant dans la maison.

Les enfants étaient à l'école, mais Dieter n'était pas sorti. Elle rangea dans l'office le précieux colis de viande. Elle garderait cela pour ce soir quand les enfants seraient là pour en profiter. Pour le déjeuner, Dieter et elle auraient de la soupe aux choux et du pain noir.

Elle entra dans le salon.

— Bonjour, chéri ! dit-elle avec entrain.

Son mari était assis près de la fenêtre, sans bouger. Un bandeau noir de pirate lui couvrait un œil. Il avait passé un de ses beaux costumes d'autrefois qui flottait aujourd'hui sur sa silhouette décharnée, il n'avait pas de cravate. Elle s'efforçait de l'habiller chaque matin avec élégance, mais elle n'avait jamais maîtrisé l'art du nœud de cravate. Il regardait dans le vide et un filet de salive s'écoulait de sa bouche entrouverte. Il ne réagit pas à son salut.

Elle en avait l'habitude.

— Figure-toi, dit-elle que j'ai rapporté un collier de mouton !

Il la fixa de son œil intact.

— Qui êtes-vous ?

Elle se pencha pour l'embrasser.

— Ce soir, nous allons avoir un ragoût. Quelle chance !

Cet après-midi-là, Betty et Paul se marièrent dans une petite église de Chelsea.

Ce fut une cérémonie toute simple. La guerre en Europe était terminée, Hitler était mort, mais les Japonais défendaient farouchement Okinawa et les Londoniens continuaient à subir le rationnement du temps de guerre. Betty et Paul étaient tous les deux en uniforme : il était très difficile de trouver du tissu pour les robes de mariée et Betty en tant que veuve n'avait pas envie de porter du blanc.

Ce fut Percy Thwaite qui conduisit Betty à l'autel. Ruby était dame d'honneur. Elle ne pouvait pas être demoiselle d'honneur car elle était déjà mariée — avec Jim, le moniteur du Pensionnat assis au deuxième rang.

Le général Chancellor était le garçon d'honneur de son fils Paul. Il était encore en poste à Londres et Betty avait fini par le connaître assez bien. Il avait dans l'Armée américaine la réputation d'être extrêmement sévère, mais avec Betty il était adorable.

Dans l'église se trouvait également Mlle Jeanne Lemas. Elle avait été déportée à Ravensbruck avec la jeune Marie ; Marie était morte là-bas, mais par miracle Jeanne Lemas avait survécu et Percy Thwaite avait fait jouer toutes ses relations afin de la faire venir à Londres pour le mariage. Elle était assise au troisième rang, coiffée d'un chapeau cloche.

Le Dr Claude Bouler lui aussi avait survécu, mais Diana et Maude étaient toutes deux mortes à Ravensbruck. Avant de mourir, Diana, racontait Mlle Lemas, était devenue une meneuse dans le camp. Tablant sur la tendance des Allemands à se montrer déférents envers l'aristocratie, elle avait bravement affronté le commandant du camp pour se plaindre des conditions d'existence et réclamer pour les détenues un meilleur traitement. Elle n'avait pas obtenu grand-chose, mais son cran et son optimisme avaient remonté le moral des déportées affamées. Plusieurs survivantes confirmaient que c'était elle qui leur avait donné la volonté de vivre.

Le service fut bref. Une fois mariés, Betty et Paul allèrent devant la chapelle recevoir les félicitations.

La mère de Paul était là aussi. Le général avait réussi à trouver pour sa femme une place sur un hydravion transatlantique. Elle était arrivée tard la veille au soir et c'était la première fois qu'elle rencontrait Betty. Elle la toisa de la tête aux pieds se demandant manifestement si cette fille était digne d'être l'épouse de son merveilleux fils. Betty se sentait un peu vexée, mais elle se dit que c'était un réflexe naturel chez une mère fière de sa progéniture et elle posa un baiser chaleureux sur la joue de Mme Chancellor.

Ils allaient vivre à Boston. Paul reprendrait la direction de son affaire de disques éducatifs. Betty comptait terminer son doctorat puis enseigner aux jeunes Américains la culture française. Le voyage de cinq jours pour traverser l'Atlantique leur tiendrait lieu de lune de miel.

La mère de Betty était là, coiffée d'un chapeau acheté en 1938. Elle pleurait, et pourtant c'était la seconde fois qu'elle voyait sa fille se marier.

La dernière personne de ce petit groupe à embrasser Betty fut son frère Mark.

Il ne manquait plus qu'une chose à Betty pour que son bonheur fût parfait. Passant le bras autour de la taille de Mark, elle se tourna vers sa mère qui ne lui adressait pas la parole depuis cinq ans.

— Regarde, maman, dit-elle. Voilà Mark.

Celui-ci avait l'air terrifié.

Sa mère hésita un long moment. Puis elle ouvrit tout grands les bras et dit :

— Bonjour, Mark.

— Oh ! maman, dit-il en la serrant contre lui.

Puis ils allèrent tous se promener sur la place ensoleillée.

En marge de l'histoire officielle

« Les femmes, habituellement, n'organisaient pas d'opérations de sabotage, mais Pearl Witherington, une femme assurant régulièrement des missions de courrier pour l'Armée britannique, reprit avec une brillante efficacité la direction d'un maquis du Berry regroupant quelque deux mille hommes après l'arrestation de son chef par la Gestapo. Elle fut chaudement recommandée pour une MC (Military Cross), décoration qu'on ne décernait jamais aux femmes ; elle reçut à la place une MBE, titre civil qu'elle refusa en faisant remarquer qu'elle n'avait eu aucune activité d'ordre civil. »

M.R.D. Foot
SOE in France
(HMSO, Londres, 1966)

Remerciements

Pour les enseignements qu'il m'a apportés et pour son avis éclairé sur le Special Operation Executive, je tiens à remercier M.R.D. Foot, sur le IIIe Reich, Richard Overy ; sur l'histoire des réseaux téléphoniques, Bernard Green ; sur les armes, Candice DeLong et David Raymond. Sur le plan de la documentation en général, je remercie, comme toujours, Dan Starer de Research for Writers, de New York, Dstarter@bellatlantic.net ; ainsi que Richard Flagg.

J'ai bénéficié de l'aide précieuse de mes éditeurs Phyllis Grann et Neil Nyren à New York, Imogen Tate à Londres, Jean Rosenthal à Paris et Helmut Pesch à Cologne ; et aussi de celle de mes agents, Al Zuckerman et Amy Berkover.

Divers membres de ma famille ont lu différentes versions de ce roman et je tiens à les remercier de leurs utiles remarques, notamment John Evans, Barbara Follett, Emmanuele Follett, Jann Turner et Kim Turner.

Table

Le huitième jour

Dimanche 4 juin 1944

Le neuvième jour

Lundi 5 juin 1944

Le dernier jour

Mardi 6 juin 1944

Un an plus tard

Mercredi 6 juin 1945

En marge de l'histoire officielle

Remerciements

Cet ouvrage a été réalisé par

FIRMIN DIDOT

GROUPE CPI

Mesnil-sur-l'Estrée

pour le compte des Éditions Robert Laffont
24, avenue Marceau, 75008 Paris
en octobre 2002

Cet ouvrage a été composé par
Graphic Hainaut (59163 Condé-l'Escaut)

N° d'édition : 43122/01 - N° d'impression : 61582
Dépôt légal : novembre 2002

Imprimé en France

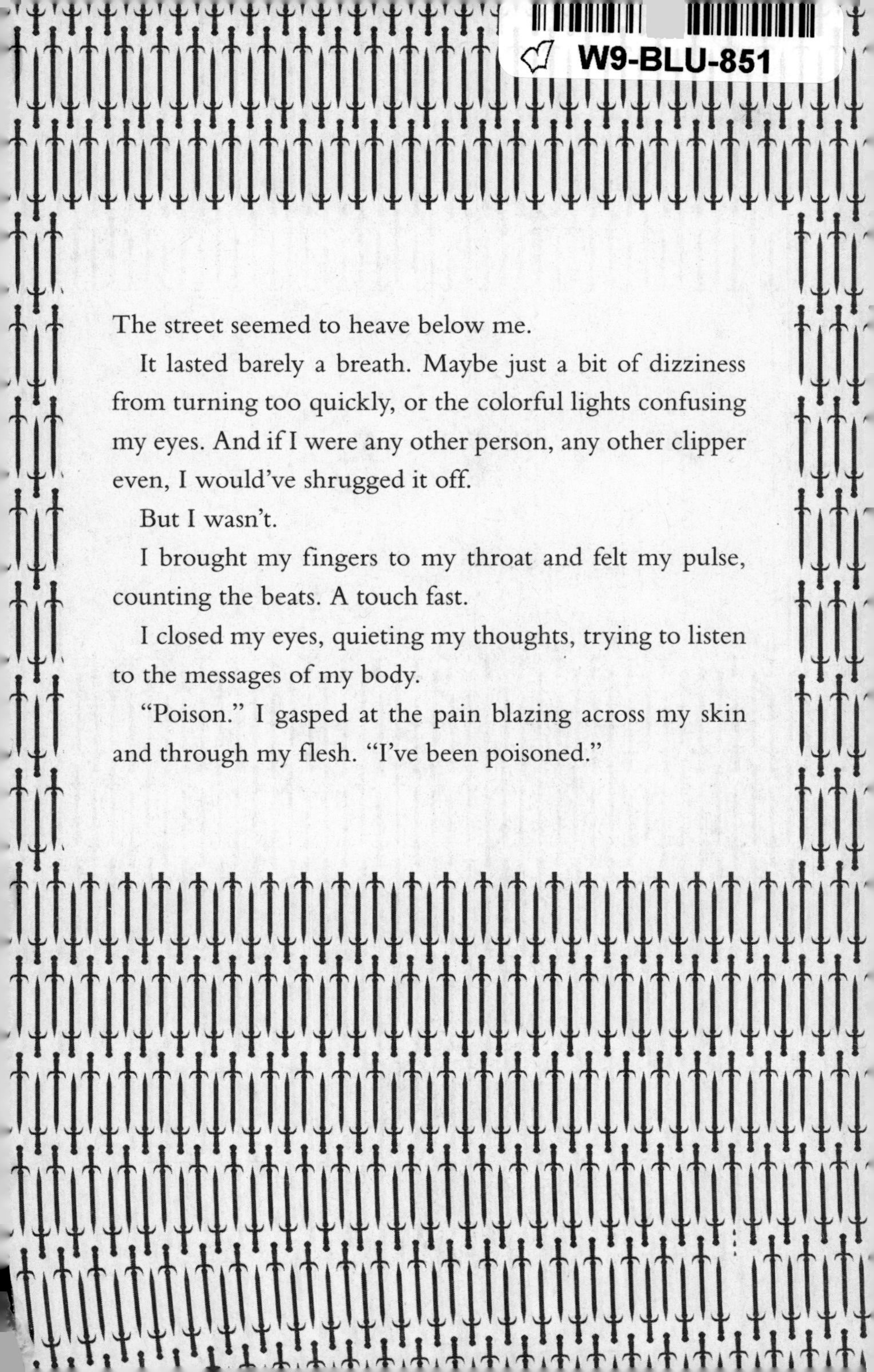

The street seemed to heave below me.

It lasted barely a breath. Maybe just a bit of dizziness from turning too quickly, or the colorful lights confusing my eyes. And if I were any other person, any other clipper even, I would've shrugged it off.

But I wasn't.

I brought my fingers to my throat and felt my pulse, counting the beats. A touch fast.

I closed my eyes, quieting my thoughts, trying to listen to the messages of my body.

"Poison." I gasped at the pain blazing across my skin and through my flesh. "I've been poisoned."

Also by Sarah Ahiers

Thief's Cunning

ASSASSIN'S HEART

SARAH AHIERS

HARPER TEEN
An imprint of HarperCollinsPublishers

HarperTeen is an imprint of HarperCollins Publishers.

Assassin's Heart
 For information address HarperCollins Children's Books, a division of HarperCollins Publishers, 195 Broadway, New York, NY 10007.
www.epicreads.com

Library of Congress Control Number: 2015943574
ISBN 978-0-06-236379-4

Typography by Kate Engbring
17 18 19 20 21 CG/LSCH 10 9 8 7 6 5 4 3 2 1
❖
First paperback edition, 2017

For Anne

Who pushed me, even when I pushed back

one

I SQUATTED QUIETLY ON THE SLOPED, TILE ROOF OF A bordello, cloak pulled around my body for warmth, bone mask secured against my face. Below me, a man stumbled across the flagstone street like a drunkard. It had taken him long enough to finish his overpriced dinner.

The man bumped into a water barrel. He removed his expensive leather hat with its elegant stitches and dunked his head into the barrel. The rainwater darkened his silk collar. I scowled beneath my mask. He shouldn't treat his silk so poorly. The man shook his hair like a shaggy dog, the water flashing in the light of the sweet-smelling oil lanterns outside the bordello.

Below, passersby took a single look at the man and veered away, pretending not to see him or his altered state. Good. My job was always easier when everyone followed the unspoken rules of the night.

Behind me, the light from the full moon dimmed. Even though it lasted less than a second, hardly noticeable to most people, my life could depend on noticing the details of my surroundings.

Someone was trying to get close to me. It was all the warning I needed.

Beneath my cloak, I freed a dagger small enough to be concealed in my palm and sleeve. I needed to be steady and calm. Panic was for amateurs and led to injury or death.

I inhaled deeply, shifting my weight from heels to toes. My fingers tightened around my knife.

A single second could be the difference between life and death. I knew better than to hesitate. I sprang backward and twisted toward the creeping figure.

I took in everything I could with my first glimpse of the attacker: a man, tall, dark cloak, dark leathers, bone mask blank of features except for eyeholes.

He dodged left, his cloak flaring wide with his movement, defensively camouflaging his shape. A trick that would work better if he'd been faster. I'd already seen his torso, his limbs, his head. The cloak wouldn't distract me.

I slid a foot behind his ankle, hooking his leg. My fists met his chest and I shoved.

He fell to the roof. Only my quick grasp of his cloak prevented him from thumping against the tiles. A fight it may've been, but neither of us wanted to draw attention. That would've been unprofessional.

His hazel eyes watched me, expression unreadable beneath

his mask. The right half was the white ivory of the bone, the left decorated with dyed red squares in a checkered pattern.

I held the knife to his throat, the sharp edge pressed against the rough hairs on his skin. Someone needed to shave.

There was a moment of quiet stillness as he thought over his next move. The excitement of the fight coursed through my veins. I smiled beneath my mask. I'd already won.

"I yield, Lea." He held up his hands in defeat, his voice muffled behind the mask.

I slipped my knife into a pocket on my sleeve and offered Val my hand. It took all my weight to pull him to his feet.

"How do you always know?" He brushed dust off his legs and flicked a leaf from his cloak.

"You blocked out the moon again."

He pushed his hood off his head and the moonlight turned his short blond hair silver. I tried not to stare, even though his leathers wrapped tightly around him, straps clinging to his arms, buckles firmly gripping his chest and body, highlighting his muscles, which I knew, like mine, came from working hard almost every night.

Of course, it wasn't just the leathers that made him look good. No one could say Valentino Da Via was not attractive as hells.

"You should know better than to try to sneak up on me," I said.

"One of these days I'll surprise you."

His face was covered by his mask, but I could picture the smirk on his lips, the playful challenge in his raised brow.

I laughed. “One of these days I may let you.”

I returned to my surveillance of my mark. The man had moved only a few steps from the barrel, arm against a wall as he caught his breath.

Val took a casual seat beside me, left leg tucked beneath him, the other bent at the knee against his chest. Unprepared and lazy.

I nudged him with my shoulder but said nothing. He hated it when I corrected him.

I could smell the oil he’d used to clean his leathers. His body heat pressed against mine, and warmth, with a thrill of something like lightning, spread through my chest.

“Have an early night?” I asked. A robed woman emerged from the door beneath us and shouted at the man before she returned inside. He had to know he was a spectacle if a prostitute took time to scold him.

Val shrugged. “No night, really. My mark didn’t show. Either got wind someone put a contract on him, or he got lucky.”

“Luck doesn’t last forever,” I quoted the familiar assassin motto.

Val grunted. “I’ll get him tomorrow night, or the next. I’m patient.”

It was easy being patient when he didn’t need the money a completed kill would bring. But it wasn’t Val’s fault he was rich, or that my Family wasn’t anymore.

Val leaned closer to me, his thigh pressed against mine. A moment later his hand followed, fingers resting on the leather-clad skin of my leg. And though I couldn't feel the circles his fingers traced, I still shivered beneath his touch.

I pulled away, every bit of me protesting.

"I'm working," I whispered, but it sounded weak even to me. "And someone could see us." That sounded even weaker. Our relationship was a secret, and the thrill of keeping ourselves hidden was half the fun.

Val chuckled. My chest tingled again, but he kept his hands to himself.

I took a slow, quiet breath.

The man below took a step, another, and then he stumbled again. I watched him closely. I was responsible for him now. He belonged to me. He wavered again, before steadying himself against the wall.

"That your mark?" Val asked.

I nodded and reached to the back of my belt for my small water skin.

"He doesn't look like much. Did he anger someone?"

"No. Personal request. Has an illness or something and wants our help to lead him to Safraella a little early." I pressed the warm metal nozzle against my lips.

Val nodded. Sometimes people paid clippers to help them commit suicide. These were always the simplest jobs. But even with a suicide request, I remained professional. It kept my skills honed if I treated every mark like they might flee or fight.

"How long are you going to watch him before you make a move?"

I swallowed the water and returned the skin to my belt. "I already did. He just doesn't realize it yet."

The man staggered a few steps into the street. I held my breath. He collapsed. Easy. Not that they always were. I cleared my throat. But it was a god's work I performed, and no one ever said Her favor came easily.

Val shook his head. "You and your poisons. When did you get him?"

"After his dinner. He always buys a wineskin from the same vendor. Wasn't hard to make sure he got one laced with something extra."

"Nice. Though I'd choose a knife in the back any day."

I nudged him again. "Be careful what you wish for in the dark, no?"

A stranger approached my mark, stared at him, then glanced around before walking away. Good man.

I stood. Val silently dropped off the roof and into a darkened alley to wait for me while I finished. No need for anyone to start a rumor about the Da Vias and Saldanas working together.

I climbed down and approached my mark. The streetlights spilled over my dark cloak. No one would bother me when I was about my work. No one would dare. Not if they valued their lives.

I hummed a song under my breath, a nursery rhyme my nursemaid used to sing to me when I was young. It was a silly little thing about falling asleep and feeling safe and warm. I'd hummed it once when I was marking my first solo kill, and the habit had stuck. It seemed right. Maybe someone would sing to me at the end of my life.

I checked the man's pulse. Quiet and still. The poison I'd used was painless. Hopefully he'd soon stand before our goddess Safraella, and She would quickly grant him a brand-new life where he'd feel safe and warm once more.

Behind me, the door to the bordello opened, pouring more light onto the street. "You there," a woman shouted. "Boy, get away from that man."

I glanced over my shoulder.

"Didn't you hear me?" The woman stepped from the doorway, her colorful skirts reflecting brightly against the lights. Her face was bare, her feather half-mask put aside now that her nightly duties were done. "Shoo! Go on before you get yourself in real trouble."

I stood and faced her.

She took one look at my mask, the right half bone white, the left half decorated in black flowers, and her painted face lost all color. She took a step away. "Clipper!" She clasped her hands together and held them to her face as she bowed her head. "I'm sorry, Mistress Saldana, I'm sorry." She backed away. "I didn't recognize you. I thought you a child trying to rob the dead."

A boy. I wasn't tall, even at seventeen, but I was certainly bigger than a child. And no child would run around wearing a dark cloak at night, unless they wanted to impersonate a clipper, and that was illegal. And a death sentence if a member of the Families caught them.

No harm done, though. I dismissed the woman with a flick of my wrist. She bowed in gratitude and slid inside. The door closed with a click.

I returned to my mark.

The street seemed to heave below me.

It lasted barely a breath. Maybe just a bit of dizziness from turning too quickly, or the colorful lights of the brothel confusing my eyes. And if I were any other person, any other clipper even, I would've shrugged it off.

But I wasn't.

I brought my fingers to my throat and felt my pulse, counting the beats. A touch fast.

I closed my eyes, quieting my thoughts, trying to listen to the messages of my body. Maybe I was being too paranoid.

My stomach rolled violently, like a snake coiling around its own tail. I shoved my mask to the top of my head and barely managed to stumble to the alley before I vomited.

My skin burned. This wasn't a normal sickness. No, this was something much worse. I quickly recalled my evening. The water skin. Which meant it was fast acting. Vomiting followed immediately by pain.

Could be three possibilities.

"Lea?" Val dashed over.

I sat on the ground, my spine pressed against a building, and tried to catch my breath. Wait—breathlessness left only two possibilities.

"What is it?" Val dropped, ignoring the puddle soaking his knees as he knelt before me. He reached out, then paused, his hands floating over my arms, unsure what to do. His wide eyes appeared white behind his mask.

My cloak bunched around me. I struggled against it, my hands shaking to reach a pouch on my belt. Limb weakness. That ruled out all but one. No time left.

I batted the cloak. Val sprang to action, jerking the cloak away from my hands and body. My stomach rolled again.

"Poison." I gasped at the pain blazing across my skin and through my flesh. "I've been poisoned."

two

'GODS, LEA!' VAL PUSHED HIS MASK TO THE TOP OF HIS head. Worry and panic etched lines across his face.

Free of the cloak, I unbuttoned a pouch on my belt. It held nearly a dozen vials, each tightly stoppered with a scored cork. I ran my trembling fingers across the symbols known only to me, searching for the right one. My heart raced faster and faster.

My finger traced a loop with a line through it. The antidote. I yanked it from the pouch. My hand shook. The vial tumbled from my grip. The glass clinked against the stone street before it rolled away into the shadows.

Tears squeezed from my eyes. I didn't want to die like this.

The poison raced through my organs. It would attack my stomach, my heart, my brain. Once the full seizures started, no antidote would save me.

I groaned, reaching into the darkness. The poison turned my body against me. My arms jerked like a wounded seabird.

Val pushed me aside, his hands struggling against mine. The scrape of the vial as he snatched it from the street was the most beautiful sound I'd ever heard. He jerked the stopper out with his teeth and pulled out a dagger with his free hand.

"In your mouth or in your veins?" He clutched the open glass and the dagger in his gloved fingers, waiting for my answer. My voice emerged as a groan.

"Lea!" he shouted. "Which one?"

The poison rushed through my body. My head slammed the brick wall behind me. I opened my mouth as wide as I could, hoping he'd understand.

Val brought the vial to my lips, his other hand restraining my head. The liquid poured into my mouth, tepid and sharp. It tasted terrible, like soap soaked in urine.

Val clutched my hands, keeping them still. He took deep breaths and watched me closely, his eyes wide, his mouth tight, lines of worry creased in his forehead as he waited to see if I would die.

My breaths came easier and my heart slowed its racing pace. The pain in my stomach faded. I took a deep breath and Val sagged in relief.

"Gods." He looked at the street before he reached for his mask. His fingers trembled as he pulled it down. He'd hidden his fear, and any other emotion he didn't want me to see. These were the things I loved about him, knowing he cared so much that he couldn't hide it from his face, that he needed the mask to hide it for him. That he'd been scared, yes, but had reacted calmly. He had kept himself under control when I'd needed him.

"It's fine." I exhaled. "She knew I had the antidote."

"She?" He stood. "Your *mother* did this?"

I waved a shaky hand at him. "She's been testing me on poisons again. I should have expected this."

When I was seven, I told my mother I hated poisons. Poisons meant distilling herbs in darkness, meant mixing things but not making a mess. Poisons meant death.

My oldest brother, Rafeo, said poisons were an important skill and that I should be proud I had such an affinity for them, because many did not.

He was only trying to make peace, but I didn't feel pride over poisons. I was proud of the feathered mask I'd sewn for Susten Day and how I'd only pricked my finger on the needle once. And that the wooden horse I'd carved had a flowing mane.

Mother had not been happy. My attitude was more proof I wasn't the daughter she wanted, that I wasn't the proud Saldana girl-child she felt she deserved.

Mother took the mask away.

After that, I stopped playing with embroidery needles, costumes, and childish toys, and instead focused on things that made *her* proud: knives and poisons and masks crafted from bone.

I unhooked my water skin and poured the tainted liquid onto the street. I'd be filling my own water from here on. Lesson learned, Mother. Again.

My hands wobbled as I restrung my water skin. Maybe next time she'd pick something less violent. Or maybe I could convince her now that I didn't need a next time. I could find an antidote under pressure. Even if I'd almost died this time, and would have without Val.

"That's crazy," Val said. "Your Family is crazy."

"It's not any crazier than yours. It's her way of making me a better clipper. Also, in the future, you shouldn't open vials with your teeth. You could accidentally poison yourself."

He stared at me, expression unreadable behind his mask. "That's what you got out of this? That I could have poisoned myself while saving your life?"

His bravado would've been worthless if he'd died. "I'm just looking out for you."

He exhaled, the air hissing against his mask. "Fine. Is there anything else I can do for you?"

His anger rolled off him like steam, but I'd learned long ago the best way to disarm Val's anger was to ignore it.

"Yes, actually." I slowly shifted my seat and pulled a gold coin from another pocket. I handed it to him, my entire arm still shaking from the remnants of the poison. "Mark my kill for me, please."

The coin had been stamped with the crest of the Saldana Family. Murder was illegal in Lovero, unless one was a member of a Family. As disciples of Safraella, pledged to Her dark work, all clippers were exempt and could accept assassination contracts.

"You know Estella doesn't want us marking kills," Val said.

It had always been a tradition for the Families to mark their kills. But two years ago my aunt and uncle, our Family priest, and Rafeo's wife had died in a plague outbreak. Only by Safraella's grace had we all not caught the contagion.

The head of Val's Family died in the plague, too, along with other Da Vias, and afterward Estella Da Via had taken over and told the Da Vias to stop marking kills. She thought it was an antiquated way of worship and that the murder was enough.

My mother thought Estella was just a miser and wanted to keep the gold in their Family. Luckily, even though the Da Vias had the most money and members, no one wanted to see them as the first Family. The Saldanas tried to keep the entirety of the nine Families in mind when making decisions. The Da Vias cared only about themselves.

"I'm not asking you to mark *your* kill. I'm asking you to mark mine." I paused to catch my breath. "For me. Surely your Family head won't begrudge you that."

"My aunt makes her own rules for the Family."

"You asked if you could help. Never mind. I'll do it." I pushed against the wall, trying to get to my feet. My legs wobbled, and only my grip on the stonework kept me upright.

"Lea, don't." Val gripped my arm. I clutched his shoulders and slid my fingers down his biceps as he lowered me back to the ground. "I'll do it. Just don't hurt yourself."

I nodded, and he walked to the body in the street. Val knelt over him, then opened the man's mouth and slipped the coin onto his tongue. The coin would act as a balm and prevent the man from becoming an angry ghost, because it signaled that the person deserved a quick rebirth. Instead of wandering the dead plains, Safraella, goddess of death, murder, and resurrection, patron of Lovero, would see the offering and grant him a faster return to a new life. A better life.

Val returned to the alley. He pulled me to my feet and I remained still, making sure I'd fully regained my balance.

"You should mark your own kills." I tested my weight on one foot. "It's close to blasphemy that you don't, and my father plans to bring down an order that all nine Families must mark their kills." The Saldanas as the first Family held the most power over the nine Families. Rank was decided by wealth, numbers, territory, and other factors that contributed to status. Once the Saldanas had been more numerous and rich, but ever since the plague, Father worried the other Families would force a vote for a new first Family. If enough of the Families voted against us, we could lose our position.

"I do whatever Estella tells us to do," Val said. "You have a choice in how you relate to your father as the head of your Family, because even if he didn't love you, he can't afford to lose you. I'm pretty sure Estella hates everyone except the face she sees in the mirror."

"Still, it's not right, Val."

"A lot of things aren't right since the plague, Lea. A lot of things." He looked away from me.

Val's parents had both succumbed to the plague. It was

what had brought us together, sharing grief over our dead. After that, he'd courted me, in secret of course, because no one could know about us, that rivals were involved romantically. And I let him.

I often wondered what Val missed more, his mother and father, even though they surely had been granted happy, new lives, or the way things had been for the Da Vias before Estella took charge.

"I can't break away from the Family in this, Lea." Val lowered his voice. "I can't break from the Family in anything."

I didn't respond. We were clippers. We all served Safraella faithfully. But this wasn't the first time I was reminded that Val and I lived in different worlds.

Yes, my mother had tried to kill me again tonight. But she'd done it to make me a better clipper. In her own, twisted way she was protecting me by making me stronger. If Val's Family ever tried to kill him, they'd make sure he wouldn't have an antidote.

three

"ARE YOU DONE FOR THE NIGHT?" VAL ASKED. "ARE YOU hungry?"

We headed deeper into the alley, leaving the body in the street for the cleaners to remove. When they saw the coin in his mouth, they could record which Family had been responsible and notify relatives if the body was identified.

"After a job? Always. And I'm going to need some food to help fight off the remains of the poison."

"Get changed and I'll meet you outside Fabricio's."

I sighed. "Again?"

"We could go to Luca instead."

"Why can't we go someplace your Family doesn't own? It's so risky."

No one knew about us. No one *could* know about us. Not his Family. Not mine. And not any of the other Families, either, though the city of Ravenna belonged to the Da Vias and the Saldanas and none of the others would dare trespass without permission.

He shrugged. "Any restaurant would be a risk, Lea. At least at Fabricio's or Luca we eat for free and we know the staff keep their mouths shut."

I rolled my eyes but didn't push the point. The staff *did* keep quiet.

I tugged my cloak into place. "Fifteen minutes?"

He stretched his arms. "Ten."

I laughed. So damn competitive. Of course, I couldn't stop my muscles twitching at the challenge, even if they were still sore.

He turned, but I snagged his hand at the last second. "Val. Thank you for being here, when I needed you."

His eyes softened behind his mask. He nodded and squeezed my fingers before releasing me.

"Wait, one last thing."

He groaned and faced me again.

I handed him a push dagger, a small knife that fit between the knuckles. "I think this is yours."

He stared at the dagger, and then his eyes drifted up to mine. "When the hells did you lift that from me?"

I shrugged. "When you were helping me to the ground."

"After you'd almost died from being poisoned?"

"Yes."

He blinked a few more times, a sure sign he was organizing his thoughts. Val and I had an ongoing competition of lifting objects from each other, unnoticed. He was much better at it than me, so when opportunities came to catch him off guard, I took them, even if it was a little unfair using my poisoning to my advantage.

Val shook his head and laughed. "All right. You're one up on me."

I snatched his hand and pulled him against me, his body strong and solid. I tapped his mask where his lips would be. "Never underestimate me."

He grabbed my shoulders and pulled me against him even tighter. We were so close I could almost feel his heart beating through his leathers as they creaked, could almost smell his skin. His warmth leaked into me, and I clutched his arms to remain steady.

"I never do." He released me and sprinted away.

The race was on.

I climbed to the roof of the bordello. If Val beat me to Fabricio's, he'd lord it over me the whole dinner.

I raced over the rooftops of the city of Ravenna, gaining speed, sliding across tiles. If anyone saw my movement, they would attribute it to their imagination, or perhaps the wine in their skins. Or, if they were smart, they would attribute it a member of the nine Families, and they would turn away. It was said that to lay eyes upon a clipper while they were about their bloody business invited death. We didn't go out of our way to disprove the story. Fear made our jobs easier.

I reached a single-story building, dark behind its locked door. An art dealer, and the shop did indeed sell portraits, beautiful oil paintings with thin brushstrokes.

A hidden latch on the roof of the shop opened a secret

door. I dropped inside.

There were many such shops within the Ravenna city limits, all hidden storage points for the Saldana Family. There were safe houses for the Da Vias too, though I'd never seen one.

They were a closely guarded secret.

Most were simple places where one could change from leathers into something more appropriate, say, for meeting one's secret suitor for dinner. A few contained hidden entrances into a Family's home, the place where we lived, where we dined together and slept and were tutored as children. Our literal home. If a Family found another's Family home, there would be trouble.

Generations ago there had been twelve Families. Two of the three lost Families had been destroyed when another Family discovered their home. The current king, as a disciple of Safraella, had no authority over the Families and their relationships with one another. When he'd become king, he'd sworn an oath to remain unbiased in matters of the nine Families. If a Family wanted to war with another, the king could not intervene unless their feuding endangered people outside of the nine Families, the common.

All the Families were adversaries, of course, but some more than others. And sometimes it seemed the Da Vias and Saldanas were feuding the hardest, though maybe that was because we shared a territory.

I tossed my dirty leathers into a cupboard reserved for my things. My brothers Rafeo and Matteo also had cupboards in this shop, along with our cousin Jesep. We were the only active Saldana clippers, though my mother and father would take a job if needed.

Since the plague, Mother often reminded me of my duty as a Saldana woman, to swell our ranks with as many children as possible.

I slid into a red velvet gown with a low bodice fastened along the ribs instead of the back for the type of self-dressing I often had to accomplish. My dirty-blond hair fit snugly into a silk snood, netting it away from my face, and a pair of flat lambskin ankle boots finished my attire. Nothing too fancy, since it was only dinner with Val. And because the Saldanas couldn't afford better at this time.

I slipped a dagger into my boot and secured a knife to my thigh. A clipper never went unarmed, even for dinner. I hung my mask and weapons carefully in my cupboard, then patted my chest, feeling the comforting weight of the key to enter our home around my neck. I never took it off.

I lifted my skirts and raced through alleys and backstreets, taking the shortest way to Fabricio's. Shops lined the streets—a locked flower stand, a bakery, and an alchemist's stand, his beak-shaped plague mask hung outside to show he was closed for the night. Ravenna was a night city, more than any other city in Lovero, but only the entertainment and refreshment establishments stayed open. The other businesses waited for the sun to rise to save on the cost of oil.

A salty breeze from the sea carried with it the sweet scent of the lantern oil used to light the streets. I inhaled and smiled. Ravenna was the most beautiful of Lovero's cities, and its life soaked into my skin and muscles. I reveled in running through its streets. I wouldn't want to be anywhere else in the world.

Fabricio's appeared before me, lanterns flickering. My breath eased in my throat, and I strolled casually to the front door. The restaurant pressed against the crumbling city walls. The walls had once been used to keep the ghosts out, but with Safraella the patron goddess of Lovero, the ghosts couldn't enter Loveran borders, even though the walls were cracked and collapsed. Ghosts could not cross onto holy ground, and now all of the country was considered holy. Before that, the ghosts would haunt the streets at night, stealing bodies and forcing people to hide in their homes. Now the ghosts just haunted the dead plains.

A small crowd of people waited at the entrance. A pinch-faced woman on the arm of a man dressed in colored silks too gaudy for the season glanced at my dress and sniffed.

Val dropped from Fabricio's roof to land beside me. The woman shrieked.

He wore black velvet with gold brocade visible through slashes on his sleeves. An elegantly stitched gray leather vest matched his knee-high boots. Diamonds winked in his ears, and a ruby ring flashed on his left pinkie. Val didn't purposely flaunt the Da Via wealth, but it was hard to ignore.

He scanned the crowd, including me.

I blinked slowly and nodded to him. A silent boast that said, *I beat you here.*

He nodded back, politely. *As expected.*

And though his eyes sparkled like his diamonds and a smile twitched at the corner of my mouth, no one would guess we were together. Which was how it needed to be. No one could know about us.

My breath caught in my throat as Val strode past the crowd to the doorman. The secrecy sent a thrill straight through the tips of my fingers.

"Ah, Master Da Via." The doorman bowed deeply. "How wonderful of you to think of us on this lovely night."

"My usual table, please," he said.

The doorman bowed once more. "Come, come, I will seat you immediately."

Val and the doorman disappeared inside. When the doorman returned, I stepped up next, earning a glower from the pinch-faced woman.

"Mistress Saldana, you grace us with your presence."

I glanced over my shoulder, and the woman's glower turned into surprise as she recognized my name. When our eyes met, she dropped her gaze. I smirked. Where was her haughty attitude now?

The restaurant was packed, tables filled with couples enjoying a romantic meal, or more lively guests whose libations caused them to laugh too loudly.

I scanned the room for anyone who might recognize me. Val and I had entered separately, but it never hurt to assess one's surroundings.

The doorman led me into a small, curtained-off room.

Inside sat a table for two. The curtain closed behind me. I waited three breaths before I tapped on the left-hand wall.

The wall slid aside, and I ducked through to an identical room so no one in the restaurant would see us seated together. This room housed Val, waiting for me, curtain closed against prying eyes. I slid the wall closed.

He took my hand and kissed it, his lips soft and warm against my skin. I pulled away but could feel the blush spreading across my cheeks. "Don't be ridiculous," I said.

He pulled out my chair and I sat down. He adjusted my snood, and his knuckles brushed against the back of my neck, lingering before he stepped away. I shivered.

We sipped the house wine and ate crusty bread and nutty cheese while we waited for our main course of duck in fig sauce.

"Did your father truly speak to the king about marking kills?" he asked. "Because my aunt won't be happy about that."

"Does Estella truly believe not offering the coin will not offend Safraella?" Yes, Family came before family for clippers, but allegiance shouldn't ever come blindly.

"I don't know what Estella thinks. And I'm not going to ask her."

A waiter appeared and served the duck. The greasy skin of the bird crackled, still hot from the fire. The scent of fresh rosemary and olive oil floated past me, and my stomach rumbled.

I was tired, and not just from the poison. "Why are we even talking about this? I don't have any sway over my father. And we both know your aunt is crazy."

He reached across the table and squeezed my hand. Heat trailed down my body, and I squeezed back.

"That she is," he said. "A man-hating old bat. But I suppose we have your uncle to thank for that."

I pulled my hand away and drank my wine. "We don't talk about Marcello Saldana."

"Which is funny, because my aunt rarely shuts up about her hated ex-husband. But don't let anyone else hear you speak against Estella so. She's the head of our Family for a reason, and the others would not stand the insult, even from a Saldana."

"You mean *especially* from a Saldana."

He grinned.

We attacked the bird, talk subsiding. When full, I set my napkin on the table and watched Val as he finished off the wine in his glass. He smiled. I used to think Val was vain and spoiled and self-indulgent. Now . . . now I felt the same way, but there was something to be said for capturing a vain man's gaze. And once I'd gotten close, it became apparent that much of that vanity was a shield he used to keep people away. The Da Vias were cutthroat, even in their own Family, and he had few people he could fully trust.

From outside our room a waiter's voice crept past our curtain as he spoke to another server. "Mistress Da Via would like her duck more rare."

We glanced at each other, and Val rubbed his eyes. "Damn it."

I peeked past the curtain to the main room. Off to the right, at a table by herself, sat a woman heavy with child. I closed the curtain. "It's your sister."

Val groaned and got to his feet. He glanced out the curtain. "What is she even doing here? She's going to have that baby any day."

"Well, pregnant women *do* have to eat," I suggested. Not that I had any love for Claudia Da Via. From everything Val had told me, she could be humorless and cruel. Which made it even more shocking, he'd said, when she'd wound up pregnant while unmarried. The pregnancy was fine, any Family would welcome an addition to the fold. But she'd refused to tell anyone who the father was, even when Estella had commanded her, except to say he was another clipper. It had become a bit of a scandal, everyone wondering who the father could be. Val thought it was probably someone from one of the lower families, a Gallo maybe, and that she was too ashamed to admit it.

"Do we wait her out, or sneak away?" I asked.

"If we wait, we'll be here forever." Val straightened his vest. "No, I'll distract her while you leave quietly."

I slipped back to my original room. Once there I watched through a gap in the curtain for the best time to leave unnoticed.

Val strode over to his sister and stood at her table. She looked up and scowled.

Claudia couldn't find out I had come here with Val.

Families could never work together, because it would give the allied Families too much power over the others. But clippers almost always married other clippers. The marriage usually bought a generation or two of peace between their Families, a temporary halt to any feuding.

Val leaned closer to Claudia, both hands flat against the table. They spoke, but were too far away for me to hear what was said.

Clipper marriages were always carefully arranged. It would take months to decide which clipper would join which Family and who would pay a dowry. Sometimes a Family would lose money *and* a member, but these were usually the lower-ranked Families, and giving up so much often meant they gained status, and maybe an increase in rank. Everything was decided between the Family heads.

Of course, sometimes clippers married non-clippers. Rafeo's wife hadn't been a clipper, but she *had* been a cleaner, so she'd known what she was getting into. Cleaners were their own guild. They dealt with the aftermath of our duties, removing and cleaning bodies and notifying families of their loved ones' demise.

Our mother hadn't been pleased, since Rafeo's chosen bride didn't bring any money or status, but Mother had relented when their marriage produced a son almost immediately.

Through the gap in the curtains, I watched as Val and Claudia argued. She placed a hand on his elbow, and he jerked it away.

"Because Mother and Father aren't here!" Val snapped, his voice rising above the sound of the other diners. Claudia jerked him closer, whispering harshly.

Time to take my leave.

I stepped past the curtain and strode calmly and confidently to the front door. The only people who gave me a second glance were those of the common who recognized me as a Saldana.

Outside, I walked into an alley across the street. I waited only a few moments before Val found me. Anger flowed through him, visible from the tension in his shoulders and neck.

"What was that about?" I asked.

"Nothing." He waved his hand, dismissing the fight with Claudia. "It was only stupid Family stuff. I don't want to talk about it."

I took his hand and stroked his knuckles. He didn't have to tell me, but I wanted him to know I was there for him, regardless. "I'm sorry. I didn't mean to pry."

He sighed and rubbed his face with his palm. "It really was nothing, Lea."

"Okay. But even if it was something, you know you can tell me, right? I'll keep your secrets."

He snorted. "You're my only secret."

Behind Val, a man walked across the street. He wore

a brown robe and a strange cylindrical hat. He carried a wooden staff with some sort of green gem at the top.

"What is that?" I stared at the man as he slipped into a back door of the restaurant.

Val looked over his shoulder. "What?"

"A strange man just walked into the restaurant."

He shrugged. "Don't know. And perhaps we should take all this drama elsewhere?"

All thoughts of the strange man escaped me as my skin flushed.

Val offered me his hand and I placed my palm in his, the tough calluses on his fingers pressing against my own. His hand was warm, and his pulse beat rapidly in his thumb. His lips parted.

My own pulse raced, and we left the alley. We needed to find somewhere more private. I desperately wanted to get him alone.

We stumbled a few streets away and ducked out of sight into an empty garden.

In the shadows, he pushed me against a brick wall, lips crushed against my neck, one hand releasing my hair as his other slid down my bodice to my hip. I held my breath until I was dizzy and had to break away for air before I pulled him back to my lips.

This was what I loved about him. How quickly he could make my heart pound, my breath catch. Being with Val was like the best kind of job, an exciting chase followed by a satisfying capture.

I slid my hands beneath his shirt, running my fingertips across the smooth skin of his stomach. He flinched.

"Your hands are cold," he murmured against my throat.

"I need you to warm them up."

He reached for my fingers. I made a token gesture of trying to avoid him, but when he clasped my hand with his own, I let him pull me against his chest. His well-worked muscles made his body lean and hard.

He pressed his lips to mine. I returned the kiss, hands gripped on his arms. He made me feel wanted, beautiful. Heat rushed across the skin of my throat and up to my cheeks until they burned. Val's lips scorched my blood like the most exquisite poison in the world. But only one tasted sweet.

four

VAL TORE HIS LIPS FROM MINE. "STAY OUT WITH ME tonight."

I kissed his jaw. He still smelled like his leathers. "I have a curfew. My parents would suspect something."

He ran his fingers through the back of my hair. "Break it. For me."

I snorted. "Like you break your rules for me? Marking your kills, for example?"

He pulled away. The humor had disappeared from his eyes. "That's different. That's *Family* rules, not family."

"Sometimes Family and family are the same thing."

He scowled. "Don't be naive. You damn well know Family comes before family."

I released his hand. I wasn't a child, and I wouldn't be patronized. "Not to me. Not when you're asking me to disobey my father's rules."

Val set his jaw stubbornly.

But I could be stubborn, too. "He's right about marking kills. The cleaners will find my coin and spread word that the Saldanas killed a man tonight. That coin will give my kill a faster rebirth, will buy us respect and fear from the common."

We stared at each other. Marking a kill wasn't worth so much anger. Neither of us could resolve the politics between our Families.

Val tried to ease things with a grin. "Let the Family heads worry about this. Things will be finished soon enough."

He held out a hand, and I took it automatically. He pulled me close against him. "Now, where were we?"

I smiled, but dropped my gaze. It was so easy for him to brush things off. To simply forget the argument.

"I think"—I swept a speck of dirt from his chest—"I was on my way home."

He frowned. "It's not that late. We can spend time together. Take a walk along the pier maybe. We could watch the sun rise." He flashed his dimples because he knew I loved them.

"My mother would have my head. And my father would probably support her."

He snatched my hand again, tugging on it, but I held my ground. I wouldn't be bullied or persuaded in this.

"Please don't go home. Come on, I'm begging you."

He had to be kidding. "Yes, that's clear." I jerked my hand free. "It's not very attractive. I'm going home, Val. I'll see you tomorrow. Maybe."

"Lea, I'm trying to do the right thing."

Whatever that meant. Pushing me wouldn't get him the results he wanted. "I'm worn out."

Val pinched his lips together, but I was too tired to care about his hurt feelings. It wasn't always about him—where we should eat, what we should do, when to end the night.

"You'll need this, then." He held up an iron key. I clasped my hands to my chest, but my key was gone.

I stomped over and ripped the key from his fingers, the chain glinting in the moonlight. "You damn well know lifting keys is off-limits," I hissed. When had he even taken it? The restaurant, when he'd brushed my neck with his fingers. I glared even more.

He shrugged. "I saw an opportunity and I acted."

"Well, now I'm seeing an opportunity and leaving."

"Fine." He held up his hands, eyes cold. "Do what you want. Sleep well." He stormed away.

The urge to call after him crawled its way up my neck, but my key felt heavy in my hands. He knew the rules we'd established. Keys were off-limits because they were connected to our Family homes. Not that Val or any of the other clippers knew where we lived, but still.

The safety of my Family wasn't a joking matter.

I retraced my earlier path to the art shop's hidden entrance. When I stripped out of my dress, something fluttered to the ground, a flash of white in the dark. I scooped it up. A white poppy, pressed between the pages of a book until it had become as delicate as lace paper.

The white poppy was the symbol of the Da Via Family. Val must have slipped it to me sometime during dinner, a gesture of affection for me to find later.

I twisted it in my fingers and sighed. He tugged me so many different ways. But it had been a tiring night, and I didn't want to fight with Val. I wanted to rest.

I tucked the poppy into my spare saddlebag. It could wait there as a surprise for another day.

I finished changing and traveled to a secret Saldana hatch hidden behind a bush at the corner of a church dedicated to Safraella. It was apropos, my brother Rafeo would say. Then I would laugh at him and tell him he sounded much older than his twenty-four years.

I dropped inside and closed it above me. The black tunnel smelled damp, but I could find my way even blind.

A slight brush of air against my cloak told me I'd reached the first break in the path. There were many such splits, set to confuse and disorient any intruders who managed to discover the tunnel. The wrong path led to dead ends, tunnels that dropped into pits, or labyrinths to confuse even the cleverest.

The stone tunnels went on for what seemed like miles, but in truth the correct tunnel was just over a mile long, leading me to another hatch and the Saldana home. I climbed a short ladder and used my key. The hatch popped open. I ascended to the tunnel room, where all the myriad underground entrances to our house eventually ended.

I hung my cloak on a hook beside my brothers' and pushed

my mask to the top of my head. Masks were personal identifiers, both of ourselves and our Family. Safraella's face was formed of the bones of Her mother, the goddess who had breathed life into the sky. All disciples of Safraella wore bone masks when doing Her work. Even the king wore a bone mask during trials or funerals.

The smooth masks covered our entire faces, a blank facade except for the slashes used for eyeholes. The right side was always the color of the bone. The left side was decorated accordingly. Each of the nine Families had a color. The Saldanas were black. Any of the common looking upon our masks could identify which Family we belonged to by color alone.

The pattern, however, was purely personal—used to identify the individual clipper behind the mask. Even if I couldn't recognize Val from the way he stood—cocky and self-assured, arms loose and ready—I would recognize him by the red checkered pattern on the left side of his mask. Just as he would recognize me by my black azalea flowers.

Outside the tunnel room, my boot heels sank into the plush rug of a well-lit hallway. Our home was a house within a house. From the outside, one would see an empty building. It was only behind those walls that the Saldanas' real home hid. None of our rooms had windows or doors to the outside, though there were concealed skylights. The only way in or out was through the tunnels.

A servant waiting in the foyer handed me a glass of mulled wine. I sipped, its warmth spreading down my chest and limbs. The fight with Val had worked its way beneath my skin just as much as the poisoning, pulling on my muscles until they ached. My bed, with its soft covers, would be a soothing balm. I intended to sleep well past morning.

From around a corner a child raced toward me, night-gown and long, curly hair flapping behind him.

"Aunt Lea!" He crashed into my legs.

"Emile." I set my wineglass on a hall table. I peeled him from my legs and picked him up, feeling the lovely weight of him in my arms. "What are you doing up so late?"

He laughed, squirming in my arms. From around the same corner his nursemaid, Silva, appeared with my brother Rafeo.

"There you are, you naughty child." Silva took Emile from me and hurried down the hall.

Rafeo put an arm around my shoulder and pulled me close for a kiss on the cheek. I squeezed into his comfortable warmth.

"Thanks, Donna," he said. "We've been trying to catch him for five minutes."

I rolled my eyes. Donna was Rafeo's nickname for me. It wasn't enough that I'd been named Oleander after a poison. No, I had to have a poisonous nickname too.

When I'd been younger, Rafeo had been my mentor. My first kill had been using poison, a belladonna concoction. I'd been so excited. I'd wanted to show how well I'd studied. But the poison didn't take, at least not all the way. The man was dying, but slowly and in pain.

Excitement had turned to fear. I'd wanted Rafeo to fix it for me, but he'd pressed a dagger into my hand. *What you do for him now is a mercy,* he'd said. *It is the most beautiful gift you can grant someone, a quick end to pain. He will be with Safraella, and She will grant him a better life.*

It had been hard, to use that dagger, but Rafeo had been right. Serving Safraella was difficult work. But there was beauty and mercy in the shadows, too.

I leaned my head against his shoulder. "A little late for a four-year-old's bedtime, isn't it?"

"Tell that to him."

A door opened and my mother stepped out, searching the hall with a frown, her blond hair plaited down her spine. How someone as regal as Bianca Saldana could ignore all the exquisite fashions of Lovero, I'd never understand. Even the most common housegirls were wrapping or netting their hair, and yet she still preferred the ease of braids and ties.

Rafeo sighed, and we stepped apart. Separated, one of us would be more likely to escape. The other would have to serve as a sacrifice and take the lecture stoically.

"What is going on out here?" Mother's harsh whisper filled the space. She was still dressed in an evening gown, which swished against the carpeted floor. "It's much too late for games in the halls."

"It's my fault, Mother." Rafeo held his hands before him, heroically accepting Mother's ire. "Emile got away from Silva, and Lea helped us get him to bed, that's all."

She sniffed and glanced at me before turning fully on

Rafeo. "You must get that child under control. He's far too old for these sorts of games. He must conduct himself in a manner befitting a Saldana."

"He's only four."

"Exactly. The children are never too young to begin learning about Family responsibilities."

An image of Emile dressed in tiny little leathers and wearing a small bone mask, decorated with puppies, came to mind. I bit my tongue to prevent a laugh from escaping.

Mother turned her gaze on me. Damn. I'd missed my opportunity to leave.

"And what are you doing home so late? Jesep and Rafeo were back hours ago."

Rafeo stepped behind Mother, crossed his eyes at me, and then left me alone with her. Ass. I would make him pay.

"I took some food after my job, is all," I said. Sometimes the best way to deal with Mother when she was in one of her moods was to go on the offensive. "I needed it to offset the loving poison you dosed me with."

She ignored my comment. "Food? Where?"

"Fabricio's."

Her lips tightened, carving lines in her skin. "I don't want you lining the Da Vias' pockets. Our Family will not help them in their grab for status."

It always came down to what was best for the *Family*.

"Now. The Caffarellis have put in a claim for you for their son Brando."

My breath left me in a rush of air. A claim had come in for

me. For marriage. With Brando Caffarelli.

Mother had been born a Caffarelli and had only become a Saldana after she'd married my father and their union had produced a child—Rafeo.

Brando, Brand as everyone called him, was tall and handsome and well established as a clipper. He had blond hair, like my mother, like all the Caffarellis, and I knew Mother had imagined the towheaded babies we'd produce.

Brand, though, was the son of Mother's oldest brother. "He's my first cousin!"

"Oh, be calm. His mother's not of the Families. He has enough outside blood that it's not a concern."

"What about Valentino Da Via? He's closer to my age." As soon as the words had left my mouth, I knew they were a mistake.

Mother pursed her lips and her eyes widened. "Never. Never will the Saldanas make another union with the Da Vias."

My uncle Marcello had been married to Estella Da Via before I was born. Then something went wrong and no one would speak about it, but the Saldanas and Da Vias had been at each other ever since.

Mother regained her composure. "The Caffarellis are willing to let him become a Saldana *and* offer us a small dowry."

I paused. A clipper usually joined another Family officially when a marriage produced a child. Then negotiations would decide which clipper changed Families and who paid a dowry. But the Caffarellis were willing to give us Brand and money if we agreed to this union. How was I worth so much?

Rank, of course. The Saldanas were the first Family, the Caffarellis the fifth. If we agreed to the marriage, their rank would rise drastically, perhaps enough to surpass the Bartolomeos and the Accursos.

The Saldanas as the first Family, and my father as our head, held the most power over the nine Families, but the main reason why we were the first Family was my father's close friendship with the king.

"All of that aside"—my mother flicked her fingers in the air—"it is a serious claim and we should consider it. Safraella knows we could use the money almost as much as we could use the addition to the Family. That plague may as well have killed us all unless we increase our numbers and funds. It's a miracle the other Families haven't made a move against us."

My stomach sank whenever she spoke like this. Like our rank compared to the other Families was more important than the people we lost. "They wouldn't dare, Mother. Not with Father's friendship with the king."

Mother raised an eyebrow. "It doesn't matter that your father was the king's foster brother and his personal guard until Marcello almost ruined this Family. If the other Families were to take a stand against us, Costanzo Sapienza would not stop them. He would not save your father over the lives of the common, over the safety of the country."

I dropped my gaze. When the king had bowed to Safraella

on behalf of the entire country, She had become Lovero's patron. Before that, people had worshipped whichever god they wanted, and the stone walls had tried to keep the ghosts out. Now almost everyone in Lovero worshipped Safraella, and the king had become our wall. His faith, his belief on behalf of all of us, kept the ghosts away. If he were to falter in his faith, the ghosts would find their way back inside.

"Why is it just me?" I changed the subject. "Matteo is older."

"Don't for a second think you're so special. Just because you're not privy to our conversations doesn't mean I'm not discussing marriage prospects with Matteo. Or even Rafeo. Two years has been long enough to grieve."

Another door down the hall opened and my father stepped out, his dark, curly hair pulled back respectably in a tie. He wore a pair of glasses to help him with reading in the lamplight.

"Ah, Lea. I'll take your report, if your mother can spare you?"

Saved by my father once again.

Mother dismissed me with a wave of her hand. "Go speak with your father. But we are not done with this talk. You're plenty old enough to contribute to the growth of this Family."

I tried not to shudder. Marriage prospects with *anyone*, even Brand Caffarelli, were something I was not remotely ready to discuss.

My father held open his office door while I walked in. I

took a seat and pulled off my mask.

Papers and parchments lay scattered across his desk. A small stack caught my eye: letters from priests putting in their bid to be the new Saldana Family priest. I picked up the one on top, sent from a priest named Faraday from a monastery on the dead plains. We'd been without a priest for two years, but it wasn't as easy as just choosing anyone. The Family priest was as good as family. He would live with us, counsel us in all matters, keep Family records. He had to be a good fit.

Father sat across from me. "Actually, I don't really need your report right at this moment."

I smiled. He always knew the most tactful way to interrupt Mother's tirades. "We might as well finish it so we don't have to work in the morning."

He dipped his pen in the inkwell. "You mean so *you* don't have to work in the morning. The work for me, my dear, never ends."

Father scratched the nib across the paper as I told him about my successful night.

He sighed and set his quill aside. "He didn't pay a lot, of course," my father said. Suicide requests usually didn't.

"I thought you were going to have Matteo take over some of the paperwork," I said. "He'd excel at it."

Almost as if he'd heard us, Matteo stepped into the office. I nodded and he sniffed, once.

"Lea," he said. "Got home late enough, I see."

"Matteo. Didn't go out at all, I presume."

"Children, please." Father removed his glasses and pinched the bridge of his nose.

I'd never gotten along with my brother Matteo. He was strict and humorless, so different from Rafeo and me. As a child, I used to dream about him leaving the Family, joining another. Of course, now I understood things were complicated.

I exhaled. Losing Matteo, losing any of us when our Family had already lost so many, would put us further in a bind. Maybe Mother was right. Maybe it was time for me to grow up and do something for the Family for a change.

I thought about Val, the smell of his skin, the taste of his lips, and the feel of his embrace. We couldn't always have what we wanted. I knew this. Sometimes, we had to give up what we wanted to get what our Family needed.

Even if that meant marrying Brand Caffarelli.

five

LATER, I WOULDN'T BE SURE WHAT HAD WAKENED ME: the smell of smoke, or the sounds of violence outside my room.

In the end, it didn't matter.

I rolled out of bed, alert. The acrid scent of burning wood and cloth reached me even through my closed bedroom door.

I jerked open a drawer in my bureau and dragged on a pair of leather pants beneath my nightgown, not only for ease of movement but also for the pockets they afforded me. I grabbed any knives in my end table, far too few for comfort, and cursed my sword, still resting in the weapons room.

A sudden bang exploded against the door. I dropped into a defensive stance, knives in hand. My key thumped against my chest from its chain.

No one burst through. Gray smoke flowed under the door.

I snatched my mask from my bedside table and jammed it over my face. Its familiar smell enveloped me. I breathed deep. Whatever was happening outside my room, I could handle it. I was a clipper. A Saldana. I had no fear. Right?

The door handle burned my palm. I yelled and pulled away. Sloppy, Lea. I needed to get my wits about me. I slipped my sleeve over my skin and jerked the door open to face the fire.

Flames crawled across the walls. The Saldana Family tapestries burned merrily as the hall and rooms filled with smoke. With no windows in the house, the smoke had nowhere to go. The fire would burn until it consumed all the air in the house. My Family's remaining wealth, all our beautiful things, surrendered themselves to the flames.

A hall door creaked and fell inward, covered in flames. Go! Move! Do *something*!

I dashed from my room. My mask protected me from the smoke. It wouldn't last. It couldn't last.

"Mother!" I shouted. "Father!" Had they fled and left me alone?

The flames licked the ceiling. Before long they would rain onto me. I had to get out of here. I had to reach the tunnels.

I raced through the halls, stopping only to check the bedrooms. In Emile's room his nursemaid Silva leaned over his bed, a knife plunged into her back. She'd been dead long enough for her blood to soak his bedcover, turning it scarlet.

I clenched my hands into fists. She had been kind, and caring, and now she was dead. There was nothing I could do for her, but maybe she could help me. I removed the knife. No markings, no sigils or crests. No sign of who owned this knife. Of who was attacking us.

Did Rafeo have Emile?

Jesep's and Matteo's bedrooms were engulfed in flames, and I couldn't see inside.

I stumbled down the stairs, coughing as the smoke snaked its way beneath my mask. There wasn't much time, but I needed to find my Family. I wouldn't leave without them.

In the stairwell another body lay slumped against the wall. Rafeo. A wordless shout escaped my lips. I dropped beside him. He wore his leathers, and a crack ran along the white side of his mask where his mouth would've been. My fingers pressed against his neck. Nothing, then a pulse, slow and weak. My hand came away coated in the deep red of heart's blood.

He groaned, and relief washed over me like a gale before a storm.

Stay calm. More than anything I had to stay calm. Rafeo needed me.

"I'm here, Rafeo." I threw his arm over my shoulder. Rafeo was not a large man, no Saldana was, but even with all my strength I couldn't bring him to his feet, not without his help.

"Rafeo." I struggled to lift him. "You need to help me. I can't do this without you."

He coughed behind his mask. His knees bent, and together we got his feet under him.

Reaching the bottom of the stairs was not easy. Rafeo kept tripping, threatening to drag us both down, but somehow we made it. Only one more hallway to the tunnels. If we could reach them, I could stash Rafeo safely and return to search for everyone else.

The fire wasn't as bad downstairs, though it was spreading quickly. It must've been set on the upper level to allow the attackers time to escape. Someone had found their way through to our home. It was the only explanation.

Rafeo stumbled beside me. He tugged me with him as he leaned against a wall.

"No, Rafeo. We're almost to the tunnels. You need to help me."

Behind us, a door crashed. I turned, dropping Rafeo as I pulled out my knives.

Three men had kicked it down. They wore leathers and bone masks. Another Family, then. The worst possibility. I peered through the haze, but the smoke obscured the colors and patterns of their masks.

They approached, swords held before them. I had no sword, only knives. They were bigger than me, with longer reaches. I was outnumbered and wearing my tattered nightgown.

I swallowed, my mouth and throat dry. Maybe this was it. Maybe this was how I would die.

Rafeo groaned again. I glanced at him. The leathers on his chest were slick and wet.

I closed my eyes. Nothing to do for him. Not unless I

could somehow drop the three clippers.

A shriek filled the air. From the stairwell a figure landed on the back of one of the men. Daggers plunged into his neck. The man collapsed, dead, and my mother turned her attention to the man on her left. He blocked her dagger thrust at his gut.

"Mother!" I screamed. The third clipper swung at her from behind. She bent backward. The sword barely missed scraping across her bone mask. She moved like a water serpent, all fluid attack.

I raced toward her. Where was Father?

"No, Lea!" She blocked the sword swings with her daggers. "Take Rafeo and flee."

I stopped, torn. I could disobey her, run to her aid, and fight beside her. End those who were destroying our home, killing our Family.

I faced Rafeo. He didn't move. His heavy breaths struggled against the smoke and his wounds. My mother needed my help, but Rafeo needed me more. He couldn't help himself. I would return for my mother.

Rafeo was even less responsive. His feet tangled together as I dragged him closer to the tunnel room and the safety found there. My heart was heavy with dread.

A loud crash exploded from upstairs. The house shook. Behind us, the ceiling collapsed. Broken beams spilled across the hall, covered in flames and fire from above.

"Mother!" The smoke and flames were too thick to see

past. She would be unharmed. She would be safe. I had to believe it.

I shouldered open the tunnel room door, dragging Rafeo beside me. A hatch lay open—the one the other Family had used to breach our home. The same one I'd used earlier tonight.

Had I forgotten to lock it behind me?

All this was my fault.

I kicked the hatch shut, cutting off a startled yell from the dark tunnel.

Someone pounded on the hatch, trying to break through. I tipped over a cloak cabinet. The wood clattered and cracked as it blocked the hatch. Any surviving attackers in the house would have to take their chances with a different tunnel.

All the other hatches were locked. No one had been through them yet. I chose one and climbed down the ladder. The tunnel was cool and dark and, most importantly, empty of attackers and flames. I reached for Rafeo. The weight of his body crashed into me. We spilled to the tunnel ground in a heap. I crawled out from under him and closed the hatch.

Rafeo groaned at my feet. My body burned and ached. I couldn't lift him anymore. I'd used almost all my strength getting us this far. I grasped his wrist and dragged him down the tunnel. His body painted streaks against the dusty floor until we reached the first split. I pulled him into a dead end.

"You'll be safe here," I said. He showed no sign of hearing me.

I stood. I had to help Mother. To find Emile and Father and Jesep and Matteo and anyone else still inside the burning house.

Rafeo grabbed my wrist, jerking me off my feet.

"Rafeo." I crouched beside him, squeezing his hand with mine.

He kept a firm grip on my fingers, struggling to remove his mask with his free hand. He finally lifted his mask off his face and dropped it to the ground. It clattered loudly in the silence of the tunnel.

A slight glow from the fire trickled down to us from the edges of the hatch.

"Oh, Rafeo . . ." A deep gash stretched across the left side of his throat. A slow, steady pump of blood escaped him. His dark leathers were drenched with it.

I slipped my hand from his grip and pressed tightly against his wound to stop the bleeding. The blood seeped through my fingers.

He stared at me, then gave a small smile before he pushed me away, his hands fluttering against mine like moths against a lamp glass.

"It's all right," he whispered. His voice had no strength, and his eyes wouldn't focus on me. I slipped off my own mask and clutched his hands, his blood slick between us.

"Rafeo, please hold on." My voice broke, and tears dripped off my chin to land on his chest. How could this be my joyful, beautiful brother? How had we come to this? Had Safraella forsaken us?

No. Safraella was the goddess of death, murder, and resurrection. This dark work belonged to Her as well, even though we were Her disciples.

He took a deep breath. Then another.

"Da Vias," he said.

Rafeo exhaled and died.

I clutched his hands to my heart. I bent over him, my forehead resting against his blood-soaked leathers. I tried to sing him my nursery rhyme, tried to tell him he'd be safe and warm once more, but my throat closed and I wept for my brother. Wept for all of us. We were lesser without him. The world was lesser without him.

It took me far too long to gain control of myself, but when I'd finally stopped my tears, I closed Rafeo's eyes and dug around in his leathers until I found a coin. I placed it in his mouth.

It was fine. I would miss him—gods I would miss him—but he would be reborn. He was favored of Safraella. She would provide him with a good, new life. Maybe one without so much blood.

I grabbed my mask and left Rafeo in that tunnel. I'd come back for him later, but for now it would have to serve as his tomb.

I returned to the hatch, pausing at the bottom of the ladder to ready my knives.

They would pay for Rafeo. They would pay for it all, even if it cost me my own life.

I climbed the ladder and reached the hatch.

It wouldn't budge.

I used the butt of my knife to pound against the wood. The sound thumped dully. Something must've been resting on it.

No. No, that wasn't possible. I could not be trapped in the tunnel. Not when my Family needed me!

I pulled myself up the ladder, crouching below the hatch and using my shoulder and back to push against it. The hatch creaked. A small shaft of light stabbed into the darkness.

The air exploded in fire.

I screamed and fell to the ground, covering my head with my hands. An image flashed in my mind, of my hair catching fire and it consuming me. I batted at my face and head, but there were no flames.

I caught my breath. The hatch was closed again, sealing me off from the fire raging above. I was cut off from the house. From my mother. From everyone else trapped inside.

There was no way back, and I was alone in the tunnel with my brother's body.

six

THE TUNNEL OPENED INTO THE BOTTOM OF A FALSE well, and I climbed my way to the top. By the time I stumbled into the city, the sun had risen. Yellow light reflected off the tiled roofs.

Dried blood and black smears from the tunnel covered my white nightgown. I stank like filth. I couldn't be seen in public.

I blinked, and tears pricked my eyes again. *Please, please let the others have escaped.* Just because they hadn't used my tunnel didn't mean they couldn't have reached another. There were six in total. Surely someone had gotten away. Surely I wasn't alone. . . .

Shut up, Lea! I lifted my mask and rubbed my eyes. A clipper shouldn't act this way. I needed to get control of myself. When I controlled myself, I controlled my situation.

I replaced my mask and took a few deep breaths.

First, I needed a change of clothing.

I headed to the closest safe house, a tapestry dealer a few streets from the well. Moving quickly, I managed to avoid being seen. Ravenna may have been an all-hours city, but the early morning was typically reserved for bakers and shop owners.

I slipped through the hidden entrance of the shop, its interior dim in the morning light.

I stripped, throwing the stained nightgown and pants as far away as I could. My mask rested on a table while I pulled everything of use from my cabinet.

The buckles, straps, and pockets on my leathers hid every knife in the cupboard. I tucked the small purse of money in my waistband, then ransacked Rafeo's cabinet for his weapons and money as well, strapping a spare sword on my hip.

I paused before Jesep's and Matteo's cupboards. They'd been at home. I'd leave their cabinets be, in case they'd escaped the fire or the attackers.

The attackers . . . Rafeo had mentioned the Da Vias before he died.

I closed my eyes, sifting through memories of the fire, and the clippers in the smoke. Masks definitely, blank of any features. One side white and the other mottled with dull color. It was no use. The smoke had been too dense to identify the Family.

Of course, Rafeo might have been addled from blood loss. But he might have seen clearly. Maybe Val had been part of it. Maybe Val had snuck into my home while I slept to murder me and my Family.

No. No, it wasn't possible. A vain, selfish show-off he might be, but he loved me. He wouldn't betray me. . . .

I shook my head.

I'd find answers about the attackers later. First, I needed to discover if my Family had made it out. My mind flashed to little Emile, his long, curly hair and his bright smile. He must've been so scared. Surely, even the members of another Family would pause before slaughtering a child of only four years. . . .

I needed answers. I grabbed my mask, my thumb rubbing over a split on its surface.

I flipped it over and traced the crack near where the mouth would've been.

Rafeo's mask. I'd taken Rafeo's mask instead of mine in the dark of the tunnel.

Gone were my black flowers and vines, replaced by tiger stripes.

I bit my lip against the building tears. Maybe it was meant to be. Maybe this way Rafeo could live through me.

From the front of the safe house a door opened, followed by the sound of shutters banging aside as the shop owner prepared for business.

I thrust the mask over my face. Time to go.

I stepped away from my cabinet as the shopkeeper pushed his way into the room.

His mouth dropped open before he lowered his gaze. His face blanched white. "Oh! I'd heard you were all killed! That the home had been discovered and the Saldanas slaughtered.

Oh, it does my heart good to find you here!"

Word traveled quickly in Ravenna, especially when it involved a fire that could easily spread to other buildings.

I freed a knife and pressed it against his throat. "No one must know I was here, do you understand?"

"Oh! Yes, I do. I will protect your appearance here as surely as I protect this location."

Someone had sold our Family out to the others. I stared him in the eyes, searching for a hint of betrayal.

No. None of the shopkeepers knew the location of our home. They only kept our belongings safe, to gain favor from Safraella.

I sheathed my knife. It was a testament to the man's loyalty that he didn't check his neck for blood.

From the hidden entrance, I slipped into the alley.

I spent the entire day traveling shadow to shadow, searching the hatches for signs of my Family. The first I checked was the entrance the attackers had used, the one hidden by the church.

I didn't get too close. Someone would be watching, waiting to see if anyone would appear. I wasn't stupid.

I clutched the key hanging from my neck and examined the entrance from a hiding spot. The bush that hid the hatch had been hacked apart, and the door had been chopped into slivers of wood.

Last night Val had dangled my key before me. And then hours later my Family was dead. Or, if Rafeo was wrong, and it wasn't the Da Vias, then I must have left the hatch into our house unlocked. Either way, everything had happened because of me.

I wrapped my arms around my stomach, trying to calm my twisting gut. Answers could come later. I lived. It was up to me to try and save what was left of my Family. Failing that . . . I'd cross those fields when I reached them.

The other tunnels remained undiscovered. I traveled through each, following them until I reached the hatches at the other end that led into the house. None would open, even with my key. No one had escaped through them.

I was the only remaining Saldana.

I sat at the bottom of a hatch and removed my mask, breathing freely in the damp air, which stank of smoke and burned things.

I pictured the house. A burned-out wreck, down to the beams. Or maybe the fire had somehow been contained, only burning everything inside. The plush carpets. The furniture and our belongings.

The people . . .

No. Don't think about it, Lea. Don't think about them. This couldn't be happening. Not to me.

I rubbed my eyes and pulled my mask down. Crying wouldn't lead me anywhere. I needed a plan. I needed to *fix* this!

My joints creaked as I stood. I also needed sleep. And food and a bath. Those were the first things. Then I'd choose my next steps. Decide who to kill first, and how.

Because someone would die for what they'd done to the

Saldanas. And this time I wouldn't kill just in service of Safraella. No. This time it would also be for me.

I slipped through the streets, passing through shadows cast by lamplight until it grew dark enough to travel by rooftop. It was quicker to travel above, especially early in the night when the streets were crowded with people. I stopped at every safe house, collecting all my spare money and anything else I might need, and then I headed southeast, toward the border of the city of Ravenna. The closer I drew, the sparser the buildings. Finally I had to climb down to the street level and make my way between shadows and trash-filled alleys. The streets weren't safe.

Around the corner a group of revelers blocked my way. Their raucous laughter echoed off the snug walls of the garden I slipped inside to hide. A wrought-iron bench further blocked me from their view. I pulled my cloak tight as they traveled past the gate. The women wore luxurious dresses, made from the finest velvet and lace, their collars reaching to the tops of their heads and their hair wrapped intricately with ribbons, beads, and gems.

I'd never wear anything like that now. Not that I'd ever had an opportunity to own something so fine, even for the balls at the palace where we were often invited. There would be no more balls for me. No more beautiful things.

I glanced out from my hiding spot. At the rear of their group I caught a quick flash of a man in a cylindrical hat, staff at his side. I looked again.

Nothing. Only my tired eyes playing tricks.

When the group turned a corner, I escaped my hiding place, staring in the direction they'd gone. Echoes of their revelry reached me in staccato bursts. It must've been easy, to be a commoner. To know if they were murdered at the hands of a clipper, they would be reborn as an infant into a better life. To know there was someone who would seek vengeance on their behalf or take their life if their sadness was too great. To not worry about gods and their demands and Family ranks.

This far south I could smell the brininess of the sea on the air. I inhaled deeply and pictured throwing myself into its depths, letting myself sink to the bottom and the peace and quiet found there.

I shook my head. A common life wasn't for me. It never had been. I just needed some sleep. Things always looked different when I was well rested.

Before me stood an inn tucked away in a corner of the city. I hid my mask in my cloak, but it would be clear to the inn owner I was a clipper. I didn't have any common clothing. I'd have to be gone as soon as possible in the morning before the owner had a chance to wag his tongue.

I used part of my money to rent a room for a night and asked that a hot bath be drawn. I smelled of smoke and fire; this was obvious even before the innkeeper wrinkled his nose. It was on my hair, my skin, inside of me. Maybe I'd never be clean of it.

My room was small, but the mattress was free of bugs and

lice. The innkeeper offered me a key to the bathing room, and after I stashed my belongings, I went straight there.

The tub was dented and rusted in spots, but hot steam rolled over its edges. I climbed in and sank up to my chin, letting the water soak away my aches and pains. I scrubbed my skin with rough soap, concentrating on my hair, which stank the most.

Once out of the bath I stood in front of the mirror, staring at my reflection.

I still looked the same. Everything had changed. Everything. And yet my face stared back at me the way it always had. My eyes were still brown, my hair was still long and blond.

I ran my fingers through the strands, pulling apart any tangles. It wasn't fair. I was different on the inside. I should look different on the outside.

I dug through my leathers until I found what I was searching for.

The knife sliced my hair easily and the chunks fell across my bare feet, piling to my ankles before I was finally done.

I left it long enough to pull back to keep out of my face when I wore my mask, but barely.

There. Now the girl who looked back was someone different. Just like the girl on the inside.

In my room I crawled under the blankets, pulling my knees up against my chest. My muscles still ached, weary from everything, but my mind wouldn't be still.

All I could picture was Val in the alley, dangling my key

from his fingers before I'd snatched it back. He had taken it from me at the beginning of dinner, at a restaurant his Family owned. Anyone could have made an imprint of it while we dined, while he stroked my fingers. And then we'd fled to the alley and he'd kissed me, all while his Family plotted to destroy mine.

My fault. All my fault.

Tears soaked into the pillow beneath my head. I wept steadily. My grief stretched on and on, endless. When I'd manage to regain control of myself, my body, I'd remember someone I had lost: my father, my mother, Matteo, or Jesep. Emile. Rafeo. Then the tears would start again.

I'd left Rafeo in the tunnel, and I'd left my mother in our burning home. I was alone now. The only Saldana remaining, and I'd gotten my Family killed because I'd loved a boy in secret who used that love to destroy me.

I cried until my cheeks burned from the salt, until my skin chapped and my head pounded. Then, finally, my body empty, I slept.

seven

STALL OWNERS CLOSED UP SHOP BELOW MY OPEN window. I'd slept through the rest of the night and the day. My eyes were sticky and sore with dried tears. My muscles begged me not to move.

I'd never slept so heavily before—like I'd slept for years. I scrunched under the blankets. Maybe I could simply not wake up. Ever.

Footsteps pounded outside my room as other guests went about their business. It was no use. I couldn't stay like this. I couldn't give up.

I climbed out of bed, the wooden planked floor rough beneath my bare feet. I stood in front of the mirror over the bureau and smoothed my newly shorn hair.

What would I do? The only thing I *could* do.

Kill everyone responsible.

I jerked on my hair, pinching my scalp. I pictured Val in his leathers, leaning against an alley wall as he kissed me. I saw him laughing, his smile lightening the mood. Then my chest constricted as I pictured Emile as he tried to outrun bedtime. And my father, removing his glasses and massaging the bridge of his nose where they always rubbed him sore.

I pictured Rafeo dead in the tunnel, his leathers soaked in blood, his skin cold.

My throat burned. I coughed, then swallowed. If Val had been a part of the fire, I'd have to kill him. If he'd helped kill my Family, then he deserved to die. It was that simple.

Even if I loved him.

Even if more killing wasn't the answer.

I paused, my fingers entangled in my hair. "I'm a clipper, a disciple of Safraella," I said to my reflection. "Murder is always the answer."

I pulled out my leathers and set about dressing myself. I needed to verify that it *was* the Da Vias who'd attacked us. Then I'd make a plan. The Da Vias numbered over fifty active clippers. I couldn't take them out one by one. They'd catch on.

No, I needed to kill them the way they'd killed us.

If I found their home, I could burn them out.

If only I had help . . .

The Caffarellis. Maybe I could reach out to them. There had been the marriage prospect, and my mother had belonged to them, once.

But why would they offer aid? The Da Vias were now the most powerful Family. The Caffarellis ranked fifth. They couldn't defeat the Da Vias even if they agreed to help me.

Probably they would just hand me over to the Da Vias to curry favor.

I tightened the buckles on my boots until my calves ached. No other Family would assist me. Not now, even if they hated the Da Vias.

No. I couldn't trust them. I couldn't trust anyone ever again.

I could give it all up. Bury my clothes, the mask. Become a different person. I could be a glassblower. A seamstress. No one need ever know who I was, what I could do.

Safraella would know. I couldn't abandon my duties to Her and Her subjects.

I paused. My mind turned. I did need help, though. Someone who couldn't abandon me. Someone who could help me fix things.

Time to visit the king.

The three Loveran cities that bordered the fields in front of the dead plains, Ravenna, Lilyan, and Genoni, pressed against one another like drunks in a barroom, their boundaries blurred by buildings that spilled across the city lines. Lilyan was smaller than Ravenna, but because the Caffarellis didn't have to share territory, like the Saldanas and Da Vias in Ravenna, they had more space. The southern cities and territories spread out more freely, with farmland and room between them.

The king's palace, located in Genoni, sat in the center of Addamo territory. Even if I could avoid the Addamos, and they were lacking in the skills of stealth and fighting technique, it would take too long to travel on foot. I'd need my horse if I wanted to speak to the king, Costanzo Sapienza.

As we did with our myriad safe houses, the Saldana Family hid stables throughout the city, moving our horses between them as needed. I headed to one as the shadows and dark night kept me hidden from the common. And the Da Vias.

I reached the stable and slipped inside.

Surrounded by the sweet smell of hay and the sounds of sleeping horses, I made my way into the secret stalls where three horses were kept well groomed, exercised, and fed.

My gray gelding, Dorian, nickered softly as I tacked him up. In the next stall Rafeo's stallion, Butters, stomped his hoof, anxious for a night ride himself. Rafeo never believed in giving animals serious names. The final horse was Matteo's gelding Safire, who ignored us all in an attempt to sleep.

I led Dorian out of his stall. Butters whinnied loudly.

"Butters!" I whispered. "Quiet yourself!"

He kicked at the stall door, the loud banging waking the other horses. If he kept it up, he'd wake the whole neighborhood. Better to bring him along, even as just a packhorse.

I tied Dorian to his stall door and tacked Butters up as well. He barely calmed, even when he realized he was coming. Rafeo thought . . . *had* thought . . . spirited horses were funny. I just thought they were a pain.

I threw the extra bags and weapons onto Butters but kept my spare money on Dorian.

Something slipped from a saddlebag and drifted to the

ground. The white poppy Val had left me.

I stared at it between my boots. My throat tightened. It would be so easy to crush it beneath my heel, to grind it into the ground until it was dust.

But maybe Val hadn't done anything. Maybe Rafeo had been wrong.

I picked it up, then replaced it in Butters's saddlebag. I could deal with it later, once I had some answers and some help.

We left the barn, Butters tied behind Dorian. I smacked Butters when he tried to bully his way to the front, and he finally got the message.

The horses' hooves clopped loudly on the flagstones as we took darkened backstreets. Butters grazed from any gardens we passed.

We crossed the city line into Genoni. I exhaled. The Addamo Family was smaller than the Da Vias, so chances were slight that I'd meet one of them, even though Genoni was half the size of Ravenna.

The palace sat on a hill in the center of the city, lit with giant lanterns, glowing brightly even against the lights of the city. It looked warm and welcoming, like a single coal burning in a brazier, but I'd be turned away if I approached the front gate at this hour.

They were not clippers, the Sapienzas, not part of the nine Families. The king was a disciple of Safraella solely to keep the angry ghosts outside the crumbled city walls.

My father had explained that before the Sapienzas had

seized the throne in a coup, the cities had been overrun by angry ghosts. The only things that could stop the ghosts were moving water, sturdy walls, and extreme faith in Safraella. People were afraid to leave their homes once the sun set.

The common people worshipped dozens of gods, though there were six predominant Loveran gods, including Safraella. Countless gods promised afterlives, some more desirable than others, but not many offered such a fair trade as Safraella: a new life in return for a death.

Finally, the Sapienzas managed to gain the support of the most powerful of the nine Families, and together they took the throne for the Sapienzas. Costanzo's agreement with the Families was that he would follow Safraella, building altars for Her throughout the country and donning his own bone mask—the royal family's color was gold, of course. And the common followed suit, abandoning their gods and turning to Safraella, the god their new, just king worshipped.

So pleased was Safraella by the king and the country's devotion to Her that She drove the ghosts out onto the dead plains, granting Lovero Her patronage, and Ravenna had become a city that thrived on nightlife and entertainment for those who had spent so long locked behind doors.

I stashed the horses in an abandoned garden, tied to a pergola, and gave each a bag of grain to keep them occupied. They were trained to wait patiently for their riders.

The palace was massive, as any good palace should be. Its walls soared into the sky, flecks in the stone sparkling against the lamplight like stars. The palace was the crown jewel of

Lovero, set against the rubies and emeralds of the cities and cradled by the sea.

I waited for the patrolling guards to turn their backs before I scaled the wall and dropped into the courtyard. I was allowed to be here; I just couldn't let *anyone* see me. Guards' tongues wagged as much as courtesans'.

I scurried across the courtyard to a special door reserved for clippers. I'd never had to use it. But my father had made sure we'd all known about the door and the correct protocol. One never knew where a threat to the king could appear, he'd said, and we had to be prepared.

I entered, walking up a set of stairs to a small room decorated sparsely with only a desk and two chairs. I lit the small lamp on the desk and found an alcove in the wall. Beside it were nine candles, each adorned with a strip of ribbon. Nine candles for nine Families. Three empty candleholders reminded us of the lost Families. I supposed soon it would be four.

I chose the candle tied with a black ribbon and lit it before I set it on a tray in the alcove. With a push, the alcove twisted on a hidden axis and the candle disappeared as the wall rotated. A special messenger would see the candle and tell the king someone from the Saldana Family awaited him.

I took the chair in front of the desk and sat, expecting a long wait.

The king was the religious leader of the common, but not over the nine Families. We were Her disciples and served Her before all. If Costanzo Sapienza were to lose favor with

Safraella, the ghosts would no longer be kept out of the country. The walls would need to be rebuilt, and people would need to return to staying indoors at night until the king could regain Her favor.

A creak sounded behind me. I turned. A tall, dark-haired man entered the room through a secret door. Costanzo Sapienza, the king.

I'd met him before, of course, at balls when my parents introduced me. He was a man with an easy smile and sadness in his eyes. None of the children his wife had given him had survived past their infancy, though she was pregnant again now and confined to bed.

He closed the door and faced me, smiling. When he saw my mask, the smile vanished. He put a hand to his brow and closed his eyes.

"You must forgive me," he said, his voice gruff. "When I was told the black candle had been lit, I was sure it was my friend Dante coming to reassure me of his continued good health. But you must be his first son, Rafeo."

He shook his head and walked to the other side of the desk, taking a seat.

I pushed my mask to the top of my head, then slipped it off, my newly shorn hair coming to rest against my cheeks and chin. "Actually, it's Lea."

He blinked and leaned back in his chair. "I apologize again, then. I must have confused your masks."

"No, you weren't confused." I turned the mask in my hands and examined its design and the crack across its surface. "This was my brother's mask. I couldn't save him, so I wear it now, to honor him."

He ran his fingers through his dark hair. "Then Dante and Bianca?"

"I searched . . ." I paused, my breath suddenly heavy in my throat. "I searched but could find no sign that anyone else escaped." My fault. It was my fault they were dead.

He nodded as if he expected this news.

"It doesn't mean anything, though," I added. "They could have gotten out before me. They could be safe. . . ."

He folded his hands in front of him on the desk. "Truthfully, I'm surprised to see any Saldana remaining. I was told the whole Family had been destroyed in their home."

I leaned forward. "Told by whom?"

He waved his fingers at me. "I cannot divulge that information."

"I need to know who killed my Family!"

His eyebrows arched in surprise. "How is it you do not?"

I settled against my chair. "It was dark, there was so much smoke. I couldn't make out their masks. Rafeo, before he died, said it was the Da Vias. Is this true? Please tell me if this is true." *Please let it not be true.*

He didn't respond, but the dark look on his face was all the confirmation I needed.

My stomach dropped. To know, to actually *know* it was the Da Vias who had killed us . . .

Yes, there were the Family politics and the struggle for rank and power. Objectively, it made sense that the second

Family would destroy the first when the first was low in numbers and wealth. But Val . . . didn't he love me? Had it all counted for nothing?

I closed my eyes. What hurt more? The death of my Family, or the cold betrayal?

I needed to breathe. In and out. Just like that.

We were the first Family, and yes, the Saldanas and Da Vias shared Ravenna as a territory, but that had been the way of things for generations. There was bad blood because of the failed marriage between Estella Da Via and my uncle Marcello, of course. But that had happened decades ago, and they hadn't moved against us in all that time. What had changed to make the Da Vias decide to end us now?

The plague, of course.

The plague had weakened the Saldanas, almost crippled us. And the plague had put Estella Da Via in charge. She wanted change, while the Saldanas followed the old ways, and as long as we were the first Family, we made the decisions. With us gone their territory would be larger and they would become richer and none of the other Families would be strong enough to face them alone. No one would punish them for what they'd done to us. They could take what they wanted—and Estella wanted to be in charge and wanted the Saldanas gone. It had taken her only two years to work out a means to do so—using Val to get to me.

I looked back at the king, who was watching me thoughtfully.

"Will you help me destroy them?" I asked.

Surprise flashed across his face. "No. No, I can't do that."

"But you were friends with my father. And they murdered him! Murdered him while he slept!"

"Lea, I cannot interfere in Family politics. I cannot show bias. The other Families would come for my head, and then where would the country be?"

"It wasn't his fault! It was my fault. I trusted . . ." My words caught in my throat, and I clutched the key at my chest. "Didn't you love my father?"

"Of course." He sighed. "Dante Saldana was a brother to me. I would've done anything he asked."

"Then help me with this!"

"No. This is something Dante would *never* have asked. He helped put me on the throne for the good of everyone, not for himself or his Family. And I'm not sure how he would feel about his only daughter planning to take on the most powerful of the Families."

"I have no choice. Safraella demands it of me." Did She? Because maybe I was actually doing this for myself. It didn't matter. I'd murdered in Her name before, and I would do so again. The only difference this time would be that I'd take personal satisfaction in sending the Da Vias to face Her.

"Be that as it may, there are other ways you could appease Safraella. You could pledge yourself to the church. Or you could continue on as a clipper."

"Live my life cloistered away? Never. And the Families—the Da Vias—would never allow me to continue to serve Her as a clipper. They would not rest until I was dead."

"You could marry into another Family. Surely one of them would be glad to have you."

"I have no rank now, no status. And any Family that took me on would have to face the wrath of the Da Vias." I shook my head. "None of them will take that risk for me." And they couldn't be trusted.

"No, this is what I must do. Alone, if need be. I'm the only Saldana left, anyway."

He shifted in his seat, tapping his fingers together. "Fine. I see you cannot be dissuaded from your path. And that is your right. But you don't have to do it alone. You are not, in fact, the only Saldana left."

My heart skipped a beat. I leaned forward.

"If you're interested, I can tell you where your uncle, Marcello, hid himself after leaving Lovero."

My uncle Marcello. My stomach knotted. No one else had survived then. The king was referring to my traitorous uncle, who was better left forgotten. We did not speak of him.

I was truly alone.

The king leaned back in his chair. "The Da Vias and possibly even the Maiettas would pay dearly to learn where he is—"

"I will not sell out my uncle, estranged though he may be, to the Da Vias to save my own life. I will not give them the opportunity to shed any more Saldana blood."

The king held up a hand. "You misunderstand. I offer you his location only if you wish to seek him out for help or

Family obligation. Nothing more."

"No," I said. "I could not trust him."

The king sighed. "Lea, I know the disaster surrounding Marcello was before your time, but I knew him quite well, and Marcello Saldana *was* trustworthy."

I'd thought Val was trustworthy. I stood and picked up my mask. I was done. There was nothing the king could do for me. *Would* do for me.

He took a quill and a scrap of parchment from a drawer, as well as an inkpot. "If you change your mind, last I'd heard, this is where you can find him."

He passed me the slip of parchment. I read the words. The city of Yvain in Rennes, Lovero's neighboring country. I dropped the scrap into the lamp, and the flame burned it to ash.

The king stood and walked to the hidden door. He pressed on a latch and slid the door open before he stepped through. He paused, looking back at me.

"Besides," he added, "Marcello Saldana would know how to find the Da Vias' Family home."

He closed the door, and I was left alone.

eight

I WALKED THROUGH THE STREETS OF GENONI, AVOIDing the large crowds this time of night. Maybe the king couldn't help me, but calling on him had been the right thing to do. Even if I'd thought of Marcello, I hadn't known where to find him, or that *he* knew how to find the Da Vias.

Marcello had to help me. We were blood, after all, family, even if I'd never met him, even if he was disgraced. And he'd once been Family, too.

Yvain, a tiny city, sat on the border of the country of Rennes, Lovero's nearest neighbor. It would take a day to reach it, but if I traded off between Butters and Dorian, I would make better time. The more I thought about it, the more it seemed like a good idea. I'd reach the city of Yvain, find Marcello Saldana, enlist his help in destroying the Da Vias, then return to Lovero together and burn them out like the rat's nest they were.

I closed my eyes and pictured them dying, their leathers

soaked with blood, their eyes sightless, their breaths stilled. My vision drifted toward Val, and I snapped my eyes open.

I'd have to be quick about this. Sooner or later the Da Vias would learn I'd survived, and then they'd be after me. And if they chased me to Yvain, it could lead them right to Marcello. If the Da Vias could find him, they would kill him, too.

I'd collect the horses, find somewhere to hide for the rest of the night, and head out at first light when it was safest. If I had to stop, there were monasteries scattered on the dead plains.

I returned to the garden and found the horses waiting patiently. I freed Butters from the pergola and tied him to Dorian again.

I paused, the back of my neck shivering beneath my hood. Someone was watching me.

I scratched Dorian's chin, my actions casual and unconcerned. Three of them, at least. Two on the roof of a nearby house and the other on the ground, hiding, poorly, behind a bush near the entrance. Terrible skills. Even Val could get closer to me, and he barely tried.

I bent over, lifting Dorian's hoof, to give the appearance of freeing a wedged stone. I slipped my hand under my cloak and secured a pair of daggers. I didn't have room in the cramped garden to unsheathe my sword.

I waited, certain one would make a move while I was "distracted." It was what I'd do. Nothing happened.

Time to take the lead, then.

I stood and faced the entrance and the clipper hiding there. "Well come on, then!" I yelled. "You're here for me, aren't you?"

The two on the roof looked at each other. The third revealed himself at the entrance to the garden. They watched me silently. I'd taken them by surprise, and they seemed unsure how to proceed. Rank amateurs.

The clipper before me stepped closer. The light from the moon showed brown splotches, reminiscent of ink blots, decorating his mask. Family Addamo, then. Alexi, to be specific. The other two I didn't recognize. Mother always tried to get me to memorize every mask, to be able to recall every clipper in every Family by their masks alone, but I could only remember a select few from each. Unlike Rafeo, who knew every single one.

I loosened my spine. I could take Alexi, even with two others backing him.

Alexi lifted a knife and tapped it against his mask.

"You've taken us a bit by surprise," he said. "We expected Rafeo." He pointed his dagger at my mask.

I shrugged. "Sorry to disappoint."

"Oh, I wouldn't say we're disappointed. The Da Vias will want to hear that a Saldana survived, and whether that's Rafeo or you, doesn't really matter to us. Either way, the Da Vias will be the first Family, and we'll have earned their favor. And you'll be dead."

Above me, one of the Addamo clippers slid closer—a move he probably thought I wouldn't notice. No wonder they were only the seventh Family. I tightened my grip on my knife. "You can give it your best attempt."

I whipped the knife at the two on the roof. The first clipper dodged, but the one behind was midstep. My knife struck the tile roof at his feet. I grimaced behind my mask. Knife throwing had always been my weakest skill. But the Addamo clipper lost his balance on the steep roof. He stumbled, tripped, and fell off the edge, landing with a loud thump on the flagstones below. He rolled onto his side and lay still, the ground spreading with blood beneath his head.

One down, even with my feeble knife toss.

Alexi rushed me, switching his grip on the knife in his left hand. He jabbed. I blocked and kicked at his knee. He twisted, but not fast enough. My foot hooked behind his ankle, and I pulled him off balance. He stumbled behind Butters, who swung his rump, excited by the commotion. Alexi fell to his knees.

I sliced through the rope securing Dorian. I was holding my own, but I didn't want to be denied a quick escape.

The remaining clipper jumped to the pergola and dropped behind me. He aimed a kick at the back of my knees. The kick connected, but I rolled with my knees bent, freeing myself from the close confines of the garden.

Finally, in the street, I found space to unsheathe my sword. I let it ring against its scabbard. The sound bounced off the brick walls of the houses around me.

Alexi, on his feet again, and the other Addamo approached

me cautiously from the garden. I waited, steadying my staccato breathing.

I twirled my short sword in my hand, a move of bravado my parents would have been disgusted to see.

Behind them, Butters and Dorian wandered into the street.

"Come on." I gestured the Addamos closer with the dagger in my left hand. "Or do the Addamos lack the edge to take a lone clipper outside her territory?"

My taunt did its job. Alexi charged, freeing his sword, the other clipper a step behind. Alexi lunged sloppily at me. I leaned away, dodging the swing, and jerked my knee into his gut. His breath left him in a whoosh. He stumbled, barely managing to keep hold of his sword. The other clipper rushed at me. This time I twisted inside his reach. A quick jab at his throat with my left hand and his life was over. He stumbled backward. His sword fell to the street with a clatter as he struggled to keep his life's blood from pouring out of his neck.

Movement behind me. Dumb, to be distracted by my kill. But dumb of Alexi to come at me with such an obvious move. The Addamos had no grace.

I twisted. Alexi raised his sword over his head. Again, I stepped closer, and thrust my sword up under his ribs. He coughed, sword tumbling from his fingers.

I jerked my sword from his body as he collapsed to the street.

I wiped my sword and dagger clean as I caught my breath. It had been easy to kill them. Much, much too easy. I sheathed my weapons.

If this was an accurate representation of the other, lower-ranked Families, then the king was right. The only Family who could've ever expected to take out the Saldanas was the Da Vias. And they'd only been able to do so because of me.

Above me, a boot scraped on tile.

On the roofs, more clippers stared at me behind their quiet bone masks. Addamos, each one. I couldn't take on the full dozen threatening me now.

The clipper in front, the leader and probably Alexi's father, Nicolai, stepped closer, his hand raised in a signal to the rest of his clippers.

I took a step backward, toward my horses waiting for me in the street. I slipped my fingers in one of my pockets, closing my fist around two small spheres.

The Addamos watched me. My muscles flinched. They were hesitating, and the tension burned through my limbs. I couldn't stand the waiting. . . .

I pointed at Alexi and the other clipper, dead at my feet. I shrugged. My flippant attitude would force their move.

Nicolai's hand dropped and the Addamos charged, jumping off the roof.

I cast the spheres at the ground. Smoke bombs. The thin ceramic casing shattered, combining the two liquids inside and creating a thick, gray smoke.

I turned and leaped onto the nearest horse—Butters. He

was still tied to Dorian's saddle. I swore as I sliced through the rope.

The first of the Addamos dashed through the smoke, but quick pressure to Butters's right side signaled him to kick out with his hooves, scattering the clippers.

Then we were free. Butters's shod hooves clattered against the flagstones, Dorian behind us, as we raced away from the Addamos.

Butters was fast, almost too fast, racing down an unfamiliar street in the middle of the night. Ahead, a group of revelers appeared. We ran through, dispersing them and their screams of alarm.

I aimed Butters straight, trying to get as much of a lead as possible. This was Addamo territory; they'd catch me, given enough time. I had to get free of Genoni. If I couldn't escape them, no one would make the Da Vias pay.

I shook my head. I'd killed three members of their Family, all while in their territory. They'd chase me even after I left Genoni. Simply leaving the city wouldn't be enough.

I glanced behind me. Dorian paced Butters, dutifully following. Maybe I could buy myself some time. . . .

"Dorian!" I called his name over the sound of their loud hooves, and his ears twitched in response. I shouted the command for him to turn right. He tossed his head, warring with his desire to stay behind Butters, but I had trained him well. He swung down a side street, away from us.

I lost sight of him. *This is their fault—the Da Vias. One more beautiful thing gone from my life.* Tears pricked my eyes. *Don't think about it.* He was a good horse. Someone would give him a good home.

At the next fork, I swung Butters north, away from Ravenna and my home territory. Some of the Addamos would've gone ahead to the city limits to catch me there. Hopefully this change in direction would shave off a few pursuers.

There! Before me stood the old, crumbled city wall. Behind it lay the end of the tightly packed buildings of the cities and the start of fields, spread through the valley until the river cut across them. That was my destination—the river and the bridge that spanned it.

We hit the fields and I leaned forward in the saddle. Butters took the cue gladly and raced faster.

A shout from behind. I spared a glance. From two different streets Addamos poured from the city, seven of them, each mounted on a horse of their own. They whipped their mounts in a desperate attempt to catch me.

They could do it, too. Butters was fast and willing, but their mounts were fresher, and they knew the quickest path to reach the bridge.

A whistle shrieked above me. I hauled left on Butters's reins, and only my quick reflexes saved us from the arrow. Butters slid to the side, almost losing his feet. I kicked him to regain his lost speed.

I stared over my shoulder for the archer.

There were two of them, their horses moving slower as their riders used both hands to pull on their bows.

I kneed Butters farther left, placing myself directly in front of the closing front runners, blocking me from the view of the archers.

Only a few yards ahead stood the bridge over the river. They wouldn't follow me across it. They couldn't. Only someone with nothing to lose would cross the bridge at night.

Someone like me.

All bridges over the river were crooked, with sharp turns in the middle before they continued on.

Spirits, like people, need bridges to pass over rivers, but they could only cross moving water in a straight line. The bridges zigzagged, to prevent the ghosts from reaching the cities.

An arrow slammed into my shoulder. I slipped left and lost my grip. Only my thighs squeezing Butters's barrel kept me in my seat. He stumbled again, compensating for my sudden shift in balance. Then we were on the bridge. Butters cut the last corner with an awkward leap. He landed, and I slapped painfully against the saddle. We'd done it. We'd crossed the river.

I'd reached the dead plains, home to angry ghosts.

nine

I DIDN'T SLOW BUTTERS UNTIL WE WERE SAFE FROM the Addamo archers. I stopped him with a tap of my legs and my voice. He halted, his head hanging as his sides heaved.

Bonelessly, I slid to the ground, my knees almost giving way beneath me. I leaned against Butters and examined my left shoulder.

The arrowhead had pierced me through the top of my shoulder, the metal tip protruding from the front of me. The injury wasn't life-threatening if I could treat it and it didn't become infected. I wouldn't treat it here, though. Not until I was safe.

The Addamos sat on their horses on the other side of the river. My gamble had worked—they wouldn't come after me into the dead plains, not at night.

I hadn't entered their city with the intent of killing three of their members. That had come about in self-defense. If they had any honor, they'd take this as a lesson to train their numbers better.

They watched me for a few more moments, and then, as one, they turned from the river and headed back into the city.

With a knife, I sliced off a strip of fabric from the bottom of my cloak. I tied it around my back and left arm with help from my teeth, immobilizing my arm across my chest to prevent further injury. Blood seeped into the makeshift bandage. I paused to catch my breath. I didn't have much time. I'd left the Addamos behind, but what waited for me on the dead plains was much worse.

"Plains" was a misnomer. The long grasses before me rolled over gentle hills. Their peaceful appearance belied their true nature. But returning to Lovero now would be a death sentence. The Addamos would be watching for me. And soon they'd inform the Da Vias. Luckily, the three Addamos who knew I wasn't Rafeo were dead.

The pain in my shoulder settled into a fierce ache. Regardless of my injury, I had to keep moving if I wanted to have a chance.

The dead plains were dotted with shrines and monasteries dedicated to Safraella. If I could reach one, I'd find sanctuary.

I remembered the stack of paper on my father's desk, the bids for our new Family priest. I scanned my memory of the one I'd examined, searching for the location of the monastery. Northwest of Genoni.

Mounting Butters with a single arm was difficult, but after

much swearing and kicking, I managed to climb into the saddle. I rested, then nudged Butters forward. We headed northwest. I kept my eyes peeled, watching the dark landscape for movement.

Everything was wrong. Nothing was the way it was supposed to be. Why had this happened to me? How had my life come to this? Fleeing in the night, injured and alone.

My fault. All my fault.

But, also, the Da Vias'. I tightened my fist on the reins. Butters flicked his ears. It was their fault, too. *Don't forget that. Don't forget this feeling, the rage flowing in your blood.*

Val. His actions had condemned me to this fate. If I could just speak to him, hear his side of things—no. *Don't be dumb, Lea.* Nothing he could say would fix what had happened. Even if, more than anything, I wanted to feel his arms around me, telling me everything would be all right. That no one would find out about us. That we'd be safe together. But now I was alone and I'd never be safe again.

Ahead, something lay in the tall grass. Butters snorted, and we approached cautiously. Nothing moved other than the grass in the wind.

I knew it would be a body. I looked down as we passed. A man, dressed in cheap silks that fluttered around him in the night breeze. He lay facedown, his head turned to the side, dirt pressed against his mouth and open eyes. Nothing marked him, as if he'd dropped dead from a failed heart. It wasn't his heart, though, that had brought his death.

Anyone could become a ghost. People who died out of

favor with their gods, people who didn't worship a god, even people of good faith who died with too much rage or despair in their hearts. It was why we left the coins on people we clipped. It acted as a balm to ease their rage, to signal to Safraella that they'd been murdered for holy reasons and deserved a chance at a new life.

Movement to my left. I turned slowly, trying not to draw attention.

A wisp of white, a figure floating in the night across the field. An angry ghost. The dead plains were full of them.

Many gods had their own personal hells they could damn their followers to, but Safraella did not. If someone was devoted to Safraella but died out of favor, they entered a sort of purgatory. Ghosts congregated on the dead plains, waiting for a person to stumble upon them so they could steal the body and turn that person into a ghost.

But a ghost could never again be a person, and after a day or so it would abandon its stolen body—often on the dead plains, like the body in the tall grass—and begin its search anew, endlessly looking for the life that had been taken from it.

I shivered. The angry ghosts were dangerous. They could use their rage to move objects, or they could rip your soul from your body. No one would ever willingly face a ghost. The ghosts were why the Addamos had let me go.

I ducked my head and asked Butters to speed up. So far the ghost hadn't noticed me. Sunrise was only an hour or two away. If I could pass through unmolested until then, I could travel to Yvain and find my uncle. Luckily, the Addamos didn't know where I was headed, but there were only so many places one could go to from the plains.

Butters huffed, his breath steaming in a puff of white in the cool spring night.

To the right, more movement. Another ghost, heading south toward the river.

I hunched in my cloak. My shoulder burned and my vision faded. I bit my lip until my sight cleared. I needed to stay in control or I wouldn't make it out of the dead plains.

But maybe . . . maybe it would be okay to not make it out. Maybe it was what I deserved for the deaths of my Family, an afterlife spent wandering the dead plains as a ghost. . . .

No. If the ghosts took me, then no one would make the Da Vias pay for what they'd done.

Butters shook his head, the metal buckles on his bridle tinkling quietly. I held my breath as the closer ghost paused, then turned toward me.

Oh gods . . .

The ghost shrieked—a guttural screech that echoed across the field. It rushed my way, its white, glowing form spread out behind it like morning mist.

I kicked Butters. He jumped into a canter.

Ghosts were dead. They never tired; they would keep coming until the sun rose or I could find safety.

The angry ghost caught up to me. My voice evaporated in my throat and my fingers clutched the reins until pain rushed through my fingers. I stared at the ghost as it kept pace with us, the rage on its face, the darkness in its mouth as it howled at me. It had been human, once. A woman. A faint outline glowed where her throat had been slashed. Someone had taken her life, but not someone in my Family. We marked our kills to avoid creating angry ghosts. But ghosts didn't follow logic, or mercy. They followed their rage until it led them to a person.

The ghost reached for me. I jerked Butters away, my shoulder stretching with fresh, hot pain. Her fingers passed through the saddle. She shrieked louder, her screams reverberating in my skull.

More ghosts appeared; she'd called them in her rage. They raced to us and Butters flattened his ears, snorting, his eyes wide and white. Every hoofbeat pounded through my shoulder until my body was awash with agony.

Their screeches deafened me. They seeped into my body until I clenched my eyes shut and screamed at them, trying anything to get them to stop their terrible cries.

I leaned over Butters and forced him faster. He broke into a wild gallop. My thighs strained, and it was all I could do to stay on, one armed.

The ghosts fell behind, and for a moment it seemed we would outrun them all, but they rallied and raced after us.

Butters's breaths beat beneath me, matching the rhythm of my own heart. A rock flew out of the night and struck Butters on the hind end. A ghost had thrown it.

Butters bucked, squealing, and I slipped across the saddle, losing the reins completely. Only my feet in the stirrups kept me from spilling off. I lunged for the pommel and grasped it tightly, gasping as spots flashed before my eyes.

With no pressure on the reins to slow his headlong gallop, Butters flew across the plains. His blond mane whipped painfully against my face as I crouched over his neck and struggled to keep my grip on the pommel. At this speed, falling off could be a death sentence, even without the arrow in my body. If I didn't crack my skull or snap my neck, I was loaded with sharp objects, any of which could lodge fatally in my flesh.

I used my left hand, still bound across my torso, to dig through a pouch on my waist for a Saldana Family coin. I clutched it tightly in my palm and prayed to Safraella.

A ghost appeared beside us. Its spectral hands reached for me. I twisted, but its fingers slipped into the flesh of my thigh.

Icy pain cracked through my body, radiating from where the ghost touched me. I shouted as the cold spread through my leg. The ghost pulled its hands away, but with it came a transparent image of my limb, the ghost's fingers wrapped tightly around it as it tried to tug me from my own body.

"No!" I yelled. I couldn't fail my Family. "No!"

The coin in my hand grew warm. Then hot. It burned, erasing all other pains. I struggled to open my hand, to be rid of the coin, but my fingers were paralyzed.

I screamed, leaning over Butters, clutching my burning hand to my chest. I turned my face away as the ghost slowly pulled my soul from my body.

The pain in my hand stopped, like a quick breath. An

explosion of light erupted from my skin, catapulting the ghost away.

Salvation appeared before me: the monastery, nearly hidden amid a grove of old oak trees.

I put my burned hand out of mind and focused on the reins bouncing on Butters's neck. I counted to three, then lunged for them, the leather slapping into my palm. I hauled back, trying to slow Butters, to show him I was in charge again. He tossed his head, his mouth and eyes wide, but his ears flicked backward and he slowed.

I turned him toward the monastery as a small group of ghosts passed us by on the right and flowed around the trees.

A thunderous crack split the night and a tree jerked, showering the field with new leaves as the ghosts fought to knock it down. The tree creaked and toppled over, right in our path.

We couldn't stop—we were going too fast.

I leaned forward over Butters's neck again, loosening the reins until he reached the downed tree. He bunched his legs and we flew over the tree trunk, the ghosts behind shrieking in renewed anger and rage.

We raced through the gates of the monastery, free of the mob of angry ghosts.

ten

AT THE SOUND OF BUTTERS'S HOOVES CLATTERING ON the stone entryway, the priests of Safraella rushed outside carrying lanterns.

The angry ghosts milled around the fence surrounding the monastery, held back by the priests' faith and the holy ground, blessed by Safraella.

The priests reached my side, and I slid off Butters into their capable hands.

"Sister, how do you come to be here so late at night?" The speaker was a man with dark skin, and hair clipped close to his scalp. He had brown, kind eyes with laugh lines around the edges.

"You mean so early, Brother," another one said. To the east, the sun crested the horizon and the wailing ghosts faded away in the soft light of morning.

My legs wobbled, but the priest helped me to stand. "I fled across the dead plains."

He called for another priest to tend to Butters, whose chest heaved as he tried to regain his breath.

"You have been arrow shot!" he exclaimed.

I laughed. Surely he knew I was aware.

"Come, Sister." He lent me his shoulder. "We will tend you inside. I am Brother Faraday. When you are treated, you should tell me your tale, for it must be full of adventure and daring."

I glanced at him and his eyes sparkled. He was younger than I'd first guessed. Maybe only a few years older than me. "I know you."

His left eyebrow arched upward.

"I saw your request to become the Saldana Family priest."

"Ah!"

Inside the stone walls, candlelight filled the halls with a soft yellow light. Faraday led me past a great room with a stone altar at the far end and into a small chamber with only a table and chair.

A few priests hovered in the doorway, peering past one another at me.

Someone outside huffed, and the men parted to allow a priest with a bucket of hot water and towels draped over his arm to enter. Two others followed.

One of the priests, who introduced himself as Brother Sebastien, cut my cloak away from my body, carefully removing it so it wouldn't catch on the arrow shaft protruding from my shoulder.

He examined the wound. "There's no easy way to do

this. We'll have to force the arrowhead the rest of the way through your flesh. Then we'll be better able to remove the shaft."

I slipped off my mask. Another priest took it reverently.

"We'll have it cleaned and repaired," Brother Faraday said.

"No!" My shout startled them. I lowered my voice. "Cleaning is fine. But the crack . . . leave it. It's a reminder for me."

The priest carried my mask away.

"What have you done to your hand?" Brother Sebastien seized my wrist.

I'd almost forgotten my hand. I turned it over and with some effort managed to peel my fingers open.

"What is this?" Sebastien plucked the coin carefully from my scorched palm and passed it to Brother Faraday. My burned skin cooled painfully in the air. It was red and raw. Brother Sebastien dabbed at my hand with a damp cloth.

Faraday cleaned the coin under the light of a lantern.

"It's a holy coin," I answered. "I was clutching it in my fear."

"But why are you burned?" Faraday asked.

I shrugged, then hissed in pain from the movement.

"I don't know how it burned me," I replied to Faraday. Sebastien cut away my leathers and started to clean my shoulder of blood. "I didn't think I'd be able to reach the monastery before the ghosts stopped me. I clutched the coin and pleaded for Safraella to save me."

Faraday paused in his examination of the coin and stared

at me, his gaze so intense I fidgeted in my seat.

Sebastien pressed his hands against my shoulders, holding me in place. "Miss Oleander, I must implore you to remain still."

"You recognize me?" I asked, surprised.

"The coin and the mask are Family Saldana, though the mask belongs to Rafeo Saldana. The late Rafeo Saldana, if I've judged things correctly." He glanced at me, then returned to my shoulder. "There are only two women in the Saldana Family, and you don't look nearly old enough to be Bianca. Therefore, Oleander."

"I go by Lea," I mumbled.

"Yes, well, perhaps you should return to your discussion with Brother Faraday, as this next part will be . . . unpleasant."

Sebastien shoved the arrow the rest of the way through my shoulder.

I grunted and the room rolled. Sweat broke out on my forehead and my stomach contorted.

Sebastien broke the shaft and removed the arrow from my shoulder.

"Some stitching on both sides and you'll be back to normal in no time," he said. "As long as you refrain from heavy use of this arm. I take it you are right-handed? Good, then it shouldn't be so difficult."

Brother Faraday diverted my attention while Sebastien set a needle to my skin. "The coin itself burned you? After you prayed to Safraella?"

"Yes. I couldn't release it."

"But the ghosts still chased you? I don't understand what this means. . . ." The last bit he addressed to himself, his gaze retreating inward. Sebastien finished the stitches in my back and moved to the front of my shoulder.

"While it was burning me," I continued, "a ghost tried to pull me out of my body, and something pushed it away."

That drew Faraday's attention. "What do you mean?"

"I'm not sure I can explain. There was a flash, like embers maybe? And the ghost was thrown away from me. I didn't pay the flash much attention. I was trying to stay seated on my horse."

"A miracle?" he asked. "You held off a ghost by the strength of your faith alone?"

There had been stories and tales of priests or clippers so devoted to Safraella or their own gods, so favored that the gods protected them from the ghosts. They could walk the dead plains at night, unmolested. Those of incredible, fervent faith—saints or those who saw the goddess herself in a vision—were sometimes granted true resurrections and brought back to life in their existing body. It hadn't happened in hundreds of years. I scowled. "I'm no saint."

Faraday blinked rapidly. He flipped the coin in his palm. "Do you mind if I keep this?"

I waved his question aside. "Have it. I have a pouch full of them. They're really only worth the value of the coin."

"To you, maybe, but to me it is apparent you had an experience with the goddess Herself, that She somehow deigned to answer your prayers. You must be very special, Lea Saldana."

Sebastien, finished with the stitches in my shoulder, dressed the wound with a foul-smelling salve, and wrapped it tightly with white cloth. He moved on to my hand, cleaning it with another damp towel before slathering the burns with the same salve, wrapping my hand and pronouncing me mended.

"I don't see that I'm favored by Safraella," I responded to Faraday. "Two nights ago my whole Family was slaughtered by the Da Vias. If She loved us so, then why did She let us be destroyed?"

Faraday closed his fingers around the coin. "Yes, I can see how that would be . . . upsetting. But do you not also see how you were the sole survivor? How you escaped the slaughter of your Family?"

I shook my head.

Luck. It had been only dumb luck that had saved me.

And since everything had been my fault, the luck tasted like dry ashes in my mouth.

Brother Faraday showed me to a room. It was small, and sparsely furnished, but the bed was clean and my body sank into it. My mind, however, could find no rest.

I was surrounded by men of faith, servants of Safraella, and yet I'd never felt so alone. The pain in my shoulder and hand paled against the pain of my heart. Before, whenever I'd felt sad or lonely, I'd talk to Rafeo, who would be quick to cheer me with a joke. Or I'd find Val, who could make my body tremble with well-placed hands and lips.

But Rafeo's voice had been silenced. And the love between Val and me had been a lie.

My shoulder ached as my thoughts plagued me, and finally, after close to an hour, I sat back up.

Someone pounded on my door, but before I had a chance to answer, Brother Faraday slipped inside, latching the door behind him. He held a robe and a wide-brimmed hat in his arms.

"Brother Faraday?"

"There's no time," he whispered, handing me the clothes. "The Addamos have come looking for you. Well, looking for your brother Rafeo."

I jumped to my feet. "What?"

"Put on the robe and hat. We're going to sneak you out. You'll have to leave your horse—Butters, was it?—but we'll take good care of him. The rest of your belongings have already been packed."

"I don't understand." I slipped the rough wool over my head. "How did they find me so quickly?"

"They must have left at dawn to get here so soon, though I suspect they're checking as many monasteries as they can. And they haven't found you yet. But they might if you linger." Faraday opened the door a crack and peeked out. He glanced over his shoulder, and after I tugged the hat in place, hiding my hair, he gestured for me to follow him.

Voices trickled around the corner of the empty

hallway—Brother Sebastian arguing with someone.

Faraday held up a hand and we ducked into an alcove. I clutched my key around my neck and listened carefully.

It wasn't an argument, it was an interrogation from an Addamo clipper.

"He had to have stopped here," the clipper's voice echoed.

"I'm sorry, Brother, but no man called on us last night."

The front door to the monastery opened, and another Addamo walked in. Faraday and I pressed our backs against the wall of the alcove.

"There's a palomino stallion in the stables, well-bred," the new clipper announced. "Could be the same one he was riding."

"Well?" the first Addamo asked Sebastien.

I chanced a look. Sebastien bowed his head. "The horse wandered onto our land this morning. He had no tack to identify his owner. We are planning to keep him until his owner claims him. It is only right, considering how finely bred he is."

"It's awfully convenient."

"I'd actually say it's inconvenient," Sebastien said. "Both for you and for the owner of the horse. Are you truly confident this clipper braved the dead plains at night?"

"Of course we are. He was arrow shot by one of my men. We watched him ride into the dead plains north from Genoni."

"Perhaps he succumbed to his wounds? Or the fury of the ghosts? An injured man is more at risk for possession.

Or maybe he returned to Lovero, through a different gate."

The Addamos paused as they thought this over. "The Caffarellis could be hiding him," one mumbled to the other. "Maybe he circled back on foot to the Lilyan gate."

"Why don't you come this way and I will get you some refreshments," Brother Sebastien said.

One of the Addamos made a frustrated sound, followed by footsteps as they trailed after Sebastien. "The Addamos would pay handsomely for any information, of course."

Whatever Sebastien said in reply was lost as they left the room.

Faraday and I waited a few more moments to make sure it was safe for us to move.

"You could've told them about me," I whispered.

He shrugged. "Like the king, we do not support one Family over another. They should know this."

"But by helping me, aren't you supporting the Saldanas?"

"Haven't you heard? The Saldanas are all dead, wiped out by the Da Vias. Anyway, it's a disgrace they offered us money like we're some sort of commoners. We, too, are disciples of Safraella, even if we don't murder in Her name. Sometimes clippers forget this."

I smiled. "When you're a clipper, you're schooled to think highly of your own importance."

He peeked around the corner, then waved me forward. We scurried out to the yard. There a wagon waited, hitched to a chestnut mare. In the back rested my two bags, though the saddle and saddlebags had been left behind.

"Come." Faraday gestured as we rushed to the wagon.

"Won't we look suspicious?"

"We're just two priests, going about our duties."

Priests inside the city walls generally tended to the common, accepting offerings of blood or bone from people who hoped to gain favor from Safraella, seeing to their spiritual needs.

The monasteries on the dead plains, though, served many purposes, including offering sanctuary for travelers. But their two main duties as priests of Safraella were to play the role of cleaners on the dead plains—finding any bodies and returning them to their families if possible—and to pray for the angry ghosts.

At night, the priests would gather at the gates and pray for the angry dead, pray for their torment to end, for Safraella to offer them a rebirth so they could stop their endless searching for a body. No one knew if it worked, but the priests had faith.

"I have to say, I never expected a clipper to ride here in the middle of the night seeking safety." Faraday took the driver's seat and adjusted his own hat. I sat on the bench beside him. "You certainly brought much excitement with you."

"I apologize."

He smiled. "It has been liberating. A nice change of pace. Sometimes, things can get boring."

I yawned and regretted my lost rest. "What? At a monastery in the middle of the dead plains, surrounded by angry ghosts?"

"Yes, well. As you may have noticed, the ghosts aren't very good conversationalists."

He flicked the reins and we moved forward, leaving the monastery behind. "Where is it you're headed?"

I paused. Faraday had only helped me. And he was a priest. Of course, I'd trusted Val, and look where that had ended.

But there was no point in lying, not if I wanted to reach my destination and find my uncle. He was the key to the Da Vias and my revenge. "Yvain," I finally admitted.

"Then we'd better move a little faster." He clucked his tongue and the horse sped up.

eleven

YVAIN WAS A CITY AS DIFFERENT FROM RAVENNA AS the dead plains monastery was from the palace in Genoni. Where Ravenna was a city of nightlife, masquerades, and carnivals, Yvain was tiny and quiet, more provincial, with fresh flowers in the window boxes of every house, and fragrant red mosses growing between the cobblestone streets.

I hated it immediately. There was no life to the people. No sea air and the sweet smell of the lantern oil. No fashion and pride in what they wore. In Yvain, the women didn't even cover their hair, and beneath the cloying smell of the flowers, the warm stench of sewage from the canals drifted everywhere.

Walls divided the city from the dead plains, since Rennes was not a country that bowed to Safraella. Ghosts could not pass through walls, and the city walls kept the dead plains ghosts out, but anyone who died within the city, behind the walls, and became an angry ghost would be trapped inside the city with everyone else. So like the old days of Lovero, people stayed inside their homes once the sun set.

"Why doesn't their regent simply bow to Safraella?" I complained as the wagon slowly made its way into town behind a line of people entering the city before the sun set.

Faraday shrugged. "It's a question of geography. Lovero is pushed against the sea on the south and west, and bordered by the dead plains on the north and east. When the Sapienzas took the throne, the people supported a royal line that would bow to Safraella and free the country from the menace of the ghosts. But Yvain is the only city in Rennes pressed against the border of the dead plains. It's more easily managed with the walls, and any ghosts inside Yvain can't get farther into the country because of the canals. To the ghosts it's a labyrinth of waterways."

"It still seems it would be a good idea to follow Safraella."

"The people of Yvain, and Rennes as a whole, find our devotion to a goddess who deals in death and murder to be macabre at best." Faraday chuckled.

"She offers resurrection."

"Yvain's patron is Acacius, a minor god of crops and debts. It's why they have flowers everywhere. And you will find honorable people here. If they accrue a debt, they will do anything to repay it. If they are devout, Acacius gives them their own version of eternal life, by making them one with the land and plants and animals."

"I'm sorry," I scoffed. "But I'd rather deal with blood and death and return as a person than water some pretty flowers and pay my debts and come back as a wheat field."

"Well, you are biased. But for them, becoming part of the land is a form of immortality. They would rather try to live full lives here and now than be faced with death and murder only to be reborn and have to face it all over again. Acacius offers gardens and farms, trees and flowers. You will find little hunger in Rennes."

We struggled to break free of the crowd, Faraday steering the wagon past the heavy gates of the city walls. He shifted in his seat. "You don't have to go after the Da Vias, you know."

I stiffened. I hadn't told him my plan.

"Don't be alarmed. It just seems your most likely course of action." Faraday grinned. "But no one seems to realize you, Lea Saldana, survived the attack on your Family. Very few people get such a clean chance at starting over."

I pushed my growing anger aside. "You're suggesting I give up serving Safraella? You? Her disciple?" My whole life I'd been a clipper. If I gave it up now, no one would avenge my Family. Memories of the Saldanas would fade, until we'd simply become another of the lost Families. "Being a clipper is a calling."

"Oh, I understand a calling. But can it truly be counted one if you're born into it? Did your mother or father ever ask if you wanted to be something else?"

I snorted. "Who would give up a life of money and power and respect?"

"Those things are gone with the lives of your Family.

Those things are fleeting, as you can see. Intangible."

I looked away, scanning the faces of the crowd around us. They blended together until I didn't truly see anyone. "I do not care for the turn of this conversation, Brother."

Faraday held up a hand in surrender. "I apologize. I forget you are not of the church and unused to discussions of philosophy and faith. I spoke out of concern for a sister and that is all."

"Whatever my plans are, they are well considered." Find Marcello. Enlist his help. Kill the Da Vias before they realized I'd survived their attack. Simple.

Faraday nodded, then drove the wagon down a street almost as busy as the entrance. He pulled the wagon off to the side and stopped.

"Here we are." He gestured to a small building to his left. The setting sun highlighted a carving on the door, a blank bone mask. This was a church of Safraella.

"They allow our churches here?" I asked.

"Clippers are not allowed in Yvain, of course, but they do permit a few small churches. Mostly for the use of the monasteries. We return as many bodies from the dead plains to Rennes as we do to Lovero, but many of us can't make the trip back to our monasteries in one day. I'll stay here for the night and head back in the morning. There is plenty of room for you, too. The Brothers will be happy to welcome you."

It would be easy to walk into the church, get a good night's sleep, then find my uncle in the morning.

But the Addamos were already after me. If they had sent

members to the monasteries, then next they'd be heading for the nearest cities, including Yvain. And the first place they'd check would be the churches. Anyone could be made to talk. Anyone.

"This will be where we part ways," I said.

Faraday's smile dropped, but he nodded.

I jumped off the wagon and grabbed my two bags. "Thank you, Brother Faraday. I wish I could offer you something. In the past I would've granted you good grace with the Saldana Family. I still could, but it's not worth much these days."

"I'll take it." He leaned over me. "You may be the only Saldana now, but I do not think your Family's story is complete."

"Well, it's kind of you to say so, anyway. If ever you need assistance, Brother Faraday, you need only ask it of a Saldana. There. Now it's official."

"Thank you. Look for a letter from me. I will write with any information about your situation. Good luck, Lea Saldana."

He clucked the horse forward into a small alley beside the church. I fought off a yawn. My shoulder, hand, and entire body ached from the Addamos and ghosts. I'd need to find somewhere to rest.

Around me, the streets grew empty as the sky grew darker. Unlike Ravenna, there were no crowds of people waiting for the moon to rise. The few who remained headed for inns, lit brightly against the encroaching darkness of the streets. Building after building held businesses where they'd offer to lend money if paid back with interest. In Lovero, if people didn't pay their debts, someone typically hired a clipper to pay them a visit.

I walked along a canal, bags heavy in my hands, wrinkling my nose against the smell. The small boats people used as transportation were tied against docks and buildings. Lanterns adorned many of the boats, but for what purpose in a city that hid from the night, I didn't know. Perhaps Yvain had carnivals like Ravenna, and they decorated their boats with flowers and fires. *Remember why you're here.*

I couldn't care about masquerades or good food or flirting with boys. None of that meant anything anymore. Maybe it never had. Maybe if I'd been more like Matteo, focused on my studies, I would've been able to save my Family. To save Rafeo, who was lying alone in the tunnel.

I could still do it. If I worked hard, became the best clipper, maybe She would undo what had happened. Maybe She would return my Family to me. *Even just Rafeo. If I could have Rafeo, I could serve You better.*

No. It was impossible. True resurrections never happened. Or at least hadn't happened in hundreds of years. It was a stupid thing to wish for, but I couldn't help it. I missed them so much. So much.

This was my punishment. My terrible secret. Val had brought about my Family's death. They were gone forever and I was alone and this was my burden to bear.

I shook my head, freeing it from heavy thoughts, and found a dark alley to hide in. Safe from prying eyes, I changed out of the garments the monastery had provided and slipped into my familiar leathers. My boots buckled tightly against my calves and the belts fit snug around my waist, though they were too light without their customary weapons. I opened my second pack and slipped on every knife I could fit around my waist, in my boots, and on my arms. I sheathed my short sword and filled a pouch with a fair selection of my favorite poisons. After a moment of thought, I included a few smoke bombs as well. This was a new city, a new country. Better to carry a bit of everything and not need it than to regret something left in a pack.

There were no clippers in Rennes, or anywhere else other than Lovero. There were only nine Families, and we all called Lovero home. Maybe one day, if worship of Safraella spread past Loveran borders, there would be clippers in other cities, but for now I was alone.

I pulled on my cloak, fingering the small stitches a priest had used to close the arrow hole. My shoulder ached fiercely. Finally, I slipped on Rafeo's mask, inhaling deeply the smell of fresh oil used to clean it. I was safe now, behind the mask. And it was time to get to work.

I tied a rope around my bags so they would hang below me, then approached a nicely pitted wall, easy for climbing. I'd get to the roof, stash my belongings for now, and then explore the city and try to learn its ways. Maybe, if I was truly lucky, I'd actually find my uncle tonight and I could be back on my way to Ravenna with him tomorrow morning. Of course, chances were it would take a few days of searching and questioning the right people. After all, he'd been a Saldana once and could hide effectively.

I yawned. Or maybe I could just find somewhere to get some rest first. Yes, I wanted to find Marcello as soon as possible, especially since the Addamos were after me—and it was only a matter of time before the Da Vias learned about me, too—but I would be of no use exhausted.

I tightened my grip on the wall and pulled myself up.

My shoulder exploded in pain. I gasped, dropping to the street. I clutched my shoulder and closed my eyes until the pain faded to a steadier ache.

Damn it. I was too tired, and not thinking straight. My shoulder couldn't support me so soon after being stitched up.

I looked up at the roofs. I would find no sanctuary among them tonight. I'd have to find somewhere else, somewhere other than the churches or inns where the Addamos would be sure to look.

As much as a bed called to me, I couldn't take the risk.

I leaned against the alley wall, my muscles sagging, my body begging me to rest, to sleep.

The city remained empty except for a few people heading quickly to their destinations. It was so unlike Ravenna, where there was nothing to fear in the night. Well, except for the clippers. But now, with the hush and the quiet floating across the streets, gooseflesh broke out on my skin. I'd never seen people live this way.

A scream stabbed the night.

That was more like it. I turned, trying to pinpoint the

sound. Muffled shouts were followed by scuffs on cobblestones. I grabbed my bags and rushed down the streets, my fatigue forgotten in the moment.

The noise stopped.

Ahead of me, a man stepped out of an alley, rubbing a hand through his white hair. I paused and he turned, catching sight of me. His face blanched and he shouted, then fled.

In Ravenna, people feared my mask, but they also respected me. Here, the man had just reacted in terror.

I let him race away. I had no reason to chase him.

I stepped into the alley, and there lay a body.

I approached it, waiting for any movement, but none came. I knew now why the man had fled so quickly.

The body was that of a young man, not much older than me. He had smooth brown skin and a dusting of hair over his lip. He had been stabbed in the chest three times, and his blank eyes stared at the dark skies. His coin bag lay beside him, torn during the struggle and empty.

He had been murdered for money.

A sudden surge of anger filled my chest. I should have chased after that man. I should have made him pay for what he'd done to this boy. I was a murderer, yes, but I murdered in the name of a god, and the deaths I brought came with the promise of a new life. What did this boy's death grant him?

He had been killed for no higher reason. He had been murdered in cold blood for a few coins.

The boy's blood seeped into his linen shirt, and I remembered how Rafeo's blood soaked his leathers, his hands weak and cold in the tunnel.

My leathers felt suddenly tight around my chest, and I fumbled around in my pocket until I pulled free one of my remaining Saldana Family coins.

My burned hand ached when I looked at it, but I leaned over and placed the coin in the boy's mouth, humming my song. Maybe it wouldn't work. Maybe he followed Acacius and his soul had already been reborn as a shrub or something. But if he hadn't, then maybe Safraella would see my coin and give him a new life.

Behind me, I heard a noise, like a puff of air, or a loud exhale. I turned.

A ghost floated at the entrance to the alley, staring at me.

My blood froze and my hand instinctively dropped to the sword strapped to my hip. Not that the sword would do anything.

The ghost charged, its high-pitched shrieks bouncing off the walls and filling the alley.

I grabbed my bags and ran. After the dead plains I knew the ghost was faster than me, but the alley ended at a canal, and maybe a crooked bridge stood nearby.

I reached the canal. My boots slid to a stop at the edge. I looked left. Right. No bridges. Nothing. I was trapped. The ghosts couldn't cross the water, but neither could I.

The ghost's screams reverberated loudly. My head pounded with the beat of my heart.

In the middle of the canal a boat floated listlessly, loosely moored to my right. It was far. Too far to reach, but I had no other choice.

I whipped my bags across the water. My shoulder burned with fresh pain, but both bags landed in the bottom of the boat with a loud *whump.*

I jumped.

My body crashed into the boat. My arms barely managed to grasp the side. My legs and hips splashed into the water, almost capsizing the boat. My shoulder screamed in agony, but somehow I managed to pull myself over the edge, crashing into the bottom.

I cradled my shoulder, biting my lip beneath my mask. I rocked back and forth, trying to prevent the tears that threatened to escape.

This was just physical pain. It was nothing. I would not waste my tears on it.

I took a few deep breaths, then pushed my cloak off my mask. I peeked over the edge of the boat.

The ghost floated at the end of the alley, stopped by the flowing water of the canal. It moaned steadily, staring at the boat. Like the ghosts at the monastery gates, it would wait for me all night.

I leaned back, slumping against the boat. Finally, I rolled over and covered myself with my wet cloak. It seemed I'd found my place for the night.

twelve

I AWOKE TO THE SOUND OF CANAL BIRDS SQUAWKING in the air and voices drifting over the water. I was lost, but then I remembered the murdered boy and the ghost and my restless night in the boat.

I groaned and rolled over. Above me, the gray of early morning blanketed the sky. I'd wasted the whole night, but at least the ghost would be gone.

The voices came again. I blinked, trying to focus, and then peeked over the edge of the boat.

Three men in the alley stood over the body of the boy. They wore gray-and-blue uniforms with round hats. Yvain lawmen.

I couldn't make out their muffled words, but it suddenly seemed important to find out what they were saying.

I reached my arms over the boat and grasped the moor line. I dragged the boat closer to the alley.

"It's different from the others," one lawman said. "I think

this was just a regular robbery gone wrong. Nothing else is missing but the coins."

"Not all the coins, though," another lawman said. They turned to look at the third lawman, who held a gold coin in his fingers, examining it. My gold coin. The one stamped with the Saldana Family crest that I'd slipped into the boy's mouth last night in a fit of exhaustion and stupidity. They didn't worship Safraella in Yvain, so chances were they didn't appreciate a murder.

"What do you make of it, Captain Lefevre?" one asked.

"It's Loveran." He flipped the coin over. "See this stamp? It's a crest from one of their clipper Families."

"Clipper?"

"Their assassin Families, who serve Safraella by murdering people." One of the lawman spat to the side, but lawman Lefevre continued, "They clip people's lives short."

Lawman Lefevre was either well educated in Loveran customs and culture, or he'd spent some time in my country.

"Then what is it doing here?"

Lefevre whistled a short tune, turning the coin in his fingers again. "They only leave these coins on someone they've killed, so it means this boy wasn't killed by our mysterious serial murderer, but instead by a Loveran clipper."

I hadn't killed the boy, though. I'd only tried to make his passage to his next life easier. It was a kindness, what I'd done for him.

The third lawman grunted. "So, not only do we have our own serial murderer on the loose, but now we have a

Loveran one as well?"

"Seems so," Captain Lefevre said. "And the clipper will be a professional killer, proficient in all manners of murder."

Beside me, a canal bird landed on the edge of the boat. I looked at it, and my movement sent it skyward in an explosion of feathers and shrieks.

All three lawman looked up at the sound. Their eyes followed the bird before settling on the boat. Where I lay hidden, arms grasping the moor line to keep me in place, masked face peeked over the edge to eavesdrop.

One gave a wordless shout. All three rushed to the end of the alley and the canal I floated in.

I swore and dropped the moor line. The boat began to drift away.

"Stop right there!" one shouted.

I declined and instead grabbed my closest weapon, my favorite stiletto hidden in my boot. I sliced and sawed at the moor line, but the rope was thick and crusted from the canal water.

The two junior lawmen found a boat pole in the alley and used it to snag the moor line. They hauled on the rope, and my boat jerked toward them.

Captain Lefevre stood at the edge of the canal and stared at me, twisting the coin in his fingers.

I eyed the rope, and then the water. There was no guarantee if I jumped into the canal that they wouldn't follow me. And I had two bags of weapons and belongings that would weigh me down.

I used all my strength and pressed the edge of my stiletto

into the fraying rope. My shoulder stretched painfully.

The rope snapped. I almost fell into the canal at the sudden freedom. Shouts erupted from the alley, and I scrambled to my knees. The sudden slack had caused the junior lawmen to tumble to the ground.

My boat drifted downstream. The fallen lawmen scrabbled to their feet and ran out of the alley. Captain Lefevre continued to stare at me, a slight smirk on his face.

"I'll be seeing you later, clipper," he shouted. He turned and walked away, whistling a tune that echoed around him.

I somehow managed to steer the boat down a side canal away from the lawmen. As soon as I could, I pulled myself to the streets and escaped the boat, shoving it on its way.

The lawmen would still be looking for me. They didn't know my identity because of my mask, so I'd be safe without it, but they'd surely recognize my mask again if they saw it. I'd need to be careful, stay in the shadows. Which meant I needed to find somewhere to hide, somewhere I could stash my belongings to keep them secure.

My shoulder ached. Everything about me ached after the night spent in the boat, but getting to the rooftops was the safest option. The lawmen likely wouldn't look there.

I scurried down the dark alleys, avoiding the main streets and the people starting to fill them. I wore my leathers and cloak and mask, and even if I hid my mask and cloak in my bags, my clothing would still look odd. And people remembered oddness and would talk. Better to wear the mask and have people remember that than take it off and have people remember me.

Down another alley, bordered by a canal, leaned a pile of pallets and refuse against a single-story building. I rotated my arm and grimaced at the pain, but this would be the most help I'd find.

I once again tied my bags to me, and then tested the resiliency of the pile. It wobbled with my shoves but seemed fairly stable. I'd have to take care and take my time.

The pile turned out to be easy to climb. The nooks and crannies of the refuse made for plenty of hand- and footholds. And though my shoulder protested the entire time, my night of sleep must have done some good, because I was able to keep going until I found myself at the top of the pile.

From there I could reach the rooftop with my fingertips. I threw my bags up and then pulled myself after them. I sat down to catch my breath and let my pounding shoulder rest.

Where Ravenna's roofs had been angled and tiled, Yvain's roofs were flat and uneven, the difference in height between each building varying greatly.

I grabbed my bags and headed for another roof, jumping the gap easily. I landed hard. The roof creaked below me. I stumbled away just as a rotten part of the roof collapsed. A puff of dust erupted from the new hole.

I set my bags down and approached cautiously.

The rest of the roof seemed stable. I peered past the dust and darkness to find an empty and abandoned room. Maybe this was just what I needed.

I dug through my bag until I found my grappling hook, and then used my rope to slide down into the dark room. If this didn't work out, I'd face a hard climb back up. . . .

The room was empty and abandoned. The windows and door had been boarded up, the floor and walls covered in dust and cobwebs.

It was perfect.

No one had been in here for a long time, which meant no one would start poking around now. The boards covering the windows were rotted and they easily popped off the nails holding them in place. It would be simple to slide them on or off the nails, to replace them while I was inside or gone to make it look like nothing had changed. I arranged my two bags in the corner. Then I stared at them.

Now what?

I'd found somewhere safe to stay. Well, safer anyway. A ghost wouldn't find me in here. But there were lawmen after me now, for a crime I didn't commit. And I couldn't walk around Yvain dressed as I was.

My stomach growled. I sat on the dusty floor and went through my things. I had two purses of coins, but one contained my holy coins, which weren't for spending. I poured the money from my other purse into my hand and counted. I had maybe enough to buy some food and local clothing but not much else.

I'd thought I was poor before. But the hard times my Family had fallen on were nothing to what I was feeling now. I'd never gone hungry at home. I'd just always compared myself to Val and the wealth of the Da Vias.

I swallowed and returned the coins back to their bag. The Da Via wealth would only grow, now that they didn't have to compete with the Saldanas for jobs.

They had so much money already, though. Of course, I didn't know the other Da Vias. I only knew Val, and he wouldn't have been part of murdering my Family just for the chance at more wealth. Or, at least, I'd *thought* I knew Val.

But the Da Vias had gotten in somehow, and I kept picturing Val returning my key to me after he'd lifted it at dinner.

I clutched the key against my chest. The house was gone, of course. The key was useless, with nothing left to lock, nothing left to protect. But I couldn't give it up. It was all I had left of my home. And its weight served to remind me what I needed to do.

I needed to find my uncle, enlist his help and his knowledge of the Da Vias. And then kill them all.

thirteen

IT TURNED OUT FARADAY AND THE OTHER PRIESTS HAD done more than just pack my belongings. I found some bread and hard cheese, a skin of wine, and Butters's saddle blanket all tucked inside. I wished I'd known about the saddle blanket before my cold night in the boat, but now it would serve as a bed.

I made a quick meal of the food and mapped out my next steps.

I would go out when the sun set—sticking to the roofs as much as possible to avoid any more ghosts—and begin my search for my uncle. The lawmen had mentioned the mystery of a serial murderer. If I were a gambler, I'd put money on it being my uncle. He must have created some way to find jobs. One didn't give up being a clipper just because he'd been ousted from his Family and home.

The second plan, though, the most important one, was

harder. I had to find the Da Vias' Family home. Then I had to find a way to get inside. Both of these were things my uncle could help me with.

There were over fifty Da Via clippers, which didn't even include those who were too old, or women who were pregnant or had recently had a baby, or even younger children who weren't clipping on their own yet. Somehow my uncle and I would have to kill all of them before they dropped us.

I closed my eyes and pictured slipping my knives into their hearts, cutting them down with my sword, forcing them to drink my most painful poisons. They deserved it and worse for what they'd done to the Saldanas.

I took a nap, using the robe I'd worn to escape the monastery as a pillow. I slipped off my mask, tucking it safely beneath the robe, my fingers tracing the crack along its surface. My injured shoulder pulsed with the beat of my heart, lulling me to sleep.

I dreamed of Val. His lips on my skin, his calloused hands on my flesh, and when I woke, my body burned, missing him. But my heart burned more with missing my Family.

My muscles creaked, still stiff and sore, but the nap had helped to clear the last bit of cobwebs from my head.

I tightened my cloak around my shoulders and loaded up my weapons. The empty room had grown even darker with the setting sun. It couldn't be that hard to find one old clipper in a city that abhorred death.

I slipped out the window. It was time to hunt.

Nothing.

I found nothing in my night of hunting.

I'd traveled along the rooftops, searching the dark alleys and streets for signs of my uncle, for bodies or sounds of death or any clue, really, that somewhere in the city a clipper conducted business. But all I found were ghosts, lazily traveling the streets, doubling back when they came to a canal or crooked bridge.

I clutched my hands into fists. My burned palm ached.

As sunrise approached, I headed back to my safe space, dejected that my plan of *find my uncle* wasn't as simple as I'd initially hoped. He could have easily been out and our paths could never have crossed. I needed to know where to search.

Secure inside my empty room, I changed from my leathers into the only other clothing I had: the robe given to me by Brother Faraday. I would draw attention, but I had no other choice.

When the sun rose, I slipped outside again. The brown robe tangled in my feet, and I stumbled in my secluded alley. I brushed my hair out of my face and strode down the street like I was of noble birth, instead of a dirty girl in an ill-fitting robe.

People were about their business early in Yvain. I garnered a few strange looks, but I just concentrated on blending in with the crowd, searching the shops and wares. Many of the clothing shops looked too expensive. I clutched my purse in my hand. Val had so easily lifted things off me, I couldn't risk an actual pickpocket stealing my remaining funds.

I discovered a store with simple dresses and stepped inside. It didn't take long to find something I could afford—a plain purple dress, with no real shape—and though the shop owner offered to tailor it so it fit better, I couldn't justify the cost.

It didn't matter anyway. So Lea Saldana was walking around the streets of Yvain in an ill-fitting dress barely adequate for the common—who was left to care? All my beautiful things were gone with my home, with my Family. I didn't deserve anything more.

While I paid, the shopkeeper and her assistant gossiped steadily about the city and people they knew. At a break in their conversation, I made my move.

"I heard some lawmen say they found a body the night before last."

The shopkeeper clucked her tongue. "It's been terrible lately, I swear."

Her assistant shook her head. "It must be that serial murderer everyone's talking about."

"Serial murderer?" I prodded.

The shopkeeper rolled her eyes. "Nothing but rumors, my dear. No need to worry your pretty head."

"I wouldn't be so sure," her assistant said. "There have been a lot of bodies found in the north corner, and not all of them are ghosts or robberies. My brother said people have been sliced open. I don't know of any street thug who carries a sword."

She was right—that didn't sound like a robbery gone wrong. It certainly didn't match the robbery and murder I'd seen.

"It's a shame. Even if we didn't have the ghosts, good people still wouldn't be safe at night."

The shopkeeper shrugged. "The solution is the same as always: stay inside after dark."

Her assistant hummed an agreement.

I collected my change and bag and thanked the women.

Outside, I bumped into a plump woman in a yellow robe. She faced me and smiled brightly, her cheeks rosy, her brown eyes practically sparkling in the sunlight. "Hello, child! Have you come to hear the word of Acacius?"

To the right stood two other women in the same robe, holding baskets filled with fruit.

"No, thank you. I follow a different god." I clutched my bag and tried to step around.

She turned with me. "At least take some food." She forced three pieces of fruit into my hands, their thin lilac skins bruising and splitting with her verve.

The fruits were heavy in my hand, probably filled with sweet flesh and juices. My stomach groaned. "You're just giving away this food? To anyone?"

"Acacius loves his children, and his love provides us with food to fill our stomachs and our souls." Her smile could have scared away the night.

A pair of large hands clasped over my fingers and the fruit.

I turned, yanking my hands free from the boy who now stood beside me, abandoning the fruit to him in my anger.

Long, dark, wavy hair—fighting to escape from a tie—brushed against his tan skin. A strong jaw was hidden behind a short beard on his chin, and a neck that was too long offset a nose that was too large. Maybe not so much a boy, actually.

"What they don't tell you"—he leaned closer to me—"is that Acacius is also a god of debts, and taking the fruit is an act of worship. You will owe them a debt."

The woman smiled tightly. "Lending to someone and having them give back what was given to them are all ways to show Acacius our devotion. He rewards us with this bounty." She held the basket out to me, but I kept my hands away from the fruit.

"The devout of Acacius always collect on their debts," the boy said quietly, "because collecting the debt is also an act of worship."

"I follow a darker god," I said to the woman.

She frowned, and the boy replaced the fruit into her basket. She turned her back on us, and just like that, I was forgotten.

My hands were sticky from the fruit, and it took almost all my willpower not to lick my fingers.

The boy placed a hand on my shoulder in an attempt to lead me from the Acacius women. I jerked away from him. "Don't touch me."

His eyebrows rose in surprise. "I meant no disrespect."

Whatever else he might have said remained unspoken as he looked over my head. He narrowed his eyes. I turned.

There, in the center of the street market, walked the lawman from the other night—Lefevre. He scanned the crowd, examining each person as he passed. He was searching for someone. Me, maybe. Or perhaps the serial murderer.

The crowd gave Lefevre a wide berth. It was a warning to me that the people he was supposed to protect did their utmost to stay away from him.

Lefevre's eyes swept over the women of Acacius and then me. He couldn't have recognized me without a mask, but his gaze lingered. I dropped my eyes. Let him think me demure, weak. If he thought I was just a poor girl on the streets, he wouldn't pay me any mind.

Lefevre continued on his way.

I exhaled and turned to the boy, but he had vanished.

I frowned. He'd moved surprisingly quietly for someone so tall. He'd both appeared and disappeared without my notice.

Hunger must have driven me to slip. I would need to get myself under control.

It wasn't until I'd left the street market that I discovered the three pieces of fruit hidden in my bag with my dress. The juices had stained the fabric.

I headed to the north corner of the city where most of the bodies had been found. Not that I expected to discover anything during the day, but if I familiarized myself with this part of the city now, it would be easier to search for my uncle once the sun set.

I ate the fruit as I went. It was as sweet as I'd imagined.

To my left a woman sold flowers. "Roses for love," she called. "Pennyblooms to keep the ghosts away!"

She had a bundle of Tullie blossoms, and their sharp fragrance caused me to gasp, fruit forgotten in my hand. My mother had worn a Tullie blossom perfume. I stood in the middle of the street and inhaled deeply until I became inured to the scent of them. My eyes burned with tears. I didn't know if I wanted to purchase the flowers and bring them back to my dusty, hidden space, or if I wanted to hack and slash at them until they were nothing but scattered petals on the cobblestones.

I walked away, finishing the last piece of fruit.

A shadow flitted across the wall of the building to my left. Then again, a moment later. Someone was following me. He wasn't being sly about it either. I glanced over my shoulder. A tall man casually strolled behind me, hands in his pockets, face hidden in the shadows.

I chose a side street. He turned as well.

I scanned my surroundings. I could lose him on the rooftops, but it would draw attention. The wrong kind of attention.

I traveled deeper into the maze of buildings stacked on top of one another. The cramped streets were filled with cascading flowers in window boxes, as if the Yvanese couldn't have enough flowers in their lives.

I could kill the man. It was within my skills as a clipper. But the lawmen were already searching for me for a murder I didn't commit.

Another turn. A canal stretched before me, the road ending at its murky waters.

I needed to get out of this dead end before I was trapped.

The man turned the corner, blocking me in.

Too late.

I faced him, my back straight, chin held high. He didn't frighten me. If he saw this, he would think twice about whatever he had planned.

I let a dagger pocketed in my sleeve slide into my palm. I tucked it behind me, waiting for the man to step from the shadows.

He paused, then continued his casual walk in my direction, whistling an unfamiliar tune.

He stepped into a shaft of light. I released my breath. It was the lawman, Lefevre.

"Lawman." I nodded in greeting. "I seem to have lost my way."

"It's Captain, actually. And I suppose our ways can be rather confusing for a foreigner."

I blinked.

He smiled, a glimpse of white against his olive skin. "Your accent and clothing give you away. Lovero, yes? Though I didn't know they had adopted the robes of their priests as fashion."

I flushed. I hadn't known I had an accent.

"I lost my belongings, and the priests were kind enough to clothe me temporarily." I raised my dress bag in front of me. "But I'm afraid I find your streets and canals most confusing."

"Ah, I see." He stepped closer. I clenched my hidden

dagger. "You must be new to town, if you're just now replacing your clothes."

He hadn't worded it as a question, so I didn't respond. I held my eyes wide and innocent.

"I was born in Lovero, you know," he said. "My mother was a devout follower of your death god."

I held my tongue. Let him continue to fill the silence if he must.

"Perhaps you can help me with something, Miss . . ."

"Lea." As soon as I said it, I cursed myself. I should've lied about my name, called myself Jenna or Marya or anything. He had an unsettling manner about him I didn't understand. It tripped me up.

"Miss Lea, then. It's been a long time since I've called Lovero home, and I have a few questions."

There was nothing I wanted to help him with. "I must really be on my way. I promised I would return these robes to the priests, and the church is so far from here. I would hate to be caught on the streets when there are ghosts about."

"I'm not afraid of the ghosts. It will only take another moment of your time, and then I will send you on your way." He stepped closer still. My body tensed.

I didn't know what game he was playing, only that there *was* some sort of game. He couldn't know I was the clipper who'd fled from the body. I'd worn my mask.

I needed to get out of here. I could slide past him and run, but that would only indicate me as suspicious. Better to keep up with the act of a little lost girl, asking a lawman for assistance. "How can I help?"

He reached into his pocket, and I held my breath.

His hand emerged. In his palm rested a gold coin, stamped with the Saldana Family crest. My coin. I flinched. A slow smile spread once more across Lefevre's face.

"Ah, I thought you might recognize this."

"Any Loveran would. You should be rid of it. It does not belong to you."

"Oh?" He flicked the coin between two of his fingers. "And who does it belong to?"

"Safraella."

He tilted his head. "I don't understand."

I examined his face before I dropped my gaze to the coin. If he was faking his confusion, then he would make any stage player envious of his skills.

"That coin belongs to Safraella. It is a bribe, to request that She resurrect someone quickly. The coins are placed on dead bodies by clippers. If you are not a child of Safraella, you should not have taken the coin. You could draw Her ire, or the ire of one of Her disciples. It would be best for you to make that coin a gift at Her church."

He examined the coin between his fingers. "And this stamp, this Family crest, if you could just tell me which Family this coin belongs to and how to reach them, then maybe I can converse with them. Lovero may be a country of murder and death, but here in Rennes, our laws and gods are different."

"I can't, I'm sorry."

"You do realize it is illegal to impede a lawful investigation, yes? I could bring you to jail for refusing to answer my question."

"I'm sorry, Captain Lefevre, you misunderstand. It's not that I won't help you, it's that I can't. That coin is stamped with the Saldana Family crest, but there are no Saldanas left."

He stared at my eyes. I let him see the truth in them, showed him that in this, at least, I was not a liar. He scowled. "Well, isn't that awfully convenient."

"Hmm." I thought of Brother Sebastien and how he'd dispatched the Addamos. "I would say it's awfully inconvenient for you and your investigation."

He closed the coin in his fist. "The Saldanas made their home in the city of Ravenna, right? They share territory with the Da Vias, if I recall."

It was clear he knew more about the Families than he'd let on. He'd been testing me. Or trying to catch me in a lie.

Lefevre snapped his finger. "I know. I'll send a letter to the Da Vias, perhaps. Ask them about this coin. I'm sure they'll help."

I bit the inside of my cheek, desperately trying not to give anything away. If he really did send a letter to the Da Vias, they would know I was hiding in Yvain.

I smiled. "The Da Vias are not known for their love of the common. I do not think they would help you, even if they could. Now, if you would be so kind as to point me to the main street?"

He stepped in front of me, so close his warm breath

brushed across my face. It would have been easy to slip my knife between his ribs.

"I think you're hiding something from me, little girl. And until I find out, you won't be able to shake me. As a lawman I see terrible accidents all the time."

I clenched my jaw.

"People slip and fall into canals, never to come up. It happens every day." He flicked a lock of my hair and stepped away, his smile like a knife slash in his face. The smile I realized, too late, was his own mask.

I'd underestimated him. He was not a man to toy with.

"You can find your own way home," he said. "I hope you're fast enough to outrun the ghosts." He walked out of the alley, whistling once again until he was gone from sight.

I took a deep breath and released it. No one had ever threatened me before. The lawmen in Lovero would never dream of wielding their power like that over people, because they could never be sure someone they had wronged wouldn't hire a clipper to seek vengeance. Lefevre was the first person to show me what a man could do if his power wasn't held in check.

I could only hope his threat to send a letter to the Da Vias was a bluff.

I pocketed my dagger. I needed to locate my uncle and leave this city before I found any more trouble.

fourteen

THE WIND LIFTED THE CORNER OF MY CLOAK AND I jerked it under control, shifting my weight. I'd been sitting on the rooftop of this damn inn since late afternoon and nothing even remotely interesting had happened in this dull city. I could have taken a longer nap and missed nothing.

Below me in a square, women washed their laundry in a fountain. The women in Yvain wore long skirts and short-sleeved blouses with shawls around their shoulders. I'd had to leave my hair uncovered, and more than once my long bangs had flopped into my face.

Stupid Yvain with its outdated fashions. I tugged the cloak around my shoulders, and my injured arm flared in pain. I should've been home in Ravenna, listening to music and revelers instead of watching the common go about their chores. I missed the smell of the sea and lantern oil. Yvain smelled of rotting fish and canals, and the common seemed to think putting flowers everywhere could somehow disguise the stink.

Thinking about Ravenna made my chest ache. I needed to find my uncle and go home where I belonged. Ravenna was all I'd ever known and I missed it, like another piece of my life had been stolen from me.

Children played in the water of the fountain or ran through the streets, hitting one another with rags and sticks.

Don't think about Emile and how he'll never get a chance to play games like this. How he'd never get a chance to dance with a girl at a masquerade or steal a kiss under the colored lights, their masquerade masks lifted, their lips pressed together.

I blinked, my throat tight. There was no use crying about it, wishing for things to be different. What was done was done. I could only worry about the future now, and how I could best make the Da Vias pay.

As the sun sank, the women gathered their laundry and children.

"Hurry now, before the ghosts take you," one woman said to her dawdling daughter. Once darkness spilled across the streets, Yvain seemed as empty as the dead plains.

I sighed and picked at the hem on my cloak. My shoulder ached and itched. I stifled a yawn under my mask. If my uncle had been in Ravenna, I could've found him immediately. Rafeo would've known what to do. Rafeo would've found Marcello by now.

Below me a man stumbled out of the inn despite the late

Yvain hour. He tripped and laughed uproariously. I frowned. I'd never alter my state of mind so much. Someone could be watching from the shadows, knife in hand and poison in their pouches.

On a rooftop across the street a shadow moved. I stilled my body, sinking deeper into myself. My spine pressed against the chimney of the inn as my cloak obscured my outline. I waited.

The shadow moved again and revealed itself to be not a shadow but a person, hiding in a hooded cloak similar to mine.

My uncle, Marcello Saldana.

He crouched on the edge of his building. The moonlight reflected brightly off the silver buckles on his boots and the weapons on his belt.

I frowned. Sloppy. Amateur mistakes. The cloak was to prevent accidental reflections and no clipper would ever leave the shadows if they had a choice.

Marcello watched the drunken man below. For a moment I recalled a similar night when I'd watched my own "drunk" stumble in the streets while Val snuck up on me.

Val. My heart clenched at the memory of his hazel eyes, his bright smile, the feel of his breath on my skin. But there was no Val here. And this time I was the hunter.

My uncle jumped off the building in a brazen move. He was either crazy or idiotic, and I scrambled from my post to peer down into the street.

Marcello landed directly on his target, slipping his knife

into the man's neck. The mark barely had time to react before he was dead on the ground, my uncle standing over him.

I quietly slid off the roof. No need to give away my advantage. Marcello nudged the dead man with a boot and grunted in satisfaction. He flicked his cloak over his shoulder and returned his knife to his belt. He froze at the prick of my dagger against his windpipe.

"So sloppy," I whispered, loud enough to be heard through the mask.

Tension rippled across his body. He was taller than me by quite a bit, taller even than Val, but I'd spent enough time sparring with Val to handle someone with height on me.

His left hand twitched, and he moved it slowly toward his belt. A lefty then.

I tapped his wrist with a second dagger. "I wouldn't try it."

He opened his palm and raised his hand.

"Who are you?" His voice rasped as he tried to disguise his anger.

"I am death," I whispered. "I am Safraella, come to collect what I am owed."

He tried to turn his head.

"Ah, ah." I pressed my dagger into his skin. His hood slipped, and the corner of his face caught the moonlight.

He wore no bone mask.

He wasn't a true clipper then. He wasn't my uncle. Just someone playing at murder.

Heaviness spread through my limbs. This had been my

only lead. And now it was nothing.

I used my foot and shoved the false clipper in the back of his knees. He stumbled away from me. I wasn't threatened by this fool.

He got his feet under him and pulled out his own knives. His eyes widened as he took in my leathers and the bone mask hiding my face.

My own eyes widened behind my mask. It was the boy from the market, who had stolen the fruit for me.

"You're a clipper." His mouth tilted in a crooked smile. He looked down at the knives in my hand, then returned his own knives to his belt. He held his hands before him, weaponless. Dumb, to trust me. Still, I relaxed my stance.

"You could teach me," he said.

I wasn't a nursemaid. I was a clipper. I didn't have time to teach anyone anything. I needed to find my uncle, and though I'd missed my mark with this false clipper, I was willing to bet he knew where my uncle was. "I won't be teaching anyone anything."

"That's unfortunate." His eyes flicked to the left. Right. He was stalling.

I pointed my dagger at him. "Don't move."

Around me flashes of light burst in the night: *pop, pop, pop, pop.*

Smoke gushed from four different spots on the street until I could see nothing.

I spun around. He hadn't thrown any smoke bombs. He had to have people with him, helpers.

But there was no one. No sounds, no movement, no attacks from different quarters.

How . . . ?

I charged through the smoke, my mask mostly protecting me from the bitter taste and smell. I dashed left, down an alley, the route I would've chosen had I been him.

I'd picked correctly. The fake clipper stood at the end of the alley, canal at his back, trapped.

His teeth flashed. He was missing his first molar on his right side. "You found me."

His tone reminded me of Val, all cockiness and self-assurance. Tricking me once was not a cause for so much bravado. If he kept it up, he'd wind up dead.

"It wasn't hard."

"After meeting you in the market today, and then seeing you here, I think I prefer you without the mask. Much prettier."

My throat tightened. He knew who I was?

He pointed to his left hand. I glanced at mine and the burn on my palm. I flushed. I'd skipped my gloves because they'd been rubbing painfully against my still-healing palm.

Seventeen years in Lovero and never once had anyone seen my face unless I'd wanted them to. And now, after only a short time in Yvain, some faker had seen me. My parents would've been ashamed. Rafeo and Matteo, too. Not that Rafeo would have said so to my face.

I ground my teeth together. "I can tell you're not a real clipper," I said.

"How's that?"

"To a real clipper, the bone mask is the most beautiful face of all."

He blinked. "My name's Alessio, by the way. Les."

He waited for me to respond, and when I didn't, he continued. "It appears I just keep running into you, Clipper Girl. I think it's a sign from the gods. A sign you are meant to teach me your ways. Invite me into your Family."

I snorted. I couldn't help it. He seemed so serious, but any Loveran knew you couldn't simply be *invited* into a Family.

His smile collapsed, and I felt a twinge of sympathy. Why did I even care? He was no one to me. I needed to focus. The only thing that mattered was making the Da Vias pay.

"You're right," I said. "I think it *is* a sign from the gods."

He cocked his head.

"It's a sign you need to tell me where to find your teacher."

He tensed, his body taut with energy and danger. I tightened my own muscles, prepared to match him. Clearly I'd struck some sort of nerve.

"Are you even sure I have a teacher?"

"You're sloppy. You have no grace about you, and you've displayed, more than once, your ignorance regarding clippers. But you aren't untrained, only unfinished. Someone had to teach you the basics. Maybe someone who didn't want to talk about his former life as a clipper. Someone who felt betrayed and hurt by his Family. Someone named Marcello Saldana."

He held his breath, studying me. He exhaled. "He never told me he was a Saldana."

I lowered my knife. I'd done it! I'd found my uncle. "I need to speak with him urgently."

He shook his head. "No. He doesn't see anyone."

I pointed my dagger at him, staring him in his eyes. They were dark, and he had surprisingly long lashes. "I could make you tell me."

He shrugged and raised his arms. "Then what are you waiting for, Clipper Girl?"

I slid my right foot forward, weapons held before me. "Have it your way."

I dashed at him. His eyes narrowed before he dodged away. I swiped with my left knife. My shoulder erupted in pain, and a few stitches popped. The copper scent of blood seeped into the night air. I hissed, missing my strike.

He pushed himself off the wall and twisted closer to the canal, facing me. He held his own knife in his left hand now, a monstrous cutter almost eighteen inches long and slightly curved. Where in the hells had he hidden such a large weapon?

Blood soaked through my leathers, and he glanced at my shoulder. Concern flashed in his eyes. "You're hurt."

I used his distraction to strike at his ribs. "Worry about yourself!"

He glared and hooked my ankle with his foot, a move I knew only too well. A wolfish grin spread across his face.

"Wait!" I shouted.

He yanked and I fell, plunging into the dark waves of the canal.

fifteen

THE WATER WAS FREEZING FROM SPRING RUNOFF, AND it saturated my clothes. My cloak and boots weighed me down. I struggled, kicking against the fabric as I reached for the surface.

I broke through and took a deep breath. I grabbed the edge of the canal and searched the alley, but Alessio had fled. He seemed to enjoy starting things, but never stuck around to see them through.

"Typical." I pulled myself from the canal, grimacing at the muck now coating my leathers. I squeezed my hair to prevent it from dripping into my eyes any further.

Damn him. Damn everything in this whole damned city. This whole country!

I'd been on my own for days now and nothing had gone right.

My shoulder bled. I pinched my eyes shut and took a few deep breaths. My chest felt tight against my leathers. My eyes stung. *Don't think about it, Lea. Don't think about anything. Just get to your safe house, get clean and dry. Things will look better.*

On the way back home I scoured the street where I'd confronted Alessio. Casings from the smoke bombs he'd somehow managed to use against me littered the cobblestones. I picked one up and sniffed. It smelled strange, a chemical I didn't recognize. The casing was surprisingly brittle, and it crumbled between my fingers with barely any pressure. How did he stop them from breaking in his pouch? And how had he thrown them without me seeing him do so?

I remembered the flash, too, at the very beginning. I'd never seen smoke bombs put off any light before.

Mysteries. He had cloaked himself in mysteries. I would have to keep my eyes wide open when I dealt with him again.

At my safe house, I removed the boards blocking the window and climbed in tugging the boards back into place. I dripped filthy, smelly canal water across the dusty floor. At a stack of old crates I slipped off my wet leathers and cloak. I yanked my mask from my face. It stared at me with Rafeo's tiger stripes. I set it gently on the ground.

My shoulder burned with fresh pain. Where some of the stitches had popped, my flesh looked red and inflamed, though any bleeding had slowed to a trickle. Removing the bandages, I prodded the wound gently and was rewarded with a pinch of pain. Wonderful.

I hung my bandages up to dry and returned to my monastery

robe before collapsing onto my saddle-blanket bed.

I'd only had a single lead, and it turned out to be nothing. Well, not nothing. A false clipper with a crooked smile. But not my uncle, whom I still needed to find.

I rolled onto my side, the heavy key around my neck resting against my chin. This wasn't working—what had made me think it would be easy to find someone who'd remained hidden for decades? I couldn't do anything right, starting with keeping my Family safe or trusting someone I'd believed I loved to not murder my Family while we slept.

Thinking about Val made my chest tighten, my skin flush. I shouldn't have spared a single thought for him. His Family killed my Family. He should be dead to me.

But maybe *he* didn't have anything to do with it. Yes, he'd lifted my key, but maybe he wasn't even there.

He had to have known. He could've stopped it, or at least made an effort.

He could've warned me.

I probably wouldn't ever be sure.

I rubbed my face with the palm of my hand, my calluses dragging against my skin.

There was no point in wondering about things. Val was a Da Via. Even if he wasn't involved, he hadn't done anything to stop what had happened. We were done, he and I. I had to kill his Family. I *would* kill his Family. I would make them bleed and choke and beg for mercy. As for him, I'd cross that crooked bridge later. Right now I needed to come up with a new plan.

The fake clipper was the key. He wasn't the lead I'd expected, or wanted, but he was still a lead. He could bring me to Marcello, even if he didn't realize it.

All right. I'd been delayed only a few days. And yes, the Addamos were after me, and I'd be a fool to think the Da Vias wouldn't be after me soon, if they weren't already, but I needed to keep my head down and find my uncle. And when I did, he would help me find and kill the Da Vias. Everything else was just distraction.

I didn't know anything about my uncle. My father refused to speak of him, and all my mother ever said was he'd been exiled from the Family for killing his uncle, the head of the Saldanas at the time. Killing your own Family members was an anathema, so it was no surprise he was banished. And none of the other Families would take in a cast-out clipper.

Why he had killed his uncle, his own flesh and blood, was a mystery to me. The Da Vias and Maiettas were somehow involved.

He'd murdered his own blood, but I couldn't help but think about how much I wanted to see him. Not just for my plans, but because he was all that was left of the Saldanas besides me. He was a link to everyone and everything I'd lost. I closed my eyes and clenched my hands to my chest. My grief was all I had left of my Family.

I exhaled slowly and released my fists. My burned palm ached.

I hadn't gotten any real sleep in much too long. I'd need to catch up if I wanted to accomplish my plans for tomorrow.

I tucked my legs underneath my robe and thought of a boy with a long neck and a crooked smile.

Tomorrow, false clipper. *Tomorrow I'm coming for you.*

The next night my newly bandaged shoulder felt bulky and awkward under my leathers. I ignored it and instead relished the feel of the tiled rooftops beneath my boots as I headed north once again.

My uncle lived somewhere in this city. Alessio knew where. All I had to do was find him and follow him until he led me to Marcello.

Alessio thought he was a clipper, and maybe he had some natural talent for it, but he had no idea what it was like to deal with a *real* Loveran clipper. Probably even fumbling Alexi Addamo could've given Alessio a fight.

I reached the street near where I'd found him yesterday. I crouched behind a chimney, arranging my body and legs so I'd be ready to spring at a moment's notice. No more taking things easy. This was a job. Alessio was my mark.

Patience was the first thing I'd learned as a child. Even before I began my training as a clipper at age six, my parents and nursemaids and tutors spent what seemed like hours each day, teaching me to wait quietly for the things I wanted. Looking back, I appreciated this early lesson. Especially since the streets of Yvain were so quiet and still once the sun set.

If I ever had children of my own, I'd definitely make them sit quietly before they got to have fun. All day long if I had to.

Of course, that life was over. When I found Marcello and killed the Da Vias, I would probably die in the fight. There was nothing left for me anyway.

It was a few hours past midnight when a man appeared below me. He hastened across a central square, pulling his felt hat low against the breeze.

It was strange to see someone out on the streets at night, but perhaps he had an emergency, something worth braving the ghosts for. The man walked quickly, trying to stay within the lights of any street lanterns that remained burning.

Run home, little man. There are worse things out tonight than angry ghosts.

The man vanished down a dark alley, his footfalls on the cobblestones quickly disappearing with him. A moment later a shadow appeared down the street, cast from above.

I shifted my position quietly and watched.

Alessio crept about on the roofs.

I exhaled behind my mask; my muscles trembled.

Alessio followed the man who'd crossed the square. And I followed Alessio, careful to keep him in my sight, but far enough away to keep his attention off the roofline.

He took his time as he stalked his prey, content to wait in the shadows as the minutes ticked by.

Damn. He wasn't actually that bad at this, the stalking part anyway. Maybe he was unfinished, but he was a better clipper than I'd given him credit for. Of course, my uncle had trained him, so he had to have some Saldana skill.

The man walked across the street, following the light of

the streetlamps until they ended and he was forced to walk in the shadows.

Something flashed on the street. The man shouted but was immediately engulfed in smoke.

Alessio once again performed his showy trick of leaping blind from the roof. He disappeared into the smoke, landing presumably onto his mark to kill him with a single stroke.

The smoke cleared.

Alessio knelt beside the corpse. As he rifled through his mark's pouches, robbing the man, a bitter taste crept across my tongue. Robbing the dead was deplorable. Not even the lowest of the nine Families would sink so far.

Of course, in Lovero the coin flowed more freely to clippers. Maybe Alessio didn't have many contracts to fulfill.

Alessio dragged the body deeper into the shadows. After a quick look around, he climbed to the roofs and headed north.

I smiled behind my mask. Finally! He had to be heading home, and his home had to be with my uncle.

I trusted that Marcello, banished or not, still kept to the clipper ways. And clippers didn't live by themselves. It simply wasn't done. There was no safety in it. If my uncle was Alessio's trainer, and I didn't think Alessio had been lying, then they had to share a home.

Alessio led me deeper into Yvain, where the buildings were not as well maintained and only every other lamp had oil enough to light the streets.

I wrinkled my nose. My uncle must have truly fallen low

if he couldn't find better accommodations.

I thought of my own abandoned building. That was different, though. I'd had no choice. Alessio dropped off a roof and entered an alley. I waited another moment before doing the same.

The alley was empty. Alessio had disappeared.

I searched the roofs above me, making sure he hadn't doubled back, but no, the roofs were as empty as the alley. He'd vanished like an angry ghost at dawn.

I walked farther into the alley, carefully examining the street. There. A sewer grate suspiciously clear of debris and filth. The Saldanas had always used tunnels to reach their home, and old habits died slowly, if they died at all.

I squatted beside the grate. There didn't seem to be any lock. I tugged on the bars and it swung up easily, its hinges well oiled.

I guessed if they were the only clippers in a city, they didn't need locks.

I dropped into the tunnel. It wasn't anything like our tunnels in Lovero. Those had been designed to confuse and kill intruders. This one seemed to travel in a straight line. I trailed my right hand across a smooth surface until the tunnel ended at a ladder and another grate.

I climbed the rungs and carefully peeked out.

The grate opened into a small room, similar to the tunnel room in my home. The room was dim, the floor, walls, and ceiling nothing more than the stonework of the tunnel, but past a doorway a fire roared in a large hearth.

Alessio stood just a few feet away from me. Only my many years of training prevented me from rapidly closing the grate. The movement would attract his attention faster than the slight gap I peered through.

He stood before a small altar, dedicated to Safraella. He used a knife to cut his finger. When his blood welled up, he rubbed it over a coin and placed it on the altar. It was an old way of worship, but perhaps it was all he knew.

He left, disappearing into the room with the hearth and fire. I watched quietly. Rushing things would only lead to mistakes.

Alessio passed in front of the tunnel room. He'd removed his cloak and was unlatching the buckles securing his leather vest across his chest. He stepped out of sight, and I took the moment to slip out of the tunnel, hiding in a dark corner.

"He didn't have much," Alessio said, but from my corner I couldn't see whom he addressed. I needed to make some decisions about how to proceed. I could simply walk in and announce myself. Or wait until the fire died down and ambush them. No, that would be dangerous, and I didn't want to hurt anyone. I just wanted what I came for, the location of the Da Vias' home and Marcello's help.

I slid to the edge of the doorway, pressed against the wall. In the other room, coins clinked as they dropped into a dish or bowl. A sigh followed, and I could imagine Alessio stretching his arms the way Rafeo used to, when he had finished a job for the night and was glad to be home.

"Any troubles?" It was a man's voice, low and gruff. Marcello?

Alessio hesitated. "No. It's been quiet these last few nights."

Liar.

"No trouble at all?" Footsteps clicked on the floor of the room.

"I'll be right back," Alessio said. I heard the sound of splashing water.

Strange. Alessio was keeping me a secret.

The tip of a knife pricked against my throat and I froze. I turned my head, but the pressure increased and I stopped.

"Come out slowly," a voice said from the other side of the doorway.

I'd lost my advantage.

sixteen

I COULDN'T SEE HIM. THE PERSON WITH THE KNIFE against my throat. He hid on the other side of the doorway.

I stepped from the tunnel room, my hands held before me as the knife pressed on my throat. The light from the great room burned brightly against my eyes. I shut them against the glare until the pain passed.

The hearth with a fire was in the center of the massive room. The areas surrounding it were broken into sections, each "room" separated by tapestries and silk screens decorated with dancing women, Loveran fountains, and masks.

In front of the fire rested two chairs and a sofa, as well as a small table where a book lay facedown, its spine protesting the treatment.

An unmade bed hid behind a tapestry displaying blond and brown wirehaired retrievers, and behind the fireplace sat weapons racks, clipper training tools, and stands. I hadn't been gone from Lovero for long, but seeing these little reminders of its rich culture made my stomach coil with longing for the home I'd left behind.

"Keep moving," the voice said behind me.

"What's going on?" Alessio stood in front of the hearth, wearing only a pair of trousers and a pendant around his neck, his damp hair dripping across his bare chest. I looked away from him and tried not to think about Val or Val's bare skin.

"Look what I found sneaking about."

"How did she get in?" Alessio stared at me with his mouth agape.

"I came through the tunnel."

The knife pressed tightly against my throat. "I don't remember saying you could speak."

"But how did you find it?" Alessio asked me.

"Alessio!" my captor snapped.

"I followed you," I answered.

My captor inhaled, then shoved a fist into my spine, marching me forward. Did he really think he could handle this situation with a single measly dagger? Time to regain my advantage.

I dropped, bending backward. The top of my head shoved against his chest.

He stumbled away, his dagger scraping across my mask.

I yanked out a dagger of my own. Alessio stared at me, in shock. My captor climbed back to his feet. He turned to confront me.

My breath caught in my throat. I lowered my weapon.

It was like seeing a ghost. Tears filled my eyes as I raised my weapon again. I'd given a lot of thought to little Emile, Jesep, and my parents. And Rafeo, who'd died in my arms. I'd grieved for them, but seeing this man before me, this man who could've been my father, showed me how much I wasn't done grieving for them. Showed me I'd never be done grieving for them.

He resembled my father, but the lines on his face were deeper, his hair longer and grayer, and he didn't wear my father's glasses.

"Is that any way to greet family, *Uncle*?" I asked.

"Family? Pah." He spat to the side and slapped aside Alessio's offered hand of assistance. "I have no family."

I closed my eyes. I'd expected him to be difficult. I just hadn't expected him to get the drop on me.

"Uncle?" Alessio looked between me and Marcello. He settled on me. "You didn't tell me you were related."

"It was none of your business," I snapped. "And you never asked."

"You've been fraternizing with her?" Marcello sneered at Alessio. "How quickly the apprentice turns on the master."

"I haven't done any such thing." Alessio scowled at Marcello, then walked to a chair in front of the fireplace and pulled a worn cotton shirt over his head.

"This is why I said no jobs. This right here." Marcello pointed at me. "And now you've brought trouble back to our home."

Alessio sighed and waved his hand in my direction. "Clipper Girl, you can lower your weapon."

"A clipper never lowers her weapon while a weapon is trained on her," I quoted my father, and nodded toward the dagger still gripped in Marcello's hand.

"Master, please."

"A clipper never lowers his weapon while a weapon is trained on him." He mocked me.

Alessio threw his hands into the air. "By the gods, it's like reasoning with stubborn tigers! Master, I'll vouch for her. And Clipper Girl, you are a guest in our home."

He was right. It was incredibly rude to draw weapons on the lord of a manor. And besides, I hadn't come here to fight. I'd come here for help.

I kept my eyes trained on Marcello as I slowly lowered my weapon. He sheathed his dagger and I followed.

"I won't deal with anyone hiding behind a mask," Marcello announced.

I hissed. My mask was a holy symbol of Safraella Herself! "You blaspheme."

He smiled slowly. "No masks allowed in our home."

Alessio sighed. "Clipper Girl, please humor him. I've seen your face before, and apparently he's your family."

I hated them. I hated that they had so much power over me, that because I needed them, I had to do what they said. I was powerless, like the night of the fire.

Just give them what they want. The faster I cooperated, the faster I could get back to the plan. And I didn't have time to waste. I pushed down my hood and slid my mask to the crown of my head.

I stared at them, daring Alessio to brave a cocky comment, daring my uncle to gloat. A single wrong word and I'd show them what someone behind a mask could *truly* do.

"You are Bianca's daughter, Oleander," Marcello said. "I can see much of her in your face. Not so much my brother Dante."

"Oleander." Alessio smiled slowly, and no matter how hard I searched I couldn't find malice or jest in his grin. "One of the prettiest of the poisons."

"Lea," I snapped. "Only my mother called me Oleander."

Alessio inclined his head. "*Kalla* Lea."

Marcello glowered, and I agreed. I didn't approve of Alessio calling me something in a language I didn't speak.

"And why have you come here?" Marcello strode to the kitchen. He lifted a carafe of amber liquor and poured a glass. "Has Dante come to his senses and sent you to fetch me home? Surely if you've come to end my life you would've done so by now. Unless the Saldana standards have fallen so low?"

I glared at him. Anger seeped through my limbs like hot honey. My cheeks burned and tears pricked my eyes. I blinked them away. "My father is dead."

Marcello exhaled through his nose. "I see." He took a drink. "Was it illness? An accident?"

"It was the Da Vias," I spat. "They killed us. Everyone. My father and mother. Rafeo, Matteo, Emile, and Jesep. Even the servants. I am the only Saldana left."

Marcello stared at me blankly. Tension coated the air as

Alessio glanced between the two of us.

Marcello looked at the glass in his hand, watching the amber liquid slide across its surface as he rotated it in the light. His breath sounded rapid and harsh.

He screamed, a loud, guttural noise from deep in his body. He threw the glass across the room to shatter in the fireplace, the liquid hissing and sputtering in the flames.

Alessio covered his head when the glass soared past his face. He spun toward Marcello. "Gods, Master!" he shouted, but the anger leaked out of him as he saw my uncle's state.

Marcello stood unmoving, but his body shook as tears poured down his cheeks, tracing the lines of his face like a river through sand.

He wept for them. He wept for our Family. Would he weep so easily if he knew it was my fault? If he knew I'd trusted Val, which brought about their deaths? I pressed my hand to my chest, feeling the key tucked beneath my leathers.

"Gods damn the Da Vias." His voice hitched in a sob. He sank his face into his hands. "Gods damn them all."

Alessio approached my uncle and, when he met no resistance, escorted him to a chair in front of the fire. I followed quietly behind and sat in the other chair while Alessio visited the kitchen and returned to my uncle with another glass of liquor.

"Drink this, Master," he said quietly, pressing the glass into my uncle's hand. There was real tenderness in how Alessio cared for him. They must have been together a long time, only the two of them, a sad little clipper Family in a country where the people feared the night. It must've been lonely.

"So this is why you came, niece?" Marcello's voice was gruff with tears and grief. "To torture me with memories?" He drank, the liquor splashing against the whiskers on his chin.

I shook my head. "No. Truthfully, I did not come for you at all. I came for me. I seek help."

He glanced at me out of the corner of his eye, then returned to staring at the fire. He took another drink. "And what could I possibly have that you would value? Tell us, *kalla* Lea," he mocked. "Tell us what it is *you* need."

As if he had the right to be angry. He wasn't there when our home burned. When Rafeo's blood spilled across my hands.

"The Da Vias," I said. "You're going to help me kill them."

He turned to me, surprise flashing in his eyes. And then he laughed in my face.

seventeen

A RAGE FLARED ACROSS ME, SO BRIGHT IT BLINDED ME. I lunged to my feet, the heavy oak chair screeching like a cat in an alley as it slid across the stone floor.

Alessio jumped to my side, hands at the ready to stop me from grabbing my weapons. But I didn't need a weapon for this.

I slapped my uncle across the face.

The crack echoed dully against the stone walls until the only sounds remaining were the popping of the fire and Alessio's sharp intake of breath.

Marcello's face was streaked red where I'd struck him. He gingerly brushed it with the tips of his fingers before he faced me.

"Get out of my home," he said quietly.

"How dare you." My voice scratched against my throat. "You weep for my Family, *my* Family, and rage at the Da Vias, but when I call on you for help, you laugh in my face?

You are not a Saldana. You were not there when we needed you the most. You gave away your name when you murdered your own uncle."

"I said get out!" Marcello screamed.

I raised my hand to strike him again, but Alessio grabbed my wrists, dragging me away. He was stronger and taller than me. And I was full of grief and rage, and Father always said strength comes only with a cool mind and heart.

"Come." Alessio pulled me toward the entrance, not roughly, but with a firm grip.

I yanked my hands away from him and jerked my mask down so he couldn't see the tears struggling to fall from my eyes. "I know the way," I snapped.

He followed as I entered the tunnel room and lifted the grate.

"You shouldn't come back, Lea," Alessio said. "And—"

I slammed the grate behind me, cutting off whatever he planned to say. I didn't care to hear it. Damn them both to the dead plains.

I ran through the tunnel, trying to burn the anger and pain out of me with every step. I flung myself into the darkened alley.

The sun would be up in an hour or so, and I needed to get home.

Home. If I ever had another one. Would I ever be able to return to beautiful Lovero and live the life I'd once had?

There was no turning back, now that I'd started down this dark path. I had to continue on. I had to kill the Da Vias.

I reached my safe house, feeling the stretch and pull in my shoulder as I climbed to the safety of the roof.

I sat on the edge of the roof, mask pushed to the top of my head, knees pressed against my chest, and tried not to think about how badly things had gone. If I hadn't been so quick to anger, so quick to let grief consume me, maybe I could've convinced my uncle to help. Instead, I'd been brash and bold and *entitled*, and there was no way he'd help me now. And I needed him. I couldn't face the Da Vias alone, not if I actually wanted to succeed.

I dropped my head onto my knees. *Rafeo . . . what do I do now?* I blinked rapidly at the tears welling in my eyes. *I wish you were here. You'd know how to fix this.*

Across the canal flashes of white between the buildings illuminated the ghosts prowling the streets. They were terrible, the ghosts. I knew this firsthand, but in the earliest hours of the morning, when everything was still and with enough distance between us, they had a sort of beauty about them as they floated quietly on their way.

Back home I used to sit on the roofs whenever I was upset and couldn't bring myself to go home. It was how Val and I had started our secret relationship. During the plague there were so many common asking us to release their loved ones. And I'd spent the night sneaking through open windows, finishing people who were delirious and coughing up blood, finishing children or babes still in their cribs, and though I knew it was a mercy I performed, the children always weighed the most heavily on me.

I couldn't go home, not and face my cousin whose parents were dead, my brother whose wife lay feverish in her bed as she slowly succumbed. And so I sat on the roof and watched the stars quietly until I heard a noise behind me. I turned and saw a figure standing on the other side, lost in his thoughts. After a moment I realized his shoulders shook not from the cold, but from tears.

I'd tried to leave quietly, to let him have his privacy, but he heard me and turned. I recognized his mask right away—Valentino Da Via—and though his mask hid his face, his eyes were lined with red.

We stared at each other for what seemed an eternity.

And then I realized my own throat was tight, and tears slipped quietly down my cheeks.

"I just couldn't go home yet," I said to him, my voice breaking.

After a moment he'd nodded, and we'd sat side by side, watching the stars, listening to the sounds of the sea, saying nothing. And everything.

I swallowed and took a deep breath. Yes, everything was my fault. Again. But this time I could fix it. I would win over Alessio and then return with him to Marcello and ask him to reconsider. I would make my case. I would not let Marcello anger me. With Alessio on my side, I would urge him to see reason and to help me kill the Da Vias.

The sun crested the horizon, turning the twists and bends of the canals golden with its light.

I used the rope dangling from the hole in my safe house

and slipped inside to change out of my leathers. I would take a short nap, then return to Marcello's home with the sun. Apologies were always easier in the dark, but I had no choice. I was running out of time.

I dreamed of the fire. Only this time the smoke was a living thing, its tendrils shaped into the hands of infants, their tiny fingers grabbing onto my nightgown, trying to pull me deeper into the chalky darkness of the ashes.

I woke and found my room dim, hidden from the dawn sun.

My muscles ached and my eyes were heavy. My encounter with Marcello had drained me more than my most difficult job as a clipper.

I ran my fingers through my hair and threw on my single dress before I made my way outside.

I took backstreets whenever I could. After Lefevre had followed me from the market, he could be watching for me. To do what? I wasn't sure. But I didn't trust that he wouldn't follow through on his threat and send the letter to the Da Vias. Better to stay hidden.

When I reached the alley with the secret grate, I leaned against a wall, determined to wait as long as it took.

The alley, the street leading to it, and the nearby canal were particularly quiet. No people about their business cast suspicious eyes on me, nor were people using the canals for travel or trade. Marcello had picked his home well.

The sun had climbed to midmorning before the grate in

the alley opened slightly. It stopped, but then a hand pushed it open the entire way.

Alessio pulled himself through and got to his feet, brushing off his clothes. He'd layered a brown vest over a hunter-green tunic in the outdated style of Yvain. His pants and boots were serviceable and clean, and the threads on his vest, while simple, were carefully stitched. Not a lot of money, then. But enough to keep him looking respectable.

I tried to tuck the stain on my skirt behind other folds.

At least Alessio hadn't shaved. The stubble across his jaw and cheeks gave him a rakish, instead of sloppy, appearance that matched his seemingly carefree smile.

A smile he kept to himself when he discovered me waiting. "You came back." His shoulders slumped. "Just go home, Clipper Girl."

I pushed myself off the wall. "I have no home to go back to."

His face flushed at his gaffe, but he didn't say anything. He left the alley and I followed after, rushing to catch up. His long legs made his stride much lengthier than mine.

"And I can't go anywhere until I get what I came for," I continued.

"What do you even need his help for anyway? He's an old man and you're a real clipper."

I couldn't ignore the stress he'd put on *real*. But there was no point in keeping anything secret anymore. Without Marcello, I had no plan. And with no plan, the Da Vias would win.

"He's not that old. And I need him to tell me how to reach the Da Vias in Ravenna. To help me kill them all. I can't do it alone." Whether I could do it even with help remained a mystery. But once I got Marcello, we could work on a plan together.

Alessio looked at me, a strange expression on his face. We left the backstreets and entered a main road, with people heading to the nearest square and day market. Alessio fell in line behind the crowd, and I followed.

"I could help you kill them."

I narrowed my eyes. "Why?"

"Because you need the help."

No one simply offered to help without an ulterior motive. "Acacius is the god of debts. Are you sure you're not trying to accrue some favor?"

He frowned. "I'm devoted to Safraella."

I pursed my lips. There was nothing he could gain from helping me.

"When I was young," he interrupted my thoughts, "someone once helped me for no other reason than just to help me. I try to do the same when I can."

"You don't know what you're offering. What you'd be getting yourself into."

"Well, my master won't help you. At least, not with killing the Da Vias. He doesn't leave the tunnels anymore. Not for the last few years."

"Why?" I asked.

"He's worried people are searching for him. He stays hidden."

"What people?"

Alessio didn't respond. We reached the square and broke free of the crowd. He led me around the market.

"And where are we going?" I asked.

"Breakfast." He waved his hand at a small café before us.

My stomach grumbled at the smell of warm baking bread. I tucked my hair behind my ear. "I don't—"

"Judging by how desperately you eyed that fruit the other morning," Alessio interrupted, "I'm betting you haven't taken time to enjoy the finer points of Yvain, one of which is our food. And it's my treat."

"Why did you steal that fruit for me?"

He shrugged. "You looked hungry. Like you do now."

He pulled out a chair for me, and I hesitated. My funds were so low, and I *had* been neglecting regular meals. But I didn't want to be beholden to him. I already needed his help with Marcello. . . .

"I don't bite, Clipper Girl," he said.

"That's not my name." I sat down. It would be stupid of me not to take advantage of the free food. The Da Vias would be well fed when I faced them.

"*Kalla* Lea, then."

I ignored his correction. I had to remain on his good side. "He could be right, you know."

Alessio sat across from me and signaled a waiter. "Who?"

"My uncle. People could be looking for him. *Are* looking

for him actually, just not very actively."

Alessio snorted.

"It's true," I said. "The Da Vias have never really stopped their search for him. Which is another reason why he should help me."

"If he stays put, he's hidden."

"The Da Vias are after me. It's only a matter of time before they realize I'm here. And once they do, they'll be crawling all over this city. It won't be safe for anyone."

He scratched the stubble on his jaw. "I don't think that will convince him. Once he's made up his mind, he rarely budges."

I could be stubborn too, though.

The waiter delivered some sort of pocket bread stuffed with meat and fruit. I wrinkled my nose.

"Trust me on this," he said. "It'll change your view of Yvain."

Good food, and it was good food, always put me in a better mood. The lamb had been perfectly seared and seasoned with lemons, olives, and unfamiliar spices that left a pleasant, sweet taste lingering in my mouth. The fruit had been soaked in wine and burst with flavor. Alessio was right. I'd been missing out on some of Yvain's finer points. There may not have been many, but the food might have been one. And maybe the flowers, too. They smelled nice, after our meal.

"Didn't I tell you?" Alessio smiled as I licked my fingers clean.

"Yes, you did. You were right. I haven't eaten this well

since before . . . well. Since before." It had been with Val, actually. At Fabricio's.

I would never again dine with Val. Our secret meals, filled with laughter and flirting and stolen kisses, were gone forever, like my Family. I pressed my hand against my stomach, the Yvanese food like a stone in my gut. It wasn't fair, that I could miss him so much.

"Sorry," he said.

"What do you have to apologize for? You didn't kill my Family."

"This is the second time this morning I've said the wrong thing to you, and there you are, lost in your memories."

I shook my head. "It's not your fault. Almost everything reminds me of them. And that night."

Like how Rafeo would've taken huge bites of this pocket bread, while Matteo would have picked it apart and eaten only the bits he liked. And how none of them would ever get to taste it, and how I couldn't even tell them about it, couldn't tell anyone about it because there wasn't anyone left to tell. It was just me, alone, desperately trying to get some fake clipper to like me so he would put in a good word with my uncle, who'd turned out to be nothing like the Family I'd lost.

"Still," Alessio said, pulling me from my thoughts. "I meant no harm."

I cleared my throat. "The other night. And last night, too, you used some sort of smoke bombs. But I never saw you throw them. And they were different, too. They flashed."

Alessio smiled widely. "That's my own invention. It's effective, isn't it?"

"But how did you throw them without me seeing?"

He took a sip of his water. "I didn't. They were in place beforehand. They're timed to go off. Actually, the ones you saw firsthand were a little late."

Timed smoke bombs. My mind raced, thinking through ways they could be of use. The possibilities were astounding. Especially if they could be rigged for something other than smoke—

Wait.

"They flashed when they first went off."

He nodded. "The time bombs use a different chemical reaction than the regular smoke bombs. It's actually a small fire that's extinguished by the smoke. They're mostly free of danger."

A small fire extinguished by the smoke. "Could it be a bigger fire?" I asked. "Something that isn't extinguished? A kind of firebomb?"

His eyebrows creased, and he stared at me. "I don't know. Maybe. Why?"

"You asked me if I would train you that first night. Isn't my uncle training you?"

"This seems an abrupt change of topic."

I stayed quiet, waiting for him to respond. He took another sip of water, organizing his thoughts. "My master hasn't been a clipper in close to thirty years, and I had to beg him to teach me, *beg* him. Finally he relented, because he thought it would keep me safe. When he discovered I'd started taking jobs last year, he stopped all my training. He doesn't approve, thinks I'll get hurt or worse. When I saw you that first night . . . you're the only true clipper I've ever met."

He watched people as they walked past our table. "All I've ever wanted to be was a clipper. And I thought, here's someone who can teach me. *Truly* teach me, if she's willing."

"Why would you want to be a clipper?" I asked. I'd been born into this life. And, yes, in Lovero most people would claw at the chance to join a Family, for the power and wealth and status. But there was no prestige for clippers here.

His eyebrows twitched. "When I was a boy," he started slowly, weighing his words, "my mother was robbed and murdered. And I was orphaned and living on the streets, hiding in dark corners once the sun set, raging over the man who had taken my family from me, terrified of the angry ghosts and despairing of loneliness. And then my master found me.

"He brought me to his home, a hidden palace beneath the streets of Yvain, and he fed me and clothed me and kept me safe. And as we grew closer he told me about his life before, and of Safraella, and I knew that was where I belonged. Serving a goddess who would promise me another life after this one, if I followed Her dark design. If my mother had been Her follower, I would've slept easier after her death, knowing she had been granted a new life.

"This is why I want to be a clipper. My master, he gives me glimpses of what that life can truly be, but he keeps me from fully embracing it. You could give it to me. You could teach me. We could rebuild your Family."

Rebuild my Family. All I'd been thinking about was destroying the Da Vias. I'd assumed I'd die in the process. But if I didn't and I killed them all and still lived, if Alessio was right, maybe the Saldanas could still be one of the nine Families.

It wouldn't be the same, without my mother and father, my brothers, my cousin and nephew. And the Saldanas would never be the first Family again, not in my lifetime. Not even with the king's good graces. But maybe we could reclaim our territory, return to our duties of serving Safraella. Move past the horror of that night.

No. It wasn't possible. My Family was gone forever. Destroying the Da Vias was my only goal. Recapturing all I'd had before was a daydream, nothing more. There was no point holding on to that dream.

But without Marcello's help, it would be impossible to take down the Da Vias alone.

I glanced at Alessio. He was unfinished, but he'd shown some skill. And he knew the secret to making those timed smoke bombs, which could maybe be modified to better fit my needs. He had offered to help me kill the Da Vias. He said it was for no ulterior motive, but I couldn't trust him. He wasn't Family or family. If he was going to help me, it needed to be some sort of equal exchange. No one was owing anyone in this city of flowers and debts.

"I came here for two reasons," I said. "The first was to

locate the Da Vias' Family home, and a means to get inside. The second was to convince my uncle to help me kill them all."

"I already told you, he won't help."

I held up my hand, forestalling him. "Maybe I don't need him."

Alessio blinked. "Well, what's the alternative? Sit here until they find and kill you?"

"What you said earlier—"

"About me helping you?"

"I'm not a charity case. It would be an equal exchange. I could train you. . . ."

Alessio leaned forward. "If you train me, I will help you kill the Da Vias."

I ignored my churning stomach, the part of me that said he wasn't good enough, that it would take time to prepare him to fight so many Da Vias, time I didn't have. That I would be training him to greet his death. He desperately wanted to be a clipper, he'd said so himself. And what was I, if not a bringer of death?

Most importantly, I needed him. I would make the Da Vias pay, no matter who fell along the way.

Time to reel him in. "Will my uncle let you just leave? And I still don't know how to find the Da Vias. Maybe this is a bad idea."

Alessio waved his hands. "Don't worry about that. If you train me, I will get the information you need from him."

"And you'll need to teach me how to make those smoke bombs."

"Absolutely."

"But they need to be firebombs instead of smoke bombs."

His smile faded as he scratched his jaw, thinking. "I don't know . . ."

"I need them. It's no deal without it."

He shook his head. "It's not that I'm unwilling, I've just never attempted it before. It's going to take some trial and error on our part."

"How long will it take?" I asked.

His eyes connected with mine, dark brown even in the morning light. "How long will it take you to train me?"

"A lifetime."

Alessio paused, thinking this over. "You train me, and when the time comes, you take me with you to help kill the Da Vias. I get the information from my master somehow, and we work together on making those firebombs."

"As soon as you can. The longer we stay here, the more likely we won't ever leave."

He nodded, lost in his own planning. I stood, and he scrambled to his feet.

"Clipper Girl . . ."

"I'll see you on the rooftops near your home at sundown for training."

eighteen

I SAT ON THE FLOOR OF MY HIDING PLACE, THE EVENING sun prodding its way past the boards in the windows. I'd slept through the afternoon, but I didn't feel well rested. I never felt well rested anymore.

Three things I needed. Three things before I could return home: the location of the Da Vias from my uncle, at least one working firebomb from Alessio, and help from either. Or both. But preferably help from my uncle, who had at least been a real clipper in his youth.

Three things reminded me of the children's stories my father used to tell me. It seemed those characters always needed three things too: three kisses, three magic cakes, three breaths from a corpse. But the heroes of those stories always succeeded, and I'd already failed my Family. And I didn't think there'd be a happily ever after at the end of my tale.

When dusk arrived, I changed and climbed to my roof.

Alessio waited for me, dressed in his full leathers. I scowled behind my mask. "How did you know where to find me?"

He shrugged. "I followed you that first night to your . . . home. After you climbed out of the canal."

"I watched my back. You couldn't have followed me."

"I can tell you're not from around here," he said. "You forgot to watch the canals."

My eyes flicked to the canal behind me. Damn. He was right. I *had* ignored them.

"That one there"—he nodded—"actually leads to the one near my alley. It's much quicker to travel by canal if you know your way around them. Safer too."

"People could see you if you go out too early," I said. "You should wait until the sun sets."

He shook his head. "The only people left out at dusk are drunks and prostitutes. And they stay away from the canals. Now, what are we going to do tonight? Pull a job? Race across the roofs? Spar?" He rotated his shoulders, loosening his joints.

His excitement grated on me. "I want to see your weapons."

"What? Let's work one of my jobs or something!"

"You asked me to train you, so we're doing it my way. Let me see your weapons."

He sighed and took a seat on the roof, folding his long legs beneath him. I did the same, sitting across from him.

He emptied his pockets of small throwing knives and needles made for quick punctures. He pulled out wire for garroting and a stick used to assist in a fight. The last weapon was his huge knife, the one he'd brandished in the alley. It was close to eighteen inches long, and judging by how carefully he set it beside his other weapons, it was his favorite.

"Is that all?" I asked.

"Isn't that enough?"

I poked through his collection. Everything was serviceable and well maintained, but his collection was limited.

He chuckled in disbelief. "What else could I need?"

I dug through the pouches and pockets in my leathers and cloak and through my sheaths and weapons bags, which held much of what he'd laid before me, but also included brass knuckles, multiple knives, daggers and stilettos of varying weight and length, a collapsible blow dart tube and darts, a set of bolos on the off chance my mark fled, my sword, and of course, my large pouch of poisons.

"Why would I ever need all of this to drop a mark?"

"Not all of this is for marks. Some of this is for other clippers."

His eyes flicked to mine. "Is that a common problem in Lovero? Clippers killing clippers?"

I wiped a speck of dust off the blade of my sword. "I'm here in Yvain, aren't I?"

He nodded and returned to examining my weapons. "And this?" He pointed at the pouch.

"My poisons. Where are yours?"

He shook his head. "Master refused to teach me. He said I was more likely to poison myself or him than a mark."

"Hmm." A lot of clippers disdained poison, thinking it weak, or requiring no skill. But the truth was the opposite. Poison took more skill and knowledge than any of my other weapons. And often it took much more skill to get close enough to a mark to poison them, unseen, and escape, than it did to, say, leap off a roof, land on a mark, and sink a needle into their heart. "Where's your sword?"

"I don't have one. Just my cutter." He tapped his knife affectionately.

"Well, if we're going to make a true clipper out of you, you're going to need a sword at the least. Every other clipper will have one, and I don't care how long your arms are, that cutter's not going to pull it off against them."

He probed at the gap in his teeth with his tongue. "Master has a few in our weapons storage."

"Then I'll expect you to bring one tomorrow."

He smirked, then turned away.

"What?" I asked.

He shook his head, hiding his smile. "It's nothing."

I felt my cheeks redden beneath my mask. "Tell me!"

"It's only . . . look, it's nothing. You just sounded like my master right then."

"Oh. Well, our Family's training has been handed down through the generations, so I'm sure what I'm telling you is very similar to what he was told. He's been stopping himself from teaching you too much. Which is stupid. Why would he teach you enough to get in trouble but not necessarily enough to get out of trouble?"

His eyes narrowed. "I can get myself out of trouble."

I waved my hand. "That's not what I meant and you know it. I simply mean, it seems sloppy to train someone without finishing them. It's dangerous. And cruel, too."

"He's an immovable rock when he wants to be. There was no changing his mind no matter how hard I pushed."

If Marcello was really so stubborn, then how would Alessio get the Da Vias' location from him? How would I change his mind and convince him to join me?

Les continued, "And then I'd start to worry he'd grow so angry that he'd leave me like he'd left his family in Lovero, and I . . . I couldn't have that."

I had a hard time believing my uncle would abandon Alessio over an argument. "He didn't leave his Family. He was banished. Didn't he ever tell you?"

Alessio shook his head. "No. He just said there was a falling-out with his Family and that he couldn't ever go home again. Will you tell me?"

"I don't know."

His eyebrows creased. "How can you not know?"

"It was before my time. All I know is he was forced out for killing the head of our Family, his uncle. I don't know why he did it, what could have driven him to take his own Family's blood, but we weren't allowed to speak about him."

"Ever?"

I shrugged. "Ever."

"That seems cruel."

"He killed his uncle, his own flesh and blood. There is cruelty in that, too."

We stared at each other. We had reached an impasse. This training session wasn't starting as I'd imagined. One more thing I couldn't do right.

Rafeo would make a joke, but I didn't know any jokes. Father and Matteo would've known better and wouldn't have found themselves in this place of pregnant silence.

"Can I see your mask?" Alessio's question jostled me out of my rumination.

"I suppose." I lifted it off my face and handed it to him.

He examined it closely in the fading light. "It's cracked."

I nodded. "I think it happened in the fight. Or the fire. I'm not sure which."

He rubbed his thumb against the crack and across the eyeholes. I was glad of the darkening sky so he couldn't see me blush.

"Why did you pick these stripes?" He traced the black marks on the left side of the mask.

"I didn't."

"Don't you choose the pattern? Or am I mixing it up with the color?"

"No, you're right. The color is signified by Family. Black for Saldana; red for Da Via; orange for the Accurso in the region of Brescio; gray for Bartolomeo, who cover Triesta to Parmo; purple for Caffarelli in the city of Lilyan; yellow for Maietta in Reggia, Calabario, and Modeni; brown for Addamo in Genoni; blue for Zarella in the farmlands; and green for Gallo in the far south. Sapienza, the royal line, has gold, though they don't actually clip people. Their masks are for ceremony only.

"The patterns are up to each individual, but the slashes aren't mine. The mask isn't mine."

"Do you often trade masks?"

"No, we don't trade masks. It's my brother's mask. Rafeo. I got them . . . confused."

My chest tightened at the memory of the dark tunnel, and my brother alone down there, my mask resting beside him. Maybe my mask comforted him the way his mask comforted me. I hoped Safraella had given him a fast rebirth. He had probably been reborn already and was being cradled warmly by his new mother. I hoped his new life offered more peace than his last one.

Alessio looked at me. "He died in the fight?"

"Yes," I whispered, not trusting my voice any louder.

He nodded. "I'm sorry. I understand what it's like to lose your family. Someday it won't be so hard, and you'll be able to think of them without the pain." He handed the mask to me.

I held it in my lap. "When we were children, once, travelers passed through Ravenna with their menagerie. They had caged tigers. I'd never seen anything like them before, and never since. No books or tapestries could convey the colors, and the way their muscles rippled beneath their fur and stripes, and how their gold eyes stared at me. They were so beautiful.

"Rafeo . . . Rafeo could not stop talking about the tigers. I think they changed him, changed the way he saw the world, saw his place in it. He earned his mask two months later, and it was no surprise when he requested a tiger's black slashes." I rubbed my thumb over the black marks on the mask.

"My family were travelers," Alessio said.

I raised my eyebrows. "Really?"

He smiled and gestured to his face. "Can't you tell from my handsome nose? My coloring?"

I looked at him closer. Of course I had noticed his skin color, his nose, but I hadn't known they were markers of some kind. I shrugged. "I haven't met a lot of travelers."

Travelers were so called because they would travel across the dead plains without fear. One of their gods protected them from the ghosts. They were menagerie people, keeping dangerous animals and bringing them to cities for shows and viewings. Most of them hailed from Mornia, a country to the east, where they lived until they needed funds. Then they would gather and put on a tour until they made enough money to return home.

He glanced at the mask again. "What did your mask look like?"

"It had azalea flowers."

"Because they're poisonous?"

I nodded. "Truthfully, they never meant as much to me as Rafeo's tiger stripes did to him." I put it on and then slid it to the top of my head.

"When will I get a mask?"

I sighed. "I don't know. You should've had one by now.

As clippers, we're given one before we go on our first solo job. In Lovero, there are tradesmen who craft the masks for the Families. They're made from the bones of oxen that are raised on feed blessed and sprinkled with holy blood. It's a secret craft only they practice. I don't even know where to begin here in Rennes. Did you ever ask my uncle about it?"

"He refused. You heard him. He doesn't allow any masks around him. He wouldn't even show me his. Sometimes, when he's really drunk, I hear him cursing Safraella. Sometimes I hear him begging. I think the mask reminds him of Her and brings about dark thoughts."

I shook my head. "He does himself no favors in Her eyes."

"I don't think he wants to. He punishes himself."

I understood that. But for my atonement I'd rather do something, work toward killing the Da Vias instead of getting drunk and raging at the night.

"Training me was a sort of penance," Alessio said, "but he refused to train me all the way. Perhaps he looks at me and sees a path to redemption. Or maybe he was just a lonely man who found a lonely boy and figured they could find safety from the ghosts together."

I smiled. "You could be a poet, with words like that."

He returned my smile, and I felt it deep in my stomach. "*Kalla* Lea, I could be a lot of things, if I so chose. But I choose to be a clipper."

I climbed to my feet. "We'll start with poisons."

He smiled even more brightly and leaned forward. "Anything you can teach me, Clipper Girl."

"As much as I can until we leave."

His eyes darkened, but he climbed to his feet and nodded. "Until we leave."

Behind him, a flash of white light appeared in the alley beside my safe house. The light moved, then vanished behind a building before reappearing.

I walked to the edge of the roof for a better look. I tightened my arms around myself, my fists clenching. The ghost was so close this time.

"Sometimes the streets are full of them," Alessio said quietly as we watched the specter drift away, looking for a live body it could take as its own. "Even I don't venture out on nights like that."

I remembered the horrible screams on the dead plain, the black emptiness of the ghost's open mouth as she reached for me, the iciness of her fingers as they slipped through my flesh, trying to claim my body as her own. I remembered hiding in the boat on my first night here, the ghost waiting for me.

I released a breath I hadn't known I'd been holding.

We watched the ghost together. Alessio began to hum a song under his breath. I glanced at him, but he didn't seem to notice. I forced myself away from the edge.

I thought I had conquered my fear of the ghosts, but when I opened my fists, my nails had dug grooves into my palms and I hadn't even felt it. Not even on my burned hand, which ached from the pressure.

nineteen

THE NEXT MORNING I OPENED THE DOOR TO THE MAIL office, and the sound and smell of pigeons assaulted my senses. The front of the shop was small, no more than ten feet wide and fifteen feet deep. At the back was a wooden desk, kept clean but scratched by long years of use. Behind the desk were cages and cages of pigeons. White pigeons, blue, green, all of them cooing and bobbing and making a racket. Small feathers drifted out of their cages and floated to the floor. I covered my nose.

I shook the handbell on the desk. A portly man with glasses and a balding crown stepped out from a side door. He pushed his glasses farther up his nose and broke into a grin.

"Hello, milady. What can I do for you today?"

"I'm expecting a letter." Or at least Faraday had said he would send me a letter. I didn't have an address here in Yvain, so I had been checking the post office every few days.

"Of course, of course." He pulled out a ledger book and

dipped his quill into an inkwell before he flipped to a blank page in the middle of the book. He scratched something into the ledger. "Name?"

I blinked rapidly. I couldn't imagine Faraday using my full name to send a letter, on the off chance it was intercepted.

"Miss?" the clerk asked, glancing over his glasses.

"Oleander," I said. Maybe it would be enough, since it wasn't common.

He lifted his eyebrow but said nothing. Postmen took an oath. Any letters remanded to them were kept secret, as were destinations and origins. "I do indeed have a letter for an Oleander. Delivered yesterday."

My stomach fluttered.

"Do you need it read to you?" he asked.

"No."

He turned and paged through envelopes and letters in a bin behind him. He grunted and pulled one free, setting it on the desk. "Will you be sending a reply?"

I shook my head.

"Two gold," the postman said. I widened my eyes, and he lifted his eyebrow again. "Is something the matter?"

"Two gold is a lot. Why is it so expensive?"

He shrugged. "Postmaster owes a debt. I don't set the prices, miss."

Two gold would make a significant dent in my remaining funds. Most of the gold I'd brought with me from our stashes I'd left in Dorian's saddle packs. I had the Saldana stamped coins, but I couldn't use them. For one thing, they were holy coins, not meant for spending. And I couldn't take the chance of anyone seeing them. Since Lefevre had found the coin I'd left on that murdered boy, I'd hidden the coins in my hideaway for safekeeping.

But Faraday might have information regarding the hunt for me. I couldn't risk not hearing from him. No. I had to bite my lip and accept the cost.

"If you can't pay now, you can open a tab," the clerk said. "Pay your debt later."

Debts again. It had to be exhausting being Yvanese and having to juggle debts left and right. How anyone remained in good graces with their god was beyond me.

I sighed and poured two gold coins into my palm before passing them to the postman.

"Thank you so much for your business, and stay safe from the ghosts."

I took the letter and slipped out to the streets. The flecks of quartz and mica in the mail office's walls sparkled in the light of the afternoon sun. I took back ways and alleys to my safe house and slipped inside. It was almost too dark to read inside, but I felt safer.

The letter was from Faraday, of course, and I exhaled slowly as I opened the seal. His precise handwriting spilled across the page. I read his greeting:

They know.

My stomach sank. I scanned the rest of the letter, then realized I hadn't absorbed any of it, so fully had my fear overwhelmed me. I took a deep breath and read the letter carefully again.

They know.

I don't think they know who they're chasing, but they know someone survived their fire. Word is they're scurrying around the city like terriers tracking a rat and that they're considering a bounty on you. It's only a matter of time before they catch your trail. I would recommend you finish whatever business it is you're conducting as soon as possible and flee before they find you. Or someone finds you for them.

Expect another letter from me soon, with more information.

I will remind you it is not too late to return home, live a new life. I fear, though, that window will soon close and you will be committed whether you are ready or not.

I will pray for you, though I do not think She deals in the kind of mercy I'll ask for.

Yours in faith,

F

I crumpled the paper in my hands.

So the Da Vias knew I'd survived their attack. They must have spoken to the Addamos. But maybe the Da Vias didn't suspect it was me. Maybe the Addamos confused the situation and told them I was Rafeo. If they had counted and identified bodies, they wouldn't have found Rafeo's or mine.

But even if they thought I was Rafeo, that didn't give me much of an advantage. Perhaps they would be surprised when they discovered the truth, as Alexi Addamo had been, but it wouldn't change anything. They'd have to kill me no matter who I turned out to be, and I'd be easier to kill than Rafeo, who had been the best of us.

I was running out of time.

I leaned back against the wall of my space, trying to calm the fear and anxiety that had crept over me after Faraday's letter.

A thump came from above. I jerked my stiletto from my boot and scrambled to my feet.

Alessio peered down at me from the hole in the ceiling, an amused expression on his face. "I didn't mean to startle you."

I resheathed my stiletto, trying to decide if I was embarrassed. Clearly I was on edge from Faraday's letter, but I'd rather overact to nothing than underreact to an actual threat.

He dropped through the hole, dust puffing around his boots. He was dressed in green trousers and a matching vest covering a loose-fitting linen shirt, his pendant resting against his chest. He looked clean, freshly washed, with his hair pulled back tightly in a tail and the short beard on his chin neatly trimmed.

Alessio looked me up and down, taking in the same stained dress I'd been wearing, and tried to hide a grin. He turned and examined my space, the empty floors, my saddle-blanket bed, my bags of weapons and supplies. Everything I owned, except for Butters stabled at the monastery.

"Is this where you've been staying?" he asked.

"And?" I snapped.

"Nothing. Four walls are always better than none once the ghosts come out."

"What are you doing here, Alessio?"

"Les," he corrected. "I want to show you something. And we can get some food on the way. My treat."

This was the second time he was giving me food. Third if I counted the stolen fruit. "Are you courting me?"

He smiled, that ridiculous crooked smile of his. "Do you want me to court you?"

I stiffened. "Les . . ."

He held up his hands. "Lea, I simply want to make your stay here in Yvain easier. That's it. If you're not at your best, then your training won't be your best either. I'm sure you're starving, and honestly, I could use the company."

"Are you going to show me how to make the timed bomb?"

He at least had the decency to feel embarrassed, judging by the way his throat turned red. "No, we can't during the day."

I glared at him. He had to be delaying things. I didn't know why, but I couldn't trust him.

"We had a deal," I said. This was taking too long. I hadn't accomplished anything yet, and Faraday's letter urged me to hurry. I couldn't spend any more time here.

"I know. We can work on it tomorrow night."

"Tonight."

He shook his head. "It'll take me time to get all the supplies we'll need. But tomorrow night. I promise. Now, let's get something to eat before we starve."

He was intentionally delaying things. I didn't want to wait another night here. I wanted to head home to Lovero. I wanted to kill the Da Vias.

For now, I would stay on his good side. If I couldn't get the bomb tonight, then maybe I could work on one of my other necessities. And Les was right. I was famished.

I smoothed the skirt of my stained dress. I desperately missed my closet of clothes. Each dress I'd owned I'd picked out myself, and they had been tailored to accentuate my good bits and hide the not-as-good bits. And wearing the same clothes over and over again just made it easier for Lefevre to spot me in a crowd. I needed a change, but for that, I would need more money. But there was nothing I could do about that problem.

I gestured to the back window. "Less chance someone will see us."

We slipped outside, replaced the boards, and headed toward a city square. Alessio kept up a steady stream of chatter, pointing out landmarks and interesting facts of the city, and I nodded when it was appropriate and asked the occasional questions to make it seem like I was interested, but mostly I was lost in my own thoughts.

It seemed so natural to spend time with someone, a boy, Les, in broad daylight. Val and I had hidden in the shadows, kept everything secret. Which had been exciting, but looking back, it had also been stressful, sometimes, and tiring. It would've been nice to have Val court me for real, to go out in public with him and not worry about who might see us.

It didn't matter. I couldn't be with Val anymore. His Family had destroyed mine. Regardless of how I felt about Val, salvaging our relationship was not possible.

That didn't mean, though, that I wanted someone else. I glanced at Les, his long neck, his large nose. He winked at me and pointed to a building where a priest had held off a dozen angry ghosts, armed with nothing but his faith, until the sun had risen hours later. Les was funny and kind, and he actually seemed to understand some of what I was feeling. But he also held the keys to the Da Vias, and I wasn't here for friends.

Les paused and handed a beggar woman a coin.

"Why did you do that?" I asked when we were far enough away.

"Because she needed the help."

"But she'll probably just spend it on chetham leaves or something else."

"Or maybe she'll spend it on food, or a warmer shawl, or to pay back a debt she owes so she can greet Acacius gladly at the end of her life."

I turned away from his eyes and how they seemed to see right through me. There was no point to helping that woman. She wouldn't give Les anything in return.

"Here we are." Les flourished his hand in front of a small street vendor, serving skewers of lamb. He bought us each one, and then led us away.

"Alessio!" a man shouted, and Les waved at him.

"A friend of yours?"

He shook his head. "No friends. Only me and the old man. People don't stick around." He cleared his throat and suddenly seemed older.

"How old are you?" I asked.

"Nineteen. You?"

"Seventeen."

He nodded. "I'm sure you had a lot of friends left behind. You're just short of royalty there."

I shrugged. "I learned very young they were more interested in what I was than who I was. Maybe they're hoping for favors from Safraella, or from a Family. Maybe they're more interested in the wealth and power. And even if they aren't, it can be difficult to keep any friendships because, try as they might, the common can't fully understand. My brother Rafeo was my greatest friend. Then my cousin, Jesep. And my suitor, Val. I spent a lot of time with him."

He paused so slightly it was barely noticeable. "Suitor? You must really miss him."

"No." I brushed the sides of my dress. "He was a Da Via. I'd rather avoid seeing him again for the rest of my life."

Les paused and watched me. His study made my nerves twitch, and when I was nervous I blushed.

"Was he there?" he asked. "The night of the attack?"

I stepped over a cracked cobblestone. "I'm not sure. I didn't recognize anyone. I didn't even realize they were Da Vias until Rafeo told me. I confirmed it with the king."

Les tripped. "Did you say *the king*?"

I nodded.

"I was mostly joking when I compared you to royalty earlier. . . ."

"Well, any clipper can speak to the king. He's a disciple of Safraella too. And my father and Costanzo Sapienza were good friends since childhood. My father helped put him on the throne."

Les nodded, his eyes wide as he took this in. "How would a relationship with another clipper work? I thought the Families were all at war with one another."

"Some of the Families have good relationships. Gallo and Zarella, for example."

"But weren't you always worried your suitor Val was planning something?"

I blinked. "In hindsight maybe I should've been more worried. But I'd known Val my whole life and we shared a territory, Ravenna, so there was overlap." I picked a speck of lint off the sleeve of my dress. "No one knew about us. We kept it secret. There was no love between the Saldanas and Da Vias."

Alessio tugged on the pendant resting on his chest and led

me down another side street. "But what about that saying I've heard . . . 'Family over family.' Doesn't that mean you really *should* fraternize with each other?"

"Mm." I pushed my hair behind my ears. "What that means is you put your clipper Family before your blood family. So if your father tells you one thing, and the head of the Family tells you another, you do what the head tells you."

"That seems backward."

"Everything we have is due to Family. My status doesn't come from being the daughter of Dante and Bianca. It comes because I'm a member of the Saldana Family. Anyone who joins us, through birth or marriage or adoption, is named Saldana. That's Family. That is more important than blood ties. It has to be if we're to survive the way we have for generations."

Les scratched his jaw, lost in thought.

Speaking too much about the Nine Families turned my stomach. I stopped. We were wasting time I didn't have. "What are we doing?" I asked. "What did you want to show me?"

"This." He stopped and waved his hand before him.

Resting on canal waters that twirled lazily before us, moored to the alley so it wouldn't float away, bobbed a boat.

twenty

"A BOAT."

"My boat, yes. It's clear you don't know anything about our canals or boats, so I thought I'd show you how to work one and map out some of the waterways."

"I know how to use a boat. Ravenna has a seaport."

"Canal boats are different. You steer them with a pole while standing, but they're flat bottomed and they rock easily. It takes skill to stop from falling in." He untied the boat and held the rope in his hand.

"I don't have my own a boat, though."

"Then borrow one. They're tagged and someone will return it to its owner." He tapped the boat and a symbol carved into the prow, declaring who it belonged to. "Returning it will accrue a debt and the common enjoy a debt."

What could teaching me how to work a boat gain him? "Why would I even need to know this? It's not like I plan on staying."

"Because the canals are the best way to escape the ghosts," he answered.

I thought of my first night here and knew he was right. Still, I hesitated.

He sighed. "Remember how I said my mother was murdered?"

"Yes."

"I'm only half traveler, on my mother's side, and the two of us were visiting Yvain with my grandfather. I think they were looking for my father, so she could leave me with him. When she was murdered, we had to identify her body. My grandfather wanted her to be carted home. He told me to stay at the law office and wait for him while he made arrangements with her body. And he never came back."

"He *left* you there? Alone? How old were you?"

"Seven."

I tried not to picture little boy Les, sitting on a chair, knowing his mother was dead and waiting for someone to come for him. My chest ached for that child.

"So the lawmen kicked me out onto the street. The sun had set and they were tired of watching me and there's no love for travelers here. I hid beneath a bush, trying not to cry. But the ghosts found me. They always find you. I had to outrun them until finally I just spent the night in a canal, hanging on to the edge and swimming into the center if one came too close to me. That went on for a week or two. Then I met your uncle and he took me in."

The boat had drifted, and he yanked the rope to bring it

closer. "So now you know. When I say the canals will keep you safe from the ghosts, you can believe me."

He gestured for me to get on the boat. My burned palm throbbed, and I tightened my hand into a fist. Any escape from the ghosts was a skill worth having.

I stepped onto the boat and it rocked immediately, threatening to spill me into the water.

Les jumped in beside me, a long canal pole in his hands. "I'm going to push us around a bit. You should stay standing so you get a feel of the boat and how easily it shifts. This canal leads to our home, and I'll show you how it connects to your place, too."

"Why? I already know how to find your home."

He grinned. "In case you need another way to reach me."

I scowled. He was too familiar with me sometimes. "So, your grandfather," I said. "You were family. How could he abandon you like you were worse than livestock?"

Les pushed the boat roughly, and I swung my arms out to keep my balance.

"My family wasn't very accepting of me, being a half-blood. Every day I'd clean the tiger cages and dream of getting closer to them, of taking care of them. But my family made me stay away. All the men and women who worked with the tigers scarred their forearms with tiger claws, to mark their important status." Les gestured to the top of his forearm, dragging his fingers like claws across the skin. "As you can see, no scars for me, because taking care of the tigers meant you belonged. And I didn't. I was less than them, not worthy.

"And here, in Rennes, they weren't accepting of me either. Only your uncle didn't seem to care about my heritage." He leaned forward, using the pole to drag the boat around a corner.

"Safraella doesn't care," I said. "A death is a death. Marcello would have been raised to believe so, too."

"While my grandfather spoke to the lawmen about my mother, before he left, I snuck in to see her. She always wore a pendant. Said it was a gift from her grandmother and contained old magic. I wasn't allowed to touch it because I was only half traveler."

He lifted the pendant I'd seen before from under his shirt. It was a disc-shaped agate, with shades of blue radiating out from the center, polished to a high sheen.

"I took it, to remember her by. I didn't know I'd never see any of my family again, but my grandfather didn't notice what I'd done. I'm sure he was angry when he got home and saw her pendant missing. It's all I have left of them. All I have from my previous life."

I raised my eyebrow, trying to lighten the somber mood we'd fallen into. "Was that your first time being a thief?"

He chuckled. "No. Travelers worship three gods. One of them, Boamos, is a god of thievery and wealth. I'd definitely dabbled before. I daresay He—and my mother, actually—would have been quite pleased at my little act." He flicked the pendant.

"What does *kalla* mean?" I asked.

He jerked the pole and the boat tilted sharply. Only my

quick reaction kept me on my feet. He smiled slowly. "That's for me to know. Unless you speak Mornian."

His mood seemed to have lightened. This was probably the best chance I'd get to broach the subject. "Les, do you think I could speak with Marcello again?"

He blinked, and his smile vanished. "I told you, he's forbidden you to return."

"I know, but what would it hurt to try again?"

"He could leave. Just slip out when I'm not home, disappear on both of us."

"Would he really do that?"

"It's his favorite threat."

I frowned. A threat wasn't anything, though. It could have been false, an easy way to keep Les in line. Les said Marcello hadn't left the tunnels in years, and I doubted seeing me again would be the final pressure to crack the egg.

"What if I promise this would be the last time? I could speak with him quickly, then leave. Let him think it over on his own terms. I can control my temper." I could convince him to help me. I knew I could.

"Why are you in such a rush anyway?" Les asked.

I didn't want to think about the letter, about the Da Vias searching Ravenna for me, discovering I'd come to Yvain. I just had to hope it would take them longer to find me than me to find them. "Sooner or later the Da Vias will find me here. I don't have any time to waste."

He watched the swirls on the canal water.

"Okay," he finally said. "One more try. But you will have

to be polite and respectful, even if he's drunk. Even if he's an ass. If you're not, he won't even listen to what you have to say."

I nodded eagerly. "I can do that."

We continued down the canal, lost in our thoughts. After a few moments the silence slipped into awkwardness. Les poled the boat and began to hum. I watched him.

"Do you always sing to yourself when thinking?" I asked.

He blinked. "I guess so. I've never really thought about it before. I used to sing in the tiger cages. And when I was hiding from the ghosts in the canals. I suppose it's just a habit."

I thought about humming my tune when marking a kill. It seemed we had something else in common.

"And here we are." He poled his boat to a mooring and I saw that we'd reached the street next to their alley. Time to speak to Marcello.

Les tied the boat off and jumped out. I followed behind, but the boat rocked suddenly and I stumbled. Les grabbed my hand, steadying me. He laughed, his hand clasping mine, and I laughed too. I couldn't remember the last time I'd laughed. I'd forgotten how good it felt.

Les's smile faded and he stared at me. His fingers stroked mine.

My breath caught in my throat and my cheeks burned. I pulled my hand free. "I think that's enough for now."

The wind blew a strand of his hair across his throat. Les rubbed his neck and nodded. "You're absolutely right. I'm sorry."

Was he? Because I didn't have time for this. I needed to concentrate on the Da Vias and nothing else.

Even if, for an instant, I remembered how it felt to have a body pressed against mine, how it felt to feel so alive when Val kissed me and showed me how beautiful he thought I was.

But that wasn't for me. It wouldn't be fair, to feel so alive again, when my Family was dead because of me.

twenty-one

I SAT DOWN ON A CHAIR ACROSS FROM MARCELLO. HE glared at me while Les poured tea. Then Les disappeared into one of the back areas, leaving us alone.

I couldn't decide if he was being polite, or a coward.

"I thought I told you to get out." Marcello sipped at his steaming tea.

"You did. And I did. And now I've returned."

Marcello set his cup down. "What do you want this time, *niece*?" he sneered. "Get it out so we can all get on with our pathetic lives."

"I don't have a life anymore," I said. "The Da Vias took it from me."

"That's why I included you in the *pathetic* part."

I dug my fingers into the arms of my chair, trying to rein in my temper. Marcello's eyes flashed to my hands, and he grinned slowly.

He was trying to get a rise out of me, trying to make me

angry so he would have an excuse to throw me out again. I wouldn't let him beat me.

"They lit the house on fire," I said. "While we slept. They came inside and set the fire and waited for us to flee our beds before cutting us down."

Marcello tapped the arms of his chair. "That is what the Da Vias do. They are sharks in the sea, always circling, always waiting for an opportunity to taste blood."

"I left my brother's body in the tunnel," I continued. "I left my mother in the house, fighting Da Vias, while the roof collapsed and surrounded her with flames."

"Maybe you shouldn't have abandoned her, then."

I bit my cheek until the taste of blood bloomed across my tongue. "Emile was four years old. Jesep was sixteen. Matteo was nineteen. Rafeo was twenty-four and already a widower."

"So? What's your point? Death comes for all of us. You of all people should know that Safraella sees not age, nor wealth nor creed."

I needed his help. Why was it so hard to appeal to his sense of justice? "Help me, please. They were your family, even if you were no longer Family," I said. "They were your blood."

"Pah." He shook his head.

I leaned back. "Maybe you are too much of a Da Via."

He slammed his fist of the arm of his chair. "Don't you dare call me a Da Via!"

"You were married to Estella Da Via. I know that much.

And there you sit, choosing them over us."

"I'm not choosing anyone. There's no point to your little plan of vengeance. It doesn't matter."

"They were my Family!" My voice cracked shamefully, and I flushed.

Marcello eyed me. "And you were lucky to have them when you did. Not everyone in this world is so blessed. You should count yourself further blessed that you survived while they didn't. Forget about them. They will surely be reborn—if they haven't been already—and won't have a single memory of you. Flee from here, from Lovero. Find some man to straddle and make yourself a new family. It's the only way you'll achieve any peace in this life."

I glared at him. "I don't need peace in this life. I need vengeance."

He got to his feet. "Well, you won't find any help here. I need you to leave now. And you're not welcome back, niece."

I stood. More than anything I wanted to hurt him, to claw his eyes, bury my stiletto in his unfeeling heart. But I had promised Les I would behave, and he was my only hope now of getting the information I needed from Marcello.

"My father would be ashamed of you," I said.

Marcello smirked. "He already was. Now leave."

He turned his back on me and headed to the kitchen.

I waited for my anger to abate so I wouldn't lose my temper again before I strode from the fire. On a small table sat a dish filled with coins, the coins Les had been stealing from his marks. Marcello and Les weren't even using them.

I needed clothing. And food. And money to claim any further letters Faraday might send me. I couldn't just sit around, begging for Marcello's help, waiting for the Da Vias to find and end me. I had to do something.

I scooped coins into my hand and shoved them into my purse. I didn't take them all, but enough to get by. One way or another, Marcello was going to help me.

In the tunnel room I jerked the grate up. Suddenly Les's hand was on mine, closing over it and the grate. His palms and fingers were warm, and calloused, but his grip was gentle. I glared at him, the coins heavy in my purse.

He gave me a sympathetic smile and mouthed a silent apology for how Marcello had treated me.

I wanted to be angry at Les, too, but he seemed sincere in his apology, just like he seemed sincere in everything he did. My rage began to fade, and I nodded. It wasn't his fault, anyway. He had warned me.

"Later tonight?" he whispered.

For a moment I wanted to tell him no. I wanted to walk into the middle of the street and wait there until the Da Vias found me and sent me to meet Safraella like the rest of my Family. It would be so much easier.

But my Family would be ashamed of me, and regardless of how Marcello felt, I knew if I added more shame on top of my guilt, I wouldn't meet Safraella when my life ended. My heart would be so full of despair that I would wander the dead plains as a ghost in my own personal hell.

"Only if we work on the firebomb," I said.

Les tightened his jaw but then finally nodded. I knew he'd just been trying to delay things. I pulled my hand out from under his. He closed the grate quietly behind me.

My sour mood—tinged with the despair I was trying not to acknowledge—followed me out of the tunnel. It was late afternoon, but the Yvanese continued with their shopping at the markets, using every moment of daylight available to them. I slid into the crowd, heading back to my safe house, lost in my thoughts. People packed the market. More than once I had to bite back a vicious barb, or an equally vicious elbow aimed at a person who'd gotten too close. People spoke quickly, conversation limited by daylight. Cart vendors called out their wares, telling people if they couldn't pay now, they could pay later with interest. Debts were accepted everywhere.

I'd failed with Marcello. Again. And I knew I wasn't going to get a third try. All I had now was Les. He would have to get the information from Marcello, which meant I had to keep training him, keep in his good graces, remind him that Marcello was holding him back and it was in his best interests to help me.

Even if it wasn't. Even if helping me could get him killed.

My stomach rumbled, the tea I'd drunk with Marcello doing nothing to ease my hunger pains. Before me stood a vendor with more of those meat pies Les had introduced me to. I had money now. But I couldn't just spend it on anything. If I used a small bit to buy one pie, I could eat half now, and half later.

The stall owner held up his fingers for a price, and I reached for my coin pouch.

It was gone.

I felt around my belt, but it was nowhere to be found. I twisted to search the crowd behind me.

To my left, someone whistled a familiar tune. I turned. Captain Lefevre. He smiled when I made eye contact.

"Ah, Miss Lea. Have you lost something?"

I swallowed. He could have been following me the whole time. But I hadn't done anything to give myself away. Unless he'd seen me crawl out of Marcello and Les's tunnel. But I would have noticed that. . . .

"I seem to have lost my money purse." I patted my hip. "You don't think it was stolen, do you?" He had to realize I was faking my naïveté, but if other people in the crowd were listening or watching, I wanted to be clear on how I presented myself in case he publicly accused me of anything.

"Perhaps this is it?" From his fingers swung my money pouch.

"Yes!" I smiled sweetly and reached for it, but he turned to face the stall owner.

"How much does she owe you?" he asked. The stall keeper held up one finger.

"That's quite all right, Captain Lefevre," I said. "I can pay the fine gentleman."

Lefevre smiled at me again, his sickly sweet grin. He dumped my coins into the palm of his hand. He poked through them, examining each one closely, before he finally removed a coin and handed it to the stall keeper, who pocketed the money and passed me the meat pie.

Lefevre dumped the money into my pouch and cinched it. He held it out to me. I reached for it, but he clasped my hand with his own.

"You must be more careful with your coins, Miss Lea. You never know when they'll draw someone's attention. Someone who's looking for you, maybe."

He stroked my palm with his thumb, tracing the healing burn. I jerked my hand away, yanking the pouch with me. Lefevre smiled even more brightly.

"I'll try to keep that in mind, Captain Lefevre."

I slipped away from him, determined that he wouldn't catch me unaware again.

Les's hands shook as he tried to pour a concoction from a bottle into a vial. The harder he tried to still his fingers, the more they shook.

The moon shone down on us as it made its way toward the horizon. The canal waters sparkled with its light, creating starbursts in the streets. Something I'd never see in Ravenna.

Finally I grabbed his hands and took the bottle away from him.

"If you're not careful, you'll spill it," I snapped. "Some poisons only require skin contact, and if you spill those, you'll be dead."

Les sighed and jerked his hair tie off before running his hands through his hair. "I'm no good at this. I don't have the patience for mixing poisons."

I poured the poison carefully into the vial, then stoppered it with a cork. I passed it to Les. "Mark the top with a symbol. It should be unique to you, so no one else can use it."

He pocketed the vial before tying his hair back once more. "How do you have so many recipes and antidotes memorized?"

"Because I've been doing this for over ten years. But you don't need to be a master poisoner to use poisons. These ones are easy to craft and simple to use. You could coat your cutter with one, and a shallow cut would become a mortal wound. Poisons are versatile and have more uses than just dosing someone's food for a quiet kill."

Les shook his head slowly. "I'll never be the kind of clipper you are."

I didn't like the turn of this conversation. If he thought he wasn't getting a good value, he might decide not to help me. Yes, he'd originally offered to help me for no other reason than just to help, but I still didn't trust that intent.

Then again, I knew how Les felt. Rafeo had been an amazing clipper. Everything came easily to him. Matteo and I struggled to even come close to his skills. Matteo especially took Rafeo's skill as a personal insult, as if Mother and Father had somehow contrived to make him look bad. But not even Matteo could stay angry at Rafeo for long.

"Let's work on the firebomb," I said. "That's more

important than poisons."

Les grabbed a satchel he'd brought with him and set it between us. I sat down across from him. He laid out a blanket and set down different spheres, some ceramic, others metal. Beside the spheres he placed small jars filled with different-colored powders, and a few more with liquids.

The materials looked similar to the ones used to make smoke bombs, but when I picked up one of the ceramic spheres, it wasn't divided in the middle.

Les pointed at my chest. I looked down and found my key loose from my leathers. I tucked it back in.

"What is it for?" he asked.

"My house."

"I thought your house burned down."

I nodded. "It did. I just . . . couldn't bring myself to get rid of it. It's all I have left."

And it served as a reminder, so I'd never forget that my secret had destroyed everything. I glanced at Les. He was so eager to assist me, a stranger he barely knew. A girl who had invaded his home and stolen from him, and yet here he was, back to helping me again.

Would he be so eager if he knew the truth about me? That the murder of my Family was on my hands?

Les smoothed the blanket. "Okay. Well, timed smoke bombs are similar to the throwing kind. The ceramic shatters and the chemicals combine and smoke appears."

His flashed his hands before me, mimicking an explosion.

"For the timed ones, though, we have to use some different chemicals and different layers."

He picked up a jar with a clear liquid and placed it in front of me. "This will eat through metal. Not immediately—and how fast depends on the type of metal, the amount of solvent, and so on. It takes a lot of trial and error, and even then sometimes it doesn't turn out right."

He glanced up at me, and I nodded to show I was following.

"Besides metal, it will also eat through flesh and fibers. Wood. Fabric. But it can't go through glass." He flicked the jar with his finger, and it pinged quietly.

Ate through flesh. I immediately thought of different ways to use it. Perhaps a thrown vial at an enemy as a deterrent. "Where did you get this?"

"It's a traveler recipe. It's something we've—they've—kept secret for hundreds of years." He pushed the jar aside. "So, how the timed smoke bomb works is, I fill one of these small metal spheres with the powdered smoke agents. Then I place it inside one of the ceramic spheres."

He showed me how the ceramic sphere was actually two pieces, tightly fitted together like a puzzle. The metal sphere fit inside the ceramic halves, and he closed it up. "I fill the ceramic with the liquid smoke agent and the acid. They don't like each other, so they stay unmixed, and the acid picks and pocks at the metal until it's breached. The acid and the powder also don't like each other. That's where the flash comes from. When they mix, the acid is burned up, exploding the ceramic casing, and then the remaining powder and liquid combine to make the smoke."

"Okay." I nodded. I'd made smoke bombs before, and with all my poison and antidote experience I understood how chemicals mixed in different ways reacted to different things. "What's all this for, then?" I pointed at the remaining powders and liquids he'd placed on the blanket.

"These are the combinations we're going to try, to see which ones will make the biggest fire that will burn the longest."

Les grinned and I did too, though my grin came from picturing the Da Vias, trapped behind the flames of their burning home.

twenty-two

WE SPENT HOURS TRYING DIFFERENT COMBINATIONS, our hopes high. But after a few hours of frustration and frayed tempers, we decided to try again later and went home for some much-needed sleep.

In the morning I headed to a different market to look for clothes. The old one had good prices, but I didn't want to face the women of Acacius again.

It didn't take me long to find a shop. I bought two dresses and changed immediately. I was almost tempted to throw out the stained one, but even if I didn't wash it or ever wear it again, I could use it as a blanket or a pillow on my saddle-blanket bed. There was no point in being wasteful.

I used some of my coins to buy a filling lunch, one that would hopefully last me the rest of the day. Then I headed to the mail office. Faraday had said he was going to send me another letter, so I wanted to keep checking.

It was the same postman as before, and he bobbed his head

as I entered. "Oleander, right?"

I nodded and he flipped through the envelopes in the bin. He pulled one out, then glanced at me over his shoulder before returning to the letter.

"Is it for me?" I asked.

He faced me, letter held at his thigh. "Do you go by any other names?"

Another name. Of course I did, but why would Faraday use it when he'd used Oleander before? "Lea," I said. I would've forsaken the letter before I risked giving him my last name, too.

The postman set the letter on the counter. He pulled out his ledger and made a mark on a line. "Two gold again."

I passed him the coins and he slid the letter over to me.

"Thank you." I walked out of the shop into the bright afternoon sun.

The letter was addressed to me, but I understood why he'd hesitated before handing it over. It had my name, Oleander, written on the front, but someone had crossed that out, a single black line through the letters, and replaced it with Lea.

I sat on a bench outside and cracked the seal of the letter, the pages unfolding in the gentle breeze.

A pressed white poppy fell into my lap.

I couldn't breathe, couldn't feel my heart beating, couldn't do anything but pinch the poppy between my two fingers.

I opened the letter and read.

Maybe this will find you. If you're even in Yvain. If you're even still alive. I don't know. I must be an idiot to think this letter will go anywhere. But I found this flower in a saddlebag kept at a monastery, and I couldn't believe it was simply a coincidence.

Maybe it is, though. Maybe I'm just crazy.

But if you are alive and do get this letter, I want to say... I want to say a lot of things, actually. And I wish I could say them to you, but I guess if this is the only chance I have, then I'd better take it.

I'm sorry. I know it doesn't mean anything, and maybe it doesn't even matter because you're dead anyway and this letter will go nowhere.

But if you are alive, and you do get this letter, please be careful. I've spoken to the Addamos, and they've scoured the dead plains. Yvain is the only place they haven't searched yet. It won't be long before the rest of my Family catches on. We're close. We won't give up. Better for you to disappear, to vanish and never come back.

That was it. No signature. Nothing to tell who had written it, but I knew the letter came from Val. If he'd found the flower in Butters's saddlebag, it meant the Da Vias were closer than I'd thought. If the Addamos had steered Val to Yvain, enough to send a blind letter anyway, then the others would be close behind.

Dumb. I was so, so dumb. I should've destroyed the poppy when I'd found it after the fire, should have crushed it. But I'd kept it, put it aside somewhere I wouldn't have to look at it anymore, so I wouldn't have to feel the things it brought to the surface. And now here it rested in my fingers, a reminder of all the mistakes I'd made, that I continued to make, and the consequences that seemed to never end.

A shadow fell over the letter. I looked up. Les stood before me, blocking out the sun.

I squinted. "What are you doing here?"

He glared at me until I shifted. "You stole from us."

I narrowed my eyes. So that was the way this conversation was headed. I took a breath. "I needed the money. It was just sitting there. You weren't using it."

"Oh, of course," he scoffed. "You *needed* it, so you just took it because *we* weren't using it. It all makes sense. I thought you were a thief, but now that you've explained it, I see I was mistaken."

"That's not—"

"I don't even know what's worse," he interrupted, arm cutting through my words. "The fact that you're still going to want me and my master to trust you, to help you, after all this, or that you didn't trust *me* enough to just ask for the money in the first place."

I blinked. If I had asked him for it, I would have been beholden to him. I couldn't let him hold that over my head. We had agreed to an even exchange.

"My master will never help you now." He paused and rubbed the back of his neck. "I would've given it to you," he said. "I wouldn't have even asked why you needed it."

"Clothing," I said. "And food."

He shook his head. "It doesn't matter."

Of course it mattered. It wasn't as though I'd stolen the money to spend on frivolous things like necklaces or lace. I had spent it on things I truly needed.

"I trusted you."

My body froze at his words. He had trusted me. What had I done to engender such blind faith?

But maybe the better question was, why had I broken it? I'd become a thief, something I would have never done before.

If I looked in a mirror at this moment, I didn't think I'd recognize the girl who looked back.

"We're done, Lea." Les turned his back on me.

"But—"

He didn't even wait to hear what I had to say. He just walked away, slipping into the crowd.

A gust of wind swept through the square. It tore the pressed poppy from my fingers and sent it after Les until it, too, had vanished.

That night I waited for Les on the top of my safe house.

He never showed.

Sometimes I found it hard to sleep at night. I was so used to later hours working as a clipper that when I didn't have to work—or like tonight, when I'd made a mistake and driven Les away—the still quiet of the night wasn't the lullaby I sought.

Especially in my little safe house, where my bed was a saddle blanket on the hard floor, and the old, rotting walls creaked and groaned with every breeze.

I rolled over, trying to cover my ears, to give me some peace from the noise. But the groaning grew louder.

A white glow seeped in, past the gaps in the boards, followed by a slow, soft moan.

It hadn't been the wind or the wood making the noise.

A ghost hovered outside my window, and though it couldn't see me, didn't know I was inside, I still tucked my knees against my chest.

The ghost moaned again, and my stomach tightened. Ghosts were terrifying. And malevolent. And this one would rip me from my body if it could catch me.

But they were also heartbreakingly sad. Who knew what this one mourned? The loss of its body, of course, but maybe it, too, mourned the loss of something more. A mother or father. A husband or wife. A child. Maybe just the sun, or the light, or something I couldn't even understand, being alive.

"Ohhhhh," it moaned again, like the women who wept and wailed at the cribs of the infants I had released during the plague. Like Rafeo when his wife had taken her last breath.

I shut my eyes and covered my ears, but no matter how hard I tried to hide myself from the ghost, that sound crept into me, filling me up, until I knew I would never be free of it.

I had to make things right.

As the morning sun slipped past the slats of the walls of my safe house, I pulled on one of the new dresses, then thought better of it and slipped back into my stained one.

I would return to Marcello's home, and though I couldn't repay the money I'd spent, I could at least return what I had left. And then I would beg for their forgiveness. No matter how I tried to rationalize my actions, Les was right—it was thievery, plain and simple. I'd already lost so much, and I refused to lose any more of myself. I wouldn't be a thief.

I climbed out the window. The day had dawned cool, and a soft mist floated above the canals, drifting into the alleys and streets.

I'd have to wait for Les to come out. I couldn't just barge into their home or let myself in.

I walked through a square, and even though it was early enough that the market hadn't fully opened, the common of Yvain were already about their errands and plans for the day.

I cut through the crowd, ignoring the bakers with their iced buns and sweet rolls for breakfast. Ignoring the looks my stained dress garnered from the better dressed women. None of that mattered. Only one thing mattered, and that was killing the Da Vias.

The crowd thinned around me and I slipped into a side street, following it along the canal that led to Les and Marcello's alley. I turned down the dead end and stopped, prepared to wait all morning if I had to.

The grate above the ground squeaked. Maybe I wouldn't have to wait long after all.

"Miss Lea," a voice called to me.

I spun. Lefevre waited at the entrance to the alley.

"Captain Lefevre." I glanced at the grate, but if it had been about to open, it was now still. Lefevre seemed to be everywhere I went, always present, always spying on me. It made the back of my neck crawl.

"I thought it was you." He stepped into the alley, walking closer. "I could tell by your dress. It has a stain on it, by the way."

I blushed, wanting to cover the stain with my hand. "An unfortunate accident."

He nodded. "It's early in the morning to find yourself lost in an alley."

I smiled. "I just get turned around easily," I said. "I can hear the market but I can't seem to find it."

"Ah. Then let me escort you." He held his arm out for me.

I would have done almost anything to avoid taking his arm, but I had to keep playing this role of innocence, even if he didn't believe me. And I had to lead him away from the entrance to Les and Marcello's tunnel. If he found them, it would put an end to all my plans.

I clutched his arm and he led me from the alley.

"You were really quite near." He leaned close to me. His warm breath brushed against my neck. "Just a few streets off."

I was sure he could hear my teeth grinding. "I would have stumbled my way there eventually."

"And I don't know that you should be walking about on your own. There's a serial murderer on the loose."

"Is there?" I played dumb. It was clear Lefevre suspected I was the clipper he'd seen my first night here. But I wasn't sure if he suspected me of also being their serial murderer.

"I only arrived a few days ago," I said, "so I hadn't heard anything about it." That should clear me of any suspicion.

"Yes. When the priests lent you a robe. I spoke with them, though, and they don't seem to remember anyone arriving in the last few days."

He'd been checking into me, asking around. He was dangerous, in more than one way.

I bit my lip in fake concern. "It was a visiting priest from a monastery. His name was Faraday. He can provide you more information, if you'd like."

"I'll seek him out, then." He led me around a corner and the market spread before us, the crowd growing.

I released his arm and fought the desire to wipe my fingers on my dress.

"Thank you, Captain Lefevre."

"It was my pleasure, Miss Lea. I'll be seeing you around. Stay safe from the ghosts."

It was a common Yvain good-bye, but Lefevre made it seem like a threat. I bowed my head and pushed my way into the crowd. I couldn't return to Les and Marcello now, not with Lefevre so clearly watching for me during the day. I could feel his eyes on my back, and it took all my willpower to calmly stroll through the market.

I was frightened of very few things, but Lefevre was slowly making his way up the list.

twenty-three

THE SUN SET. AND I CLIMBED TO THE ROOF OF MY SAFE house. Lefevre wouldn't be watching for me at night, so I was hoping to return to Les and Marcello's and ask for their forgiveness. Time was running out.

A thump behind me. My hand dropped to my stiletto, but then I realized it was Les. I grunted and got to my feet.

He stared at me, his hood casting his eyes in shadow. My mask covered my face, but it didn't hide my eyes.

"You came," I said.

He didn't say anything. Finally he sighed. "I saw you this morning. With that lawman. Lefevre."

"I didn't mean to draw him to your entrance," I said. "I was coming to apologize. To give back the money. But he's been trailing me since I arrived. I led him away as best I could."

"I followed you two. You could have told him the truth. About his serial murderer. About me."

Lefevre was after me for the murders Les had committed. Lefevre had the right motive in mind, but the wrong clipper.

I paused. This could be some sort of test for me. If I said the wrong thing, maybe he would leave again. "Why would I do that?"

"Who am I to you? And telling the truth would make things easier for you."

He was right. Telling Lefevre that Les was his serial murderer, and even where he could find Les, would get Lefevre off me. But I needed Les and Marcello, more than I needed to be free from Lefevre.

"I need you," I said.

He dropped his head, but not fast enough for me to miss the twitch of his lips. "All right. You give me the coins back, and I'll still help you."

I shoved my hand into my purse and scooped out the remaining coins. I poured them into his palm.

"Is this all of them?" he asked.

"Everything I didn't spend."

He nodded and slipped them into his own pouch. "Then we're back on equal footing. At least between you and me."

It was so easy for him to forgive what I'd done to him and Marcello. I wish I could forgive as easily. But all I could do was remember the horrible things done to me and my Family and focus on my revenge. It had been my fault, though, what had happened. And maybe Les wouldn't be so forgiving if he knew the truth about me.

I sighed. "Les, I—"

Les held up a hand, cutting me off. "I said we're good. I don't need another explanation. Let's just get back to work on the firebomb."

He watched me and I watched him until finally I dropped my head and nodded. It didn't matter if he knew the truth about me, or what he thought about me. All that mattered was killing the Da Vias.

False dawn crept over us, and I stifled a yawn.

"Maybe this is hopeless." Les ran his hands through his hair before he retied it out of the way. "Maybe I was wrong to think this would work."

"No. It's not hopeless. We just need to keep trying." I sprinkled a little bit of a gray dust into a mound. "Don't give up on me yet."

Les shot me a sideways glance and I flushed. Why I had said that, I had no clue.

"What is the purpose for this firebomb anyway?" Les asked. "I mean, I'm guessing you want to set fire to somewhere without having to be there?"

I measured out some of the acid, careful not to spill any on my hands or leathers. I had long since put my mask aside. "I'm going to burn the Da Vias out like they did to us. I'm going to sneak into the center of their home, leave this as a present, and then just wait at the exit for them."

Saying it out loud felt good. And if I was lucky and it worked like that, there was a chance I might emerge from this plan alive. At the least, I probably wouldn't burn to death.

"You mean *we*, right?"

"What?"

"*We're* going to burn them out. And *we're* going to wait for them at the exit."

I nodded. "Yes, of course."

Les wrinkled his brow but didn't comment. I changed the subject.

"How do you get your jobs? I've seen you on two now. How did you know someone wanted those men clipped?" My pile of grains and acid flamed for less than a second, then fizzled out.

"There's a building near the town square with a single brick that's loose and hollowed out behind. Anyone who has a job can leave me a message and the money behind that brick, and I collect the jobs and there you go."

"Aren't you worried someone will see you collecting the letters?"

"No, the letters drop down a hole. I'm sure people think the letters sit behind another brick, but they fall beneath the street. There's a tunnel that leads to them. I check it every few days."

"But if it's illegal, how do people know about you?" I poured more gray dust and added some of the black powder. "Do you have a lot of jobs? Well, maybe that's a dumb question, since you're the *serial murderer* and all that."

He grunted. "Sometimes I go months with nothing. Sometimes, like this week, I have two or three. Just because murder is illegal doesn't mean people aren't willing to pay to put an end to someone for one reason or another. Most of my jobs are people who have caused a grave offense. How does it work in Lovero?"

"There's a guild with offices throughout the country. Anyone can walk in and request a job. They can open it to any Family or request a specific one. The guild contacts the Family when there's a personalized request. Otherwise, we can check with the offices when we're looking for work. The guild withholds payment until the job is completed. That way they can return payment to the client if a clipper refuses a job or it fails."

He shook his head. "It's so strange to me, how candid your country is about murder."

"Murder is worship. You either become a clipper and do it yourself, or you allow clippers to do it for you. And maybe one day it's your life they take. But if they do, you know Safraella rewards those who follow Her."

"Rewards them with death, you mean."

"Everyone dies. You could turn into an angry ghost and rage across the dead plains for all eternity. Or you could die at the hands of a clipper and Safraella will grant you the gift of a new, better life. Loverans understand this. And besides, you have a lot of murder here."

Les guffawed, and I shot him a look.

"Oh, you're serious?" he said. "How can you even compare?"

"Loverans are generally safe from clippers if they don't anger someone enough to pay to have them killed. Here, I could walk home in the evening and some stranger could murder me for my purse or any other reason."

"I don't see how hiring a clipper in Lovero would curtail violence," Les said.

"Because people talk. And if I wronged you, you would pay to have me killed and you would be right to do so."

"Doesn't it just start a cycle of murder and vengeance? What if my family hired someone to kill you after you had me killed?"

I shrugged. "Sometimes that happens. More so before. Now people understand that the murder of a loved one is an act of worship, that they'll be granted a new, better life."

Les shook his head. "You make it sound like Lovero is so morally superior, because everyone follows Safraella, but here you are, plotting to kill the Da Vias because they murdered your Family."

I grimaced. He'd hit on an uncomfortable truth. "It's not the same."

"Isn't it?"

"The Da Vias killed my Family, yes, but only a fool would think they did it as an act of worship. Maybe that's what they want the common to think, but the other Families know that the Da Vias attacked us because they were the second Family and we were the first and by killing us they got power. Anything else was just a bonus."

"Won't the other Families punish them, then? Why wouldn't they just rise up together and put a stop to the Da Vias if they're so power hungry and less than faithful?"

"The others are cowards. Most of them, anyway. They feel safe at the bottom. And they'd need proof. Right now they may know the Da Vias killed more for themselves than Safraella, but without proof, they would never rise up against them."

"Then it sounds like Rennes and Lovero have more in common than you thought."

I ignored this barb and instead dripped a bit of the acid onto my dust pile. It flared up immediately into a bright flame.

I shouted and Les scrambled over. "What did you use?"

"Just the acid and those two powders!" I grabbed the jars and sprinkled a bit more of the dust onto the flames. They burned gleefully. With this mixture we could make a timed firebomb, not just a smoke bomb.

Les grabbed my hands and we jumped and danced around the fire, laughing and cheering. "Thank you," I said to him.

He grinned. "For what?"

"For making me laugh."

Together we watched the flames flicker in the early morning, and for a moment all the pain and guilt and loneliness from missing Lovero and my Family and Val just disappeared into the night sky with the embers of the fire—until it seemed the fire might burn another hole in my roof and we were forced to put it out with the bucket of water.

I clutched the jars of powder in my hands. This plan could work. This plan *would* work.

I would have my vengeance.

twenty-four

I DREAMED OF THE FIRE AGAIN, BUT THIS TIME WHEN IT tried to pull me into its flames, Les was there, and he threw a bucket of water on it and the fire vanished.

I awoke to the setting sun and stared at the ceiling above me.

Eleven days. Eleven days since the Da Vias had murdered my Family. I was so close. And I couldn't deny that I had Les to thank for it. He'd helped me create a plan to kill the Da Vias. And he'd gone home last night determined to get the Da Vias' home location from Marcello.

Something stirred in my stomach, and it took me a moment to realize it was eagerness to see Les again. Yes, he would hopefully bring me good news, but also because it seemed when I was with him, I didn't think about my Family as much.

Or I did, actually, but sometimes it didn't hurt quite so badly.

I got dressed and climbed to the roof, determined to refocus on my goal.

A few hours later I stopped my pacing and stared at the canal beside my building.

Les was late.

I sat down, soaking in my anger as it got later and later and he didn't appear.

Maybe he'd quit on me. Maybe he'd seen the seriousness of my firebomb plan and decided it was too much for him. Or maybe he was still mad about the stolen coins and he couldn't forgive me as easily as he thought.

My stomach sank. He'd seemed just as excited as me at our accomplishments. I couldn't imagine him suddenly changing his mind.

It didn't matter. Either way it was a lack of respect. And I didn't have time for it. The Da Vias weren't going to slow their search for me just because I was stuck waiting for Les.

I climbed to my feet, determined to hunt him down and drag him out of Marcello's if needed, when he appeared on my roof.

"You're late." I crossed my arms.

I thought he'd be apologetic. Instead, almost visible waves of anger rolled off him. It took me aback. I'd yet to see him really angry. Annoyed, yes, like when I'd first approached him, and disappointed when I'd stolen the coins, but never angry.

"Can we just get to work?" He rolled his shoulders and avoided my glare.

"Why were you late?" I wasn't going to let this go. Not until he apologized at least.

He sighed. "It's nothing. I'm sorry. It won't happen again."

That was easier than I'd expected. And then I understood. It wasn't his fault. "Did Marcello find out I'm training you?"

He pinched the bridge of his nose, a gesture so reminiscent of my father that I had to take a slow, deep breath to loosen my throat.

"You're late because you were arguing with him," I said. "About me."

I could see the truth written in his face. "I was trying to get the Da Via location from him. He doesn't know about the training, but he *now* knows I've seen you since that last time you spoke. He was . . . not happy."

"I'm sorry," I said.

He waved my apology away. "You have nothing to apologize for. It's my fault, and really, it's his fault for being so angry about it. He still sees me as a child, as that boy he found. When he's reminded I'm not, it shakes him."

My skin itched with the desire to leave, to take the firebomb and Les and head home to Ravenna. "Did you get any information out of him, at least?"

"No. I even told him if he just gave you what you wanted, you'd leave. But he doesn't want to give in to you. Feels like you're pushing him too hard."

Of course I was pushing him! What didn't he understand about the Da Vias coming for me and how that would be bad for him, too? His stubbornness overrode his sense of safety.

Les would have to try again. He would have to keep trying until he got what I needed. It was the only option.

"Can we do some training?" Les asked. "Otherwise I'll never be able to compare to you."

Training wasn't really wasting time. If I was going to bring Les with me, the more he trained, the better he would fare in the fight to come. But after his failure to convince Marcello to give me what I wanted, everything felt like a delay.

If I was going to send Les to try again, though, I needed to keep him on my side. Which meant keeping him happy. And if training was the way to do that, then it was an easy enough task. And sometimes it was even enjoyable.

"You can't liken yourself to me," I said. "I was born into this life. And you are more skilled than you give yourself credit for. I'm sure there's something you excel at."

He smiled at the praise. "Why didn't you ask sooner?"

At our spread of weapons, he picked up three knives well balanced for throwing. I groaned quietly behind my mask.

He set up a target across the roof, then stood beside me. He whipped the knives one after the other in rapid succession. Each struck the target near the center. Les strode across the roof and retrieved the knives before he returned to me.

"What do you think?" he asked.

I waved my hand. "Yes, yes, you're good at knife throwing."

He held out a knife to me. "There must to be something you can teach me."

I didn't take the knife. "No. You looked fine."

"Lea, you're supposed to be training me."

"I am, I just . . ." I rubbed the crack on my mask. "I'm not the best knife thrower."

Les leaned closer. "I'm sorry, what was that? Did you just admit to being *bad* at something?"

"I never said I was perfect."

Les laughed louder than was necessary. I turned my back on him. "We're done for the night."

"Lea, no, wait." He grabbed my elbow. "I'm sorry, I didn't mean to insult you. I just honestly never guessed I'd be able to best you in anything. Come on, don't leave me. I'll give you some tips. No teasing. I promise."

He passed me a knife. I sighed and showed him what I could do. It was worse than I remembered. I didn't even hit the target. The knife skidded across the roof until it crashed into the rest of the weapons.

I frowned, but Les only nodded thoughtfully. "Take off your belt and weapons. They're throwing off your balance."

I did as he said and pushed my mask to the top of my head. He handed me another knife and this time he stood behind me. He lined his arm next to mine and grasped my hand and the knife.

His body felt warm and hard, pressed against mine.

"It's a smoother motion." He moved my arm with his. "Clean and quick. It doesn't have to be powerful. That can come later."

I let him instill the rhythm in my arm. He began to hum quietly, and when I was ready, I released the knife. The hilt crashed into the target and the knife dropped to the ground, but at least I'd actually struck what I was aiming for.

I smiled and Les whooped, spinning me around, my hand still in his grasp.

"See!" He grinned and squeezed my fingers.

This. It was so easy to feel carefree around him. But that wasn't for me. I pulled my hand free, and the smile faded from his face.

"Something's bothering you," he said.

"It's nothing."

"Oh, it's clearly something."

I returned to the knives, packing them up. "It's nothing and it's everything. We're running out of time here and Lefevre's poking around, following me. I made a mistake when I first arrived, and now he's trying to trap me or trick me into making another so he can pin a murder on me. Yours, actually. Well, not only yours."

He straightened and frowned. "That sounds like more than nothing, Lea."

"No, it's fine. Really. I can handle him. And I don't plan on staying long enough for him to charge me."

He rotated a shoulder. "What if the firebomb fails? Do you have a backup plan for the Da Vias?"

"None of that matters unless Marcello tells you where to find them," I snapped.

Les waved his hand at me. "I know, I know."

I shrugged. "I might just walk in there and face them head on."

"What?" he barked. He opened his mouth to say something else, but then he closed it and looked away.

"What were you going to say?"

"Nothing." He shook his head and smiled at me. But the smile was forced. He was trying to be nice, but he was keeping something hidden.

"It's not nothing," I said. "Don't lie to me."

His smile vanished. "I'm not a liar."

"Yes, you are. I can tell you're hiding what you really think."

His eyes flashed and his jaw tightened. I was so used to him being friendly and nice that this new Les made me step back. "Fine. Lea, you're crazy. You'll get yourself killed."

I narrowed my eyes. "Well, until you get the location of the Da Vias, none of this even matters! And so what if I die? I don't see why that's any concern of yours."

"You don't see . . . Lea . . . Argh!" He threw his hands into the air, then snatched his cloak from the roof and walked away from me.

"Where are you going?"

He looked over his shoulder. "For someone so smart, you can be ridiculously idiotic sometimes."

He jumped to the nearest roof.

Blood rushed to my face. How dare he? I was his teacher—he couldn't speak to me like that!

"Les," I shouted. "Alessio! Don't you walk away from me!"

He stomped away faster.

I pulled my mask down and raced after him, trying to

close the gap. He sped up, determined to get away.

Oh no you don't!

He couldn't outrun me, not when I was this mad and this determined to catch him.

He dropped off the roof into an alley between the two buildings. I blindly jumped after him, trusting there would be ground beneath me.

I landed in a crouch. The alley was a dead end, empty except for a door boarded up with a single piece of lumber. Alessio stood before me. I grabbed his shoulder.

"Les, what the—"

He gripped my wrist and pulled me beside him. "Shut up!"

At the entrance to the alley floated the white specter of an angry ghost.

It was a man, or had been a man at one time. I could clearly see his trousers and vest. He hovered quietly and seemed asleep, or adrift.

My heart raced. Being so close to one again brought back memories of my flight across the dead plains. My burned hand pulsed in pain, and I clenched it into a fist.

"Where's the nearest canal?" I whispered.

"Just stay quiet. Maybe it won't see us."

We stood still, the sound of my heart and quiet breathing matched by the sound of his. We huddled like statues, willing the ghost to leave. Les clutched me to his side, the solid strength of his body pressed against mine. I pictured the celebration on the roof before, my hand in his, his arms around me like they were now.

I blushed behind my mask and pulled away.

"Lea, don't—"

The ghost blinked its phantom eyes and faced us.

Maybe it couldn't see us in our leathers against the dark alley.

It screamed, a sound that emanated from somewhere in the heart of it. It raced our way.

"Oh gods!" Les shouted. He squeezed his eyes shut against the ghost. He was so frightened of it, so scared. And I was too. But it was my fault, and if I could distract it, he could flee.

I pushed Les aside and confronted the charging ghost. Les grabbed my right hand, shouting something in my ear, but I focused on the ghost.

I remembered the ghost who tried to pull me from Butters's saddle, remembered how tightly I'd gripped Safraella's coin and prayed for Her to grant me a fast rebirth. I prayed again, now, and stepped forward. I met the shrieking ghost with my hand across its chest, willing it to stop its attack.

The ghost shot away from us, repelled out of the alley and out of sight, leaving nothing behind but a quickly fading echo of its screams.

My chest heaved with rapid breaths and my mouth ached from dryness.

"Lea . . ." Les loosened his grasp on my hand. "What did you do?"

My arm flopped to my side and I swallowed deeply. I shook my head. It was a good question.

He stepped beside me. "How did you do that?" His voice was tinged with awe and something else. Fear maybe.

"I don't know. I'm not sure it *was* me."

"I don't understand. . . ."

I lifted my mask to the top of my head and brushed a lock of hair from my eyes. "It happened once before. I was on the dead plains, racing from the ghosts."

"Wait. You crossed the dead plains at night? Are you crazy?"

"I didn't have much choice. It was face the angry ghosts or face the Addamo Family."

"I don't—I don't even know what to make of that, so I'm going to set it aside for now." He made a motion of pushing something invisible away. "Let's get back to how you saved us from that ghost."

"It wasn't me. I think it was Safraella."

He gestured for me to continue. I sighed.

"When I was on the dead plains, I was injured and the ghosts were trying to pull me from the saddle. I thought I was going to die. And I was upset I wouldn't have a coin for Safraella, for a fast rebirth. Which was stupid. I'm Her disciple. I don't think She would begrudge me a coin in the midst of fleeing for my life." I shook my head. "Anyway, I managed to clutch a coin in my hand. And it burned me."

I slipped my glove off and stuffed it in my belt. He took

my left hand gently and traced my healing palm and fingers with his own. Val used to trace my knuckles with his thumb. I was glad for the darkness in the alley so Les couldn't see the color that had risen to my cheeks. I took a breath.

"How did it burn you?" He followed the shallow shape of the coin around my skin. I pulled my hand away.

"I'm not sure. I spoke to a priest at a monastery on the dead plains. He wasn't sure either. Maybe some sort of holy fire? He'd never heard of anything like it happening before. But when my hand was burning, a ghost reached for me and suddenly it was gone, flung away across the plains. Before I had time to think about it, I was in the monastery." I shrugged.

Les stared at me. "That's it?" He shrugged, mocking me. "You can just shrug it off?"

"What do you want me to say?" I snapped. "That I understand everything about Safraella and how She works? Or that I have some sort of magical clipper magic and you will too, as soon as we somehow get you a mask?"

He tightened his lips. I'd hit a tender spot. He *had* thought one of those things.

"I don't understand how you can do something so amazing," he said, "like stopping an angry ghost, and just shrug as if it's no big deal. As if you're not worried about it, or fanatically curious. You did something amazing, miraculous, and you treat it as an irritant at best."

"Because I don't have time to figure it out! I don't have all the answers, Les. In case you haven't noticed, I'm barely getting by. I just need to focus on doing what I came here to do."

"Killing yourself, you mean."

"What?"

"That's what you came here to do, right? Find the means to kill yourself at the hands of the Da Vias?"

He was ridiculous. He didn't understand anything. "I don't *want* to die."

"Don't you?"

He stepped into my personal space. He was so much taller than me, but I stood my ground. I wasn't that easy to intimidate.

"There are other solutions, if you'd only stop and think."

"I don't have the time!" I yelled. "The Da Vias already know a Saldana survived the fire. If they haven't spoken to the Addamos yet, they will soon, and it will be obvious I came to Rennes. The Da Vias aren't the Addamos. They have more clippers, more money, more resources and power. If they want to find me, they will as soon as they connect all the loose threads I've left trailing behind. I have to get to them before they reach me, otherwise it's all pointless. Otherwise it's all been for nothing and the Da Vias will have won."

"I'll be with you, though. It won't just be you, alone. That could change the outcome."

I shook my head. "I came here looking for Marcello not just because he knew how the find the Da Vias but because he was a Saldana clipper with skills that should at least match my own. And I needed him to help me. Even with my training, Les, you're a half clipper at best."

Behind us, the sun crept above the roof of the buildings, casting beams of light in the shadows. We'd stayed out too late. We needed to get to our homes.

"No one's going to be ready for this, Lea. Not even you. And damn you for writing me off like that!"

I stepped back at the anger in his voice.

He followed me, leaning over to look in my eyes. "You don't get to roll over people. Just because you have permission to end lives doesn't give you the right to destroy them first."

He was breathing heavily, staring at me. Was he right? I thought over the path I'd traveled to get here.

The Addamos . . . I'd definitely done some damage there. But they'd brought it on themselves. They were the ones who'd attacked me.

Brother Faraday had said priests weren't allowed to take sides, but he'd bent the truth for me.

Les was wrong. "You don't make any sense. I'm making you a better clipper. How is that a bad thing?"

He closed his eyes. "Do you really not see it, *kalla* Lea? Are you truly that blind?"

I'd been blind to things before, and I'd made terrible mistakes. "Maybe I am blind," I whispered, "but you don't understand."

"*I* don't understand? Lea, I think I probably understand better than most."

"No, you can't. It's my fault."

"What's your fault?"

"My Family. Their deaths." I coughed and took a breath. "Val took my key from me. He must have made a copy or something. And because he was a secret, *my* secret, I didn't tell anyone. The Da Vias got inside because of me."

There. My darkest, heaviest secret bared for his judgment. Now he'd see me for the failure I was.

Les rubbed his neck. "It's not your fault."

His words hit me like a gust of cold air.

"You didn't kill your family, Lea, the Da Vias did," he continued. "Lay the blame where it belongs, not at your feet, but at theirs."

I exhaled slowly. He made it sound so easy. But it *was* my fault. I'd had a hand in the deaths of my Family. When I closed my eyes, all I could see were their faces, and then I couldn't help but imagine their last moments. Had they burned to death, their skin crackling, their lungs filling with black smoke? Or had the Da Vias killed them first, their knives and swords carving into their flesh? Had Emile been scared? Had he cried, fat tears rolling down his face as he called for his papa?

And how could Les just push my failings aside like that? Like it didn't even matter to him.

To our left someone applauded slowly. I yanked my mask down as we turned.

"Bravo. This has been better than a stage play." It was Captain Lefevre and six other men. "And look, you even have costumes." He gestured to our leathers and my bone mask. I cursed my damn foolishness. We should've been long gone before the sun had ever risen so high.

I'd played right into his hands, standing in a secluded alley, with no witnesses to whatever he planned.

twenty-five

'LEA, LEA, LEA.' LEFEVRE STEPPED INTO THE ALLEY with his men behind him. None of them wore uniforms. This was about something else, then, and not the murder investigation.

One of the men was a giant, nearly filling the small alley space. Beside me, Les moved closer.

"I knew there was something off about you," Lefevre said. "But I didn't expect all this." He waved a limp hand in our direction.

I dropped my hand to my sword.

Gone.

I closed my eyes. I'd left it on the roof when we were knife throwing.

Les tensed beside me. He realized the same thing. All I had was a single stiletto in my boot.

Sloppy. So sloppy.

Rafeo would be so disappointed in me. I'd let Yvain make

me soft. I'd let Alessio make me soft. Never in my life had I been caught without my weapons, and here I was, in my *leathers,* no less, about to reap the consequences. I deserved it.

"That first night," Lefevre continued, "when you fled from my officers, I thought I'd never see you again, at least, not like this. I recognized you as a clipper, of course, even without the coin you left on that body. But I was always raised to think highly of clippers. You were supposed to be these terrifying agents of a dark god, so when you escaped us, I thought you were gone for good. And yet here you are, standing in the open for anyone to find. And it turns out you *are* that raggedly dressed girl in the market. I wasn't sure, you know. I thought you were just covering for the clipper, but you have the mask and everything."

"What do you want, Lefevre?"

"What do I want?" He tapped his chin with a finger. His men chuckled and grinned. They didn't realize what they were getting themselves involved in. They probably saw a girl and a boy having a fight in an alley. They were in for a surprise.

"So, my hunches were correct. There's a bounty on your head, Miss Lea. It turns out the Da Vias in Ravenna lost someone. A Saldana clipper. And they're willing to pay quite a bit for her return. Lea Saldana has a nice ring to it, by the way."

I raised my hands. "I don't know what you're talking about. I don't know the Da Vias and they won't pay anything for me."

Lefevre smirked. "You aren't a very good liar, Miss Lea.

Even hidden behind that mask of yours. And anyway, being a lawman doesn't pay very well. If the Da Vias are paying, I could use the boost to my finances. And an end to the serial murderer."

"I told you that isn't me."

Lefevre snorted. "Oh please. You can give up the charade now."

"She's not lying," Les said beside me. "I'm the murderer you've been looking for. You don't need her."

What was he doing? Telling the truth wouldn't gain him anything. Unless . . . unless he *wasn't* trying to get anything out of it.

Lefevre rolled his eyes. "You? Really? You don't even have a mask."

"North quarter, ten days ago. Northeast by the lazy canal, four weeks ago. A woman, six weeks ago by Upsand Downs."

Lefevre's smirk vanished. "It seems I was mistaken. I can admit when I'm wrong. But I still need the money. You'll just be an extra bonus for my reputation as a lawman."

His men moved forward.

"I'm giving you a final chance to walk away," I said. "This won't go the way you want. If you walk away now, everything can be forgotten. Otherwise I'll have to kill you." I showed him my conviction in my eyes, so he'd understand I could murder him with no more than a flick of my wrist. That his blood across my face would be like the spray of the sea to me, wet and warm and nothing more.

His men paused and glanced to Lefevre. He barked a

laugh, his eyebrow raised in disbelief. "Oh, Lea, you ignorant girl. *I'm* not going to fight you. I'll be leaving you in the capable hands of my men. After all, the sun's up and I have work to do and lawbreakers to catch." He waved his hand, and his men flowed toward us. "Keep her alive," he commanded as he turned to walk away. "Kill the other one."

The men charged as Lefevre whistled and left the alley behind. I barely had a moment to yank my stiletto from my boot before they were on us.

Six against two. If it had been me and Val, we could've handled it. But it was me and Les—unfinished and unarmed—trapped in a cramped space with no quick escape. I had to keep him safe.

Before the first attacker reached me, I twisted my body and shoved Les farther into the alley. He grunted in surprise and I imagined his anger once he realized my plan, but I didn't care. When this was over, I'd rather have him alive and angry than injured or dead. The thought of him dead was like a kick to the stomach.

I blinked. When had that changed?

The first man swung at me with a cudgel. I barely managed to block his swing. The blow vibrated up my arm. Pops in my shoulder told me more of my stitches had snapped. I brought my knee into the man's gut and his breath exploded over me in a whoosh, stinking of liquor and rotting teeth. I shoved him into the man directly behind him. They tumbled to the ground in a tangle of limbs, tripping up a third man.

Another attacker swiped at me with a knife, aiming for my

face. Dumb. Even if I hadn't managed to dodge his clumsy attempt, my mask would deflect any strokes. I grabbed his arm and pulled it sharply backward. Braced against my left elbow, his joint cracked and snapped. The alley filled with his screams and the sound of his knife clattering to the ground.

Movement over my shoulder. I shifted to the left, blocking Les in the alley, keeping him behind me. His rage-filled eyes shot murder at me from beneath his hood, but I didn't have time for him.

I smashed the heel of my boot into the throat of another attacker. His neck crunched. He collapsed against a wall, hands clawing at his throat as he struggled for breath he would never find.

The first three attackers got to their feet and changed tactics, coming at me together instead of individually. It actually made things easier. They got in one another's way and I ducked and weaved and stabbed, all while blocking Les, keeping him away from the center of the fight. The alley was so cramped, the fewer clippers in the mix, the better. This way I didn't have to dodge Les, too.

Blood dripped off my mask and leathers. Its rich scent filled my mouth and nose as I caught my breath. Four of Lefevre's men lay dead or injured on the ground when the giant finally waded into the fray. He was close to seven feet tall and wide as a cart. Not fat, simply thick with flesh and muscle. The attacker with the fractured arm pressed against the wall as the giant charged, bellowing like an enraged bull.

I stepped back, trying to give myself space, but I bumped against someone.

"Les!" I screamed, pushing against him.

The giant leaned over and rammed his shoulder into me, connecting sharply against my breastbone. If I hadn't been wearing my leathers, padded to protect me, the bone would have cracked.

He launched me into the air. I flew into Les and we crashed into the wall, Les's body shielding mine from the stone building. I heard, rather than saw, his head strike the wall. The loud crack bounced around the alley.

We collapsed to the ground.

"Les!" I grabbed his leathers. He didn't respond, either unconscious or . . .

No! Don't think it, Lea!

The giant grabbed my shoulders. He yanked me from Les, tossing me like a log onto a fire.

I landed on the body of one of the men I'd killed. Before me lay his cudgel, resting in a pool of thick blood. I snatched it up as the giant bellowed over me.

I rolled and threw the cudgel overhanded. The weapon struck him dead in the forehead.

The snarl across his face vanished as his jaw slackened. He stared at me in utter shock. Then his eyes rolled up in his head and he fell, crashing onto the alley floor.

I struggled to my feet, my body aching and my breath sharp in my chest.

Lefevre's last man cradled his injured arm against his ribs, whimpering. I faced him, stiletto in hand.

He fled. When he reached the alley entrance, he began screaming for lawmen, shouting about murderers and ghosts and other unintelligible things.

If the lawmen showed, it'd be over. We needed to flee.

I stumbled over the bodies toward Les. I crouched and pushed the hood off his face.

His eyes were closed, but he was breathing. I released my own breath, not even aware I'd been holding it. He wasn't dead. I hadn't gotten him killed.

"Les." I tugged on his leathers. "Alessio!"

He moved his head but didn't wake. I lifted one of his eyelids. He moaned and feebly struggled away from my fingers.

We needed to leave. Now. Any longer and we risked being caught by the lawmen.

I grabbed one of his long arms and draped it over my shoulder. I braced my back against the wall of the alley and stood, pulling Les with me.

He was too heavy. I needed to find the strength to move him. I couldn't be weak now. I tugged on him and called his name, and he seemed to wake enough to get his feet under him.

We stumbled deeper into the alley to the boarded-up door I'd seen when we'd first dropped into this alley. It didn't matter where it led. It had to be better than walking the streets in the open.

The board was rotten and old and it took barely any effort to yank it down. Les leaned on me more and more the longer I supported him.

The lock had failed years ago and I pushed the door open, heaving Les with me into the dark and gloom.

Dust coated the air. I coughed heavily behind my mask, and for a moment, I was back in my home in Ravenna and it wasn't dust in the air but ash, and it wasn't Alessio I carried but my brother Rafeo, bleeding his life away. A sob escaped me, but I kept us moving through the building as tears blurred my vision and my breath burned my throat.

Les fell and dragged me with him.

"Alessio!" I yelled, but he didn't respond. He lay on the ground like a dead man. I couldn't continue to carry him like this. I needed a solution.

I examined the dark, decrepit building. It had been a house once, for a family maybe, with children and laughter and warmth.

Rotted carpets were spread across the floors, large sections torn away to reveal the wood beneath, and black wallpaper peeled off the walls like the rind from an orange. A rickety staircase led to a second floor, but most of the steps were missing, stolen for firewood perhaps.

In a corner, concealed behind a collapsing wall, stood an old cupboard and a pile of blankets. We had to hide and pray the lawmen wouldn't find us.

I grabbed Les under his arms and dragged him to the cupboard. I pushed him inside and ran to the main hall.

Anyone looking for us would be able to follow the drag marks and footsteps in the dust to the cupboard. I'd have to lay a false trail.

I pushed my weight against the half-collapsed wall in front of the cupboard room. It creaked, then crashed onto the cracked tile of the floor, covering my drag marks. A storm of dust exploded into the air and I coughed. I climbed over the debris and snatched a moldy blanket.

In the hall I used the blanket to fake more drag marks as I headed away from the room and to the other side of the building. I found another boarded-up door and rammed it down. It spilled me into an alley. This one, though, had a canal running along the end of it.

I dragged the blanket after me, creating an extended trail of dust. Then I lobbed the blanket into the canal's waters.

The abandoned building was easy to scale, even with my shoulder and its fresh pain, and I dashed as fast as possible to the roof to keep my false trail intact.

In the square, a troop of lawmen made their way toward the scene of the fight. I'd run out of time.

I raced across the roof and scurried down into the alley, recklessly jumping the last story. The hard cobblestones jarred my ankles and back. I leaped into the house as the light in the alley dimmed from the lawmen's entrance.

When I reached Les, still hidden in the cupboard, I climbed in with him, pulling his long legs against me so the cupboard door could close on our tangled bodies.

The air and dust were thick inside. The gods themselves

had to hear the beating of my heart as I tried to keep us quiet and still.

Les groaned beside me. I covered his mouth with my hands, the hair on his face sharp against my burned palm.

Shocked shouts drifted in from the alley. The lawmen had found the bodies.

They rushed into the building. I drew Les tight against me and kept my hand over his mouth.

My breath against my mask sounded like bellows pumping in my ears. They'd hear me. They couldn't not hear me. I squeezed my eyes shut and concentrated on Les's warm breath against my hand.

"Look!" a voice came. "Over here!"

Footsteps pounded through the building, and then silence again. I swallowed, my throat like a desert.

More footsteps, casual this time, as if the person strolled along a park instead of an abandoned building.

All my life I'd fought and killed people but had never experienced fear as I did then, hiding in the cupboard, praying we wouldn't be discovered.

The man whistled. My blood turned to ash. Lefevre.

He knew he was looking for me. Knew I was responsible for the dead men. *His* dead men.

He paused and hummed to himself, as if he'd found something interesting. He had to be examining the collapsed wall, and if he looked too closely, he would see the cupboard hidden in the dark corner.

I clutched the key around my neck.

The floorboards creaked. Then more footsteps arrived, less frantic this time.

"Couchier found a blanket in the canal," the new speaker announced. "Looks as if they fled that way."

"Show me," Lefevre said. They left the building.

I nearly collapsed with relief. We weren't safe yet, but they'd bought my ruse.

Alessio groaned again. "Don't leave me, Lea." His words were quiet and slow.

I whispered in his ear, pulling him tighter against me, trying to keep him still. If we could hide here until the lawmen left, we could escape to somewhere safer.

I closed my eyes.

At this point, anywhere would be safer.

twenty-six

WE HID IN THE CUPBOARD LONG PAST THE TIME WHEN the alley emptied. I didn't trust that the building wasn't being watched. I didn't trust that Lefevre would let this go.

Finally, we had to take our chances. We couldn't stay hidden in this cramped cupboard. Les kept falling in and out of consciousness. He needed help.

I pushed the door open and tumbled into the dusty room.

My limbs and joints screamed at the sudden freedom. I struggled to my feet, groaning and stretching before I pulled Les out.

He grunted and stirred. "Where are we?" He barely opened his eyes.

"We were hiding." I crouched and helped him to stand. He hunched over, hands on his knees.

"We have to go now. It's not safe, Alessio." I ducked my head beneath his so he had to focus on me. "I need you to help me now. I need you to stay awake."

He moaned and we trudged through the home, his feet tangling in debris.

We were close to my safe house, only a few blocks away. But I couldn't convince Les to climb to the roofs, and there was no way I could get him there alone. That left only one place.

We reached the other side of the building. I released Les and left him to lean against a wall while I scouted our path.

A cart vendor selling fish blocked the front of the empty alley. Finally, a bit of luck.

I scurried to the canal and leaned over its waters. A canal boat bobbed calmly, secured to a building on the other side. I gripped the wall and climbed across its crumbling surface to the boat. The boat rocked. I took a moment to capture my balance before untying it from its mooring. I used the long pole to push it to the alley entrance and Les.

He leaned against the wall and sighed, his eyes closed tight. He'd vomited while I'd been away.

"Come." I guided him out of the house and to the boat.

"I'm sorry," he mumbled, and my heart sank. He shouldn't have to apologize. This was all my fault. Like everything else.

"It's all right," I murmured. I helped him step across the gap. He almost toppled, but I kept my grip on him until he settled in the middle.

"Lie down," I encouraged him. I covered him with both our cloaks so he looked like a pile of goods or laundry instead of an injured person.

I removed my mask and tucked it carefully beside him.

There was nothing I could do to disguise my leathers, but I'd simply have to hope I wouldn't encounter any lawmen patrolling the canals.

I pushed the boat away from the alley and used the pole to steer it north, the slight current of the canal helping to ease us along as I silently thanked Les for showing me how to use the boat and which canal led to their home.

How had I gotten myself into this mess?

The same way I'd gotten myself into all these messes since the attack. I didn't stop and think things through. No matter how many times I remembered I wasn't in Lovero, I kept making mistakes over and over. I trusted people, and it led to more trouble.

I'd trusted that Lefevre was the kind of lawman I'd find in Lovero, but instead he'd proven to be crooked. I'd trusted Les, but he'd gotten me so angry that I'd left my sword behind when I chased after him. And why had I even bothered to chase him in the first place? Because I needed him.

My stomach jumped, and I swallowed.

But it was true. I *did* need him. He was my only link, now, to Marcello, and Marcello was my only link to the Da Vias. It was nothing more than that.

Everything in my body froze as my thoughts twisted and turned. Les had been understanding, though. He'd seen his mother murdered, had been orphaned like me. He knew how it felt. And he hadn't cared, when I'd told him about my shame. He hadn't turned away in disgust and in fact had offered help.

Being around him eased the loneliness that had been threatening to drown me since the night of the fire. I missed Rafeo. I missed everyone. I missed Val and I *hated* Val and everything just hurt all the time. But Les somehow made that pain fade, at least for a little while.

I gave the boat another push. Maybe I'd lost sight of things. My goal had to be killing the Da Vias. I looked down at Les, hidden in the boat.

He stirred. "Where are we going?"

"I'm bringing you home."

"Marcello will be angry."

"He's always angry." I paused. "Why did you do it? Why did you tell Lefevre you were the murderer?"

Les rolled over. "It was the right thing to do," he mumbled.

I poled us under a bridge. He'd put me before himself. I'd never known anyone who helped people just because he wanted to help them, and yet Les did so again and again. And it wasn't just me he helped.

He made me want to . . . I wasn't sure. Do something or be someone different.

To trust him fully, anyway. It was the least I could offer him in return.

Somehow I managed to reach Marcello's. I helped Les off the boat, my arms aching from steering it down the canals.

Getting Les into the tunnel was easy. Getting him up the ladder at the other end was not. His feet slipped off the rungs and he kept apologizing. He sounded so genuinely ashamed that guilty tears came to my eyes until finally I called for help.

The tunnel room above us flared with light, and a shadow stepped into the room.

"I thought I said you weren't welcome here," Marcello said from out of sight, his voice stern.

"It's Alessio," I said. "He's hurt."

The grate opened and Marcello leaned over us, lantern in hand, looking so much like my father. He glared at me, but then Les apologized again and I almost went berserk, prepared to scream and threaten my uncle, anything really, to make him *help* us.

Marcello set his lantern on the ground. He crouched, and together we lifted Les up the short ladder into the room.

He vomited again, and Marcello looked worried. I pulled myself out of the tunnel and into the room.

"What happened?" he asked me.

"We were attacked. He cracked his skull on a stone wall."

Marcello swore. He used his shoulder to escort Les out of the tunnel room and into their great room. He gestured at the lantern. "Bring the light."

We walked past the fireplace to the curtained-off bedroom area. Marcello helped Alessio to a bed, and Les sat on the edge.

"Hold steady," Marcello said. He bent Les's head forward and prodded the back of his skull.

Les flinched, but Marcello forced him still and continued

to feel beneath his dark hair.

Finally, he stood, satisfied. "The bone isn't fractured. He'll heal with some rest. Help me get him to bed."

I unbuckled his leathers and pulled them off his arms and chest, being careful not to bump his head or snag his pendant.

When I'd seen him shirtless before, I'd stared. Now he looked so tired and hurt that there was no excitement in seeing him, only more guilt.

Marcello tugged off Les's boots and pants while I removed the tie in his hair. I always hated sleeping with my hair pulled back. It gave me a headache.

His hair was soft and smooth as it slipped through my fingers. Les lay down, and my uncle covered him with a blanket.

"Sleep for now, Alessio," Marcello murmured, pushing the hair off Les's face. It was a surprisingly gentle and loving gesture from a man I'd seen mostly rage and anger from. "I'll have to wake you occasionally, to make sure you're healing right."

Les mumbled something in a language I didn't speak, and my uncle leaned closer. When Marcello looked at me with a calculating expression, I turned away, giving them their privacy.

"Yes, I understand." Marcello kissed Alessio's forehead, and we left him to rest.

I walked to the fireplace and collapsed into a chair. Fatigue covered me like a shroud. Since the fire it seemed I always found myself on the edge of exhaustion.

I set my mask on the table and rubbed my face. My hands were filthy, but I didn't care. It was time to stop caring about a lot of things.

Marcello handed me a glass with amber liquor. I drank it and it burned down my throat until it settled into a deep warmth in my stomach. He took a seat, eyeing his own glass before drinking.

I placed the empty glass on the table, and my left shoulder burned with pain. I gasped and sat back, bringing my hand to it.

"You're injured." Marcello stood.

"No, it's nothing. I just . . ." I closed my eyes and sighed. "Can you help me remove some stitches? They've mostly snapped at this point."

He set his glass down and walked away.

I undid the buckles of my leathers, letting them slide around my waist. I sat half-dressed, wearing only my leather trousers and my under-leather camisole, but I was so tired it didn't matter. The fire kept the room warm, and more than anything I wished to bathe, to curl up in a bed somewhere and maybe never wake.

My shoulder was red and inflamed, but the wound in front appeared closed, a pink scar stretching smoothly across the flesh. I looked down and gasped.

Beneath my loose camisole and across my chest, from below my breastbone and up to my clavicles, stretched a violent purple bruise from when the giant had rammed into me.

I pressed against the bone, and pain flowed across my tissue. I bit back a whimper.

Marcello returned with a medical kit. He glanced at me. "What's the key to?"

I looked at my key hanging around my neck. "My home."

He didn't comment. Instead he pulled out a small scissors and examined my shoulder.

"What happened?" he asked gruffly. He began to snip and pull out the threads on the back of my shoulder.

"I was arrow shot, crossing the dead plains. The damn Addamos were chasing me and were too cowardly to follow me past the river."

"That's not what I meant."

Oh. I sighed. "I don't . . . I'm not even certain where to start."

"How about you start with how you let my boy crack his thick skull almost wide open."

I held back a laugh. I didn't think my uncle would appreciate it. Not that I thought Les would appreciate Marcello calling him a boy. Or thickheaded.

"We were training. But then he was angry at me and tried to leave, and I followed him."

"Les does not have a temper. What did you do to anger him so?" He clipped out another stitch.

"I don't know. And before I got a chance to question him further, we were confronted by a ghost."

Marcello's scissors hovered over my shoulder. "In the streets?"

I nodded.

"How did you get away?"

I paused. If I told him the truth, it would lead to more questions. Questions I couldn't answer. But I knew he'd be able to tell if I lied. And remaining truthful with him was probably my last chance to get into his good graces. I couldn't afford another misstep.

"It vanished before it could hurt us. I can't really explain it."

"It vanished in the sunlight, perhaps?"

I shrugged, and my uncle grabbed my shoulder, holding me in place. "In the sunlight, they simply fade away. This was something else. This was violent. I sent it away, somehow. Or Safraella did."

He grunted disapprovingly and glared at me until I turned away. He moved to the stitches on the front of my shoulder.

"We were foolish," I continued. "We'd left our weapons behind and were arguing in an alley and a lawman, a crooked lawman named Lefevre, found us. He'd brought men, and they attacked."

"You were unarmed?" He stopped in his ministrations. He took a few steadying breaths. "How could you be so incompetent? How did you even earn your mask?"

My turn for a deep breath. I had stay on his good side. I needed him more than ever now. "I already said it was foolish. This place, this city, it pushes against me. It makes me sloppy."

He snorted. "And this lawman attacked you because . . ."

"Captain Lefevre wanted to give me to the Da Vias for

coin, and he wanted Les for his murders. I warned him away, but he didn't listen. There is no respect for clippers in this city. No respect for Safraella."

He set his scissors down and I examined my shoulder. It looked much better. Marcello sat in his chair and returned to the liquor in his glass. "Well, what did you expect? That you'd come here and the people would fall to their knees at the sight of you? That they would turn their eyes to Safraella and forsake their own gods? You are a foolish child."

My cheeks burned. "Foolish I may be, but I am no more a child than Alessio is a boy. I am the head of the Saldana Family, and though I receive no respect from the people of Yvain, I command it from you, Her disciple. And someone who should know better."

He rolled his eyes and sipped his drink before he motioned for me to continue with the story.

I took a moment to calm myself. I didn't know this man who shared my blood. I didn't know if he purposely aimed to anger me or if he truly meant the things he said.

"I tried to keep Les safe. I kept him out of the fight, though I knew he would not thank me for it. But when the giant attacked me, I crashed into Les and he took the brunt of our fall. After that we had to hide from lawmen until I could get him here."

"What happened to the men you fought?"

"I stopped them."

"How many were there?"

"Six. Though one fled, injured. And I can't be sure the

ones I dropped were all dead. I didn't have time to check."

"Six men. And you were unarmed and trapped in an alley."

"I had a stiletto."

He stared at me, then downed his drink in a single gulp. "Who was your teacher?"

"My brother Rafeo. And my father and mother, of course."

"Your brother."

I nodded. "Matteo, my other brother, wouldn't bother. Sometimes I would spar with Jesep, too. Or Val."

"Val. I do not recognize this name."

"Valentino Da Via. He's my suitor." What I said hit me like a punch to the gut. "Was my suitor."

His eyes widened and showed a touch of that rage I had witnessed before. "You were fraternizing with the Da Vias? Did your parents know?"

I exhaled, trying to tread carefully. He could explode again. Throw his glass into the fire and scream his rage once more.

"No. I hid it from them. There was no love between us and the Da Vias. I think my father had tried to buy peace between us when I was younger, but it didn't work."

He took a breath. "Dante was always something of a fool, though maybe he'll have more wisdom in his new life."

I bristled. "Don't speak of my father that way."

Marcello smirked. He opened his mouth to counter but then seemed to deflate. "I suppose you are right. It does me no good to speak ill of the dead, even if they brought about their own demise."

"My father didn't bring about his death. The Da Vias did." And me. My fault.

He rubbed his forehead, smoothing out the lines, before he ran his fingers through his hair. "What do you know about me, Lea? How did your father speak of me?"

This was an odd turn of conversation. "He didn't speak of you. Only my mother did, and that was to tell us to never bring you up."

He nodded slowly. "Your father was a great many things. He was my brother and I loved him, but sometimes he believed in peace too much, saw the good in people even when it was nothing more than a mirage. It was your father's misplaced belief that the Da Vias could be reasoned with that led to the death of your Family."

"No." I shook my head. "I don't believe you. What could you know of it anyway?"

"What could I know of it? Everything." He settled in his chair, his hair resting against his shoulders. "The Da Vias killed the Saldanas because of me."

twenty-seven

*HIS WORDS WERE A SLAP TO THE FACE. HE WAS RESPON-*sible for the Da Vias' attack on us? That couldn't be true. "I don't . . . I don't understand."

"When I was younger, much younger, I was married to Estella Da Via, as you know. It was not a marriage of love. It could not be, from me, but the heads of our Families wanted a child from our union, of Saldana and Da Via lineage, and peace between us, if only for a time, and I was nothing if not obedient."

He shifted in his seat. "No child came, even though the years passed as they do. And any ease between us rotted away until the core was nothing but resentment and blackness. And so I found someone else.

"He was a Maietta, and he was beautiful and full of grace and wit, and never before had I loved someone so well."

My uncle's eyes sparkled as he remembered his long-ago lover.

The memory smoothed his face, made him appear younger.

"We kept it secret, of course. I was married, and the head of the Saldanas, my uncle Gio, was not tolerant of men who desired other men. But they found out, of course. My wife. My Family. Such anger from them all. My wife blamed me for the lack of child she'd been promised. Of course, how could she know who was to blame? Sometimes children are not born to a married union, and it is the way of Safraella. And I don't think our scarcity of love for each other helped.

"I blamed her for wasting some of my best years, for sinking her talons in and dragging me into the dark pit she had created. It was she who had driven me elsewhere. I refused to reconcile. No threats from her Family or mine would make me turn away from Savio."

He rubbed his jaw with the palm of his hand, lost in the tale. I thought about how it must feel, to love someone so well but to be told to turn away from them. I'd kept Val a secret purely because of that reason. But maybe it hadn't been love between us, or at least on his part. Not if he could betray me so easily. Maybe I didn't really understand true love, like Marcello described. Maybe love was less about feeling wanted and beautiful and more about feeling safe.

I glanced at Les, asleep on his bed.

"I don't know who planned it," my uncle continued. "Probably my wife. I do know, though, that it was her brother, Terzo, and my uncle Gio who murdered Savio. They didn't even try to disguise it. There were witnesses, and they were in Maietta territory.

"I'd never felt such pain. And anger and grief. And never since. My uncle Gio thought that would be the end of it. That by removing Savio, he had effectively ended the problem. So confident was he that when I approached him in our home it never occurred to him I'd come to kill him.

"It was much easier than I thought it would be, spilling the blood of my family. Truly, I felt nothing. And I certainly felt nothing when I killed Terzo, my wife's brother.

"After that, things were a little . . . complicated." He waved his hand in the air. "Dante took over as head of the Family. The Da Vias felt their honor had been damaged, and the Maiettas were calling for a blood price for the death of Savio. I probably would have left on my own if Dante hadn't disowned me. There was nothing left for me anyway.

"As far as I know," he said, "Dante paid the Maiettas their blood price."

A blood price to the Maiettas would have been a large sum of money. Maybe that was where much of the Saldana fortune had disappeared to.

"I'm sorry," I said.

He paused and appeared taken aback. "For what?"

"For Savio. For the way you were treated by people who should have loved you and stood by you no matter what."

He grunted. "Yes, well. Family before family, of course. There was no real way to ease the Da Vias' anger. They are quick to cast blame and slow to forget. Even if Dante tried to smooth things over, I don't see how that would have worked. Estella felt I had personally shamed her, and nothing less than my head would've appeased her. She blamed Dante for letting me leave instead of turning me over to them. And then she started to blame Safraella."

"Estella Da Via is a lunatic," I said. "And now she's the head of the Da Vias."

"That's unsurprising. She was not all that stable when I left. I heard she never did produce any children, to her eternal shame."

"How did you hear that? And how did you know my name and know of my brothers? We weren't even born."

"Your mother sent me letters, sometimes. Though none in recent years."

"*My* mother? Bianca Saldana?"

He rolled his eyes. "Unless you have another mother I don't know of, then yes."

This . . . this flipped my world upside down. My mother had sent letters to Marcello Saldana, who we were told never to speak of. Who had brought shame to the Family. "Why would she do that?"

"We were friends. I was glad when she married Dante and joined our Family. I had great love for Bianca and my brother. It opened a wound I thought long healed to hear of their deaths at the hands of the Da Vias."

"Then why do you refuse to help?" I leaned forward. "Come with me! You know what it's like to need vengeance. You took yours but now stop mine. Give me the location of the Da Via Family home and we can make them pay for what they've done to our Family. I will make sure they never forget the Saldanas!"

"At the cost of your own life, you mean?"

I leaned back. "If need be. I'm not afraid to die."

He laughed. "No, of course you're not! You're, what, seventeen? And a *disciple* of Safraella. I'm sure you can't wait to meet Her cold embrace."

He mocked the gods too easily. "You step awfully close to blasphemy. I *am* Her disciple, and I'm confident She would offer me a fast rebirth."

"And then what? You die and are reborn? And what of the people you leave behind?"

"There are no people. Everyone's dead."

Marcello widened his eyes in a way that said he didn't believe me. He looked over to where Les slept.

My stomach coiled at the thought of Les. Of Les injured in the alley, of the brief moment when I'd thought he was dead.

"Dying is the easy part." Marcello got to his feet. "But what you leave behind is another matter." He glanced at Les again. "I fear you will destroy him."

"Me?"

"He is too kind to you. He thinks if he is kind, then people will like him. And if they like him, they won't leave. But that is not the way of things. You are a flame and he is a moth, drawn to you, unaware if he gets too close you will burn him up."

He'd struck dangerously close to my own thoughts

regarding Les. But I wasn't the only one to blame. "And you? You've given him a sword and taught him only enough to be dangerous with it, but not when to back away."

"Things were fine before you arrived," he countered.

"Were they? You never fought about it? You never threatened to leave, never held that over his head?"

Marcello was silent. He couldn't deny it.

I sighed. "Truly, Uncle, we're both at fault."

He nodded slowly. "We're Saldanas. Sooner or later we destroy the ones we love. Come, let's pour you a bath."

He walked behind the fireplace to another section of the room. Maybe he was right. It would be cruel, abandoning Les when he'd already lost so much. But I couldn't stand the thought of someone else dead because of me. And I couldn't let the Da Vias get away with what they'd done.

No. I had to continue with my plan. It was kill or be killed. If I did die, hopefully any grief Les felt would be lessened by the knowledge that I'd died on my own terms, confronting the Da Vias instead of waiting for them to take me in the night.

Still, I thought about Rafeo and my Family. My uncle wasn't wrong. Living, being the person who stayed behind while those you loved left, was not an easy path to take. Not at all.

Marcello and Les had a large copper tub hidden behind the fireplace. It didn't take long for Marcello to fill it, and while the water was lukewarm at best, the closeness of the hearth heated the tub and the water the longer I sat inside.

Before I climbed in, Marcello disappeared and returned with a stack of folded papers.

"Here." He handed them to me. "These are some of the letters your mother sent me."

I took them gently. Marcello left me to my privacy and I climbed into the tub, careful to keep the letters dry.

I could feel my mother in each piece of paper, sense her spirit as she chose what words to tell my uncle.

I read of her happiness when my brothers and I were each born, how eager she was to expand the Family. And her pride at Rafeo's marriage and the birth of Emile.

And then a final letter of grief, describing the plague that had swept the city, telling of the deaths in the Family, the loss of Jesep's parents, who I realized Marcello would have known, would have loved. Jesep's mother was my father and Marcello's younger sister. And Rafeo's wife, taken by the sickness just when it seemed it had finally abated.

The Family had been so weakened, she wrote, she didn't know how we would ever recover. And we hadn't, of course. The Da Vias took advantage of our weakness and destroyed us when we were too few to stop them.

Throughout the letters, though, my mother spoke of her love and pride in her children. How, even when Rafeo joked too much, he could always make her laugh. How Matteo's almost blind devotion to tradition and rules made him a precise and proficient clipper. And how my willful nature and stubbornness expressed itself in loyalty to the ones I loved.

The last line was brief. Just a mention of me, earning my mask, and how proud she was, and how she knew someday I would be the best clipper of them all if I could focus on what was important.

I turned the letter over, but that was all.

I set the letters on the floor and sank below the water. My mother had never spoken such words to me. She'd never told me how proud she was, and yet the letters had been filled with the eloquence of her love for me and my brothers. For our Family.

My heart and stomach twisted around each other, squeezing me with pain until I popped out of the water, choking for breath. It was an ugly trick of fate, to learn of my mother's love for me only after she'd left me behind.

I scrubbed at my hair and my skin, cleaning every inch until my flesh was pink and sore before I climbed out of the water.

Marcello had given me Les's clothing, a cotton shirt and pair of pants, to wear. Though they were freshly cleaned and folded, they still smelled like him. I held the shirt to my face, breathing in his cinnamon scent.

I had to roll up the pant legs and the sleeves and they were still too large, but the garments were clean and comfortable and I was happy to have them.

On the other side of the fire, my uncle slept in his chair. I let him rest, walking quietly past the tapestries blocking off the bedroom.

Les slept on his side, the blanket pushed below his arms, his dark, wavy hair resting on his shoulders.

I sat on the floor against the bed, my back to Les. I closed my eyes.

How had things gotten so confusing? It shouldn't have been this way. I should've gotten the information I needed, killed the Da Vias, and been done with it all, one way or another. But instead my uncle had told me the truth about our Family, and with Les, I had found something to ease my pain.

I closed my eyes against the tears falling down my cheeks. I was so tired of crying, and yet I couldn't seem to stop. I couldn't seem to do anything right. I wished Safraella would tell me which path to take.

"Don't cry, Clipper Girl," Les said quietly. He shifted in his bed and brushed my hair behind my ears.

I rubbed the tears off my cheeks and faced him. "I didn't mean to wake you."

He smiled tiredly. "Master said I needed to be wakened anyway."

"I'm sorry," I whispered. "I'm sorry I got you hurt."

"It's not your fault. I was in the way. I should've trusted you knew what was best in the fight."

"I should've trusted you to help," I said. "I should've trusted you."

"It doesn't matter." He closed his eyes and yawned, then shifted deeper into his pillow. His breath came slower as he sank toward sleep.

"Les," I whispered.

"Hmm?" he answered, barely awake.

"What does *kalla* mean?"

He gave a little smile. "Beautiful."

twenty-eight

MARCELLO THRUST A STEAMING CUP OF TEA INTO MY hands. "Drink this."

I'd fallen asleep on the couch in front of the fireplace. I sat up, brushing my hair off my face. My bones and joints ached, both from the uncomfortable couch and from the fight. It would be a couple of days at least before I could move without pain.

I sniffed the tea, then sipped tentatively. It was bitter and strong, but the warmth spread through my chest and limbs and soothed some of my aches.

"I've cleaned your leathers," he said, watching me drink. "When you're done with your tea, you should leave."

I finished the tea in a single, scalding gulp. "What time is it?" I asked, trying to cool my tongue.

"Past midnight. You'll be safe to return unseen to wherever you're staying."

"You let me sleep so long?"

"You needed the sleep."

I nodded. He handed me my leathers, and I walked behind the hearth to change. When I came out, he passed me my mask. It had been cleaned of dirt and blood, and I slipped it to the top of my head.

I glanced toward the bedroom and the tapestries. It was dark and quiet.

I'd made a decision before I'd fallen asleep. My stomach fluttered, seemingly warring with itself. It was easier this way, leaving without saying good-bye to Les. But a part of me, a very large part, had hoped he'd be awake. For what purpose, though, I couldn't say. Maybe he'd try to stop me, or force me to stay, or just make things different, somehow.

But Les was asleep. And things couldn't be different.

"You shouldn't see him anymore," Marcello said.

I closed my eyes. I couldn't argue against Marcello's opinion. Matters were only going to get worse. And in her letters my mother said I'd needed to focus on what was important. I had to focus on killing the Da Vias.

"Under two conditions," I said.

Marcello narrowed his eyes.

"The first is you have to finish his training. If you don't, he'll get himself killed and it will have nothing to do with me. He thinks you'll leave him if he argues too much about it, and that's not fair to him."

Marcello glowered, but then nodded.

"The second is the location of the Da Vias' Family home. I need it."

"No." Marcello sliced the air between us with his hand, a gesture I'd seen from Les. "I will not be responsible for your suicide."

"You could come with me. The last of the Saldanas together."

"Alessio would come after us."

"Then I can't leave Yvain. Not without the location of the Da Vias' home. And they're already coming for me. It's only a matter of time before they find me here. If you give me the location, I can get ahead of them, I can plan an attack instead of simply waiting to defend myself. If you give me the location, I will leave, and you and Alessio will be safe."

"You could flee. Give up on this ludicrous plan of yours. Revenge will not bring you peace. Revenge will not bring your Family back. I know this firsthand."

Marcello had succeeded at his revenge, had killed those who had killed Savio, his lover. So he had no right to try and convince me of another path.

"This is what I must do," I said. "There is no other way out for me. I do not seek peace. My peace died with my Family. I seek vengeance and I will have it, or die trying."

Marcello's shoulders slumped, and I could see his mind working. He knew the Da Vias coming to Yvain would be just as dangerous to him, and by association, Les. And the only way to be rid of them was to lure them away with me.

He walked into a back room. A moment later he returned with a key similar to my own. He handed it to me. "This is the key they used years ago. I don't know if it will still work, but it's all I have to give you."

"How do I find them? Where is their home?"

"There's an entrance in the north part of the city, at a restaurant. It's been too long and I don't recall the name."

A restaurant. The Da Vias owned two restaurants in the north part of Ravenna: Fabricio's and Luca. I had a hard time believing Val would bring me to dine at a restaurant that housed the entrance to his Family's home, but he was also cocky and self-assured. Either way, I would check them both and see what I could find.

I clenched the key in my fist. "Thank you, Uncle."

"Do not thank me. I take no joy in sending the last of my family to her death. But what's a little more shame heaped onto an old man who's spent his life drowning in it?"

"I go to end my own shame, Uncle." I pulled my mask over my face and left him in his home beneath the streets.

I climbed to the roofs of the city, my body complaining with every inch.

The night was quiet as I jumped and scaled my way toward my safe house. The moon had crossed most of the sky. It wouldn't be long before morning. I could leave Yvain with the sunrise.

Three things I'd needed before I could leave: the location of the Da Vias' home, the working firebomb, and help from Marcello. I had all but the last.

It had to be enough. I couldn't wait anymore, and Les was right, I hadn't persuaded Marcello. And I could no longer fool my conscience by saying I didn't care if I brought Les with me and he died. Because I did care. Somehow he had worked his way under my skin. Seeing him injured made me realize how much it would matter to me if I got him killed for my vengeance. He had helped me for no other reason than that it was the right thing to do. And now it was my turn to do the right thing and keep him out of my plan, keep him safe and alive here in Yvain with my uncle.

The only deaths I wanted on my hands now were the Da Vias'.

On my roof I collected and stored the weapons we'd abandoned. I placed Les's cutter and other tools in a corner under some burlap to keep them safe and easy for him to find later. I stared at the hole leading down to my little home in Yvain.

It was better this way. It would be easier to forget about Les, to go home and finish what I'd started. What the Da Vias had started. Even if he'd secretly been calling me beautiful.

I couldn't go inside yet. I needed more air.

I raced across the roofs of the city, the Yvain skyline lovely and still in the darkness of the early morning hours. I needed to move, feel my muscles stretch and burn in pain. I needed to focus on that so I wouldn't think about anything else. So I wouldn't think about *anyone* else. So I wouldn't think.

But I couldn't outrun my thoughts forever. When I was forced to slow, clutching my hand to my ribs to ease the stitch that had grown there, my thoughts appeared right where I'd left them.

I balanced on the edge of a roof, gazing at a canal that lazily swirled below me, a boat moored to the building, and a stone bridge connecting one side of the canal to the other.

Below, a man approached the canal. It was early for a commoner to be out. Maybe he didn't fear the ghosts.

He stopped at the edge of the water. He clutched something in his hand. A wooden staff. I blinked and peered closer. A tall, cylindrical hat rested on his head.

It couldn't be possible, and yet this was the same man I'd seen at Fabricio's with Val the night of the fire. He stood here, in Yvain, in the night.

Behind me, something crunched on the dirt of the roof. I turned.

Two men, both in leathers, their masks hidden in the shadow of the chimney they stood beside.

They glanced at each other, then stepped closer. Their masks came into view. One had swirls and the other grape leaves. Both patterns were the color of blood.

The Da Vias had found me.

twenty-nine

I DIDN'T RECOGNIZE THEIR INDIVIDUAL MASKS. RAFEO would have. He would have known instantly who stood before me, but there were over fifty Da Via clippers and I'd never been able to memorize every mask. These were probably some of Val's cousins, sent here to look for me. Maybe they were the only ones. Or maybe there were more.

It didn't really matter unless I came out the victor in this confrontation.

Three choices: I could run, I could hide, I could fight.

None of those options gave me a high chance of success.

Grape Leaves shifted his weight. The time for planning was over. I'd have to react now and hope it was enough.

"We didn't expect it would be so easy to find you," Grape Leaves said. He was tall and thin and had a rope wrapped around his shoulders and waist, one end tapered with a heavy stone weight, the other tied in a noose. "Of course, you made it easy, running around the rooftops like some sort of cat in heat."

I shrugged, using the movement to rest my hands closer to my sword and a dagger on my left. I'd learned my lesson about going anywhere unarmed.

The Da Via clippers saw the true intention behind my shrug and tensed.

"Honestly," I said, "the night air felt good. Attracting your attention was not a concern of mine. You didn't even cross my mind."

Swirls shifted his stance and glanced at Grape Leaves before returning to me.

"You're not Rafeo," he said, his voice higher than his partner's.

My cloak had hidden my shape from them. I inclined my head. "Very astute. Would you like a medal?"

They stared at me, making quiet decisions behind their masks. I shuffled through the possibilities. They could be planning an attack. They could be thinking of calling for reinforcements. Maybe they'd let me go, now that they knew I wasn't Rafeo.

I grimaced behind my mask. There was no way in hells they would let me go, no matter who wore Rafeo's mask.

"Though the Addamos pointed us to Yvain, it seems they've lied to us," Grape Leaves said.

"I doubt they did it on purpose," I answered. "They didn't seem to be the quickest larks."

Swirls brought his hand to his sword hilt and I reacted by unsheathing mine, loosening my wrist with a quick twist of the blade. I wouldn't let them take me unprepared. "Did they tell you how easily I dealt with them?" I asked. "Did they tell you how many of their dead and injured I left behind?"

"They didn't tell us a great many things, it appears," Grape Leaves said. "And because of that, I'll be on my way with a new message for the Family. But don't worry, *Lea* Saldana. Nik here can handle you all by himself."

Swirls unsheathed his own sword while Grape Leaves bowed and turned his back on me, trusting his partner's ability to handle things.

I didn't know anything about Nik Da Via. I didn't know where he stood based on skill. He could be showy or swift. Arrogant or quietly self-assured.

I did know, however, that I was unrested and sore from my fight the night before and I hadn't eaten anything in almost a full day. I didn't have much to give. I had to end this fight quickly. The longer I took, the better the chances I'd wind up dead. And I didn't want to die. Not yet.

Nik rushed me, and all thoughts disappeared as I adjusted my stance to defend myself.

He feinted to the left, but I didn't fall for it. I turned left too and swiped for his neck with my sword. He bent backward, flipping over completely. He kicked his leg at me. I jerked aside.

On his feet once more, Nik rushed me again, wasting no time. He attacked with exaggerated sword strokes, forcing me to block them or risk losing my head. I gave ground on the roof, sliding closer to the edge and the canal waiting below. He couldn't keep up these frantic attacks. They would drain him. But he might keep them up longer than I could defend against them. Every move I made sent a rush of pain pulsing through my muscles. Before long, Nik would notice I was injured and press me even harder. I needed to do something.

He lunged. I stepped away. Below me, the canal boat creaked against its moorings.

I released my left hand from my sword and found one of my long needles stashed in the lining of my cloak. I jabbed a pouch on my belt. The tinkling of broken glass told me I'd struck true.

I hid the now poison-coated needle beneath my cloak and waited for Nik to make another move. It came almost immediately. Instead of sliding left or right as he expected, I ducked. With a quick thrust I stabbed the needle into his thigh. He hissed beneath his mask and retreated, yanking the needle from his flesh.

"Is that the best you have?" He threw the needle to the ground. "This is what Lea Saldana has to offer?"

"No," I said. "This is."

I jumped off the roof, trusting that the canal boat was still in place.

I landed. The boat rocked and my ankle twisted sharply beneath me, a lance of pain shooting through my bones and calf.

A shadow from above told me Nik had taken the bait and followed.

When he landed, the boat rocked again, but Nik was unable to keep his balance. The leg I'd stabbed collapsed beneath him, and he shouted in surprise as I let the boat tip like Les had taught me and spilled Nik into the dark waters of the canal.

I sliced through the rope and shoved off, saying a silent prayer of thanks for the canals of Yvain. And to think I'd once hated them.

I flipped open my pouch of poisons and checked which vial had shattered. Pieces of glass lay against the other vials and the etched cork sat on top of the shards. Good. The needle had been doused in a nerve poison. Nik's leg and probably most of his right side would be paralyzed for the better part of a day. He'd be lucky if he didn't drown.

My boat floated away as I watched the ripples on the water to see if Nik would emerge.

His mask broke the surface, his hands splashing as he fought against his numb limbs to reach the edge of the canal.

"I'll kill you!" he shouted as I drifted farther away. He struggled to pull himself out of the canal. Finally he managed to flop onto the street. "You're dead for this!"

I pushed the boat around a corner. His threat held no new fear for me. The Da Vias already wanted to kill me.

My ankle pounded with pain, but when I tenderly put weight on it, it supported me. Not broken then, only twisted. Of course, it didn't really matter. The Da Vias were in Yvain, and they knew I was here.

I'd run out of time.

I steered the boat as close to my safe house as I could, then let it go, to drift freely on the canals. I stumbled onto the street, my ankle giving beneath me painfully. It would be a problem. I'd have to wrap it tightly and hope to avoid another fight until it had healed.

The sun had crested the horizon. Taking the roofs would have gotten me back sooner, but the Da Vias could be looking for me. They wouldn't be watching the canals, though. Like me, they'd assume clippers wouldn't use the waterways.

One more day. If I'd had one more day before the Da Vias had showed up, I would have been gone from here. They could have searched Yvain to their heart's content and never found me.

I limped down the alley toward the street that connected to my safe house.

I would need a disguise, now, to get out of Yvain. They would be watching the gates into the city.

Brother Faraday's robe could work again. Maybe. I'd have to be careful, though.

I turned the corner.

In front of me stood Lefevre in uniform and four other lawmen.

"Well, well, Lea. It seems we've caught you in a bit of a predicament." He smiled and tapped the basket of his rapier with a ring on his pinkie.

My first instinct was to run. To flee the way I'd come. But the alley ended at the canal, and I'd set the boat free.

I could fight them. I could kill them or disable them.

But I was exhausted and injured. Lefevre and the others wore rapiers, and though I had my sword and usual stiletto, I'd just fought with, and nearly lost to, Nik Da Via.

"What do you even want?" I asked Lefevre. "The Da Vias already know where I am. There's no money anymore."

Lefevre's face darkened at my news.

Another lawman shifted. "Did you honestly think you could come to our city, commit murder, and leave the bodies lying around and we wouldn't notice or care?"

They didn't understand. They thought me a common murderer. "I didn't kill that boy in the alley. The gold was a kindness I did for him," I said. "To grant him favor with Safraella, to earn him a fast resurrection. The only crime I saw was a lawman stealing a holy coin from a corpse because he wanted it more than a god."

"There were other murders," the lawman said.

He was right, of course, there were other murders. Lefevre's men. "They attacked me."

Lefevre's smile faded, and he dropped his hand from the basket of his rapier. "So, how do you want to handle this?"

I had nothing left. "I'll go quietly."

Lefevre scowled. He'd actually been looking forward to a fight. He grabbed my wrists and bound them behind me, then pulled off my mask. He was not gentle.

He leaned closer to whisper in my ear. "Maybe you could run from my men, but you couldn't run from me. Looks as if the little girl didn't know the rules of Yvain. My rules."

His hands brushed the nape of my neck and I shivered. He chuckled.

"Touch me like that again," I hissed, "and there will be nothing quiet about what I'll do to you, and you'll find no peace at the end of your life."

"What do you mean by that?" he growled.

"I am a disciple of Safraella, and I don't think She will look upon you with mercy."

"Is that true?" one of the lawmen asked, stepping away from me.

"Don't listen to her tales." Lefevre grabbed my arms and pushed me forward. "She's just a stupid girl."

"But all those men she killed in that alley . . ."

Lefevre laughed. "You really believe what those survivors told you? That she did it by herself? No. She had help. A man, I'm sure. Even the survivors said there was someone with her. I doubt she did anything more than cower in a corner."

A few of the lawmen nodded, but the worried one kept his distance. Smart of him. The more Lefevre talked, the more I regretted not sinking my stiletto into his heart when I'd had the chance.

He pushed me across the street, and the morning sun poured over us.

thirty

LEFEVRE AND THE LAWMEN TOOK EVERY OPPORTUNITY to parade me through crowds of people as we headed west into the city. There was no real point to the charade. The people didn't know me or what I'd done. All they saw was a limping, dirty girl wearing strange leather clothing. But Lefevre enjoyed the spectacle of it, enjoyed how people looked at him with respect and a touch of fear.

A man like him would never have amounted to anything in Lovero. Someone would've paid to have him clipped years ago. Maybe that was why he'd left.

Every time we approached another crowd of people I scanned their faces, looking for ones I recognized. But each face was a stranger to me, every eye soft, not hardened by Safraella's tenets.

Lefevre marched me to a squat brick building, its window boxes empty of the fragrant flowers that adorned the other buildings in the city. Inside, we paused so he could search me. He found my stiletto and dropped it into a box beside my mask, sword, and cloak. Another lawman carried the box into a small locked room. I marked its location in my memory.

Lefevre pushed me through a gate and around a corner to an empty row of cells with iron bars. He shoved me into the last one on the right, then slammed the door, locking me in. He motioned for me to turn around, so I did, and he released the bindings on my wrists. I rubbed the sore skin.

"I'd get comfortable while you can, Lea," he said. "You won't be here for long." He smirked and tapped the bars with his knuckles before he turned on his heel and walked out of the cell room.

In the evening the guards delivered what they considered "dinner": a piece of stale bread, cheese that appeared ready to grow mold, and a watered-down cup of wine.

I ate every crumb. Forget crispy duck skin, or flaky fish and cream sauce. Stale bread and moldy cheese were my new favorite foods.

I set down the plate and thought about my situation.

I thought of the way Lefevre had grinned at me, the feel of his hands on me. I couldn't let him win. But I was getting ahead of myself. First, I needed out of this cell and out of the building.

On the wall, directly to the right of my cell, was a small window about eight feet high. Most people would have a hard time getting through it, if they could at all, but I was a clipper and I wasn't very big. I just needed to unlock my cell without any weapons or tools.

The window creaked. I stilled.

The window, hinged at the top, pushed in and someone slipped through headfirst. He grabbed the sill and flipped over to land on his feet.

Les.

I scurried to the front of the cell, my hands wrapping around the cold bars. "What are you doing here?"

He glanced around the room, then fired me his crooked smile and approached the bars. "What do you think I'm doing here, Clipper Girl? Can't have you rotting away in prison."

He wrapped his fingers around mine, holding me in place as he stepped closer, until only the bars separated us.

My pulse quickened and my skin flushed. I dropped my gaze. It was too easy for him, too easy to make me feel this way. I would always be the better clipper, but he wielded a different power over me.

"How did you know I was here?" I asked.

He tapped my fingers with his own, and then released me and took a step away, examining the cell block.

"I went to find you. Thanks for packing my weapons, by the way." He patted his hip, where he'd strapped his cutter against his thigh. "But you weren't there. And then, of course, everyone in the market was talking about the murderer the lawmen had arrested."

"You shouldn't be here," I said. "You should be resting. I

can't believe Marcello let you leave."

Les rolled his eyes and rapped his skull with his knuckles. "It takes more than a brick wall to crack my thick head open. What's one more lump on this head of mine, right? And I snuck out."

He took everything so lightly. "You could've died."

His smile faded at my tone of voice, and he stepped closer to the bars again. "It's not your fault, *kalla* Lea."

"Don't call me that." I shook my head, my hair brushing against my cheeks.

"What? *Kalla*?"

"Beautiful."

He exhaled, a smile brushing his lips. "You figured it out?"

"You told me when you were injured. You shouldn't be so kind to me. I don't deserve it."

"Lea . . ." He sighed and pushed the hood off his head. "Since that first moment we met, when you held that dagger to my throat and threatened me and reminded me of how little I actually knew about being a clipper, I've been mesmerized by you. Even before I knew your name, I couldn't stop thinking about you. And then, when I did get to know you, the feeling just got worse. I cannot get you out of my mind. You fill me up."

"Les, I can't love anyone again. The last time I did, I lost everything—"

"No." He waved a hand at me. "You're not allowed to lessen what I've said by telling me how I've made a mistake, by coming up with some ridiculous reason why you don't deserve it. You don't get to decide that for me. Gods, Lea!" He threw his hands into the air. "You drive me crazy!"

My blood surged. He had no right to be angry at me. "I drive *you* crazy? What about me? What about how I feel? I come here with a mission, and then you show up and complicate everything! Look at us, we can't even go five minutes without fighting! This is really the last thing I need right now."

"Then what do you need?" He stared at me. "Because I'll give whatever you want. I would give my life if you asked it of me."

I stepped away. "No. Don't say that, Les. I have so much blood on my hands, and I don't want yours added to it."

He reached through the bars and captured my fingers, though I tried to pull free. "They look clean to me. You take too much on yourself. Your Family's death is not your fault. My injury is not your fault. The way I live my life is not your responsibility. Killing the Da Vias, you don't have to be responsible for that either. You can let it all go, Lea."

"Let it go? After all I've been through?"

"*Because* of all you've been through! Don't you think you've suffered enough? Whatever debt you feel you owe, it's been repaid. Leave the rest for the gods to sort out."

"But that's just it," I said quietly. "I am Safraella's mortal hands in this world. If I don't do this, no one else will."

He closed his eyes and leaned his head against the bars, pulling my hands to his lips. He kissed them, and everything in my body coiled and curled until I felt dizzy, until I felt like I'd never find my breath again.

"Then I will come with you," he said. "And you can't stop me. I will follow you no matter where you go."

Maybe it really was that easy. Maybe it simply came down to accepting his help, *truly* accepting it and not just deciding to use him for my own ends. Accepting him. If he could allow me to make my own decisions regarding my life, to take on the Da Vias even if it led to my death, then I had to let him do with his as he wished. I had no right to stop him, just as he had no right to stop me.

I nodded and leaned my head on the bars below his, clutching his hands tightly. "All right."

All my worry and stress melted out of me. Whatever happened, happened. I didn't have to keep Les safe. I simply had to deal with the Da Vias. Everything else was out of my hands. And it would be nice to have someone firmly on my side again. With Les, the loneliness that had plagued me since my Family's murder drifted away, set free on the night air.

From down the hall the gate unlocked, a familiar whistle echoing through the stone cells.

"It's Lefevre," I whispered. "You have to go!"

"I won't leave you here."

"Then don't. Just hide outside until he's gone. I don't plan on staying, but there's no sense in you fighting him."

He looked about to argue.

"Les," I hissed, jerking my hands away. "If you're going

to help me with the Da Vias, then you have to defer to my expertise. Starting with this."

He frowned, but nodded. He jumped and grabbed onto the windowsill and pulled himself through the window, closing it behind him as the gate opened.

I ran to my bed and lay down.

Lefevre stopped outside my cell and knocked on the bars. "Lea. It seems you have yourself a visitor."

A visitor. Who would visit me? I sat up and peered out of my cell.

A shiver ran up my spine, and I couldn't help the gasp that escaped my lips.

Val.

thirty-one

HE WORE HIS FAVORITE GRAY LEATHER VEST AND matching boots. His shirt and pants were navy blue with gold trim. His smile, when he saw me, rivaled the diamonds that sparkled in his ears.

"Lea," he breathed. His voice made me tremble. "I knew it."

I'd forgotten how beautiful Val was. I'd forgotten the richness of his cologne and the thrill that ran through me when his eyes reached mine.

But I hadn't forgotten my Family. And I hadn't forgotten Rafeo, dead in the tunnel.

I turned my back on him and sat on my bed. My hands shook. I clasped them together. Why was he here? And why did my traitorous heart skip when I remembered his low, throaty chuckle and the feel of his lips on mine? There couldn't be room left in my heart for Val. There just couldn't. Not after everything.

Val gestured for Lefevre to open my cell and let him in.

Lefevre complied, locking it again before he left us alone.

"You cut your hair." Val examined my face. "It looks nice."

"It wasn't meant to look nice," I snapped to hide the quaver in my voice. "It was meant to remind me I would never be the same." Tears welled in my eyes. I rubbed my face, trying to hide them from Val. I didn't want him to see me like this. I didn't want him to think he had any effect on me, even though I could almost taste him on the air, feel his hands on my skin again. "Why are you here?"

"I came looking for you. Well, Rafeo, actually. Me and some others. But then I found that flower in the monastery, the one I'd left for you to find later, and I . . . I hoped it meant it was you who had survived. That the Addamos had gotten it wrong. Did you get my letter? I sent you a letter. You probably didn't get it."

I'd never heard him babble like this before. He took a breath and composed himself. "And then I heard about the Loveran girl who'd been arrested for murder, and I knew I was right. That it was you we were tracking."

"So, what, you thought you'd come here and we'd talk or kiss or make up or something?" I looked at my legs, my feet, my hands. Anywhere except him. *Please, please just go away. . . .*

He leaned against the bars. His shoulders sagged. "What do you want from me, Lea?"

Want from him? I already had the key to the Da Vias' home. I knew the two places the entrance could be. I had a firebomb.

I had Les.

Val had nothing I needed. "I never want to see you again."

"After everything we've been through?"

I cast my eyes to his. This time I was able to hold his gaze without looking away. "Your Family killed my Family. Tried to kill me!"

He held his hands before him, palms up. "Lea—"

"You took my key," I interrupted. "Is that what you used to get into our house? The key you stole from me in the guise of our game?"

He didn't answer, but I could read the truth in his eyes, in the lines of his frown. I groaned. He had used me. I had loved him and he had destroyed me.

"How long had your Family known about us? From the beginning? Was it ever even a secret?"

"Of course it was! But they found out. A week or so before . . . before. It was do what they said, Lea, or die. Prove myself a Da Via once and for all. So I did what they told me."

I stopped shaking. I would be a statue. I would not let him affect me anymore. "Were you there that night? Did you fight my father or brothers in the dark smoke?"

"No! I wasn't there!"

I would never trust him again.

"I only learned about the full plan a few hours before," he said. "And when that happened . . ." He scratched the top of his scalp, mussing his carefully groomed hair.

"I asked you not to go home, Lea." He rested his head against the bars as he studied the ceiling. "I asked you to come with me, but you refused. I wanted to save you. To keep you safe."

My blood turned to cold silver in my veins. "You could have told me," I whispered. "I could have warned them, saved us all. . . ."

He shook his head. "I couldn't betray my Family. It was a test for me. If I had told you the truth, they would've had my heart. Estella does not suffer traitors in the Da Via Family."

"There were other options, Val," I scoffed. "There could have been other plans. But you chose to save yourself instead of saving me and my Family. And now you come here and expect me to be happy to see you? I don't ever want to see you again."

"Don't say that." His voice emerged quiet and small.

"I wish you were dead and gone from my life."

"It doesn't have to be this way. I've come here to bail you out. To take you home with me."

Back to Lovero, where lanterns lit the night and the sea air tasted of salt and brine.

But home was for family, and Ravenna was the place where my Family had died. It wasn't only angry ghosts that haunted the night.

"Your Family doesn't want to accept me," I said.

"They thought you were Rafeo."

Ah. They'd let me in not because I was somehow worth more than Rafeo, because my life had more value. No. They thought I'd be easier to control than Rafeo. They thought they could manipulate me with Val, like they had before with the key. They were wrong.

"Rafeo's dead. He bled out in my arms, and I have you and your Family to blame for that. I'm not going with you, Val. Ever. I'm going to kill your Family, and if you value your own life, you'll flee now while you can."

He glared at me. "You watch! Yvain will hang you from a noose as if you're nothing more than a common cutthroat! Is that what you want?"

I shrugged. "I couldn't stand to look at you for the rest of my life and remember how warm Rafeo's blood felt as it washed over my hands."

And I realized it was true. Yes, Val was beautiful, and once upon a time I'd thought I loved him, but now anything I felt was just an echo of that old Lea, the one who had died with her Family in the fire. Val didn't make me feel safe. Val didn't make me feel warm. And he only ever helped himself.

He banged on the bars with his fists. The frustration rolled off him like a cloud of black flies. "Why did you even come here, Lea? You wouldn't be in this mess if you'd stayed in Lovero!"

"And what was there for me?" I shouted. "Your Family, hunting me like a rat? The Addamos, trying for a piece of the prize? In Lovero, I felt like an orphan!"

He stared at me, his anger turning his hazel eyes black. Then his anger vanished.

"What?" I asked. "What are you looking at?"

He turned and banged on the cell door. "Lawman!"

"What is it?" I stood and grabbed his shoulder. Something

had changed. Two seconds ago he was practically begging me to forgive him, to go with him to Lovero, and now he was in a rush to leave. "Val!"

Lefevre walked down the hall, keys in hand. Val faced me again, taking my hands in his own. A war of emotions played over his face.

"I can't help you Lea, not unless you want me to. I wish you'd believe me when I say I love you and miss you and wish more than anything things hadn't happened the way they did and you'd come home with me. But I can't change the past, and I can't ask for your forgiveness, because I'm not sure I forgive myself."

Lefevre unlocked the cell, and Val slipped out. "Goodbye, Lea. I'll come if you need me."

He strode down the hall, his boots clicking sharply on the stone floor.

Lefevre faced me and grinned. "Lovers' quarrel?"

"No." I sat on the bed. There was no love left between us.

Once Val left, I mulled over everything he'd said. My Family was dead. His Family killed them. There was no reconciliation possible. There never could be.

Lefevre chuckled from outside my cell. I ignored him. But Val had been right. Two more lawmen soon arrived to help Lefevre escort me to wherever we were going.

"Ever seen a gallows before, girl?" Lefevre sneered as he locked my wrists behind me in a pair of shackles. He shoved me away from my cell.

"No," I replied. "In Lovero we trust steel or poison to do our death work. Rope is for sailors and the sea."

One of the lawmen laughed. We continued to march.

Outside, the sun brushed the horizon. It would set soon and then the ghosts would rise to search for bodies they could steal.

"We wanted to deal with you as soon as possible," Lefevre said. "You are more of a threat to the good people of Yvain than the ghosts."

My lip curled. "I only kill people who deserve it."

They marched me around a corner, and there, in the center of an empty square, stood a large wooden platform raised on stilts. Above it towered a beam with a dangling noose.

My heart beat faster. Val was right about one thing: this wasn't the death for me. I was a disciple of Safraella! About to dangle from my neck.

Lefevre shoved me forward. He and his men laughed when I stumbled, but I kept my feet.

We reached the stairs, and I stopped. My legs wouldn't move, my body wouldn't respond. I couldn't walk up those stairs.

The two lawmen grabbed me under the arms and carried me to the platform. I must have seemed a child to them, easy to manage. If I died here, then no one would avenge my Family.

I needed to do something. I needed to save myself!

I jerked my arms forward, trying to break free of the lawmen, but they squeezed their fingers deeper into my flesh. They dragged me to the noose as I struggled and kicked and tried to bite myself free of them. I would not go quietly!

We reached the noose, and Lefevre jerked it over my head. I swung my foot at him, trying to snare his ankle. He danced away.

Another lawman slipped a hood over my head. The musty burlap pressed against my face.

"It'll go quick," the lawman mumbled, tightening my noose. "A quick snap and it will be over."

Every breath pulled the burlap across my lips, but I couldn't slow my breathing, couldn't calm the racing of my heart. This was it. The end of it all.

A rushing reached my ears, the sound of my blood roaring through me. Then a man's shout from behind. A grunt and a loud thump. Yells and the smell of smoke erupted around me, heavy, even through the burlap covering my head.

Someone slammed into me. I staggered. The noose pulled taut against my neck, choking me. Below, something creaked, then banged.

I dropped through the floor.

I didn't fall straight down. Instead, my ribs slammed into the edge of the trapdoor, interrupting my fall and saving me from a broken neck. Pain erupted across my already bruised chest and vanished again as the noose around my neck tightened.

My throat closed up, the rope clenching my neck like a snake crushing a rat. My eyes bulged as I swung back and forth.

I kicked my feet viciously, trying to find anything to rest upon, to stop the choking, to free me.

Something above snapped. I dropped, crashing to the ground in a painful heap. My bad ankle twisted beneath me, and the burlap sack flew off my head to land in the dust at my feet.

I took a deep breath, coughing at the air that rushed into my wounded throat. Tears poured down my face, the salt reaching my lips. Dank smoke filled the air, an acrid smell that could come from only one source: a smoke bomb. I climbed to my feet. My ribs and ankle screamed at the movement. Above me, the lawman who'd showed me a touch of kindness lay dead, his body draped over the trapdoor, his throat dripping blood. Shouted commands from Lefevre bounced around me, but I couldn't see him through the thick smoke.

The noose rested against my chest, its end frayed from a cut. Someone had saved me.

Les.

I stumbled from the gallows, coughing with every step, my vision hazy. I needed to get out of here before more lawmen arrived. They'd already tried to hang me once.

"Lea Saldana!" Lefevre called from the smoke. He must have been searching for me. "I'll find you!"

I slipped down a narrow side street, the smoke abating the farther I got from the square. The little street was almost as dark as full night against the setting sun. The ghosts would be out soon, and injured and bound as I was would make me easy prey. I tripped, crashed against a wall with my shoulder.

I cried out at the pain from my ribs. At least one had to be broken.

Before me stretched a canal, its waters dark and still. I stifled a sob. I couldn't go back. The canal could keep me safe from ghosts, but I couldn't swim with my arms bound behind me. I leaned over the water, looking for a way across. To the left a bridge spanned the canal. The building beside me had a small ledge that traveled above the canal along the building's length, leading beneath the bridge.

I slipped onto the stone ledge, pressed close to the wall of the building. My tied hands unbalanced me, and I wavered on each step. If I fell into the canal, I'd drown.

Finally, I reached the bridge and slipped underneath to a shadowed, hidden area. I sat on the cobblestones and calmed my breath.

I'd never come so close to death before. I didn't care to repeat the experience. Ever.

I inched my arms beneath my legs until they were bound in front of me. Metal shackles encircled my wrists. I couldn't remove them without help, but at least now I could slip into the water and hang on to the ledge if I needed to.

I tugged the noose off my neck and tossed it into the canal. It sank slowly into the dark water. I leaned against the curved base of the bridge and closed my eyes. I needed to rest a moment, then figure out what to do.

Footsteps on the bridge. I stiffened. It was too late for a commoner. It could have been a prostitute, but more likely it was a lawman, searching for the prisoner who'd killed his brothers and escaped.

The footsteps reached the bottom of the bridge and paused. I could picture Lefevre searching the dark streets for me. The footsteps headed around the side of the bridge. I scrambled to my knees, watching, waiting.

A boot appeared. I jumped to my feet, hunched over in the tight space.

A face peeked under the bridge.

"Lea?" A whispered voice.

Les had found me.

thirty-two

'LES.' HIS NAME BROKE FREE OF ME IN A BREATH OF relief. I leaned against the bridge and slid to the ground.

He ducked under, his long legs bending as he hunched over.

"Sorry I'm late," he said. "I thought you might like these"—he passed me my weapons and cloak—"and this." He pulled my mask from under his cloak and handed it to me.

"How did you get this?"

He smiled. "Let's just say I'm overly familiar with the law office. And most of the lawmen went with you."

Les had known to bring my mask for me, had known it would make me stronger. A moment ago I'd been on the edge of panic. Then Les appeared and everything looked better.

He sat across from me. "I didn't realize the law moved so fast."

"I think they were worried I'd escape."

"You talked to your visitor for a while."

I pictured Les listening to Val and me. My stomach sank. It wasn't as if we'd said anything secretive, but Val had pulled a lot of emotion out of me, things I thought I was through feeling. "You could hear us?"

He shook his head. "I just waited for him to leave. He was in a hurry. Took off running as soon as he got outside. Afraid of the ghosts?"

I furrowed my brows. "That's unlikely."

"Anyway"—Les dug through his cloak pockets and pulled out a satchel—"look what I have!"

Lock picks. Relief spread through me, and I scooted closer to him. "Do you know how to use them?"

Les pulled my hands into his lap. He inserted the pick into the lock of the shackles. "It was the first skill I learned. Your uncle figured I couldn't accidentally kill myself with the picks."

He smiled, and some of my worry over Val vanished. Les had a way about him that made it easy to overlook the darker sides of life, even though his hands were as red as any clipper's. He began to hum as he worked on my shackles.

They were so different, Val and Les. Val was arrogant and believed everyone was below him. Les was kind to people, even those who tried to push him away. Val tried so hard to be the person he was, with his appearance and his manner. Les didn't try at all, and his nature came through in a way that made my heart stutter, my breath catch in my throat.

I'd thought I loved Val. But maybe that love had been

built on the prestige of his bloodline, his talents, and his wealth. Les had none of those things, and yet his very presence made me feel safe.

He glanced at me. "What are you smiling about?"

My eyes widened. "Nothing."

"Hmm." He twisted his wrist and the shackles popped open, tumbling to the ground. "And you're free."

He grabbed my wrists with his calloused hands and rubbed the feeling back into them. He leaned closer to whisper in my ear.

"This was my first jailbreak. I think you're a bad influence on me, Miss Oleander Saldana." We were so close I could almost hear his heart beating. His hands slipped down to mine, and he stroked my wrists with his thumb. I looked up at him.

He watched me, all traces of humor gone. Then his lips pressed against mine. He clasped my hands. I strengthened my grip around his, and for that moment everything else ceased to matter. All that mattered was Les—the way his beard scraped my skin and how his lips tightened in a smile against mine until he laughed and pulled away.

"This has been an excellent jailbreak."

He held out his hand. I took it, and he pulled us both to our feet. My ribs pulsed in pain, and I hissed.

"You're hurt." Worry flashed through his eyes.

"My ribs. And my ankle. Landed wrong on both. I'll be fine as long as we take it easy."

Of course, I couldn't take anything easy with my enemies

searching for me. "Come on," I said. "We've got a lot to do before we face the Da Vias."

I ducked out from beneath the bridge. Les followed and we fled the area, heading deeper into the city.

When we'd gotten far enough away from Lefevre and the gallows, we climbed to the roofs. Les had to help me up, and by the time we scaled the top I was winded and in even more pain. When we finally reached my roof, I slid my mask to the top of my head and pulled him toward me for another kiss. I didn't want to stop kissing him, didn't want to let him go.

We broke apart for breath. He tucked an errant strand of my hair behind my ear. "We should've been doing this all along."

"Probably. I just had some things to work out."

"And did you?" he asked.

I shook my head. "Not really."

He laughed, and we got to work organizing our weapons. Les handed me another stiletto for my boot. "Who was your visitor?"

I watched him dig through my packs. I sighed. "Val."

"Val. *That* Val?"

I nodded.

He snorted. "That must have been . . . interesting. What did he want?"

"Truly? I think he thought we could still be together."

Les glanced at me, then went back to sorting the weapons. "Did he actually believe you're so in love with him you could overlook the murder of your Family?"

"I think he meant what he said. That he was caught between his Family and me and had to make a quick decision. I was so angry at him, but is that fair? If our positions had been reversed, would I have picked him over my Family?"

"But what were his plans? That you'd go back with him and live among their nest of vipers and simply forget what they did?"

I shrugged. "I don't think he had much time to think it through. Until yesterday he thought I was dead."

"Yesterday?"

"I ran into a pair of Da Vias."

Les stopped what he was doing and stared at me. "So there are other Loveran clippers skulking around the city? That's it. You're coming home with me tonight until it's safer to leave tomorrow morning."

I shook my head. "No. Marcello won't allow it. We have an arrangement. . . ."

He narrowed his eyes. "Why don't I know about this?"

I could lie, but Les would probably drag the truth out of Marcello. "You didn't know because it was when you were injured."

"And?" He gestured for me to continue.

"And I promised him I'd stop training you, leave you alone."

"What?" He lurched to his feet.

"Les . . ." I rubbed my cheek. "He was worried about you. And I was worried about you, too. He just . . . we didn't want to see you getting hurt. More hurt."

After a moment Les's anger faded. "I know you were trying to look out for me, but I don't need you to."

"It seemed the only way at the time."

"The only way to what?" He sat down again.

I pulled out the key Marcello had given me before I'd stashed it with my weapons. "To get the Da Vias' Family home location. He only told me when I said I'd leave you alone."

Les watched me until I started to shift under his scrutiny. Finally he exhaled. "We can still follow your plan. Just because the Da Vias are here, it doesn't mean we can't destroy their home. It might make it easier, actually, with some of them here."

I paused. Val was here. And Nik and Grape Leaves. I knew how Nik and Val fought, and they were formidable. Presumably, Grape Leaves was, too. Three competent clippers not guarding their home. But both Grape Leaves and Val had left in a hurry. I figured Grape Leaves had gone to tell someone I wasn't Rafeo. But what had set Val off?

"Lea?" Les asked, but I waved him away. I'd missed something, something important. Val had left too quickly when he'd come to bail me out. Something had become more important to him than me.

His Family, obviously. He'd made it clear he'd choose his Family over me. But what exactly had changed? I sifted through our conversation.

He'd been angry about the murder charge, angry that I'd left Lovero . . .

I gasped and squeezed Les's arm.

"Lea, what is it?"

"They know." My limbs grew heavy, and I closed my eyes. "The Da Vias know about Marcello. They know he's here, hiding in the city. And they'll find him."

thirty-three

MARCELLO HAD STAYED HIDDEN FOR YEARS. AND I'D led the Da Vias to him.

At my words, only my grip on Les's wrist stopped him from running home.

"What are you doing?" He pulled his hood over his head. "We have to go! They could have him already!"

"No, we have to be smart." I tugged on his wrist, and he frowned. "I don't know how many Da Vias are here. At least three. Maybe as many as ten. They can cover more of the city than us. If we go tearing off without any thought, we could run into them. And if it's all of them, we won't win that fight. They'll kill us and take their time looking for Marcello. They know he's a Saldana and that we prefer tunnels."

Les rubbed his neck but nodded.

I released him. "We have to be careful so we don't meet

them. And we'll have to move Marcello, probably out of the city."

He shook his head. "He won't like that."

"He won't have a choice, not unless he plans to greet Safraella."

"They'll kill him?" Les asked.

"Yes. Maybe. Maybe they'll bring him home. Marcello told me the Da Vias killed my Family because of him, because of all this history between him and their Family. I'm sure there's some truth to it, but that can't be the whole story. No, something else was the final stab in the mark."

"So you don't actually know what they'll do?"

"Oh, they'll kill him. I'm just not sure if they'll drag him back to Lovero first."

"We can't let them take him." The worry leaked off Les like fog over the canals.

"We won't," I said. "We'll use our knowledge of the city. Let's take the canals. They won't expect that."

We armed ourselves with every weapon we could carry and traveled to Les's boat a few alleys away.

Les steered us north while I kept my eyes open for movement on the roofs. We were probably ahead of the Da Vias, but I refused to trust my luck. Better to assume they were scouring the city, looking for Marcello.

Yvain rested quietly. The moon was new and the bright pinpricks of stars filled the dark sky. I saw no ghosts and no Da Vias as Les quietly poled us to Marcello. Even if we reached him unmolested, we'd still have to somehow escape

Yvain. Now that the Da Vias knew Marcello was here, they would send for reinforcements, and they would watch the city day and night. But perhaps this could work to our advantage. If Les and I could escape to Lovero, we might have a better chance of destroying their Family home. And if we were successful, then Marcello needn't worry about the Da Vias anymore. At least most of them, anyway.

Les docked the boat and we got off, heading toward the tunnel entrance. We'd made it safely. I allowed myself a breath of relief. Safraella had been watching over us.

We turned the corner into the dark and empty alley. It stank, an acrid, smoky odor. I stopped. "Do you smell that?"

He sniffed the air. "Smells like smoke."

Something about the smoke . . . I had smelled it somewhere before.

I sniffed my leathers and found the same scent. The gallows. The smoke bombs when Les had rescued me.

"Where did you get the smoke bombs?" I asked.

"What?"

"When you rescued me, at the gallows. Where did you get the different smoke bombs? Yours didn't smell like that before."

Les stopped and stared at me. "Lea, *I* didn't rescue you."

From above, someone jumped into the alley. My sword was out instantly, my dagger in my left hand. Another figure climbed down the roof to stand beside the first. Nik and Grape Leaves, with his rope-bludgeon and noose tied around his shoulders and waist.

Beside me Les twirled his cutter in his hand, prepared to fight. It wouldn't only be the two of them. I spun. Four more Da Vias stood at the entrance of the alley, blocking us in. The Da Via on the left wore a mask with red checkers. Val.

Les and I stood back to back, our weapons at the ready. I could feel the tension in his body, pressed against mine, his muscles tight like viola strings.

Behind Val, a man approached. He stood to the side, but his cylindrical hat and wooden staff caught my attention. Val paid him no mind. He was with the Da Vias.

"Sloppy work, Lea." Val stepped forward. I could smell the smoke from the gallows still clinging to his leathers. His voice held no wryness or sarcasm, only a controlled fury. "You thought you'd beat us to him, but we're not some lowly Addamos. We're Da Vias."

"*You* saved me from the gallows." I glanced over my shoulder. Nik and Grape Leaves had taken out their swords but hadn't moved closer.

"I wasn't going to let you hang. And I figured you'd lead us right to Marcello."

I had to get the upper hand here. If I didn't, Les and I were dead. "I don't know what you're talking about."

"Gods, Lea, shut up!" Val screamed. I flinched against Les's back. He stirred but continued to watch Nik and Grape Leaves.

I'd tipped him over the edge. I had to keep him there. "Who's your lapdog?" I motioned to the man in the hat.

"A friend of the Family," Val said. "Don't worry about him."

"He was in Fabricio's the night of the fire." And just like that, I knew which restaurant housed the entrance to their home.

Val shrugged. "He gets around. He helps us get around. That's really all you need to know."

"He's the reason you're here?" I asked.

"No. We know Marcello Saldana is here," Val said. "It's the only reason you'd flee to Rennes. The only reason being in Yvain makes you no longer feel like an orphan. After all these years of searching for him and all we had to do was follow you."

"And you thought you'd bring Marcello to your lunatic of a Family head, hoping he'd prostrate himself before her, beg for her forgiveness?"

"I don't give a shit about any of that. I just do what I'm told."

I laughed. "Yes, that's been clear since the night of the fire."

Val jerked his sword out of its scabbard. The metal rang sloppily in the dark night. The Da Vias beside him followed his lead. "Fine then. If this is the way you want it, you have no one to blame but yourself."

I tightened my grip on my sword. Val charged. Les pushed off from me to defend against Nik and Grape Leaves. He was outclassed, but I couldn't think about him now. I could only help him if I survived.

Val lunged at me, the other clippers swinging left and right. I raised my sword to defend myself, but he feinted to the right and let another clipper rush in. It was a new move for Val. He'd always relished being in the center of the fight. He'd changed.

I barely had time to switch my stance. My sword blocked the attack of the Da Via with red diamonds on her mask. Our swords rang against each other. The echo bounced off the brick walls of the alley. My ribs roared in pain. My grip on my sword faltered. I twisted to protect my back from another Da Via with red splashes of color on his mask, like spattered blood.

He feinted, too. Someone's boot connected with the side of my right knee. Only my off-balance stance saved me from a broken joint. I stumbled away, barely managing to stay on my feet. My ankle ached at the rough treatment, and my ribs practically hobbled me. I couldn't fight this way. Not if I wanted to live.

Les parried Nik's blows. Grape Leaves circled behind him, taking advantage of Les's distraction.

I pulled out a knife. One smooth motion, clean and quick . . . I whipped the blade at Grape Leaves like Les had taught me.

The blade wobbled in the air. The dagger struck Grape Leaves between the shoulder blades, hilt first. Painful, but not damaging.

Nik Da Via shouted. Les had scored him on the arm.

Val looked over his shoulder at Les. He changed places with Nik, who turned to face me. I rushed after Val, but the three others closed the gap. I'd have to go through them if I wanted to place myself between Val and Les. We needed to get out of here.

I pulled out three smoke bombs. The Da Vias weren't the only ones who knew how to use them.

I hurled them between the legs of my opponents. They exploded, gray smoke flooding the alley.

"Les!" I stepped away from the smoke and the coughing Da Vias. "Les!"

A shadow dashed at me. I raised my sword.

Les erupted from the smoke. He grabbed my hand and yanked me after him. I gasped in pain.

We passed by the man in the cylindrical hat. He shouted to the Da Vias, but Les and I darted around a corner.

I couldn't keep up. This wouldn't work. The Da Vias would catch us.

"The canal!" I panted. We turned left and sprinted for the water and his boat where we'd left it. Les grabbed the pole and shoved us away from the street.

I struggled to catch my breath, my arm pressed against my side. Every movement sent pain coursing through my body.

"I'm sorry I hurt you," Les said as he pushed the pole. "I wasn't sure how long the smoke would last."

I took another deep breath, wincing at the pain. "It's all right. We had to get away."

He moved us quietly while my thoughts raced. They'd find the entrance to Marcello's tunnel. We'd led them right to it. We couldn't stop them, not without help.

"I scored one of them," Les said. I nodded. "I coated my

blade with poison, like you suggested."

I closed my eyes, calculating, trying to decide if the poison would work fast enough to grant us any advantage. They would still outnumber us.

Ahead, a bridge arced over the canal. Les pushed us beneath, into a deeper darkness. There was no way out of this, no plan I could think of.

We reached the other side of the bridge, and Les steered us out. A shadow flashed over him. I shouted a wordless warning, but the noose dropped over his head and pulled tight.

Les released the pole into the water and grabbed the rope around his neck, trying to free himself. I scuttled toward him, the boat rocking violently at Les's struggles.

The rope pulled him out of the boat and up to the bridge, his legs kicking as he hung in the air.

"Les!" I clutched my sword and lunged for the rope. But it was too high, and every second I wasted they pulled him closer to the top of the bridge.

Laughter and shouts echoed from above. The Da Vias, enjoying themselves while Les dangled, choking from the noose. I knew how it felt.

I sheathed my sword and jumped for the bottom edges of the bridge. My hands reached the stone and I clamped tight.

My side ripped with pain. My body fought against me, commanded me to let go. But if I dropped, Les would die. I managed to swing my leg and hook it onto the ledge. I took a breath, agony radiating everywhere, and pulled myself up. I flopped over the side of the bridge gracelessly.

Nik and Grape Leaves dragged Les onto the bridge. He lay sprawled on the ground, struggling with the rope. Grape Leaves drew the rope taut, the other end with the stone bludgeon resting at his feet.

"Looks like you caught a big one this time," Nik said as they watched Les fight against the rope. "Feisty, too." He glanced in my direction. "Nice of you to join us. You're just in time for the fun."

I struggled to my feet and hunched over as I pulled my sword free. Behind me footsteps pounded on the street. The rest of the Da Vias. I couldn't spare them any attention. I needed to save Les.

I lunged toward them. Nik laughed as I swung my sword. He jumped aside easily, but I wasn't aiming for him.

My sword bit into the rope, severing it. Les inhaled sharply and pulled the noose from his neck.

Grape Leaves shouted and jerked the severed rope toward him. He switched ends, grabbing the severed half and swinging the bludgeon in a circle beside him, slowly gathering speed. It whirred and buzzed the faster he spun it, until the rope was a blur of motion.

"You've made him angry now," Nik said to me. "That was his favorite one. He's had it for years."

"Too bad for him," I said, free arm clenched against my side, which burned with fresh pain. I couldn't straighten my body, could only face them hunched over like an invalid.

Les struggled to his knees beside me, coughing, tugging his hood back in place.

Behind us, I heard dirt shifting under feet. I turned. Two other Da Vias and Val stood armed and ready.

I charged them, a foolishly reckless move my parents would have been disgusted to see. But my parents were dead, and Les would be too unless I could stop this fight.

I swung at Blood Spatter in a wide and frantic arc, hoping my crazed attack would take him aback, force him to step away. But he was a Da Via, and they were the second Family for a reason. He stepped inside my arc. The pommel of his sword smashed against my solar plexus like a blow from a hammer. The air in my lungs rushed out of me with a cough.

Diamond Mask kicked the sword from my hand. It crashed against the cobblestone bridge.

A loud snap filled the air, followed by a booming twang. I turned. The stone bludgeon on the rope smashed into my right cheek. My head snapped back. Half of my mask shattered. Bone shards rained across me as I fell to the ground.

Everything faded to black. A smell like rotten fish wafted across me. Blurry shapes returned. Muted, dull sounds settled over me like raw wool. I blinked. Blood filled my mouth and I spat it out.

Someone leaned over me. Nik. I reached for him. He grabbed my hands and pulled me to my feet, twisting my arms behind me. In front of me a quick scuffle ended with Les in the same position, Grape Leaves securing Les's arms behind him.

Les and I were too winded and injured to speak. My face swelled. Was my jaw broken?

Val paced between us, his anger apparent with every pounded boot step against the bridge.

He stood in front of Les and jerked the hood off his head.

Behind me, Nik yanked the remains of my mask from my face. He dropped it to the ground and drove his heel through what was left of it. The tiger-striped bone shattered beneath his boot.

"You've been poisoned again," I said to Nik. My voice sounded slurred from the hit I'd taken. He paused, then looked to his arm.

"Huh. Well, knowing you, I'm sure you have an antidote somewhere in this pouch of yours." He tapped the pouch on my hip.

"Let us go, and I'll give you the antidote."

Nik laughed. "No deal. In a few minutes all your antidotes will belong to me. I haven't dropped dead yet, so I think I'll take my chances finding the right one in time."

Val slid his mask to the top of his head. His eyes flashed rage and hurt and betrayal, his brow dripped sweat. He pointed his sword at Les. "This is why you wouldn't come with me?"

Les thrashed against Grape Leaves, and Diamond Mask kneed him in the stomach. His breath escaped in a whoosh. He tried to double over but Grape Leaves held him too tightly. Diamond Mask wrapped his long hair around her fist. She jerked his head back and exposed his neck. The bruising he'd acquired from the rope stood stark and plain, even in the dark. His throat bobbed as he swallowed.

"You don't know what you're talking about, Val," I said.

"I saw you together on that roof, Lea. Kissing. I *saw* you! He doesn't even have a mask! He's a nothing! A fraud!"

"Let him go. He doesn't have anything to do with this. You're right. He's nothing. Only a fake clipper, living in Yvain."

Val scowled and shook his head. "You've always been a shit liar, Lea. Even now."

"What do you want, Val?" I asked. "I will give it to you. You want my pride? You can have it." Warm tears rolled down my cheeks to my lips. They tasted of blood. "Please let him go. Please. I'm begging you."

He blinked. "Yeah, that's clear," he said, his voice empty. "It's not very attractive."

His mockery pierced me like a needle to the heart, and I inhaled sharply. Nik leaned closer to me, his mask pressed against my ear.

"Watch this now, Lea Saldana," he whispered. "Because you'll be next, just as I promised before." He tapped my spine with the edge of a knife.

Val stepped before Les, sword in hand. His fingers tightened around the hilt until his leather gloves creaked.

Les twisted his head toward me. I stared at him, and grief and terror and loneliness and every dark emotion I was capable of feeling filled my chest until it seemed I would burst from it all.

Les winked at me.

Val drove his sword through Les's chest. He buried it to the cross guard, until the Da Vias restraining Les had to move aside or face the end of Val's sword.

Anguish erupted through me. I bit my tongue until it bled to stop the screams welling up from inside. I turned away, but Nik grabbed my skull and forced my head toward the scene, his fingers digging into my scalp.

Les coughed out a mouthful of blood. It spattered across Val's face. Val pulled out his sword. Les crumpled to the ground. His head moved once, and then he lay still.

My fault, my fault, my fault.

Only Nik's powerful grip on my arms kept me on my feet. "Very nice," Nik whispered to me. "Now it's your turn."

A sharp stab to the center of my back sank below my shoulder blades. I gasped as the cold metal slid into my body, shrouding me in agony, until my body arced against it.

Nik released my arms. I fell to my side on the ground, the cobblestones beneath my face damp from the canal.

"No!" Val screamed. Rapid footsteps closed the gap between us. I tried to reach the knife in my body, to pull it out, but my fingers scrabbled against my leathers, pain ripping through me with every twitch of muscle. I dropped my arms.

Val struck Nik, a loud crack bouncing over us. Val's fist crashed so hard into Nik's mask that it broke in half at the bridge of his nose. Nik's mouth gushed blood. He brought his gloved hand to his face and groaned. Blood Spatter took a step toward Val, but Diamond Mask pushed her mask to the top of her head, standing between Val and the others. It was Val's sister, Claudia, no longer pregnant.

"Nik had an agreement with Val," Claudia said. "Nik went against it, and Val was in the right to strike him."

Blood Spatter glanced between them, then shrugged and stepped away.

Nik yanked my pouch of poisons from my hip and walked off.

Val dropped beside me. I tried to push him away, but my arms bent like reeds in the wind. He wrenched the knife from me, ignoring my cry of pain, and threw it away. A dull ache spread across my body, replacing the sharp pain of the invading knife. Each breath became more difficult until I felt like I was drowning, as if the cold grasp of an angry ghost pulled me beneath the canals.

"Lea!" Val pulled me into his arms, tears running down his face. I turned to look at Les, lying on the bridge.

"I'm sorry!" He held me tight. "This wasn't supposed to happen, I swear it."

I wanted to tell him to leave me alone, to flee so I wouldn't have to look upon him any longer, but I couldn't find the words. The salty taste of blood coated my lips, and I closed my eyes. I was so tired.

"I found the entrance," a voice said from the end of the bridge. The man in the hat.

"Leave her, Val," Claudia said. "The sooner we can

be done with this, the sooner I can return to Matteo and Allegra."

My eyes snapped open at that. Claudia caught me looking at her and grinned. "What?" she asked me. "You thought you were the only Saldana with a secret lover?"

Matteo. My brother Matteo was alive. Marcello and I were not the last of our Family. And Claudia's baby . . . Matteo was the father, had been her secret all along. But he was a Da Via now. He'd turned his back on us.

It was too late, anyway. It didn't matter.

"Give me a coin," Val said to someone.

"You know Estella doesn't allow us—"

"I said give me a gods-damned coin!" he screamed.

A moment later his ungloved fingers pressed something against my lips. I let him slip the coin into my mouth. He sobbed and leaned over me, pressing his lips against my forehead. He gently lowered me to the ground. Then they were gone, vanishing into the streets that led to Marcello.

I rolled onto my stomach and agony shredded me, like my heart ripped free from my chest. I screamed against my closed lips. I needed to keep the coin safe. I had one last thing to do.

I crawled to Les, every movement agony, every second my vision growing darker. The sounds of the night faded until all I knew was the image of Les lying before me on the cold street. When I reached him, I brought my fingers to my mouth and pulled out the coin. It was stamped with the Da Via crest. I didn't need it.

I slipped it past Les's unmoving lips, his breath silenced. He was still beautiful, even in death. I would've wished something different for him. But Marcello had been right. I was a Saldana, and we brought destruction to those we loved.

The pain diminished. A final mercy in a life seemingly devoid of them.

I closed my eyes and waited for my breaths to stop.

thirty-four

PALE LIGHT SPILLED ACROSS MY FACE. I GROANED AND covered my eyes. It was too early. I wanted to sleep.

The light continued its push until I sighed and rolled over, peeling my eyes open.

I could see nothing except watery gray light. I blinked a few times, waiting for my eyes to adjust, to focus on something.

I pushed myself up. My nerves burned against my skin, in my muscles, my organs, my bones. I cried out and froze, trying to keep the pain at bay. After a moment the fire eased to a strong ache. Still painful, but manageable.

I turned my head slowly, searching for furniture, landmarks, a hint to discover where I was. But there was only the endless pale light and what seemed to be fog rolling in and out of the edge of the nothingness.

I struggled to stand, barely keeping my balance against the pain that blazed through my body. I glanced at my feet, trying to keep them stable. My legs were bare. I was naked. Scratches and bruises covered my body, the largest bruise flowing across my chest like a menacing ink blot and rolling down my left side to a violent mass of swollen and wounded flesh.

Something warm dripped down my spine. I reached behind me and my fingertips returned red with blood.

The knife. The knife that had pierced my body. That had killed me.

I was dead.

I looked around again. Nothing. No one. I was alone.

I swallowed. "Is anyone there?" My voice emerged hoarse and rough, like I hadn't spoken in years.

The fog shivered and spiraled and then blew away, as if a wind carried it, though I felt nothing. No one answered me.

Behind the fog stood a forest of trees, each one white and bare and stretching toward the sky. I looked closer. A forest, yes, but they weren't trees.

Giant bones were stuck in the ground and reached upward, swaying with the hidden wind. No mortal thing had ever possessed bones so large.

I took one tentative step toward the forest, bracing for the expected pain. Then another. I continued in this slow and agonizing manner, but I never drew closer.

I wrapped my arms around my stomach to lessen the pain.

"Am I dead?" I asked, not expecting an answer.

"Yes." The voice was soft and quiet and seemed to emanate from the trees before me.

"Who are you?"

"You know who I am, Daughter." The trees swayed.

And I found I indeed knew who the voice belonged to. "Can I see you?"

A pause, a hesitation. "I have driven mortals mad."

"I'm dead," I answered. "I'm not afraid."

Vibration in the trees, like a laugh. "I have watched you your whole life. So many think they do not fear death, but when their time comes, they beg it away. But not you. There was no fear with you."

"Will you show yourself?"

"So be it."

From the folds of the bone forest a figure stepped before me, tall as the oaks on the dead plains. My gaze brushed across Her limbs, Her body, unable to take anything in, unable to linger, to make sense of what I was seeing.

I met Her eyes and found a blank face with no features, made of nothing but smooth bone, empty, flat, barren. I'd never known something could be both terribly monstrous and terribly beautiful.

As I gazed upon the face of a god, of Safraella, my mind sank toward a dark vortex. The sound of a thousand storms, a thousand hounds baying in the night surrounded me, consumed me. I began to unravel, bits of me floating away until there, before me, was the memory of Les, his lips pressed against mine, whispering *kalla Lea*.

Everything snapped back into place. The bone trees swayed.

"Where are we?" I asked, watching the trees.

"A forest. A graveyard. A passage. This place is many things."

"A graveyard for what? Who do those bones belong to?"

Safraella shifted, Her arms stretching out at Her sides, as long as some of the bone trees. "My enemies."

Gods. This was their graveyard. The trees were the bones of gods.

I swallowed. "If I'm dead, why does everything hurt so much?"

"And whoever told you, little mortal, that death would not hurt?"

I nodded, trying to ignore the pain the gesture cost me. "Am I to be reborn then? Have You come to grant me a new life?"

She leaned closer. "Is that what you want, little clipper?"

It would be so easy, to be reborn as someone else, to forget everything that had happened in this life. To forget I was ever Lea. But it seemed like giving up. Like losing my Family again. "I only thought . . ."

"Yes?"

"It came so suddenly. The end. It seems unfinished."

"You are all unfinished," she said. "Like embers in the wind. You burn brightly in your own time, and then you are snuffed out. It is your way."

I looked down at my feet. The blood from my back dripped down my calves and painted my ankles red.

Safraella straightened to Her full height and displayed Her hand before Her. She held a gold coin between two fingers. I couldn't see the stamp on it, the Family crest. "You are due a resurrection, Daughter. But it does not have to be a new life."

My breath stilled in my chest, and I pushed aside the realization that I was actually breathing. "You could bring me back? As Lea? As myself?"

She inclined her head.

"Why? Why me? Why not my Family?"

"You have long been a favorite of mine, Oleander Saldana. Faithful to me even in the darkest corners of your life. There are others who have . . . drifted from my radiance. They forget their place. I would like you to be my reminder to them. A reminder of what it means to forget that I am a god and do not take kindly to those who no longer value my gifts." Her voice echoed among the trees like the final note of a bass drum.

"The Da Vias? Or are there others, too?" Like my uncle, who had refused to let me wear my mask in his home. She didn't respond. "Is that why, when the angry ghosts came for me, You protected me?"

"The ghosts are wayward children. Only those in my favor have the ability to send them on their path."

"And if I can't be the reminder the Da Vias need? If they refuse to hear Your word?"

"You will return them to me there, or you will return

them to me here." She gestured to the bone forest.

Kill them. The Da Vias. Because murder was always the answer.

Unless . . . unless I didn't return.

I could choose the peace that came with a new life, or all the death and blood that awaited me as Lea.

And Les. Needles pricked my chest when I thought of him lying dead on the bridge. If I went back, I would face the Da Vias, alone. How could I be Lea without him?

Safraella watched me. I could sense Her thoughts twisting like the earlier fog.

"What should I do?" I asked.

"Little mortal. Very few of you ever get a chance at a true choice. You would give it away so easily?"

I closed my eyes. "No." I shook my head. "I know what I have to do. I have to go back, be Lea still. Kill the Da Vias. But what about Marcello? They'll have taken him."

"What is that saying you're all so fond of? Family over family?" The bone trees rattled behind Her.

My thoughts raced. Matteo was a Da Via now. He was gone from my life just as if he had died in the fire. Marcello was no longer Family, but he was blood, was family. And I didn't want to be the last of my line. If the Da Vias killed him, they won all over again.

I would save Marcello. And I would kill the Da Vias. Only . . .

"How can I do it by myself?" I tasted salt against my lips. I'd been crying.

Safraella leaned toward me, Her tall body folding in on itself until Her giant bone face hovered before mine. She pressed the coin against my palm. For an instant I saw the Da Via crest on it. "And whoever said you had to be alone? I will grant you one member of your Family, if you ask it of me."

"A resurrection? Of my choosing?"

Everything had been my fault. Everyone was dead because of me. But if they were in my place, who would they choose?

I thought of Rafeo, my beautiful brother, cold in the tunnel, the best of us. I thought of little Emile, full of untapped life. Of my distant mother, who spoke of her pride in me in secret letters, and of my father, who tried to buy us peace, to keep us safe. How could I choose? How could I weigh and measure love so casually?

I thought of Les, dead on the bridge, offering to help me for no other reason than because I was someone who needed help. A boy who had been raised by my uncle, my family.

It was my fault too, what had happened to Les. Rafeo had died because he was a Saldana. Les had died because I'd kissed him on the roof.

"I choose Les."

"Did I not say a Family resurrection?"

I swallowed but stood my ground. "He is my Family now."

Safraella had no mouth. No eyes. But I could sense Her smile.

She leaned closer. She placed Her face against my forehead, and the brightest pain of all rushed through my body.

I closed my eyes and screamed and screamed until I could hear nothing but the anguish that burned through my flesh.

Cold water dripped onto my eyelids. I blinked rapidly, trying to clear the liquid away. Rain, a slow, cold drizzle, coated the cobblestones, making them slick and shiny in the darkness. I lay on the bridge. The bridge where I'd died.

Safraella had resurrected me. A true resurrection, not just a rebirth like She granted everyone else.

I sat up, my hand rising to rub the water from my face, but my hand met a mask. I pulled it off and turned it around. It was a bone mask, perfectly flawless in its construction. Instead of a pattern, the whole left side was black. I ran my fingers over the color. It wasn't dyed like a normal mask. The color seemed to be part of the bone.

I slid the mask to the top of my head, and something burned in my mouth. I choked, spitting it into my hands. A gold coin. But I'd given Val's coin to Les.

I flipped it over. It was stamped with the Da Via crest. It grew warm in my hands.

I twisted until I spotted Les where I'd left him. His leathers were sopping wet, his hair plastered against his pale skin. At least the rain had washed the street clean of our blood.

The coin pulsed in my hands, still generating heat. I pushed Les onto his back and found a hole in his chest from Val's sword. I pushed the hot coin into his mouth.

I sat back, watching his chest for breath, wiping away the water that dripped down my face. It had to work. It had to.

Please. . . .

Les coughed, inhaling deeply. His spine arched against the cobblestones, his mouth wide with terror.

When he'd breathed all the air he could, he rolled over frantically, scampering toward the edge of the bridge. Rainwater coursed down his cheeks, and he scanned around him like a panicked animal.

"Les," I said quietly. "Alessio."

His eyes snapped to me, and the fear in them drained away.

"I saw . . ." He swallowed loudly. "I saw . . ."

"I know." I crawled to him, taking his hands in mine. The hole in his chest had vanished, and if I looked in a mirror, I expected my face would be free of bruises. Les breathed heavily, and then sobbed, fresh tears pouring down his cheeks.

"Gods, Lea . . . ," he choked out. He pressed his head to my chest and I pulled him close, holding him tightly until his shaking stilled.

The rain lessened, then stopped. All the while, Les and I sat on the bridge and stared at each other, lost in our own thoughts. We had to rise, to see what waited for us in Marcello's home, to once again plot against the Da Vias, but at this moment I felt no rush. Maybe looking upon Safraella's face *had* driven me mad.

"She told me something," Les said, his voice low and quiet. "Told me to do something . . ."

He paused, struggling with whether he wanted to tell me or not.

"She told me to do something too," I said.

"I'm not sure if I can—"

"It's all right," I interrupted. "It's fine."

He nodded and took a deep breath. "She said She gave you a gift. A resurrection. Anyone you wanted."

I nodded.

"Why did you pick me?" Anguish filled his eyes.

I took his hand, squeezing it. "My Family . . . my Family is gone. They are my past. But you are my future. I couldn't turn my back on you."

"You gave up everything for me?"

I leaned my forehead against his. "It isn't worth anything without you. You make me feel alive when I've felt nothing for so long. When I thought I was done feeling."

He rubbed his face. "No one's ever come back for me before."

My heart twisted at his words. "I will never abandon you."

He pushed his fingers through my hair to my neck, pulling me closer. Kissing him then was better than any kiss in my life. Even though we were soaked and his lips tasted of blood, I would've spent the rest of my life kissing him there.

He shifted, tugging me closer. Something clattered to the ground beside us. We pulled apart. A mask.

Les turned it over. Black slashes covered the left side, like the claw marks of a tiger, but like mine the color was embedded in the bone, not dyed. He ran his thumb over the marks, then rubbed his unscarred forearm. "I don't understand."

"It seems you finally belong. Welcome to the Family, Alessio Saldana."

He laughed, a short bark of joy. He slipped the mask over his face. He nodded and we got to our feet. I pulled my own mask over my face.

"Time to get to it?" he asked.

"Yes." I nodded. "Time to face the Da Vias."

thirty-five

THE TUNNEL WAS DARK AND EMPTY AND STILL. WE made our way toward Marcello's home, neither of us speaking. It didn't seem there was anything to say. Either we'd find Marcello, or we wouldn't, and our next direction would depend on that.

Les climbed the ladder, carefully lifting the grate and peering through. It didn't seem like we'd been dead for long, but it could have been hours.

Les pushed the grate open, and it banged loudly against the stone floor. I flinched.

"Sorry." He pulled himself up.

Their home was dark and cool, the fire in the hearth extinguished. A fight had taken place: shattered glassware, shredded tapestries, furniture moved or destroyed. I stood in the center of the mayhem. My uncle had given the Da Vias more than they'd probably expected.

Les hurried to the bedrooms, then around the hearth,

searching all the different areas.

He stopped. “He isn’t here.”

“I don’t see much blood. I think they took him.”

“To Lovero?”

I nodded. “To Estella Da Via, the head of their Family.”

“We have to catch them. If we can catch them, we can save him.”

“The new plan is the same as the old. Get to Lovero, break into their house, kill them all.”

Les rubbed his eyebrows. “All right. They’ll head for the southern city gates then. They won’t be able to cross the dead plains until morning. Not unless they want to face the ghosts.”

“If we hurry, maybe we can catch them on the plains or at a monastery. Save my uncle before they reach Ravenna.”

We left Marcello’s home behind, pulling ourselves out of the tunnel and into the alley. A pink blush brushed the sky. The sun would be up soon. We’d been dead longer than I’d thought. Once it crested the horizon, the Da Vias would cross the dead plains, but the Da Vias thought we were dead. They had no reason to rush. It was our only advantage.

“We’ll have to collect the rest of our things,” I said. “And we’ll need some horses to make it to a monastery before the sun sets.”

“I’m not a great rider,” Les mumbled behind his mask.

“Well, it’s either that, or take your chances on foot.” I looked over my shoulder at Les as I turned the corner.

I slammed into something and stumbled. Les placed a

hand against my lower back, keeping me on my feet.

"Well, well, well." Lefevre and more of his men blocked the street. "I've been looking for you, Lea."

Lefevre approached and his men followed, grim expressions on their faces. None of them wore lawmen's uniforms, which meant this was personal.

"How convenient that I find you on the streets again," he said, "skulking in the dark."

I unsheathed my sword. "I don't have time to deal with your petty grievances. You missed your bounty. Now get out of our way."

I heard a noise behind us, but I couldn't risk taking my eyes off Lefevre and his men. Les looked over his shoulder, then tensed.

The men behind Lefevre shifted eagerly. Lefevre smiled, his teeth white and straight. "Oh, you're going to make time for me, little girl."

Les faced Lefevre again, cutter in hand, his expression hidden behind his new mask. "If you value your lives, you'll flee."

Lefevre laughed. His men joined in. "I've brought more men this time. And we're better armed. We won't fall for the same tricks as before."

"Last chance," Les said. I kept my eyes fixed on Lefevre, watching for the slightest movement that preceded an attack. Last time he'd let his men do the fighting. But this time he had a rapier strapped to his hip.

"I don't know where she found you"—Lefevre pointed a finger at Les—"but you'll die as easily as she. Kill them both."

Les grabbed my arm and spun us against a building. Our backs pressed against the rough stonework, my sword held before me.

Where we'd stood floated an angry ghost. It was small, the remnants of a child taken from this life too young. It could have been my nephew, Emile. Its ghostly form glowed with internal light as it stared at the men in front of it, a forlorn expression on its face.

It had been behind us the whole time, too small for Lefevre and his men to spot behind our bodies. Les had only seen it when he'd checked our backs. Now it blinked its dead eyes, shrieked loudly, and charged the group of men, its childlike innocence gone.

The men screamed in terror. Consumed by panic, they pushed and pulled, trampling one another in their haste.

Lefevre, originally in the front of the pack, now found himself at the crowded rear. No matter how much he bellowed for his men to make way, they didn't listen.

The ghost reached Lefevre, grabbing his wrist with its transparent hands. He froze. His men scrambled away, fleeing to safety.

The ghost pulled on Lefevre's wrist, and the crooked lawman's entire body trembled. Then Lefevre suddenly had two wrists, a flesh-and-bone one suspended before him, and a transparent one, trapped in the ghost's grip. As the ghost continued to pull, more and more of this transparent Lefevre appeared, emerging from his flesh.

Lefevre shrieked, his panic echoing off the buildings around us. He struggled but couldn't break free.

The ghost gave a final jerk, and Lefevre's spirit separated from his flesh.

Lefevre's body collapsed to the street.

The angry ghost dived at the empty body. Its form vanished inside his flesh. The body twitched, then shook. Finally it sat up, each eye blinking separately as it looked around.

Lefevre's spirit shivered in the air. He shrieked. I could feel his rage at the ghost child who'd stolen his body. I pressed myself closer to Les. He gripped my hand.

Lefevre's body rose to its feet and staggered around. It would never find coordination. It would never find speech or emotion or anything that had once made it human. It was nothing more than a shadow puppet. The ghost could not regain the life it once had, no matter how many bodies it stole from the living.

Lefevre flew at his body, trying to pull the ghost out, but he wasn't as strong as the child. It pushed him away, sending him floating toward us. His eyes widened in rage.

"You've done this to me!" he screamed, his voice an echo in the quiet night. Les twitched beside me. Soon Lefevre would lose all ability to speak.

I shook my head. "No. You've brought this on yourself."

He roared. I held my sword before me, sure he would

come for us, would try to steal our bodies as the ghost child had done to him.

To the east, a shaft of light crept over the roof of a building, illuminating the dark street. The sun had risen.

Ghost Lefevre vanished, leaving us safe once more.

Les breathed heavily beside me. My heart beat rapidly.

We pushed away from the wall, regaining our composure. The fake Lefevre stumbled around the street as it tried to gain balance, Lefevre's body shielding the ghost child from the sunlight. Undiscovered, it would stumble around like this for a few days until it would abandon Lefevre's body in search of a new one. But we were in the city. Authorities would find Lefevre's inhabited body and burn it outside the walls of the city, releasing the ghost to the dead plains.

"What should we do about that?" Les pointed at it.

I remembered the ghost child's face before it had attacked, how sad it had seemed. How unfair for one so young to spend eternity raging at the world. Surely it deserved a chance at peace, at a new life.

I walked over to Lefevre's body.

"What are you doing?" Les asked.

"Following a hunch." I pulled a Saldana coin from my pouch. I thought of Safraella in the fog of that dead place and Her kiss on my forehead—the pain and incredible heat. I remembered the coin burning in my mouth when Safraella had brought me back, remembered slipping it into Les's mouth and the breath that returned to him. The ghosts were wayward children, She'd said. Only those in Her favor could send them on their way.

The coin began to warm in my hand.

I reached false Lefevre and he faced me. His head sagged on his shoulders as he tried to control his neck. I touched his shoulder. He stilled, his eyes widening as he watched me.

"Be at peace," I said to false Lefevre. I pushed the coin into his mouth.

The ghost was ejected from the flesh. It reached out a hand, then dissipated in an explosion of mist.

Lefevre's body fell to the street.

"Did you clip it?" Les asked quietly.

"Yes." It would no longer be an angry ghost. I had sent it to meet Safraella in Her boneyard, to face Her judgment and be given a new life.

Les eyed me. I knew he was coming to terms with something. "Your conversation with Safraella must have gone much differently than mine."

I sheathed my sword and squatted beside Lefevre's body, searching through his pockets.

"Is this really a good time to rob the dead?" Les asked.

"I'm not robbing him." I pulled out the Saldana stamped coin he'd taken from the dead boy's body all those nights ago. "I'm taking back what's mine. Now let's get out of here before the decent lawmen stumble upon us with his body."

We climbed to the roofs and made our way to my safe house to prepare for the journey to Lovero.

thirty-six

ANARCHY GREETED US AT THE SOUTH GATE. CLOAKS hid our leathers, packs, and satchels stuffed with all the supplies we could carry, including the makings for the firebomb that we'd assemble later. Our masks were tucked away safely until we reached the dead plains. We'd expected to buy some horses and simply ride out of the city—now that the Da Vias had taken Marcello and fled home under the assumption they'd killed Les and me—but the gate was blocked with people milling around and lawmen interrogating the crowd. I stepped into a shadow, and Les followed.

"What's going on?" I searched the crowd for any clue to the uproar. People seemed to be gathered in groups, gossiping.

Les shook his head. "I've never seen anything like this."

An old man shuffled past, and I placed a hand on his shoulder. He turned his rheumy eyes to me.

"Excuse me, grandfather. What is the trouble? What is happening?"

He smiled a gap-toothed grin, pleased to be addressed. "Someone left the gates open, that's what!" he exclaimed. "Ghosts just walked into the city. Lots of people met their ends last night at their hands."

"Someone left the gates open at night?" Les asked, shocked. My neck prickled with dread.

"Isn't that what I said?" The old man squinted at him. "What are you, some sort of traveler? I can tell just by looking at you!"

I turned the old man away from Les, who rolled his eyes.

"Do you know what happened?"

"I saw them myself! Heard a clatter from the streets and I looked out the window. A group of them, eight or nine at least, on well-bred horses. As soon as they got the gate open, they galloped out of here like ghosts were already after them."

No, no, no! "Did you see their faces, grandfather? Did they wear masks crafted from bone?" I clutched the man's hand between mine, his thin skin soft as expensive paper.

"Well, I can't say as they were made of bone, but they definitely covered their faces. They were dressed all in black, too. I told the lawmen, but they didn't think masks were important." He spat to the side, narrowly missing Les's boot.

I released my breath in a puff as any hope we'd be able to catch the Da Vias vanished. They'd left the city when it was still night. They'd reach Lovero a day ahead of us.

“I don’t understand,” Les said. He stepped farther away from the old man. “How could the Da Vias brave the dead plains at night?”

“They had a priest with them!” The old man pointed a bent finger at Les.

“A priest?” I asked.

“Yes! The priest had a hat and a staff of light. He lifted the staff high, and it surrounded them with light as bright as the sun. No angry ghost could reach them through that.”

I felt as if I’d been punched in the gut. The strange man I’d seen at Fabricio’s and in Yvain with the Da Vias—he was a priest. But not a priest of Safraella. When Safraella said the Da Vias had left the right path, She must’ve meant they’d taken up with another god.

I took a deep breath. Les squeezed my shoulder. This changed everything. Before, I was just going to kill them, make them pay for what they’d done to my Family. Now, now there were other gods, other priests involved. What had they granted the Da Vias in exchange for turning their back on Safraella? What if the Da Vias had some sort of blessing that would interfere with my plans? “Rot that Estella,” I swore under my breath.

“Lea.” Les leaned closer to me. “The plan’s still the same. Get to Lovero. Find your uncle. Kill the Da Vias.”

I took another breath and nodded. “Thank you, grandfather,” I said to the old man. He patted my hand before he walked away.

From the center of the crowd, a whistle blew, sharp and

loud, followed by the voice of a lawman ordering the crowd to disperse. There was some grumbling and muffled protest, but for the most part the crowd went on its way.

We'd spent enough time in Yvain. I'd grown to like it—the canals, the flowers, the quiet cobblestone streets—despite my best intentions. But now it was time to return to Lovero and everything that awaited us there.

It took all my remaining coin and Les's to purchase the horses. The mare was sturdy and reliable, but the gelding was years past his prime and used every opportunity to slowly steer Les toward window boxes.

Les hadn't been lying about his horseback experience. Loverans were proud of their horses, but Yvain relied on its canals for transportation.

"Well, if we were taking boats, I might actually be of some use," Les snapped at me after I'd had enough and finally tied his horse to mine. The gelding tried to tug itself free until my mare flattened her ears and kicked at it in irritation.

The gate to the city had mostly cleared as people went about their morning errands, though a few gossipmongers hung around in small groups. We passed the city wall, the clops of our horses' hooves changing to thuds as they stepped off the cobblestones and onto the dirt road leading from the city.

We rode together quietly, lost in our own thoughts until I looked up and saw that the grasses of the dead plains had turned orange in the setting sun. Soon our path would be filled with the angry dead. And the Da Vias were still ahead of us. There was no way to catch them now. We'd have to hope that the Da Vias wouldn't kill Marcello immediately upon their arrival.

Safraella wanted me to remind the Da Vias of what it meant to serve Her. And I was happy to do it. All I'd wanted for so long was to kill them, to make them hurt like they'd hurt me. But if we couldn't get there in time to save Marcello, then what did it even matter? The Da Vias would have killed every last Saldana, even if I had been resurrected.

Brother Faraday's monastery appeared over a grassy hill as the sun touched the horizon. I kicked the horses to speed their steps, and we reached the gates before the sun fully set.

"Lea!" Brother Faraday shouted as he ran down the monastery steps. I pushed my mask to the top of my head. He clasped my hands tightly and smiled.

Behind us, other priests took our horses to the barn, Les's mount practically dragging his handler across the flagstones.

"I was worried," Faraday said to me, "when I didn't receive any letters."

"That was due to a lack of funds. I'm sorry to have caused you concern."

He turned to Les and inclined his head. "I'm Brother Faraday."

"Alessio. People call me Les."

"Alessio Saldana," I corrected, and Faraday's eyes widened.

I looked at Les. "You're going to have to get used to saying it sooner or later. And Brother Faraday, we've come for your help."

Faraday led us to a cozy room with a table and chairs. Another priest served a loaf of bread, cheese, and a carafe of cold well water. Les and I tackled the food together. Every bite of bread was so soft, like eating a cloud. The sharp, rich flavor of the cheese slid across my tongue, and the cold water from the carafe was so clean and refreshing I drank two glasses in rapid succession.

"Gods," Les said through a mouthful of bread.

"It's like tasting everything for the first time," I said.

Faraday looked at the two of us. He smiled tentatively. "I'm glad you find our meager fare so fulfilling."

I slowed my eating, savoring the flavors. "Something happened to us recently. It seems to have altered the way we experience food. I'm sure it will fade soon."

Les grumbled. "I hope we can taste some goose liver before then. Oh! Or some tender white fish baked in butter."

My mouth salivated, and I imagined seared lamb or juicy berries that popped between my teeth.

Faraday shook his head. "What happened to change your senses so?"

"We died," Les said.

"What?!" Faraday's chair scraped the floor as he scooted forward.

I sighed and set the cheese down. "It's true. We died. The Da Vias killed us."

Faraday's jaw dropped. "And She resurrected you both? *True* resurrections?"

Les shook his head. "No. She resurrected Lea. Then Lea resurrected me."

I flicked my wrist. "He makes it sound more impressive than it was. She granted me a single resurrection. I used it on him. It wasn't anything more."

"It wasn't anything more?" Faraday's voice squeaked in shock. "You were resurrected by the goddess Herself and She granted you a gift and you treat it so cavalierly?"

Faraday gulped in large breaths of air. I poured him a glass of water. He drank it quickly.

"Lea, this is a miracle you're speaking of. Nothing like this has happened in a hundred years. Not since Brother Pelleas saw Her face in a vision and walked the dead plains unmolested." He leaned forward. "Did you . . . did you see Her? Speak with Her?"

I nodded. "We spoke and I looked upon Her face. When I woke again, I found this." I slid my mask off my head and handed it to him.

Faraday ran his fingers gently across the flawless bone. He pursed his lips. "Lea, with your permission, I would like to record your experience. I've already written down what you'd told me about the coin, but I think I could write a whole tome on your life if you'd allow me."

"Brother, we have limited time here," I said. "The Da Vias have strayed to another god."

Faraday gasped. "How can that be? A Family of such

wealth and power, turning on She who has given them so much?"

"They have lost their way." I narrowed my eyes. "But I need to know what god they have turned to, to understand what we may face when we confront them. They had a priest with them who carried a staff of sunlight. It allowed them to cross the dead plains."

Faraday pushed his chair away from the table. "I'll be right back."

He ran from the room, his robe billowing behind him in his haste.

Les turned. "So. The food was amazing. Do you think other things could be amazing now that we're not dead?"

I studied his face. He grinned slowly. Heat rushed up my neck to my cheeks as we stood and reached for each other. I pushed his mask off his head to run my fingers through his hair. Les grabbed the back of my thighs and lifted me to the table. I wrapped my legs around his hips, pulling him closer to me. His fingers stroked the back of my neck. He kissed me on the jaw, trailing his lips across my skin. Nothing had ever felt quite like this before. Maybe it was the resurrection making everything more intense, like the flavors of the food. Or maybe it was simply the way my pulse raced when I looked at Les.

We both wore our leathers, their bindings tight against our bodies to protect us. I wanted to rip his leathers off, run my fingers across the smooth skin of his back, his chest.

Across the room, someone cleared his throat. Les paused, and I looked over his shoulder. Brother Faraday stood in the doorway, his eyes averted and his face red even through his dark skin. "I've found a book," he mumbled.

Les laughed and stepped away. I slid off the table and we returned to our seats. I righted my overturned glass as Faraday took a seat, pointedly not looking at me.

"Sorry," I said.

"No, it's fine. You simply . . . caught me off guard is all."

He opened the book, the leather cover banging on the table, and began to page through it. I stared at Les and he stared at me. Just the sight of him was enough to raise the heat of my blood.

"Here!" Faraday jabbed his finger to an entry on a page.

I leaned over. It was an illustration of a staff with golden beams of light radiating from a gem.

"Daedara," he said. "A god of the sun, mostly worshipped in the eastern part of the continent."

"Where the hells did they find him?" Les asked.

I shrugged.

"He was one of the six gods worshipped in Lovero before the Sapienzas took the throne," Faraday said, "but why the Da Vias have turned to him, I am unsure."

"I think I understand." I pointed at a line in the text. "Daedara is a god of fertility, also. Marcello told me Estella blamed him for not providing her with a child. But after he was banished, she remained barren. I don't think she was ever stable in her head, but I could easily see her transferring the blame to Safraella."

Faraday nodded. "It could be true, too. If Safraella could see how unfaithful Estella was, why would She bless her with a child?"

"But doesn't Daedara care that they're freely murdering people?" Les asked. "If they're not worshipping Safraella, then they're nothing more than common criminals."

Faraday examined the text closely, then shrugged. "He seems to be against the murder of children."

"Well," I said, "turning to Daedara seems to have done their Family some good. Their numbers have exploded. It seems their women barely have time to clip, so busy are they being pregnant."

Faraday leaned back. "But I don't think you need to fear anything from this priest of Daedara. Unless, like the ghosts, you fear the sunlight."

"Thank you, Brother." I inclined my head. "Should the Saldanas survive, I would welcome you into our home."

He smiled brightly and shut the book. "I may take you up on that, Sister. Truly your lives are full of adventure and intrigue!"

I grabbed my mask from the table. Les reclaimed his from the floor where I had knocked it. A tingle of regret traveled through me as I watched Les dust the cobwebs from it. He had waited so long for his mask, and I had pushed it aside as if it was a cheap trinket. Les didn't seem to mind, though.

He caught my eyes and winked before he pushed his mask to the top of his head.

"Now we must be off."

"But Sister, the sun has set and the angry ghosts wander the plains."

I clutched my key. There would be no more delays, not while Marcello still lived and I was so close to my vengeance.

I slipped my mask down my face. "If the lowly Brother Pelleas could cross the plains one hundred years ago, then surely a favored clipper can do it as well."

thirty-seven

WE GAVE THE MONASTERY LES'S HORSE. THEY LOOKED dubiously at the ill-tempered animal, but I reminded them they could sell him for the coin.

Butters had been kept well fed and maintained in my absence. He nickered when he saw me. We saddled both horses and led them to the gate, where the usual mob of ghosts had gathered.

"Are you sure about this?" Les asked. Butters tossed his head and stomped his hoof, either raring to go or trying to impress Les's mare. She stood quietly, her ears flicking at Butters.

"No." I stared at the ghosts. "But if it works, we can make up time."

The priests swung the gates open. The cacophony from the ghosts rose in volume. Even with the gates open, though, they could not cross onto holy ground. They pressed themselves against the invisible barrier, trying to reach us.

"Are you ready?" I asked him.

"What's the worst that can happen?"

"Your soul could be pulled from your body and you could wander the dead plains for a thousand years?"

"And that's why I keep you around, *kalla* Lea. For your sense of humor."

Butters huffed as we walked toward the dead plains. The moon was barely a sliver and already high in the sky. If this worked, we could push our horses and reach Lovero before the sun rose.

The ghosts stretched toward me, screaming. I urged Butters forward. The ghosts swarmed me, trying to be the first to claim my body, but when they touched me, they were driven back by a spark and flash of light, just as they'd been when I'd been attacked on the dead plains before.

"Les!" I glanced over my shoulder. He hesitated by the entrance. Then he shook his head and kicked his horse into the fray of ghosts. Miraculously, the ghosts swayed away. They could not touch him without being forced aside. We had looked upon the face of Safraella, and the ghosts could not rip our spirits from us.

Les directed his horse beside Butters. His chest heaved with heavy breaths. "I can't believe that worked."

"Let's go!" I kicked Butters, who leaped into a gallop, happy to be given the chance to run once more.

Les gasped as his mare followed. He had a tight grip on the her mane but didn't jerk her head. We trailed a stream of angry ghosts. The dead did not tire and did not forget their rage.

I slowed Butters a little so Les could catch up and ride beside me.

"Will we go straight into Ravenna?" he yelled over the sound of the horses' hooves.

"No." I shook my head. "They'll notice anyone who enters the city this late. We'll enter Lovero through Lilyan, then make our way to Ravenna."

We urged the horses faster, trying to outrace the ghosts. Any that managed to reach us were deflected by an invisible barrier that surrounded us like the monastery, hurling them far away into the plains with a flash of light. It was as if we were holy ground. They tried to throw rocks at us, branches, anything they could find, but everything was deflected away. Our protection seemed to make them even angrier, if that was possible. Maybe they could sense how Safraella had touched us, had given us a new life while they were trapped with their rage and grief. Maybe they hated us even more because of it.

Perhaps I'd possess this protection for the rest of my life. Though I supposed it could be stripped from me once I did Safraella's bidding. If it remained, I could travel anywhere by land, see the world and not have to worry about the ghosts. It was a heady realization, that I could be so free if I chose. If I survived.

We crested a hill, the horses' breaths blowing heavily. Before us spread the river and the many-colored lights of Lovero.

I slowed Butters, allowing him to catch his breath. The

ghosts circled, but none tried to touch us. Their screams, though, were the loudest I'd ever heard. "Is that Lovero?" Les asked.

"Yes." I pointed to the west. "Where the lights are the brightest, that's Ravenna, my city." I shifted my hand more to the east. "That's Lilyan."

"Will the Da Vias be watching the gate?"

"No. It's outside their territory. Unless things have changed since I've been gone. Lilyan belongs to the Caffarellis."

"Won't *they* see us?"

I shrugged. It was a possibility. But we had to cross into the country somehow, and the only three cities that bordered the dead plains were Ravenna, Lilyan, and Genoni. "I'd rather take my chances with the Caffarellis than the Addamos or Da Vias. We'll wait for daylight to slip into Ravenna. The Da Vias will be sleeping and won't notice."

I nudged Butters forward, and the ghosts chased us. The river wasn't far, and once we crossed the crooked bridge, they wouldn't be able to follow. Then it wouldn't matter how loud they wanted to be.

"It's beautiful." Les stared at the lights of my home. "I've never seen anything like it."

"Yes. It does have a kind of frantic, dark splendor. I've missed it. But it's funny—I thought I'd never get used to Yvain. The quiet way of the people and the nights, the stink of the canals, the flowers everywhere. But in Yvain, the stars are brighter."

"Also, Yvain has dangerously handsome clippers, which I think Ravenna was missing."

"Dangerously handsome?"

He held his head high and gestured to his face, his back straight.

"You're wearing your mask," I pointed out.

"Ah. Yes. But a clipper girl once told me the mask was the most beautiful face of all."

I laughed. The ghosts screeched and cried.

We reached the crooked bridge, and the horses' hooves clopped loudly against the stone. The ghosts tried to follow, but they couldn't turn when the bridge kinked to the left. They were stuck as we crossed the rest of the river.

They shrieked, more enraged now that we were escaping them. There were so many of them. I'd never seen such a congregation before. They raced along the riverbank, bellowing wordlessly as we rode farther away.

"I can't say I'll miss them," Les said.

An explosion of noise erupted behind us: cracks and booms. Both horses spooked and jumped. Only my quick reflexes prevented Butters from bolting out from under me.

We turned in our saddles to face where we'd come from. Across the river, the ghosts had found a large oak tree on the bank. They had combined their powers to topple it across the river, its trunk and branches creating another, straighter bridge.

The ghosts rushed toward us.

"The hells with this!" I gave Butters his head. He sprinted

for the city, Les and his mare close behind. The ghosts roared as they rushed to catch us before we lost them.

"They'll get inside the city!" Les shouted.

Before us, the old gates to Lilyan rested crookedly against the crumbling city walls, rusted off their hinges. The gates hadn't been closed since Costanzo Sapienza took the throne and declared Safraella patron to all of Lovero.

We dashed into the city, the horses' hooves clattering loudly on the flagstones. I pulled Butters to a halt. His legs collected beneath him as he slid across the flagstones. The streets were filled with people. They shouted and pressed themselves against the buildings, trying to avoid the stallion before he crashed into them.

Finally Butters halted and I twisted in my saddle, looking for Les. He and his mare stood quietly, watching the city gates.

The ghosts tried to enter, but just as at the monastery, an invisible barrier protected the city. All of Lovero behind the old, crumbled walls was holy ground to them. As long as the king and his subjects continued to worship Safraella, She continued to protect them from the angry ghosts.

A few of the common shrieked and ran away from the ghosts as they pressed against the barrier.

"How did they get across the river?" A man peered at the ghosts from a safe distance.

"They knocked down a tree." I slid off Butters. "They used it as a straight bridge."

The man faced me. He wore a garish mask, covered in

feathers and gems. I glanced at the others and they, too, wore masks and beads and bright-colored clothing. The scent of alcohol wafted off them.

"Good clipper." The man bowed courteously to me. "You grace us with your presence."

"In the morning," I said, "you will need to speak to your city officials and have someone remove the tree before more ghosts discover how to cross." The ghosts couldn't enter the cities, but they could certainly snare anyone too drunk to notice where the walls ended.

I led Butters out of the crowd. Les followed. We'd already attracted enough attention. Any chance of sneaking into Lovero had been destroyed.

My home. I took a deep breath. I'd returned. I was so close now, so close to avenging my Family.

My chest tightened in the familiar ache I'd grown accustomed to since my Family's death. Since my terrible mistakes.

Tears welled in my eyes. We weren't even in Ravenna and yet everything reminded me of them. A food vendor selling Jesep's favorite pastries dusted with sugar. A puppet troupe that would have made Emile squeal with laughter. The smell of the oil, the same kind we'd used to light our house. I could feel my Family in the laughter and joy of the common. I could feel them in the very air.

Les walked beside me, the horses trailing. He glanced at the people we passed. Everyone bowed to us. "The people aren't afraid of you."

I cleared my throat. "Oh, they're afraid. But their respect

is greater. Many of them dream of becoming favorable in the eyes of a Family, which would give them access to wealth and power and connections, not to mention an advantageous rebirth. Most of them will overlook their fear to take that chance."

"And the masks?" He stared at a particularly loud mask on a woman who laughed uproariously at the man whose arm she clutched.

"Susten Day," I said.

Susten Day was a holiday celebrating Safraella. It used to be my favorite holiday. The parties and food and dancing would last all night. And because everyone wore masks, I could be anyone I wanted. Now I knew that was the dream of a child. Safraella had offered me a chance to be someone else. I'd chosen to be me.

We broke out of the cramped street and reached an intersection, with a fountain and food vendors and entertainers. Fire breathers walked on stilts, their skin painted with gold and silver. Musicians played, their notes clashing with the songs people roared drunkenly off-key. The smells of the food vendors competed with the body odors of so many people. I wrinkled my nose. Had it always been like this? So boisterous and loud? It felt different, somehow. I'd always loved the noise and excitement, especially on Susten Day. Now it filled my senses, threatened to overwhelm me. It made me want to be somewhere else.

A group of children ran past, screaming and laughing behind their masks. A girl tripped and fell to the street before

Les. He helped her up.

"Thank you," she said, then spied his mask. She backed away. When she reached a wall, she bowed hastily, then scampered after her friends.

He watched her go. "I've never had children frightened of me before."

"That's only because the children of Yvain were in their beds when you were about your dark work. I promise you they would have run from you there had they seen you."

We made our way through the square, people parting around our horses, many shouting glad welcomes when they saw our masks. We broke through to the other side and found a quieter, less crowded street.

I sighed. "We're attracting too much attention. We need to find a stable to board the horses and get out of Lilyan before the Caffarellis find us."

A man in black leathers stepped out of an alley, clawed guards over his knuckles, the left side of his bone mask adorned with purple flames.

"Oh, Sister," he said. "We already have."

thirty-eight

PURPLE FLAMES. CAFFARELLI COLORS. THE MASK TICKled my memory. I knew who this was, if I could only remember.

Three more clippers stepped from the shadows, each bone mask decorated with purple patterns that appeared almost black in the darkness.

Four of them. Fighting them would create a scene, and our only advantage lay in the fact that the Da Vias thought us dead.

"Brother." I inclined my head respectfully. "We apologize for the intrusion into your territory. If you let us pass, we will leave and pay any restitution you deem necessary."

We had to take this carefully. The Da Vias were the first Family now, and the other Families could easily be under their sway.

But my mother had been born a Caffarelli, so maybe that would be enough to buy us passage, if nothing more.

The clipper in front tapped his mask with the long metal claws of his left hand.

"What is it you're doing in Lilyan? Surely there are celebrations in your own territory?"

"We came from outside the walls."

He sighed. "Now you are lying."

"Brother," one hissed to the clipper in front. Their leader leaned away without taking his eyes off us. When the whispers stopped, the leader examined us anew.

"Come closer." He gestured with his claws. "Into the light."

Les glanced at me. Whether we were standing in the shadows made no difference if it came to a fight. I slid into the beam cast by a lantern hanging from a balcony above us.

Les followed and we stood beside each other, one hand holding the reins of our horses, the other concealing a weapon behind us.

The leader shifted his weight, some of his tension receding. "We'd heard a Saldana survived, but here stand two of you. And I do not recognize your masks."

I slid the mask to the top of my head. "The mask is new."

He searched my face. "Lea Saldana, then."

He pushed the hood of his cloak off, displaying messy, short, white-blond hair. He slid his own mask up.

He had a narrow face, with a nose that had been broken too many times. But he had laugh lines around his mouth, and his eyes looked relaxed and easy. He appeared to be a few years older than Les.

"Brando Caffarelli," I said.

He gestured at himself. "Brand, cousin. My father was . . . grieved to hear of the loss of your mother."

Traces of my mother showed in his appearance, especially in his hair color. I didn't know much about my mother's brother. I hardly knew anything about the Family she'd left behind when she married my father. She'd made it clear that the moment she became pregnant with Rafeo was the moment she gave up being a Caffarelli and became a Saldana.

Beside me Les pushed his mask to his head.

"Though," Brand continued, "now with you before me, perhaps I can bring him glad tidings?"

I shook my head. "We are all that are left."

He looked to Les. "I don't recognize you. You have the dark hair of some of the Saldanas but not much else. Certainly not their coloring or their stature." Brand gestured at my diminutive height, and then flashed me a smile to show he meant no insult. I'd been short my whole life. So had my brothers and my father. I was used to the teasing remarks.

"Alessio Saldana," Les introduced himself. A flush of pride spread across my cheeks and trailed down my throat.

Brand nodded and didn't question any further. If Les said he was a Saldana and had the mask to prove it, the other Families would take it as truth.

Brand spoke inaudibly to the three Caffarellis behind him. They disappeared into the shadows of the streets.

"So." He gestured for us to follow him into a quieter

square, with a garden and benches. He took a seat and we tied the horses to a pergola, letting them graze at the grasses of the garden, before sitting across from him. "Are you here to deal with the Da Vias?"

I folded my hands in my lap. "Yes. They've turned to another god. They're false worshippers."

Brand hissed between his teeth. "How do you know this? That is a grave accusation."

"Witnesses in Yvain. And I've seen some minor blasphemies from a few of them. I'd thought they were just being . . ."

"Cocky bastards?" Brand supplied.

"Yes. But they crossed the dead plains at night with the help of a priest of Daedara."

Brand frowned.

"You could help us," Les said.

I made a small noise in the back of my throat, and Les glanced at me. Help. Help killing the Da Vias. It was what I'd always needed, always wanted. It was why I had traveled to Yvain to find my uncle. I had thought the Caffarellis would refuse me, would side with the Da Vias, who had all the power now that the Saldanas were dead, but maybe I'd been wrong. Maybe they would have helped me all along, if I'd only put my pride aside and asked.

Brand leaned forward with his elbows on his knees, fingers interweaving together. "I can't see my father agreeing to that."

Les frowned. "Why not? The Da Vias are traitors to their

masks. They lessen the status of all clippers."

Brand waved a hand. "It's not that I don't believe you." He rubbed a knuckle down the bridge of his nose. "My father is a cautious man. He will not take a stance against the Da Vias, not with their numbers and their wealth."

"Not even as they worship another god?" Les asked.

Brand shrugged. "He would take a stand against that. I think many of the Families would, especially if it meant destroying the Da Vias once and for all. And certainly the Sapienzas would order us to if they discovered the truth about them. But no one, including my own Family, will take a step against the Da Vias without hard proof. Not with the power they wield. Your word is not enough, cousin."

My hopes deflated. He was right. Even Costanzo Sapienza, the king, for all that he loved my father, wouldn't take a stand against the Da Vias unless he had proof before him that they were traitors to our way of life.

What they'd done was so dangerous and stupid. All those people the Da Vias had clipped, supposedly in the name of Safraella, had been during their secret worship of Daedara. Many now probably wandered the dead plains as ghosts. And since the Da Vias had been hiding such treachery, it would be easy for the common to believe it of the rest of the Families. Or the king. The common would turn on us, believing us to be indiscriminate killers. It would create pandemonium.

The Da Vias played with fire and didn't seem to care if the whole country burned for it.

"If you could get the Bartolomeos and Accursos to agree

to an attack," Brand said, "I could probably convince my father then."

"There's no time to speak to anyone else," I said, "even if they agreed to meet with me. The Saldanas don't share blood with them."

"My father won't agree to just us, the fourth Family, alone."

"Fifth Family," I corrected.

Brand smiled sadly. "Fourth, cousin. We both know the Saldanas will never be the first Family again. At least, not in our lifetimes."

He was right, of course. But to be confronted so firmly with the loss of our status was to feel the pain of the loss of my Family again. Everything my Family had worked toward for generations, all the death and war faced by my father to put Costanzo Sapienza on the throne, ruined by the Da Vias.

"Maybe . . ." Brand hesitated. "Maybe you should let your Family go. You could join another Family. You could marry into the Caffarellis. We would be happy to have you. *I* would still be happy to have you."

Beside me, Les bent closer. He stared at Brand with hard eyes.

Brand leaned away, hands held before him. "I meant no disrespect. I didn't realize you had claims on each other. Adoption, then. My father would take both of you."

It would be so easy, to give it all up, to join Brand and his Family knowing that, truthfully, they were my blood family as well. To not have to be in charge, be the head of a Family, even though there were only two of us. Three if we saved Marcello.

But I'd stood before Safraella, felt the divine pain when She'd kissed me back to life. Whoever said death wouldn't hurt? She'd asked me. And truly, whoever said life was supposed to be free of suffering?

If I gave up now, it would be to turn my back on Her gift of resurrection. To turn my back on Her. I would be no better than the Da Vias.

I shook my head. "No. I'm sorry. The offer is gracious, but we cannot accept. We must do this thing."

From a dark alley, a Caffarelli clipper appeared. He leaned over and mumbled something to Brand before disappearing into the busy streets once more.

Brand stood. "My father says you are welcome to board your horses and to seek shelter in our territory through the end of Susten Day, tomorrow night. After that, he wants you gone."

Les scowled, but I nodded. We didn't need more time.

We'd make our move against the Da Vias tomorrow.

thirty-nine

*BRAND SHOWED US TO AN INN LOYAL TO THE CAF-*farellis that would let us stay for free.

The simple room had two small beds, a wash table, and a desk. We hadn't rested since the fight with the Da Vias, and until I saw the beds, it hadn't occurred to me I should be tired.

"We've been going without stop for over a full day." Les dropped his pack to the floor. "And I just now realized I'm exhausted."

"I think it was like with the food." I set my mask aside and unbuckled my leathers. They stank. I could clean them before we confronted the Da Vias. No. It didn't matter if my leathers were soaked in blood and sweat. There was more to come.

"It was as though, for a moment, we were brand-new." Les sat on his bed to pull off his boots and remove his own leathers, stripping down to his linen pants. "I'm kind of sad it's gone."

"Nothing lasts forever," I murmured, then dimmed the oil lamp on the table. The sun would be up in an hour or two, and I wanted some sleep before we left for Ravenna to find the Da Vias.

I climbed into the small bed, its wooden frame creaking loudly under my weight. The rushes in the mattress were lumpy, but they smelled clean, and the sheets felt smooth and soft against my skin. I lay on my side, facing the wall and its peeling plaster.

The last time I'd gotten any sleep had been in the jail cell in Yvain. Before that, the couch in Marcello and Les's home. And being dead, if that counted. I'd probably never again have a safe home or regular sleep. All I could do was count the beautiful things remaining in my life: the clean sheets on this rented bed, that the Caffarellis hadn't tried to kill us on sight, the cool night air on my skin.

The floor creaked. Chill air brushed across my back as Les lifted the covers and slid in behind me. I made room for him. He pulled me close, and the warmth from his skin soaked into me. Somehow, he'd read my mind, had understood my desire even though I hadn't spoken it aloud.

He brushed the hair from my face and kissed me on the neck beneath my ear. His mother's pendant pressed against my back.

"Les," I said. He kissed my neck again, his hands sliding around my ribs to my stomach. "My brother's still alive."

His hands paused. "Rafeo?"

I shook my head. "My other brother, Matteo. I heard

Claudia say it in the fight. After they . . . after Val killed you."

He breathed quietly behind me. "What does that mean?"

My throat tightened. I shrugged. "I don't know. I think it means he's a Da Via now. I think I'll have to kill him."

Les sucked in a breath.

"What is it?" I asked.

"It's . . . nothing."

He was keeping something from me, something he didn't want to discuss. But we were both in this together now, our fates intertwined when She'd resurrected us.

"He's not my brother anymore, anyway, if he's a Da Via."

"He's still your blood, Lea."

"No. The bonds of Family are stronger than the bonds of family. That's the way it's always been. That's why my mother turned her back on the Caffarellis when she married my father. It has to be that way, or no Family could ever trust another enough to arrange a marriage. And Matteo was always a stickler for rules and tradition."

"Hmm." Les trailed his lips to my shoulders, his hand slipping the strap of my camisole down my arm before he slid around to my stomach again. I placed my hand over his and guided him lower.

"Lea," he murmured against my flesh, "are we going to survive tomorrow?"

My skin fluttered beneath his fingers, and heat spread across my body before journeying higher to meet the heat of his lips.

“No,” I answered, my voice breathy. “No.”

He nodded, his loose hair stroking my shoulders. He trailed his other hand across my back. The whisper of my camisole as it slipped across my skin was loud in the still room. His fingers hesitated, brushing lightly below my shoulder blades. I shivered.

“Lea . . . ,” he said, his voice no longer soft, but questioning. He removed his hands. “What is this?”

“What?” I twisted my neck.

He held me in place and ran his fingers over the same spot on my back. “You have a mark here.” He pressed his fingers against my skin.

The warmth that had built in my body vanished. I shouldn’t have a mark. . . .

“Was this where you were stabbed?” he asked.

I rolled over to face him. I moved his arm and pendant and examined his chest. There, where Val had driven his sword through Les’s body, was a white mark.

“You have one too,” I said.

I traced it. Shaped a bit like a starburst, it was smooth, completely unlike a scar. More like a discoloration of his skin.

He trembled, and I snatched my hand away. “Does it hurt?”

He captured my fingers and brought them to his lips. “No. Just a mark to remember that night by.”

He leaned over and kissed my shoulder, my collarbone.

I ran my hands across the skin of his chest. “I don’t

think I'll ever forget," I said.

His lips pushed against mine and he rolled on top of me, his weight pressing down as he continued to kiss me deeply, fervently. I returned the kisses, my hands sliding across his back, his muscles, his skin, imprinting the feel of him on my fingers.

If I died tomorrow, at least I had one last beautiful thing remaining in my life.

Fabricio's looked dull in the early evening light. The restaurant opened once the sun set, since most of their clientele were those who spent their daylight hours in bed.

The restaurant was as far north as the city allowed, pressed against the crumbled city walls. I imagined the ghosts pushed against Fabricio's after sunset, trying to reach me. Les and I hid in a shadowed alley, Les with the firebomb and extra materials in a satchel strapped to his back. I watched the front of the restaurant until he started to fidget.

"No one's come in or out," he said. "At some point we're just going to have to take a stab at it and see if it bleeds."

I tapped my mask and sighed. He was right, though I wished for more certainty about our task. My plan consisted of finding the Da Vias' home, saving Marcello, and killing them all. The how of it still eluded me other than *use the firebomb to set the place on fire.*

Whatever we decided, we needed to strike soon. It had taken more time than planned to make the firebombs this morning and the longer we took now, the less chance we'd find Marcello alive. Most of the Da Vias would be asleep until dark. Once the sun set, we would encounter more resistance.

I waited until a street sweeper passed by before I dashed out of the alley toward Fabricio's. Les followed quickly behind, and we tucked ourselves against the south side of the building.

Les whistled like a bird. He gestured at a window and mimed breaking it. I nodded and checked the street. No one had noticed us.

The clinking of shattered glass erupted behind me.

Les knocked the broken panes out of the sill, then climbed through. I followed, and we found ourselves in the dim dining room of Fabricio's.

The tables and chairs had been cleaned and perfectly arranged. The empty room seemed a dead place.

"Now what?" Les whispered.

"There can't be a secret entrance in the dining room," I whispered. "Too many witnesses to see them coming and going. Let's try the kitchen."

We walked through the maze of tables and chairs, careful to make as little noise as possible. Once we reached the kitchen, we searched the space, but there weren't any obvious trapdoors or signs pointing to where the Da Vias lived.

I tapped my mask, thinking.

"Over here." Les leaned across a barrel of wine.

I scurried over. Behind the barrel was a small door in the northern wall, hidden from sight.

Les rapped a knuckle on the barrel, and it echoed back. "I think it's fake."

Together we pushed on the wine barrel. It swung easily away from the wall, installed on hinges.

We stared at the hidden door. "It might be nothing," Les suggested.

"If it was nothing, they wouldn't hide it behind a fake barrel." I took a deep breath, then pushed the latch on the door. It swung outward, the hinges well-oiled and quiet.

I slipped through the door and found myself outside once more, in a tiny, hidden courtyard.

In front of me lay a crumbled section of the city wall, a gap open to the dead plains stretching behind it and the river glowing gold beneath the quickly setting sun.

To the right was the corner of Fabricio's, pressing up against the city wall, but to the left was another door. A door that led into the manor house next to Fabricio's. It was the only way to go, unless I wanted to cross the crumbled city wall and enter the dead plains, or go back into the restaurant. The courtyard led directly to the dead plains, the Da Vias' own secret entrance. They didn't even have to enter the city to get to their home from the dead plains.

Les squeezed himself out of Fabricio's. I stretched my neck and looked up at the four-story monstrosity of a house that towered over us. Everything about it spoke of the richest of inhabitants. I shook my head.

"What is it?" Les peered past the gap in the city wall to the dead plains.

“It’s only . . . of course the Da Vias live in a giant mansion, displaying their riches for all to see. I don’t know why I ever assumed they’d have tunnels like we did. They’re too much in love with themselves to think of safety.”

“To be fair, the tunnels didn’t save your Family. Or my master.”

I nodded. “You’re right. Come on.”

The door to the manor was unlocked, and I pushed it open quietly. Before us extended a hall bathed in darkness. Les pulled out his cutter and held it loosely beside him. I left my sword on my hip, but selected a stiletto. I was finally here to avenge my Family. To end my guilt and shame.

We slipped into the dark hallway, letting our eyes adjust. Les reached behind him to shut the door and I grabbed his arm.

“Leave it open,” I said.

“Why? If someone comes across it, won’t it make them suspicious?”

I glanced out the door and past the broken wall to the dead plains. “It’s my backup plan.”

We walked quietly down the carpeted hall. There were no rooms or doors, only a straight path that led to a set of stairs and another door.

The stairs were solidly built and didn’t creak as we climbed them. At the door I glanced at Les. He tightened his grip on his cutter and gave a quick nod.

I slid Marcello’s key into the lock and turned. It clicked. I pushed the door open, and light spilled over us.

We’d entered the Da Vias’ home.

forty

THE INSIDE OF THEIR HOUSE WAS AS LAVISHLY DECO-rated as I would have expected of the Da Vias. Rich tapestries hung on the walls, as did painted portraits of Family members throughout the ages. Les and I walked across the thick carpet. I should've been watching our path, listening for people, but I couldn't help but stop and stare at a portrait of Val. He looked so stern in the painting; the artist had failed to capture his smirk of arrogance.

"Lea," Les hissed. I abandoned the portrait to follow him.

The hall opened to a large grand room, the floor tiled in marble, columns supporting the ceiling that soared above our heads. I'd been to balls at the palace that didn't have rooms as decadent as this one.

There was another door across the room from us. I felt exposed, stepping into the giant, open room, but we had to keep going.

We scurried across the room, keeping our footfalls light

and searching the space around us. We reached the door and paused only a moment before we opened it and left the grand room behind.

Another hallway. This one had doors set in the walls. We stood before the first one, made of heavy oak.

The mark on my back twinged.

The door could have led anywhere, to a kitchen, a bedroom, another grand room. We could open the door and find it packed with Da Vias. But it was on the north side of the building, which was pressed up against the city wall outside.

"Do we open it?" Les asked.

We needed to stick with the plan. To find Marcello and then to burn the whole place down with the firebomb. Our time was limited, and if it ran out, I would have to make decisions I didn't want to make.

But there was something about this door. Even if it was simply a bedroom, maybe we could find someone still sleeping and convince them to tell us Marcello's location. It could be worth the delay.

I nodded. Les turned the door handle. My heart thudded in my chest and everything seemed too silent, too still. The door swung open.

It led to a bedroom, dark and empty.

There was no reason to explore it, to go inside and see what we could find. None. But my hand twitched. I crossed the threshold, slipping into the dim room.

There was nothing in it, only a canopied bed, unoccupied

and rumpled. I faced Les and shrugged. Maybe my instincts had been wrong.

A figure launched out of the shadows, tackling me before I could bring my stiletto up. I was slammed to the floor. Hands scrabbled for my neck. Fingers dug into my throat, choking me. I bucked, trying to break free of him. Another shadow raced into the room. Les.

My attacker rolled off, dodging the slice Les had aimed for his head. I rolled toward Les and got to my feet, coughing.

"Are you all right?" Les kept his eyes on the Da Via, who circled us in the shadows.

I nodded and unsheathed my sword. Sloppy of us, to think the room was vacant. But if my attacker was armed, he would have pulled a weapon by now. It was two against one, and we were prepared for a fight.

I nudged Les, and we sprang at him together. Les swung left. I dashed right.

The Da Via swiveled his head and made a quick decision. He lashed out at Les with a bare foot, connecting with his thigh. It wasn't enough to do more than bruise, but it caused Les to lose his footing. He stumbled, missed his swing.

The attacker turned toward me. I lunged, sword in my right hand, stiletto in my left. He dodged and grabbed my left wrist, squeezing my tendons. I jerked him forward, trying to free my hand. We stumbled into the light spilling from the hallway.

The Da Via was shirtless, dressed only in a pair of sleep

pants. His sandy blond hair lay disheveled about his head. I gasped. Matteo.

My hesitation cost me. He ripped the stiletto from my fingers, flipping it around and brandishing it before him.

Les circled back to me.

"Come on then!" Matteo snarled.

I stepped away, breathing heavily. I pushed my mask to the top of my head. Matteo stared at me for a moment, his expression of rage slowly replaced by astonishment.

"Lea." He lowered his weapon slightly.

"Surprised to see me?" My heart pounded in my chest, and not from the fight. I'd known he was alive. I'd *known* it. But I'd hoped I wouldn't have to face him. I'd thought Safraella had been urging me into this room, but maybe I'd been wrong. Maybe it had been a warning instead.

Matteo swallowed loudly. "You're supposed to be dead."

I pulled my mask down so he couldn't see my emotions flashing across my face. "You're supposed to be dead, too. In our house, burned like the rest of our Family."

He tightened his jaw. "Claudia told me you died in Yvain."

"She wasn't wrong. And which Da Via told you about the rest of our Family? Was it Nik? Or Val? Did they tell you how our mother died? Our father? Jesep?"

He narrowed his eyes and took a step back.

"You betrayed us!" I yelled. "Rafeo died in my arms because of you."

"Don't talk to me about Rafeo. I loved him, too."

"I loved him best! Where were you that night? Were you with them, or were you with us?" Beside me, Les dropped his free arm to his belt. I focused on Matteo.

"I was with them," Matteo answered. "I've loved Claudia for years in secret. Years. But Mother and Father wouldn't agree to any sort of union between us and the Da Vias. So I remained discreet. Much like you with Val." He sneered at me, and though there had never been much love lost between Matteo and me, his anger and bitterness poured through me like sour poison.

"When Claudia told me she was pregnant," he said, "and offered me a place beside her, I knew where I belonged. You damn well know Family comes before family, and I was a Da Via as of the night of the fire. It was a test for me. It was prove I was one of them or die. So I told them how to traverse the tunnel, and they used the key you so helpfully provided to get inside. It wasn't just me, dear sister, who betrayed our Family."

His words were another knife wound, this time in the heart. I couldn't catch my breath. My ribs pressed tightly against my lungs, and I struggled to make them obey, but they wouldn't. Ever since the night of the fire, I'd carried the blame of my Family's death. I'd given the Da Vias the means to reach my Family. But it hadn't been only me.

It had been Matteo who had killed us. My brother who had seen his Family murdered.

"You have a new mask," Matteo said. He glanced at Les. "And a new Saldana. Though judgment has yet to be made on whether he'll measure up to the reputation."

I raised my sword. A gust of cold flowed through me, as if my blood had been replaced by a chill wind. "He's more of a Saldana than you ever were."

Matteo snarled and twisted his wrist. I recognized the move. I pulled my sword back, prepared to defend myself, when something cut through the air, connecting with Matteo's neck.

A knife protruded from his throat. Blood poured down his chest as he stared at me in utter shock.

I looked at Les, his hand held before him from when he'd released the knife.

I couldn't move. I couldn't do anything but stare at my brother. Matteo gurgled and dropped the stiletto. He grasped the hilt of the knife, pulling it from his throat.

Blood poured everywhere. He took a step toward me. Another. He fell. I dropped beside him, pushing the mask from my face.

"Matteo." I pressed my hands to his throat, his warm blood spilling over my fingers. There was nowhere I could put them to stop the bleeding. I'd been here before. There was nothing I could do.

Matteo coughed up blood. He blinked once, twice, and then his eyes went dark.

I groaned, pulling my fingers away. I stared at them. The life's blood of both my brothers had coated my hands. I'd never be clean of it.

"Lea." Les spoke. I struggled to my feet, my hands leaving

bloody prints in the pale carpet beside Matteo's body.

"You killed my brother," I said to him.

He handed me a shirt that had been resting over a chair. I took it from him, but I wasn't sure what to do with it. Les stepped closer and clasped my hands in his. He used the shirt to clean the blood from me.

"I had to," Les said.

"Why?"

"Because She asked it of me. She told me that I couldn't let you kill your family, your blood. That I had to spare you that."

I blinked as he scrubbed at my hands. Safraella had granted me that mercy, even though Matteo was a Da Via now. And She'd sent me here to kill the Da Vias, when She'd told me to return them to Her.

"Lea?" Les asked quietly, pushing his mask up.

I sank against Les. He wrapped his arms around me, and I held tight to him as thoughts tumbled through my head.

"It's all right," Les said. "It'll be all right."

I nodded against him, my eyes jumping down to Matteo's body before they flicked away. Behind Les, tucked in a corner of the room, stood another door.

I pulled away. "There's a door. . . ."

He turned. I walked to it. The knob twisted easily in my hand.

Les dropped his hand to his belt. "We're running out of time, and we don't know what's in there."

I pushed the door open.

It was another bedroom. No, not a bedroom, a nursery. A crib stood to the side, and on another wall was a child's bed.

My arms shook. I clutched them to my chest. I stepped to the bed. A child lay in it, asleep. His cheeks were flushed with warmth, his black, curly hair resting against his face.

Emile.

forty-one

I FELL TO MY KNEES BESIDE HIS BED.

Les ran to me, but I focused on Emile. I brushed a lock of hair behind his ear, and he stirred in his sleep.

"Lea?" Les asked.

"It's Emile," I whispered. "My nephew. Rafeo's son. They didn't kill him. They took him."

I stood and watched him sleep, his breaths coming easily, his fist clenched beside his face.

"They took him," I said. "To make him a Da Via, to make sure he never remembered being a Saldana."

I approached the crib. Inside slept an infant girl, a blond thatch of hair crowning her head. Claudia and Matteo's child. I scanned my memory for her name. Allegra.

I should have hated her. She was a Da Via and the daughter of a brother who had betrayed us all. But I didn't. She was so beautiful.

"Lea . . . ," Les started. "What should we do?"

I stepped away. "We're wasting too much time. We need to keep going or we won't have time to set the firebombs."

"But surely this changes everything?"

"Does it?" I tugged on my hair.

"Wait." Les grabbed my shoulders and turned me to face him. "I know you say that Family comes before family, but I don't believe that. I think family"—he gestured to Emile on the bed—"should come first. And I also believe that family is what you make of it."

His words sank into me, twisting around my memory of what Safraella had said to me before the resurrection. She'd brought me back, allowed me to resurrect Les in order to kill the Da Vias. But She was a goddess of death. If She wanted them, did she really need me to deliver them?

"I don't know what to do," I whispered.

"Lea, you're the best thing in my life, and however long we have left here, I want to spend it with you. I will follow you no matter what you decide. But do you really want to give up what remains of your family just to make the Da Vias pay? If we only have time to save Marcello and the children or carry out your murders, which would your Family pick? Which would Rafeo pick?"

I sagged and Les wrapped his arms around me, pulling me close to him.

When Safraella had given me a resurrection, I'd thought about choosing Rafeo. I'd thought about bringing him back. But it would have been a shallow gift, to return him to a life where his son was dead. Nevertheless here slept Emile, alive and whole, and I couldn't leave him here, couldn't leave him in the hands of the people who'd murdered his father.

"His son," I answered.

Family over family, She'd said to me. But maybe She'd meant the opposite. Maybe sometimes murder *wasn't* the answer.

Maybe this time I could choose to save a life instead.

I pulled away from Les and wiped my eyes under my mask. I'd spent so long planning to kill the Da Vias for murdering my Family. But they hadn't killed all of us. This time I could choose family over Family. Vengeance didn't have to be everything.

And maybe vengeance wasn't as important as redemption.

"What should we do with that?" Les gestured to the bag that held the firebombs and extra supplies.

I sniffed. "Bring it, just in case. We'll find Marcello. Then we'll come here for Emile and we'll leave. Join the Caffarellis or leave Lovero, I don't care. As long as we're together."

Emile sat up in bed, rubbing his eyes with his fists. "Aunt Lea?"

"Oh." I rushed over, kneeling in front of him. "Yes, it's me."

He reached out for me and I grabbed him, holding him tight, his small arms wrapped around my neck.

He was so exquisite. I didn't want to ever stop looking at him. He let go of me.

"You went away," he scolded. "Did you bring my papa?"

My breath escaped me in a whoosh and I reached for him

again, but he saw Les over my shoulder and squirmed free of me.

"Papa!" He stumbled to Les. But when he got closer he slowed, perhaps seeing how tall Les was compared to Rafeo.

Les pushed his mask up and smiled at Emile, who stared at him suspiciously.

I scooped up Emile. He tucked his face against my neck, hiding.

"I don't have your papa." I rubbed his back. "This is Les."

"I want my papa." He pouted.

"Me too."

I walked him to the bed and set him down. "I want to you to listen to me carefully," I said. He nodded. "Les and I are going to leave you here—"

"No!" he shouted. I peeked at Allegra's crib, sure he would wake her. "I want to go with you!"

"You can come with us," I said. "But only if you're a big boy and can wait and be quiet." Before the attack Rafeo had been teaching Emile how to be patient, the first skill any clipper learned. "Can you do that?"

Emile picked at a scab on his arm while he kicked his legs. He nodded.

"Fine, then. You're going to *wait* and be *quiet* in your bed. And if you do a good job, Les and I will come back and find you and you can come with us."

Emile wrinkled his nose but nodded. I reached into my belt and pulled out the smallest knife I had, a push dagger designed to fit between my knuckles for a punch with a surprise. I handed it to Emile, and his eyes lit up.

"Be careful with it," I said. "You remember the rules?"

He nodded and held it in his pudgy palm. "Point out, not in."

I leaned over and kissed him on the forehead.

We left the room, and I watched him closely as we closed the door behind us.

"You just gave a weapon to a child," Les said.

"Yes."

"He's, what, four?"

"He's been handling weapons since he learned how to talk. He won't hurt himself."

Les shook his head. "Come on. Let's find my master and get out of here before we stumble on anyone else."

"This house is huge," I said as we stepped out into the hall. The sun was setting, I could feel it in my bones. "I'm not sure how we're going to find him."

"Nothing's beyond fixing yet. We can still save him. Save us."

I took a deep breath and nodded. Les was right. This wasn't the time or place to worry about it. We needed to find my uncle and get out as fast as possible.

From down the hall, a door creaked open and a man in his leathers stepped out of the room, stretching his arms above his head.

Les and I froze. He scratched the back of his head, his short blond hair messy from sleep, and glanced our way.

He did a double take. Tension filled the space between us

as he warred between running, attacking, or calling for help.

Les swore quietly beside me, dropping his hand to his cutter.

The spell broke.

The Da Via clipper took off, running down the hall as fast as he could. His footfalls made heavy thumps on the thickly carpeted floor.

Les and I sprang after him. The clipper had a head start on us and should have been able to escape. Yet somehow Les and I caught him easily. I tackled him, crashing into his back and forcing him onto the carpet. I sank my stiletto into his thigh and ripped it out, splashing the carpet with blood. He screamed, and I pressed the stiletto to the base of his skull.

"None of that now," I hissed.

He breathed heavily, his rising and falling body enough to lift me, but I didn't feel winded at all. I glanced at Les, who stood over us.

"Out of breath?" I asked Les.

He shook his head. "I feel amazing, like I could run for miles. And I can sense the sun's set."

"Me too," I said. Another gift from Safraella?

Below me, the Da Via clipper turned his head to look at me. His leg leaked blood at a steady rate. "I know you."

"If you don't shut up, you're going to get to know the point of my knife."

He looked at Les, then at me. He blinked. "You're dead. Both of you. I sank my knife into your back."

I examined him closer. I hadn't recognized him without

his mask, but his height and build were about right. As was his recently broken nose. "Nik," I spat. "I see you found your antidote."

"How are you here?" He squirmed under me, his eyes wide. "How can you be here?"

I jerked him to his feet. He wouldn't put weight on his injured leg, which bled heavily, and I was too short to keep a good hold of him. Les took my place and twisted Nik's arms behind him.

"We're here," I said, "because Safraella sent us."

He stared at my mask with wide, terrified eyes and didn't even try to struggle in Les's grip.

"Your Family has displeased Her," I continued. "She knows about Daedara, and She does not take kindly to treachery."

Nik swallowed. "I had nothing to do with that decision."

"Are you not a Da Via? Did you not use a priest of Daedara to cross the dead plains? You had a choice, and you sided with your Family over your god."

"Please," he choked, looking between the two of us. "Please . . ."

I held my finger to where my lips would have been on my mask. "Hush now. Here's what's going to happen. You're going to take me to my uncle, to Marcello Saldana. If he lives, we'll let you go to spend the rest of your life begging for Safraella's forgiveness. If he's dead, you'll die. Either way, I'd hurry before you bleed out."

I tapped his bloody leg with my stiletto, and he flinched.

"This way." He nodded down the hall.

Les marched him forward and Nik led us along the first hall, then another, until we reached a door that looked very much like all the other doors we'd passed.

"Through there," he said. "He's not dead. Estella wanted to deal with him tonight. He's not . . . in peak shape, though."

Les twisted Nik's arms until he grunted in pain.

I opened the door. It led to stone stairs, heading into darkness.

"My Family will find you," Nik said. I listened for voices or anything to tell me there was a person somewhere at the bottom of the stairs. "The sun's set, and if they're not up already, they soon will be. Even with Safraella on your side, you won't be able to stand up to all of us."

"Shut up." Les kneed him in his stab wound. Nik gasped, and his face paled.

I led the way down the stairs. Les pushed Nik before him, not caring if he stumbled or banged his leg.

Gone were the lush carpets and lavish wall hangings. The walls and floor were cold stone, damp from moisture and smelling of mold. There were four cells, reminiscent of the jail in Yvain, and the first on the right held my uncle.

"Master," Les breathed. He shoved Nik away from him. Nik stumbled and fell to the ground, crying out and cradling his injured leg.

Les pulled on the door to the cell. When it didn't give, he began to dig through his pouches for his lock picks.

Marcello sat on the floor in the corner of his cell, his head resting against his chest. His clothing was covered with filth, and even in the dim lantern light I could see the cuts that adorned his face and flesh and the blood and bruises painting his skin.

Marcello's eyes opened, and he blinked uncertainly before he lifted his head.

"Uncle," I called, and he focused on me. "We've come to save you."

He turned to Les, then slowly pulled himself to his unsteady feet.

Les popped the lock and rushed in to Marcello. Les tried to put my uncle's arms over his shoulder, but Marcello swatted him away before he grasped Les tightly in an embrace.

"Oh, my boy," Marcello mumbled as he patted Les's back and then examined his mask. "They'd told me they'd killed you. Both of you," he added as he pulled away. His lips were cracked, and his hair was tangled and matted.

"We did kill them!" Nik shouted from where he sat on the floor, using his leathers to tightly bind his thigh. "It wasn't even hard."

"You shut your fool mouth before I shove a knife down your throat," Les spat at him.

Marcello looked at me, questions racing through his eyes. I nodded.

"But how?" he asked.

"Have you forgotten that She is a god of resurrection as well?"

Marcello rubbed his face, wrinkled hands coated in dried and flaking blood.

"You're damn fools, both of you," he said quietly. "You shouldn't have come here. You shouldn't have come for me."

"But we did. I wasn't going to let them end us all."

"I've never seen such stupid, ignorant pride," he berated me. Les stepped between us and pushed his mask up.

"Master, shut up," he snapped.

Marcello glared at him, but Les put up a hand. "You don't have a say in it. Lea is the head of the Family, *our* Family. I side with her in this and all things from here on. Don't make me choose between you two, because all the love I have in my heart for you won't make me choose you. If you have a problem with that, you'll have to speak to Safraella on your own time, but right now we are saving you, saving the boy, and then getting out of here before any more Da Vias stumble upon us."

From the top of the stairs, the door creaked open.

Nik laughed. "Too late, Saldanas. Too late."

forty-two

THE THREE OF US RUSHED OUT OF THE CELL. FROM THE top of the steps a shadow tumbled down the stairs.

"Hello?" a voice called. The voice of a child, maybe no more than eleven or twelve. "Uncle Nik? Are you down here?"

"Raise the Family, boy!" Nik shouted. Les swore and swung toward him, his boot lashing out and connecting with Nik's temple. Nik slumped over, unconscious.

The boy's shadow vanished as he fled from the dungeon entrance, yelling as loud as he could.

"Well." Marcello brushed his hands on his pants. "That's done it."

"Let's move!" I said. We ran up the stairs and out of the dungeon.

The hallway was still blessedly empty, but I could hear the voices of Da Vias as the boy raised the alarm. I passed my sword to Marcello. We were in for a fight now. But if we could reach Emile quickly, we could flee the house and escape into the night, into the dead plains if we had to. Les and I could keep the ghosts away. I hoped . . .

We turned the corner. Two Da Via clippers raced at us, noiseless as they pulled out weapons, their faces hidden behind their masks.

Les swung left and I swung right, each of us focusing on a clipper, our communication silent yet completely understood.

I lunged at my adversary. He brought his sword up to block me. I dropped to my knees and stabbed him in the gut with my stiletto. He grunted. I hooked his ankle, pulling him off his feet so he crashed to his back.

Les swung his cutter at his adversary's mask. The Da Via pulled away. Les followed with a quick elbow to the face. The Da Via's bone mask cracked. A final swing with his cutter and the second Da Via lay on the ground beside the first.

Another entered the hallway. I jumped to my feet, ready to meet her. Marcello rushed between Les and me.

Once, for my birthday, Rafeo had taken me to see a show of traveling fire dancers. The women and men swung on ribbons and ropes that burned with flames. They ducked and weaved and spun through the air as it rained fire around them. None of them were burned.

Marcello fought like the fire dancers. All grace and silent movement as he danced around the clipper who wanted to kill him.

A moment later the Da Via was dead and Marcello turned

to face us, his chest heaving.

"Master . . . ," Les said.

"What?" he snapped. "Just because I'm old doesn't mean I'm feeble."

We ran down the hall once more, Marcello's breath wheezing in and out. I felt fresh. It had to be the resurrection, my stamina. Les's stamina. Perhaps She had given us this so we could do what needed to be done.

A figure stepped from a room, a tall cylindrical hat on his head, staff clutched in his grip. The priest of Daedara.

"Stop!" he commanded. He held the staff before him, and the crystal at the top flared white. Marcello covered his eyes and cried out, forced to step back from the light.

I felt nothing. The light was bright, I could see it in Marcello's reaction, but it didn't burn my eyes, didn't push me away. I stepped up to the priest and yanked the staff from his hands.

The priest stared at me, so shocked he didn't even fight me for his staff.

"But . . . ," he blubbered. "But I am the vessel for His holy light. . . ."

I snapped the staff over my knee and dropped the pieces to the ground. "You trespass onto Safraella's grounds. Your god has no power over me. Leave before you die."

The priest swallowed, his eyes wild and white, then he turned and fled swiftly down the hall.

"You could have killed him," Marcello said.

"He is a priest of his own god, worshipping in his own

way. Maybe I'm more favored than him and maybe not, but if he flees, perhaps he will warn other priests to stay away from Lovero. We belong to Safraella alone."

Three more Da Vias entered the hall. Had this not been a life-or-death situation, I would have rolled my eyes. They seemed to keep popping up.

The Da Vias charged and we took defensive stances. Three on three was manageable, especially with our skills. Still, the Da Vias were not easy. These three put the first ones to shame. They were older, well established in their abilities.

I darted left, dodging the daggers of my assailant. She was a lot taller than me, and I could practically hear her glee as she kept me on the defensive, pushing me against the wall.

To the right Les's assailant scored him across the back. But he carried the bag with the firebomb and extra materials, which shredded, protecting him. Two jars of acid fell out of his bag and thumped onto the thick carpet.

My attacker thrust at me. I used my lack of height to my advantage and dropped to the ground. I stabbed my stiletto into the meat of her thigh, then yanked it out. She gasped and her leg sprayed blood. I'd aimed for her artery and hit true.

She stumbled backward, pressing against her leg, then crumpled to the ground.

I snatched up a jar of acid. My uncle's assailant had pushed him against the wall, and I threw the jar as hard as I could.

It struck the Da Via in the back and shattered, the acid spraying over him and the carpet below. It hissed, eating into his leathers. He began to scream, sharp, panicked cries as he tried to rip off his leathers.

Marcello stabbed him in the throat, and his cries faded into wet burbles and moans.

Les finished off his assailant with a slash from his cutter, and we paused as Marcello caught his breath.

Les stared down at the dead Da Via with the acid-pocked leathers, which were smoking noiselessly. He slipped off his mangled pack. "Someday we should make some acid bombs."

I couldn't disagree with that suggestion.

We headed down the hall quickly. When we finally reached Matteo's bedroom, we slid inside, closing the door behind us.

Footsteps thundered outside the hall. More Da Vias. We were out of time.

"What are we doing?" Marcello coughed loudly.

I rushed to the nursery door, just off the bedroom. "Retrieving the rest of our family."

Marcello looked down at Matteo, dead on the ground. "Who is this? He has the appearance of a Saldana."

I opened the nursery door. "He's my brother."

"You killed your brother?"

"No," Les answered. "I did."

The nursery was just as dark as I'd left it. Emile lay on his bed, blinking with sleepy eyes, knife in hand.

I scurried over to him. "Time to go."

"Who is that?" Marcello asked.

"Emile Saldana," Les said. "Rafeo's son."

I pushed Emile toward Marcello and Les. Then I strode to the crib where Allegra slept. I gathered her into my arms, taking a blanket as well.

"Lea, what are you doing?" Les asked.

"We're taking her."

"Why?"

"Because she has Saldana blood in her too. She's family."

I handed her to Les, who held her still as she woke and began to fidget. I twisted the blanket around my leathers, tying it in the front as I'd seen Silva, our nursemaid, do when Emile was younger. I took Allegra from Les, and she cried until I tucked her into the blanket sling across my chest.

"You're going to fight in that?" Marcello pointed at me. "With an infant strapped across your chest?"

"If I have to." I grabbed Emile's hand in my left, leaving my right hand free for my stiletto. "Let's go."

In Matteo's bedroom, Les opened the door and peeked into the hallway. He opened it fully and gestured for us to follow him.

The hallway was deserted. I said a silent blessing of thanks to Safraella. Les scooped Emile up as we hurried down the hall, watching for more Da Vias.

One more corner. Then it was straight across the great room to the door and freedom.

We rushed into the great room and stopped.

In front of us stood more than twenty Da Vias, armed and waiting for us. In the center stood a women in her sixties.

Beside her stood Val.

I tucked Emile behind the three of us. The Da Vias blocked the exit from the house. We'd have to get through them to escape, but it didn't matter how good a clipper Marcello was, or how much divine energy coursed through Les and me, we couldn't handle so many Da Vias. Time for my backup plan.

"Marcello," the woman in the center said. She had a rich voice and gray hair that tumbled in waves around her shoulders. She wore no mask. Estella Da Via. "So quick to leave our hospitality, husband of mine."

He lifted his sword. "I've had better hospitality from sewer rats. And I see the years haven't been kind to you, Estella."

She glared at him, and a few of the Da Vias shifted in response.

"Let us pass," I said. "And no more of your blood need be spilled."

A few of the Da Vias laughed, but some of them looked to Estella.

"Lea?" Val asked, shocked. In the group of clippers, Blood Spatter and Grape Leaves turned to each other. Claudia, without her mask, pushed her way from the rear to stand beside Val.

"Val," I responded.

"I saw you die." He looked to Claudia and then to me. "How are you here? How did you survive?"

"These are secrets you would know if you hadn't turned your back on your god."

None of them laughed this time. Most of them shifted uncomfortably or glanced to Estella.

"Was it easy?" I asked. "Forsaking Her, who had given you so much?"

"So much?" Estella sneered. "So little, you mean. No children. Disrespected by the Saldanas and the Maiettas. Shamed among the Families. These are not gifts She gave us."

"Gave *you*, you mean," Marcello interrupted. "How much arrogance did it take to use your personal shame to convince your Family to turn away from Safraella?"

"Do you so quickly forget about Terzo's death? How you murdered him? My brother was loved."

"*You* murdered Terzo," Marcello countered. "You brought about his death when you set him upon Savio. *You* and your damned pride are to blame!"

She flicked her wrist, dismissing his words. "Savio was nothing. Terzo said he begged for mercy, like a common man."

Marcello moved to stride forward and only Les's arm blocking him held him in place. "And so instead you kill Dante and Bianca? Their children? All for what? To prove your point? To prove that your anger has festered inside you until it's all that's left?"

She shrugged. "A secondary benefit. But it was Dante's influence on the king that put my plan into motion."

"Marking your kills," I said. She faced me. "That's what this was about? You were afraid the king would make you mark your kills?"

"The Da Vias helped put Costanzo Sapienza on the throne, and this is how he repays us? Forcing us to spend our gold on the dead?"

"Oh, of course," I scoffed. "It must be extra hard, giving a coin to Safraella when you'd turned your back on Her! You killed my Family to keep your little secret safe, to keep it hidden that you'd turned to Daedara and were clipping people falsely. What about all those people who paid you? What about all those people who found the bodies of their friends and families at the cleaners and at least could take comfort that you had delivered them into Safraella's arms?"

"What about them?"

"All those people made angry ghosts." I shook my head. "Because one woman was spurned by a man she never even loved."

Behind the Da Vias, a flash of white appeared, then vanished. Les and Marcello shifted beside me. They'd seen it too.

Allegra stirred in her sling and whimpered.

Claudia pushed aside her brother and pointed at me. "Is that my daughter?"

I looked at Allegra, and she calmed. "No. She's a Saldana now."

Val grabbed Claudia's wrist as she rushed at me, holding her back. She swung her hand at Val, trying to strike him across the face. He ducked his head aside.

Another white flash appeared behind them. Closer this time. Then another.

"Claudia, don't," Val said. "She's been resurrected by a god."

"I don't care! She has my daughter!"

"I don't care either," said Estella. "Kill them. Kill all three of them."

The Da Vias moved toward us.

"You should care!" I yelled. They paused.

"And why is that, Oleander Saldana?" Estella snapped.

"The city wall outside your house is crumbled," I said.

"The entire city is surrounded by crumbling walls."

"But you've forsaken Safraella, which means you've given up Her protection. She's revoked it from your house."

Behind them, more flashes of light appeared, and a few of the Da Vias finally noticed them.

"And I brought the angry dead with us."

One of the Da Vias shouted. She shoved past her Family, trying to escape. More of them turned to see what had frightened her, and then the room filled with screams as they tried to run from the angry ghosts that poured their way inside the house, coming from the courtyard that led to the dead plains.

The Da Vias had turned from Safraella, and now She'd turned from them.

The ghosts, close to forty of them, screamed louder than the Da Vias as they chased after the living. Some of the Da Vias, in their mad fright, fought back, swinging their swords or daggers at the apparitions. The ghosts latched onto their flesh and peeled their souls from their bodies.

Chaos. Chaos everywhere. A ghost came too close to Les and was repelled. It crashed into a Da Via who'd almost made it out of the great room. Marcello snatched up Emile, then stayed as close to Les as he could. Cries bounced off the marble columns. Ghosts shrieked. Da Vias died.

Val, Claudia, and Estella stood together in the center of the room, trapped by the pandemonium surrounding them.

"Lea!" Val shouted, panic in his eyes as he dodged a ghost. "Help me!"

A ghost rushed at me but met Safraella's barrier. It recoiled, crashing into Estella. It knocked her soul completely out of her body. A ghostly version of the head of the Da Via Family floated in shock. Her body flopped about as the ghost tried to gain control of it.

Claudia shrieked. She and Val stumbled away as Estella's ghost tried to fight for ownership of her flesh.

"Just run!" I shouted at Val.

He glanced at me, then back at Estella. He grabbed Claudia's hand and took off, dragging her behind him.

I didn't wait to see if he made it out of the room. We walked toward the exit, the surviving Da Vias too busy trying to remain alive to pay us any mind.

Estella's body reared up as we passed. I placed my hand on its neck, ejecting the ghost from her body.

Estella tried to climb back into her body, but there were other ghosts willing to fight her for it. We continued on our way, out of the great hall, down the stairs and outside. A ghost tried to follow us, but Safraella's protection remained over the rest of the city. She had removed it only from the Da Vias' home.

Many of the Da Vias had been ripped from their bodies. Some would vanish, to meet Safraella and face Her judgment, but others might become angry ghosts, as Lefevre had.

It didn't really matter. I'd done what Safraella had asked of me. And I'd done what I knew in my heart was right. I'd saved Marcello and Emile and Allegra. I'd saved my family this time.

The ghosts could take the rest.

forty-three

I SLID OPEN THE SECRET ALCOVE AND STARED AT THE candles hidden inside. The candle with the black ribbon still stood tall. I picked it up. He'd left the Saldana candle among the others.

I lit the wick and slid the alcove shut before taking a seat. I didn't have to wait long.

The king walked into the room and sat across from me. I slipped off my mask and set it on the desk, rubbing my face.

"Are they all dead?" he asked, his voice emotionless.

"No. Surely some escaped. But Estella is. Perhaps a new head will steer them straight."

He blinked and took a deep breath. "I was told . . . Well. I was told a lot of things about what happened last night and I'm not sure which, if any, are true."

"What would you like to know?"

He picked up my mask, turning it in his hand. "You have a new mask."

"It was a gift from Her."

"And you truly used ghosts as weapons?"

I shrugged. "It wasn't as easy as all that."

He handed the mask back to me, and I placed it on the top of my head.

"How did the ghosts even get in? Surely my protection—"

"Was revoked from the Da Vias by Safraella. They were taking coin falsely from the people of Ravenna. She removed any protection on their home. The crumbled walls allowed the ghosts inside their house. You needn't worry about the rest of the country. Your protection will remain as long as your faith is strong, but I would make sure the people know not to use the Da Vias' services until they have once again proven themselves worthy of Her. The people of Ravenna can trust the Caffarellis. Or the Maiettas, if they must."

He nodded. I'd been so angry when he'd refused to help me. But he was the head of a Family too, the entire kingdom, and sometimes we had to give up what we wanted for the greater good of those we were responsible for.

Maybe it had taken me too long to realize this.

"You'll rebuild your home, then?" he asked. "Try to earn back your rank?"

I shook my head. "No. We won't be staying. There's no place for us here. Not now. Maybe never again."

He shifted in his seat before leaning forward. "Don't you think it would be best if you stayed in Lovero?"

"I'm the head of the Family now. I decide what's best." I stood.

"For what it's worth, Lea, I'm sorry. That it came to this."

"Me too," I said. "Me too."

I left the king in his secret room. Whether he kept the black candle in the alcove or removed it was up to him.

I didn't look back.

The sun had risen by the time I rode Butters back to Lilyan. I pulled off my mask and tied it to my belt. The last time I'd felt Loveran sun on my face had been after the fire. It was nice to feel it now, with my heart lighter.

I made my way to the inn where Les and Marcello were waiting for me with their horses.

Outside, a figure stood on a roof, his face covered by a mask of purple flames. He raised his hand. I nodded and he vanished.

"Friend of yours?" Marcello pulled himself into the saddle of the horse we'd found for him. Les lifted Emile to sit in front of my uncle.

I took Allegra from Les, tying her sling around my chest. "So it seems."

"Well." Les nudged his horse beside me. "Where to, then?"

"Yvain," I said. "At least for now. From there? Wherever we want. A traveler boy once told me that not everyone is lucky enough to get a fresh start."

"Ah." Les smiled. "And was this traveler boy dangerously handsome?"

"Definitely."

"And quick on his feet?"

"Not just his feet." I leaned closer to him.

"Maybe I should be jealous." Les reached for me, drawing me in for a kiss.

Allegra stirred in her sling, then opened her eyes and watched us. Les pulled away. "Was it worth it?" he asked.

"What?"

"Your family. Was it worth it?"

"Dying for?"

He nodded.

My family had been murdered, and it had been partially my fault. They'd left me alone to avenge them, to do right by them and by our Family. They could never be replaced.

But here I was, surrounded by a new family. The children of my brothers. An uncle who often seemed to despise me as much as care for me, and a fake clipper I'd found on the foreign streets of Yvain. But these descriptions didn't encompass who they were, what they'd come to mean to me. Emile had clutched that knife in his hands because he trusted me to take care of him. My uncle had rescued an orphaned boy from the streets before the ghosts could find him. And Les . . . Les had given me a reason to live again, in more than one way.

Trusting the wrong people had gotten my family killed. But trusting the right people had returned it to me again. Jewelry and dresses and feathered masks were beautiful things, but so were good food and sleep, family and friends, love and letting go. I would never again have the family

I'd lost, or the beautiful things that were taken from me. But maybe I could start again with this new family and see where it would lead. Maybe Les had been right. Maybe Family wasn't stronger than family. And maybe family was what we made of it.

Was that worth dying for?

"Yes," I answered. "A thousand times yes."

Les laughed, and I joined in. Marcello scowled at us as we made our way north.

Acknowledgments

And here we are with an actual, real book in hand. Ta-da! (Imagine some jazz hands here. Really good ones.)

But, as usual, there was no way this book would have happened on its own. I mean, obviously it had to be written, but I would have never gotten here without the help of some amazing and wonderful people. So begins the list of awesome.

Thanks to my agent, Mollie Glick, who did a fantastic job getting this book, and me, where I belonged. To my editor, Alexandra Cooper, who knew exactly how to make the story stronger without freaking me out, and Alyssa Miele and the rest of the wonderful team at HarperTeen. You are all amazing and it's a privilege working with you.

There were quite a few people who read previous drafts and helped shape the early stages of this book. Lola Sharp, Summer Poole, Brandon Stenger, Marieke Nijkamp, Matthew MacNish, and Tricia Conway, thank you for taking the time to read my pages. I owe you forever.

And thanks to cheerleaders Kristin Rae, Rena Rocford, Jennifer Kirkeby, Molly Beth Griffin, Megan Atwood, and my wonderful friends from the QueryTracker Forum. Most of you I've never met in real life and I hope we can rectify that one day.

To my UMWADS writing group: Hannah Oman, Austin Gorton, and Ryan Spires. Years of beer, bar food, and fake titles and look what happened. Who would have guessed?

High fives and hugs to the amazing faculty, students, and staff at Hamline University's MFA in Writing for Children and Young Adults. It was one of the best decisions in my life to apply and meet all you lovely writers. A special shout-out to my advisors Anne Ursu and Laura Ruby, who said the most wonderful things about my writing while telling me I needed to rewrite my essays. And especially to my classmates in The Front Row: Jessica Mattson, Brita Sandstrom, Josh Hammond, Zack Wilson, Jennifer Coates, Kate St. Vincent Vogl, Anna Dielschneider, and Gary Mansergh. I'm sincerely blessed to have met you. I can't wait to be friends for the rest of our lives.

Last, but never least, is my wonderful family. My parents, Joe and Sandy Ahiers, and my siblings, Anne Ahiers, Patrick Ahiers, and Cassie Ahiers. For never doubting, and for all the support and excitement. And, you know, the love.

TURN THE PAGE FOR A SNEAK PEEK AT

THIEF'S CUNNING

THE SEQUEL TO

ASSASSIN'S HEART

one

I DIDN'T FIT.

The night moon glowed overhead, cool and soft and bright. I'd slipped off the dark roof and into the darker room through the window, but my hips had gotten wedged, and try as I might, I couldn't pull my way through. I was stuck, half in and half out of the bedroom before me.

I stifled a sigh and instead held my breath, waiting, listening for any movement, any sign I'd been found. Nothing. The house was silent and still.

At least no one was around to see me in my amateur predicament.

I twisted, using my hips to push the window up a little more. I tumbled the rest of the way into the bedroom, catching myself on my hands. I lowered my body carefully to the floor. Even the slightest bit of noise on my part would attract attention, and that would be the end of it.

I adjusted my bone mask, decorated with raindrops, over

my face. A deep breath calmed the twitching in my muscles, my fingers, the blood rushing through my veins as it begged me to spring into action.

But this was not a time for action. This was a time of stealth.

I slipped out of the dark bedroom and into the darker hallway, closing the door so quietly it barely clicked as it latched. My ears strained for any noise. There was nothing.

I slid my feet across the hall floor, then gently stepped down the stairs, one after another, tiptoeing along the wall so the floorboards wouldn't squeak beneath me.

The common room spread before me, empty and quiet in the night. Moonlight from a single window cast beams across the dining table, motes of dust sparkling for an instant before passing from sight. Scents from the remains of dinner brushed over me—lamb, spiced with fresh herbs, and ripe summer fruit.

My mouth watered.

Down another flight of stairs, pausing every few moments to listen, to let my eyes unfocus, to catch any slight movements hidden in the shadows. My leathers creaked, keeping me snug in their tight embrace.

The shop on the ground floor stood empty and still like the rest of the house. Bottles filled with perfumes and concoctions lined the shelves, and though the shop had been scrubbed clean, the faint scent of goldencones and tullie blossoms reached me.

To anyone else, it would appear there was nowhere further

to go, that I had reached the end of my travels. But I wasn't anyone else. I was a clipper. My world was a world of secrets.

In the back room of the shop, past the flowers and herbs hanging from the ceiling and the jarred liquids waiting to be combined for later sale, I depressed a small, concealed latch. A hidden door slid silently open.

I crept through and closed the door tightly. Behind the hidden door of the shop was a hatch in the floor. I squatted and pulled a key from a pocket on my hip. The key fit perfectly into the lock. I twisted slowly until the lock turned over.

The hinges of the hatch were whisper quiet. They'd been well oiled. Beneath the hatch stood a ladder, leading deeper into darkness.

I exhaled, then stepped onto the rungs. I descended.

My eyes had adjusted to the night, but the room at the bottom of the ladder was so dark that blindness weighed me down like the heavy stones of the building above. It would be easy to panic, to let the crushing darkness and fear overtake me. I could scramble up the ladder to the shop and the fresh air and freedom that awaited me there.

But for once it wasn't freedom I sought, but answers.

And panic was for amateurs.

A breeze of fresh air brushed across my neck. I followed it. My senses stretched and pushed into the darkness for any signal or sign.

The room opened into a larger one. A small glow of orange light emerged from a hearth and the dying embers nestled in the embrace of the ashes. Hardly any light at all, really, but it seemed a noonday sun after the darkness at the bottom of the ladder.

The room was rectangular, with the hearth in the middle. Before the hearth rested chairs and a short table for reading or conversing. At one end of the rectangle stood the kitchen, with a dining table. At the other end of the room weapons leaned in racks, glinting quietly in the dying firelight, their edges well honed.

The room appeared empty.

It lied.

I inched forward.

I listened.

I watched.

My fingers twitched at my belt, the knives waiting for me to need them.

A blade pressed tightly against the skin of my throat. Then a breath, quiet, yet filled with arrogance and triumph all the same.

A voice whispered in my ear, "You lose."

two

I CLOSED MY EYES AND SIGHED, LIFTING MY HANDS INTO the air.

"I thought this year would be the year." My voice sounded loud in the dark.

The knife vanished and my throat seemed to ache for the blade's presence. I fought against the urge to rub my skin.

Behind me, a lamp flared, filling the room with its muted, yellow glow.

I turned. My uncle Les stared at me with a grin. "You'll never be able to best me."

I pushed my mask to the top of my head. "One day you'll be old, and I'll still be young. Or younger than you, anyway, and I'll find you before you find me."

He held out his arms and I sank into his hug, feeling his long arms wrapped around me.

"That day will never come," he teased.

I snorted and pushed free of him.

From the back hallway the rest of my Family appeared, carrying more lamps until the basement was filled with their merry glow.

"Happy birthday, Allegra." Les kissed me on the top of the head.

"How far did I make it before you caught me?" I asked.

"The ladder." My aunt, Lea, set her lamp on the kitchen table near the presents that awaited me. She pulled out a chair and sat. "The rungs were sandy and your boots scraped across the metal as you came down."

I grimaced.

Les waved his hand at me. "Don't punish yourself. We only noticed because we were expecting you."

"Still," I said.

My cousin Emile took a seat across from our aunt. He'd made it all the way to the table and his presents on his birthday two years ago. Granted, he was older than me, but it still stung.

Emile yawned and ran his fingers through his curly hair. "Let's get this started so we can go back to bed."

I sat beside him, shoving him with my shoulder. "Only some of us had the luck not to work tonight."

I'd been at the same job for over a week now. The mark was holed up inside his house and I was getting tired of watching and waiting, only for nothing to happen.

Five wrapped parcels and boxes, varying in size, rested on the table. I considered holding them, testing their weight, shaking them, maybe.

Behind me, Les placed his hands on my shoulders. "It doesn't matter how long you stare at them—they won't give up their secrets, *kuch nov.*" Darling child, in Mornian. It was what he always called me.

Excitement made my finger twitch. Not so much at the presents, though they certainly held an appeal. But because it was my birthday and I was officially an adult. Which meant it was finally time for some answers.

My great-uncle Marcello took a chair across from me. "Another birthday," he grumbled. "Don't even see the point."

"You say that, Uncle," I said. "But there are five presents on this table, which means one is from you."

He scowled.

Beatricia waddled past me, belly stretched before her as she carried a tray of birthday tarts.

"That looks heavy," I said.

She snorted. "I'm not so pregnant that I can't carry a tray of tarts. Besides, look!" She balanced the tray on her stomach and I laughed.

Faraday, our Family priest, grabbed the tray and kissed her quickly on the cheek.

My aunt Lea hid a small yawn behind her hand. "Come, it's time for presents and tarts."

I grabbed my birthday tart and bit into its flaky crust. The berries popped in my mouth with bright flavors and the sugars they'd been boiled in.

"You've outdone yourself this year, Beatricia." Emile

brushed the crumbs off his shirt.

"If there's one thing I know, it's food." She patted her stomach and sank into a chair. Faraday sat on the arm beside her and clasped her hand in his. Neither Faraday nor Beatricia were clippers, but they were part of the Family and their baby would be the first born to the Saldanas in over twenty years. It was evidence that not only had the Saldanas survived the attempt to destroy them, but that they—we—were starting to thrive once more.

Eighteen years ago, a rival Family, the Da Vias, had set fire to the Saldanas' home. Lea had fled here, to the country of Rennes and the city of Yvain, looking for her uncle, Marcello, to help seek revenge.

Emile wiped his mouth with his napkin and then tossed me a box. I caught it and popped the lid open. Inside was a new push dagger. I slid it into my palm and closed my fist. The blade slipped easily between my knuckles.

"You've been complaining your old one is too big for your tiny hands."

I rolled my eyes, but not without a smile. "This one fits much better," I said. "Thank you."

He nodded and leaned back in the chair.

Marcello gave me a new pouch, the leather hand-stitched in a pattern of raindrops, like my mask.

Faraday and Beatricia gave me a journal, the cover made of thin calfskin, and with paper pressed so fine I could barely feel the grain. Faraday's favorite pastime was making paper, and he particularly liked to experiment with crafting it out of the myriad flowers found throughout Yvain. Those pages were splashed with color, and sometimes one could even catch a hint of fragrance from them.

The first few pages of the journal were filled with Faraday's neat script and a family tree for each of the nine Families.

From my aunt Lea I expected to get another weapon. A sword, maybe, or a new stiletto. It wouldn't be poisons, because she'd long ago accepted I would never have her skill with them. But instead she handed me a small bundle that, when opened, contained a delicate silk scarf. I held it before me and the lamplight caused the gold thread embroidery to sparkle.

My face must have registered my surprise because she immediately offered an explanation. "Just because we're clippers doesn't mean we can't own beautiful things."

Lea had once owned dresses and jewelry. But when the Da Vias attacked, Lea had lost everything, and everyone.

Only Lea had escaped their knives. Well, Lea and Emile and I, but Emile had been four, and I had been a tiny infant. We grew up knowing the Da Vias had killed our parents, leaving Emile and me as orphans. Or so we were told. I had no memory of it. Of my parents. Of the things I'd lost.

Sometimes, when Lea and I were in the market together, I would catch her staring wistfully at a particularly exquisite dress or necklace. And I knew she was remembering her home and the fashions of Lovero. I hoped one day to see them.

"Is it all right?" Lea asked.

I'd been staring at the scarf wordlessly. I clutched it to my chest. "I love it. Thank you."

"Last one." Les handed me a box, the smallest yet. He gestured for me to open it.

I slid off the lid, and inside rested a stone, a disc of agate with shades of blue radiating from the center, its three rings polished to a high sheen. Les's mother's necklace.

His mother had been murdered when he was a small boy, and his grandfather had abandoned him on the streets of Yvain. Before that, though, Les had taken his mother's necklace from her body. It was the only thing he had to remember his traveler life and family from before Marcello had taken him in.

I studied him and saw what I had overlooked before: the pendant was missing from around his neck.

I lifted the stone from the box and felt the heavy weight of it in my hands. "This was your mother's." My voice sounded quiet, even in the quiet room.

"And now it's yours. It's meant to be worn by a woman, and I want you to have it, *kuch nov.* The travelers say it has old magic, though it's certainly never done anything for me. But maybe it will bring you better luck." He smiled.

He wasn't my father. Les. He wasn't even related to me by blood, something I used to cry about as a child, especially on the days where I didn't seem to fit in with my Family, days that multiplied the older I grew. I was too rambunctious. Too rash. Too . . . everything. It wasn't fair to have parents who weren't really your parents. To have people who loved you who weren't even a part of you.

Lea would tell me it didn't matter. That Family comes before family in the world of clippers, but I knew she didn't really believe that.

But here Les had given me the only thing he had to remember his mother by, the only tie he had to the traveler child he'd once been, to remind me that maybe he wasn't my blood, but that it didn't matter. Anyone could be family. Anyone could fit, as long as you loved them.